여러분의 합격을 응원하는
해커스공무원 ~~█~~ 혜택

KB084121

FREE 공무원 국어 **특강**

해커스공무원(gosi.Hackers.com) 접속 후 로그인 ▶ 상단의 [무료강좌] 클릭 ▶ [교재 무료특강] 클릭하여 이용

文 **최다 빈출 한자 200**[PDF]

해커스공무원(gosi.Hackers.com) 접속 후 로그인 ▶ 상단의 [교재 · 서점 → 무료 학습 자료] 클릭 ▶
본 교재의 [자료받기] 클릭

 해커스공무원 온라인 단과강의 **20% 할인쿠폰**

9 7 6 F 5 6 4 A 8 9 4 E 3 A 6 B

해커스공무원(gosi.Hackers.com) 접속 후 로그인 ▶ 상단의 [나의 강의실] 클릭 ▶
좌측의 [쿠폰등록] 클릭 ▶ 위 쿠폰번호 입력 후 이용

* 등록 후 7일간 사용 가능(ID당 1회에 한해 등록 가능)

해커스 회독증강 콘텐츠 **5만원 할인쿠폰**

6 2 D F F 3 2 3 A 8 F B 3 5 4 9

해커스공무원(gosi.Hackers.com) 접속 후 로그인 ▶ 상단의 [나의 강의실] 클릭 ▶
좌측의 [쿠폰등록] 클릭 ▶ 위 쿠폰번호 입력 후 이용

* 등록 후 7일간 사용 가능(ID당 1회에 한해 등록 가능)
* 특별 할인상품 적용 불가
* 월간 학습지 회독증강 행정학/행정법총론 개별상품은 할인대상에서 제외

📱 해커스 매일국어 **어플 이용권**

E Q 2 V T B O 1 A G C Y P 9 8 D

구글 플레이스토어/애플 앱스토어에서 [해커스 매일국어] 검색 ▶
어플 다운로드 ▶ 어플 이용 시 노출되는 쿠폰 입력란 클릭 ▶ 쿠폰번호 입력 후 이용

▲ 매일국어 어플 바로가기

* 등록 후 30일간 사용 가능
* 해당 자료는 [해커스공무원 국어 기본서] 교재 내용으로 제공되는 자료로, 공무원 시험 대비에 도움이 되는 유용한 자료입니다.

쿠폰 이용 관련 문의 **1588-4055**

단기 합격을 위한
해커스 커리큘럼

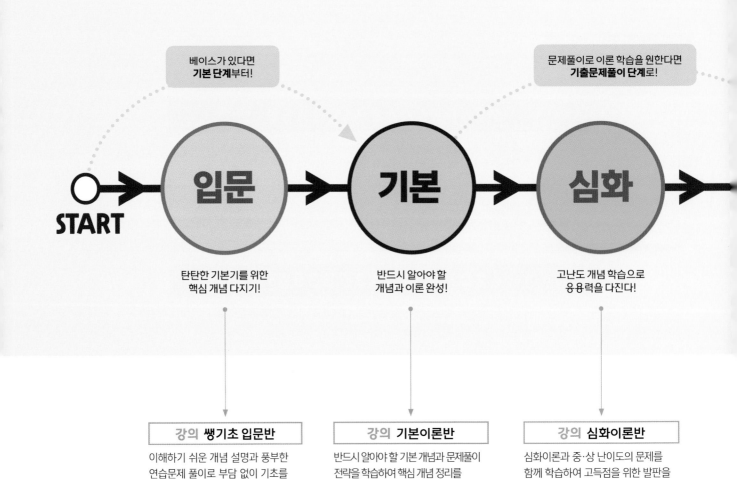

베이스가 있다면
기본 단계부터!

문제풀이로 이론 학습을 원한다면
기출문제풀이 단계로!

START → 입문 → 기본 → 심화 →

탄탄한 기본기를 위한
핵심 개념 다지기!

반드시 알아야 할
개념과 이론 완성!

고난도 개념 학습으로
응용력을 다진다!

강의 쌩기초 입문반

이해하기 쉬운 개념 설명과 풍부한
연습문제 풀이로 부담 없이 기초를
다질 수 있는 강의

강의 기본이론반

반드시 알아야 할 기본 개념과 문제풀이
전략을 학습하여 핵심 개념 정리를
완성하는 강의

강의 심화이론반

심화이론과 중·상 난이도의 문제를
함께 학습하여 고득점을 위한 발판을
마련하는 강의

단계별 교재 확인 및
수강신청은 여기서!
gosi.Hackers.com

* 커리큘럼은 과목별·선생님별로 상이할 수 있으며, 자세한 내용은 해커스공무원 사이트에서 확인하세요.

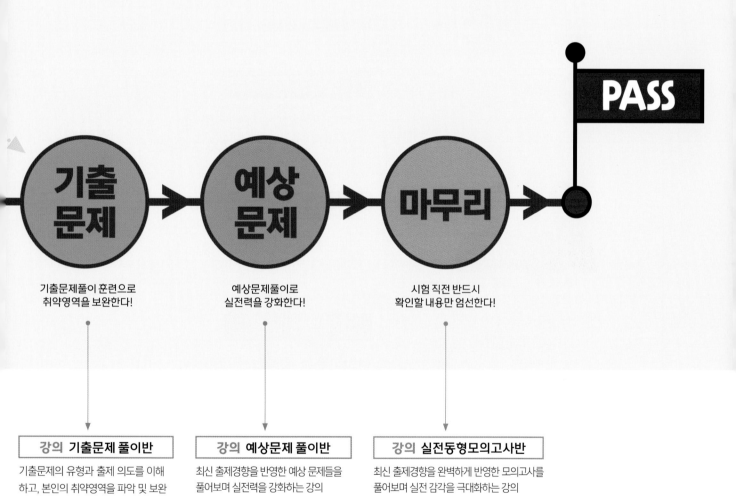

기출문제
기출문제풀이 훈련으로
취약영역을 보완한다!

예상문제
예상문제풀이로
실전력을 강화한다!

마무리
시험 직전 반드시
확인할 내용만 엄선한다!

PASS

강의 기출문제 풀이반
기출문제의 유형과 출제 의도를 이해
하고, 본인의 취약영역을 파악 및 보완
하는 강의

강의 예상문제 풀이반
최신 출제경향을 반영한 예상 문제들을
풀어보며 실전력을 강화하는 강의

강의 실전동형모의고사반
최신 출제경향을 완벽하게 반영한 모의고사를
풀어보며 실전 감각을 극대화하는 강의

강의 봉투모의고사반
시험 직전에 실제 시험과 동일한 형태의
모의고사를 풀어보며 실전력을 완성하는 강의

5천 개가 넘는
해커스토익 무료 자료!

대한민국에서 공짜로 토익 공부하고 싶으면   해커스영어 Hackers.co.kr ▾   검색

RC 정수진   RC 이상길

강의도 무료

베스트셀러 1위 토익 강의 150강 무료 서비스,
누적 시청 1,900만 돌파!

3,730제 무료

문제도 무료

토익 RC/LC 풀기, 모의토익 등
실전토익 대비 문제 3,730제 무료!

LC 한승태   RC 김동영

최신 특강도 무료

2,400만뷰 스타강사의
압도적 적중예상특강 매달 업데이트!

공부법도 무료

토익고득점 달성팁, 비법노트,
점수대별 공부법 무료 확인

전원 무료

*미션 달성 시

가장 빠른 정답까지!

615만이 선택한 해커스 토익 정답!
시험 직후 가장 빠른 정답 확인

더 많은 토익무료자료
보기 ▶

공무원 국어

합격 가이드

매년 치열해지는 공무원 시험 경쟁에서 국어는 합격을 위한 가장 기본적인 과목입니다.
해커스 공무원시험연구소는 수험생 여러분이 합격으로 가는 여정에 길잡이가 되어 드릴
수 있도록 공무원 국어 시험의 최신 출제 경향을 정확하게 분석하고 문법·독해·논리·
문학·어휘의 방대한 내용을 체계적으로 정리하였습니다. 탄탄하게 정리된 학습 내용과
회독별 맞춤형 학습 플랜을 토대로 빠르게 공무원 시험에 합격하시기를 기원합니다.

1. 공무원 국어 시험 구성 및 최신 출제 경향
2. 공무원 국어 영역별 출제 유형
3. 해커스 단기 합격 기본서 학습 플랜

공무원 국어 시험 구성 및 최신 출제 경향

1. 시험 구성

공무원 국어 시험은 총 20~25문항으로 구성되며, 크게 4개의 영역(문법, 독해·논리, 문학, 어휘)으로 나눌 수 있습니다. 국가직·지방직·서울시·국회직 시험은 평균적으로 문법 영역에서 24%, 독해·논리 영역에서 41%, 문학 영역에서 22%, 어휘 영역에서 14%가 출제되고 있으며, 법원직은 48% 이상이 문학에서 출제되고 있습니다.

시험 구분	총 문항 수	영역별 출제 문항 수			
		문법	독해·논리	문학	어휘
국가직 9급	총 20문항	2~3문항	9~12문항	3~4문항	2~4문항
지방직 7/9급	총 20문항	1~3문항	9~11문항	4~5문항	4~5문항
서울시 9급	총 20문항	9~11문항	2~5문항	3~5문항	1~2문항
법원직 9급	총 25문항	5~10문항	5~10문항	9~16문항	0~1문항
국회직 8급	총 25문항	8~9문항	12문항	2~3문항	1~3문항

* 서울시 9급 국어과목 시험은 2020년부터 지방직과 동일하게 인사혁신처에서 출제했습니다.

2. 최신 출제 경향 및 2025년 시험 대비 전략

독해·논리 독해·논리 문제를 꾸준히 풀어 보며 신유형에 익숙해져야 합니다.

독해·논리에서는 독해가 약 75%를 차지하며 그중 추론적 독해가 독해 문제의 약 40%를, 사실적 독해가 약 35%를 차지합니다. 사실적 독해에서는 세부 내용 파악이, 추론적 독해에서는 내용 추론이 많이 출제되는 경향을 보입니다.

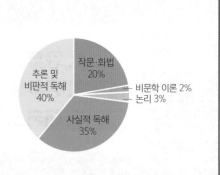

2025 대비전략

강화·약화 문제, 논리 퀴즈 등 논리적 사고력을 요구하는 문제가 새로 출제되기 시작할 것으로 예상됩니다. 따라서 유형별 문제 풀이 전략을 익히고, 기출 문제와 예상 문제를 충분히 풀면서 새로운 문제 유형에 익숙해지는 것이 중요합니다. 더하여 실제 업무 현장에서 활용할 수 있는 말하기 전략, 공문서, 보고서 고쳐쓰기 문제도 꾸준히 출제되고 있으므로 문제 풀이를 통해 빈출되는 표현이나 고쳐쓰기 지침을 알아두면 좋습니다.

문법 필수 문법, 어문 규정을 정확하게 파악하고 적용할 수 있어야 합니다.

문법은 음운론·형태론·통사론·의미론을 주요 내용으로 하는 필수 문법과 표준 발음법·한글 맞춤법·표준어 규정 등으로 구성된 어문 규정의 출제 빈도 및 비중이 가장 높습니다.

2025 대비전략

기존에 자주 출제되던 암기형 문제보다는 지문에 제시된 문법 이론을 바탕으로 선택지의 내용을 추론하는 문제가 출제될 것으로 예상됩니다. 문법 이론의 개념과 원리를 정리하고 문제 풀이를 통해 문법 이론을 적용해 보는 연습을 하는 것이 좋습니다.

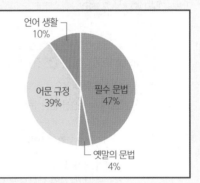

문학 필수 문학 이론, 필수 문학 작품, 작가의 특징을 학습해 배경지식을 쌓아야 합니다.

문학에서는 중등교육과정에 포함되어 있는 필수 문학 작품이 주로 출제되나 생소한 작품이 출제되기도 합니다. 또한 지문은 현대 문학 작품이 약 55%를, 고전 문학 작품이 약 45%를 차지합니다.

2025 대비전략

기존에 자주 출제되던 암기 위주의 작품 제시형 문제보다는 지문에 제시된 문학 작품 해설이나 문학 이론을 잘 이해하였는지를 묻는 유형의 문제가 출제될 것으로 예상됩니다. 따라서 필수 문학 이론과 빈출된 작가 및 문학 작품의 특징을 중심으로 학습해 배경지식을 확충하는 것이 중요합니다.

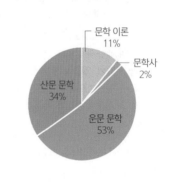

어휘 맥락 속에서 단어의 의미를 정확히 파악해야 합니다.

어휘는 한자어와 고유어, 한자 성어의 출제 비중이 가장 높습니다. 더하여 혼동하기 쉽거나, 표기상 틀리기 쉬운 어휘의 출제 비중도 늘어나는 추세입니다.

2025 대비전략

기존에 자주 출제되던 단독형 문제보다는 세트 문제의 하위 문제로서 지문에 제시된 단어를 다른 말로 바꾸어 쓰거나, 비슷한 의미로 사용된 단어를 선택지에서 고르는 문제가 출제될 것으로 예상됩니다. 따라서 '독해·논리' 문제를 풀어 보며 지문에 기호로 표시된 단어의 의미를 정확히 파악하는 연습이 필요합니다.

공무원 국어 영역별 출제 유형

독해·논리

1. 지문에 드러난 내용을 토대로 선택지와의 일치 여부를 비교하거나 추론을 통해 도출한 내용으로 적절한 것 또는 적절하지 않은 것 고르기

지문에 드러난 정보를 바탕으로 선택지의 적절성을 판단하는 문제입니다. 주로 지문의 내용과 선택지의 내용이 일치하는지를 묻거나, 지문의 내용을 통해 추론한 내용의 적절성을 묻는 문제가 출제되므로, 무엇보다 지문의 내용을 정확히 파악하는 것이 중요합니다.

문 16. 다음 글에서 추론한 내용으로 적절하지 않은 것은? [2024 국가직 9급]

> 새의 몸에서 나오는 테스토스테론은 구애 행위나 짝짓기와 밀접하게 관련된다. 따라서 번식기가 아닌 시기에는 거의 분비되지 않는데, 번식기에 나타나는 테스토스테론의 수치 변화 양상은 새의 종류에 따라 다르다.
>
> 노래참새 수컷의 테스토스테론 수치는 짝짓기에 성공하여 암컷의 수정이 이루어지는 시점을 전후하여 달라진다. 번식기가 되면 수컷은 암컷의 마음을 얻는 데 필요한 영역을 차지하려고 다른 수컷과 싸워야 한다. 이 시기 수컷의 테스토스테론 수치는 암컷의 수정이 이루어질 때까지 계속 높아진다. 그러다가 수정이 이루어지면 수컷은 곧바로 새끼를 돌볼 준비를 하게 되는데, 이때부터 그 수치는 떨어진다. 새끼가 커서 둥지를 떠나게 되면 수컷은 더 이상 영역을 지킬 필요가 없기 때문에 번식기가 끝나지 않았는데도 테스토스테론 수치는 좀 더 떨어지고, 번식기가 끝나면 테스토스테론은 거의 분비되지 않는다.
>
> 검정깃찌르레기 수컷은 테스토스테론 수치가 번식기가 되면 올라갔다가 암컷이 수정한 이후부터 번식기가 끝날 때까지 떨어지지 않는다. 이 수컷은 자신의 둥지를 지키면서 암컷과 새끼를 돌보는 대신 다른 암컷과의 짝짓기를 위해 자신의 둥지를 떠나 버린다.

① 노래참새 수컷은 번식기 동안 테스토스테론 수치가 새끼를 양육할 때보다 양육이 끝난 후에 높게 나타난다.
② 번식기 동안 노래참새 수컷의 테스토스테론 수치는 암컷의 수정이 이루어지기 전보다 이루어진 후에 낮게 나타난다.
③ 검정깃찌르레기 수컷은 암컷이 수정한 이후 번식기가 끝날 때까지 테스토스테론 수치가 떨어지지 않는다.
④ 노래참새 수컷과 검정깃찌르레기 수컷 모두 번식기의 테스토스테론 수치는 번식기가 아닌 시기의 테스토스테론 수치보다 높다.

해설 지문에 따르면 노래참새 수컷의 테스토스테론 수치는 '새끼가 커서 둥지를 떠나게 되면(양육이 끝나면)' 새끼를 돌볼 때보다 좀 더 떨어짐을 알 수 있습니다. 따라서 노래참새 수컷의 테스토스테론 수치가 새끼를 양육할 때보다 양육이 끝난 후에 높게 나타난다는 ①은 적절하지 않습니다.

2. 제시된 명제를 바탕으로 도출되는 결론을 찾거나 결론을 도출하기 위해 반드시 필요한 전제 찾기

3~4개의 '모든~'으로 표현되는 '전칭 명제' 또는 '어떤~', '일부'로 표현되는 '특칭 명제'를 제시한 뒤 생략된 결론이나 전제를 찾는 문제입니다. 역·이·대우와 같은 명제와 관련된 주요 이론들을 정확하게 숙지해야 합니다.

문 12. (가)와 (나)를 전제로 할 때 빈칸에 들어갈 결론으로 가장 적절한 것은? [9급 출제기조 전환 예시문제]

> (가) 노인복지 문제에 관심이 있는 사람 중 일부는 일자리 문제에 관심이 있는 사람이 아니다.
> (나) 공직에 관심이 있는 사람은 모두 일자리 문제에 관심이 있는 사람이다.
> 따라서 [   ]

① 노인복지 문제에 관심이 있는 사람 중 일부는 공직에 관심이 있는 사람이 아니다
② 공직에 관심이 있는 사람 중 일부는 노인복지 문제에 관심이 있는 사람이 아니다
③ 공직에 관심이 있는 사람은 모두 노인복지 문제에 관심이 있는 사람이 아니다
④ 일자리 문제에 관심이 있지만 노인복지 문제에 관심이 없는 사람은 모두 공직에 관심이 있는 사람이 아니다

해설 (가) 명제는 '노인복지∧~일자리 문제', (나) 명제는 '공직→일자리 문제'로 도식화할 수 있으며, 이때 (나)의 대우는 '~일자리 문제→~공직'으로 도식화
할 수 있습니다. 이를 바탕으로 (나) 명제의 대우를 (가) 명제에 적용하면 '노인복지 문제에 관심이 있는 사람 중 일부는 공직에 관심이 있는 사람이 아니
다(노인복지∧~공직)'가 도출됩니다. 따라서 빈칸에 들어갈 결론은 ①입니다.

3. 지문에 제시된 필자의 견해·관점·주장을 파악한 뒤 선택지 또는 〈보기〉에 진술된 내용이 그것들을 강화·약화하는지 판단하기

선택지 또는 〈보기〉에 진술된 내용이 제시문의 견해·관점·주장을 강화하는지 혹은 약화하는지 판단하는 유형입니다. 선택지 또는 〈보기〉에는 주로 지
문에 제시된 견해·관점·주장을 뒷받침하거나 반박하는 근거들이 사례로 제시되므로, 견해·관점·주장과 사례의 관계를 명확히 파악해 강화, 약화 여
부를 판단해야 합니다.

문 14. ㉠을 평가한 내용으로 적절한 것만을 〈보기〉에서 모두 고르면?   [9급 출제기조 전환 예시문제]

> 흔히 '일곱 빛깔 무지개'라는 말을 한다. 서로 다른 빛깔의 띠 일곱 개가 무지개를 이루고 있다는 뜻이다. 영어나 프랑스어를
> 비롯해 다른 자연언어들에도 이와 똑같은 표현이 있는데, 이는해당 자연언어가 무지개의 색상에 대응하는 색채 어휘를 일곱 개씩
> 지녔기 때문이라고 할 수 있다.
> 언어학자 사피어와 그의 제자 워프는 여기서 어떤 영감을 얻었다. 그들은 서로 다른 언어를 쓰는 아메리카 원주민들에게
> 무지개의 띠가 몇 개냐고 물었다. 대답은 제각각 달랐다. 사피어와 워프는 이 설문 결과에 기대어, 사람들은 자신의 언어에
> 얽매인 채 세계를 경험한다고 판단했다. 이 판단으로부터, "우리는 모국어가 그어놓은 선에 따라 자연세계를 분단한다."라는
> 유명한 발언이 나왔다. 이에 따르면 특정 현상과 관련한 단어가 많을수록 해당 언어권의 화자들은 그 현상에 대해 심도 있게
> 경험하는 것이다. 언어가 의식을, 사고와 세계관을 결정한다는 이 견해는 ㉠ 사피어-워프 가설이라 불리며 언어학과 인지과학의
> 논란거리가 되어왔다.

─────────────────── 〈보기〉 ───────────────────

ㄱ. 눈[雪]을 가리키는 단어를 4개 지니고 있는 이누이트족이 1개 지니고 있는 영어 화자들보다 눈을 넓고 섬세하게 경험한다는
　　 것은 ㉠을 강화한다.
ㄴ. 수를 세는 단어가 '하나', '둘', '많다' 3개뿐인 피라하족의 사람들이 세 개 이상의 대상을 모두 '많다'고 인식하는 것은 ㉠을
　　 강화한다.
ㄷ. 색채 어휘가 적은 자연언어 화자들이 색채 어휘가 많은 자연언어 화자들에 비해 색채를 구별하는 능력이 뛰어나다는 것은
　　 ㉠을 약화한다.

① ㄱ   ② ㄱ, ㄴ   ③ ㄴ, ㄷ   ④ ㄱ, ㄴ, ㄷ

해설 지문의 내용을 〈보기〉에 적용하여 강화·약화 여부를 판단하는 문제입니다. 'ㄱ'은 단어 개수가 많아 대상을 더욱 섬세하게(심도 있게) 경험하는 사례에 해
당하므로 ㉠을 강화합니다. 'ㄴ'은 단어 개수가 적어 대상을 심도 있게 경험하지 못하는 사례에 해당하므로 ㉠을 강화합니다. 'ㄷ'은 대상에 대한 단어 개
수가 적은 사람들이 단어 개수 많은 사람들보다 능력이 뛰어난 사례에 해당하므로 ㉠을 약화합니다. 따라서 ㉠을 평가한 내용을 적절한 것은 ④ 'ㄱ, ㄴ,
ㄷ'입니다.

문법

1. 문법 이론이 적절하게 또는 적절하게 적용되지 않은 것 고르기

지문에 제시된 문법 이론을 정확하게 이해해야만 정답을 고를 수 있는 유형입니다. 지문에 제시된 문법 이론이 포함된 사례를 고르거나, 문법 이론이 적절하게 적용되었는지를 추론하는 문제 등이 이에 해당합니다. 따라서 문법 문제가 별도로 출제되지 않는다고 해도 문법 핵심 이론을 학습할 필요가 있습니다.

문 3. 다음 글의 ⊙의 사례가 포함되어 있지 않은 것은?   [9급 출제기조 전환 예시문제]

> 존경 표현에는 주어 명사구를 직접 존경하는 '직접존경'이 있고, 존경의 대상과 긴밀한 관련을 가지는 인물이나 사물 등을 높이는 ⊙'간접존경'도 있다. 전자의 예로 "할머니는 직접 용돈을 마련하신다."를 들 수 있고, 후자의 예로는 "할머니는 용돈이 없으시다."를 들 수 있다. 전자에서 용돈을 마련하는 행위를 하는 주어는 할머니이므로 '마련한다'가 아닌 '마련하신다'로 존경 표현을 한 것이다. 후자에서는 용돈이 주어이지만 할머니와 긴밀한 관련을 가진 사물이라서 '없다'가 아니라 '없으시다'로 존경 표현을 한 것이다.

① 고모는 자식이 다섯이나 있으시다.
② 할머니는 다리가 아프셔서 병원에 다니신다.
③ 언니는 아버지가 너무 건강을 염려하신다고 말했다.
④ 할아버지는 젊었을 때부터 수염이 많으셨다고 들었다.

해설 '높임 표현'과 관련된 것으로 그중에서도 ⊙'간접존경'이 포함된 것이 무엇인지를 묻는 문제입니다. ③ '언니는 아버지가 너무 건강을 염려하신다고 말했다'는 주어인 아버지를 높이기 위해 '염려한다고'가 아닌 '염려하신다고'로 존경 표현을 한 직접존경 문장입니다. 따라서 ⊙ '간접존경'이 포함된 사례에 해당하지 않은 것은 ③입니다.

2. 선택지의 밑줄 친 부분 중 문법상 옳은 것 또는 옳지 않은 것 고르기

선택지의 밑줄 친 부분이 문법상 맞는지 혹은 맞지 않은지를 고르는 문제입니다. 지방직 7급, 군무원 9/7급은 여전히 문법 이론 및 지식의 적절성을 묻는 문제가 출제되므로 문법 핵심 이론을 꼼꼼하게 학습할 필요가 있습니다.

문 3. 밑줄 친 부분이 표준어로 쓰인 것은?   [2024 국가직 9급]

① 그 친구는 <u>허구헌</u> 날 놀러만 다닌다.
② 닭을 <u>통째로</u> 구우니까 더 먹음직스럽다.
③ 발을 잘못 디뎌서 <u>하마트면</u> 넘어질 <u>뻔했다</u>.
④ 언니가 허리가 <u>잘룩하게</u> 들어간 코트를 입었다.

해설 '표준어 사정 원칙'으로 그 쓰임이 표준어 규정에 어긋나지 않은 것을 묻는 문제입니다. 밑줄 친 부분 중 표준어로 쓰인 것은 '통째로'로 '나누지 않은 덩어리 전부'를 의미하는 말은 '통째'입니다. '통채'는 '통째'의 비표준어입니다. 따라서 답은 ②입니다. 참고로 ① '허구헌'은 '허구한'으로, ③ '하마트면'은 '하마터면', ④ '잘룩하게'는 '잘록하게'로 표기하는 것이 적절합니다.

문학

1. 여러 개의 출제 포인트를 종합적으로 파악하여 적절한 것 또는 적절하지 않은 것 고르기

작품의 전체적인 흐름을 종합적으로 이해해야만 정답을 고를 수 있는 유형입니다. 어떠한 어조를 사용하였는지, 화자의 정서는 어떠한지, 서술상의 특징은 무엇인지 등을 파악하여 선택지가 제시되므로 선택지를 먼저 확인한 후 핵심어에 밑줄을 긋고 작품을 꼼꼼하게 분석해야 합니다.

문 7. 다음 시를 감상한 내용으로 적절하지 않은 것은? [2024 국가직 9급]

> 머리가 마늘쪽같이 생긴 고향의 소녀와 / 한여름을 알몸으로 사는 고향의 소년과 / 같이 낯이 설어도 사랑스러운 들길이 있다
>
> 그 길에 아지랑이가 피듯 태양이 타듯 / 제비가 날듯 길을 따라 물이 흐르듯 그렇게 / 그렇게
>
> 천연히
>
> 울타리 밖에도 화초를 심는 마을이 있다 / 오래오래 잔광이 부신 마을이 있다 / 밤이면 더 많이 별이 뜨는 마을이 있다
>
> 박용래, '울타리 밖'

① 향토적 소재를 활용하여 공간 풍경을 묘사하고 있다.   ② 유사한 문장 구조를 반복하여 리듬감을 조성하고 있다.
③ 화자를 표면에 나타내어 고향에 대한 상실감을 표출하고 있다.   ④ 하나의 시어를 독립된 연으로 구성하여 주제 의식을 강조하고 있다.

해설   박용래의 '울타리 밖'에서 화자는 표면에 드러나지 않으며, 고향의 아름다운 정경을 묘사하고 있을 뿐입니다. 따라서 화자를 표면에 나타내어 고향에 대한 상실감을 표출하고 있다는 내용은 적절하지 않습니다. 따라서 답은 ③입니다.

2. 작품의 세부적인 내용을 파악하여 옳은 것 또는 옳지 않은 것 고르기

작품의 전체적인 흐름을 파악해 작품의 세부 내용을 잘 이해하였는지 묻는 문제입니다. 특히 인물들이 서로 어떤 관계를 맺고 있는지, 사건의 선후 관계가 어떻게 이루어져 있는지를 종합적으로 파악해 작품 속의 내용을 이해하는 것이 중요합니다.

문 11. 다음 글을 이해한 내용으로 가장 적절한 것은? [2024 국가직 9급]

> 부사는 장화와 홍련이 꿈에 나타나 자신들의 원통한 사정에 대해 고한 말을 듣고 배 좌수를 관아로 불러들였다. 부사가 물었다. "딸들이 무슨 병으로 죽었소?" 배 좌수는 머뭇거리며 답하지 못했다. 그러자 후처가 엿보고 있다가 남편이 사실을 누설할까 싶어 곧장 들어와 답했다. "제 친정은 이곳의 양반 가문입니다. 장녀 장화는 음행을 저질러 낙태한 뒤 부끄러움을 못 이기고 밤을 틈타 스스로 물에 빠져 죽었습니다. 차녀 홍련은 언니의 일이 부끄러워 스스로 목숨을 끊었습니다. 이렇게 낙태한 증거물을 바치니 부디 살펴봐 주시기 바랍니다." 부사는 그것을 보고 미심쩍어하며 모두 물러가게 했다.
> 이날 밤 운무가 뜰에 가득한데 장화와 홍련이 다시 나타났다. "계모가 바친 것은 실제로 제가 낙태해서 나온 것이 아니라 계모가 죽은 쥐의 가죽을 벗겨 제 이불 안에 몰래 넣어 둔 것입니다. 다시 그것을 가져다 배를 갈라 보시면 분명 허실을 알게 되실 겁니다." 이에 부사가 그 말대로 했더니 과연 쥐가 분명했다.
> – 작자 미상, '장화홍련전'에서

① 부사는 배 좌수의 후처가 제시한 증거를 보고 장화와 홍련의 말이 거짓이라고 확신했다.
② 배 좌수의 후처는 음행을 저지른 홍련이 스스로 물에 빠져 죽었다고 부사에게 거짓말을 하였다.
③ 장화는 배 좌수의 후처가 제시한 증거가 거짓임을 확인할 수 있는 계책을 부사에게 알려 주었다.
④ 배 좌수는 장화와 홍련이 스스로 목숨을 끊은 이유를 물어보는 부사에게 머뭇거리며 대답하지 못했다.

해설   인물의 행위를 파악하는 문제입니다. 배 좌수의 후처는 장화가 낙태를 했다고 주장하며 증거물을 제시합니다. 하지만 장화가 부사에게 후처가 제시한 증거물의 배를 갈라 보라고 하며 후처의 증거가 거짓임을 확인할 수 있는 계책을 알려 주고 있으므로 글의 내용을 가장 잘 이해한 것으로 적절한 것은 ③입니다.

3. 지문에 제시된 문학 작품 해설이나 문학 이론을 이해한 것으로 적절한 또는 적절하지 않은 것 고르기

지문에 제시된 문학 작품에 대한 해설이나 문학 이론을 정확하게 이해해야만 고를 수 있는 유형입니다. 문학 작품의 해설 지문의 경우 작품에 대한 배경지식이 있다면 내용을 더욱 빠르게 이해할 수 있습니다. 또한 문학 이론은 중·고등학교 수준에서부터 다소 생소한 이론까지 제시되므로 기본적인 문학 이론은 평소에 학습해 두되, 생소한 이론이 제시되는 경우에는 핵심어를 중심으로 내용을 파악합니다.

문 6. 다음 글을 이해한 내용으로 가장 적절한 것은? [9급 출제기조 전환 예시문제]

> 이육사의 시에는 시인의 길과 투사의 길을 동시에 걸었던 작가의 면모가 고스란히 담겨 있다. 가령, 「절정」은 크게 두 부분으로 나누어지는데, 투사가 처한 냉엄한 현실적 조건이 3개의 연에 걸쳐 먼저 제시된 후, 시인이 품고 있는 인간과 역사에 대한 희망이 마지막 연에 제시된다.
>
> 우선, 투사 이육사가 처한 상황은 대단히 위태로워 보인다. 그는 "매운 계절의 채찍에 갈겨 / 마침내 북방으로 휩쓸려" 왔고, "서릿발 칼날진 그 위에 서" 바라본 세상은 "하늘도 그만 지쳐 끝난 고원"이어서 가냘픈 희망을 품는 것조차 불가능해 보인다. 이러한 상황은 "한발 제겨디딜 곳조차 없다"는 데에 이르러 극한에 도달하게 된다. 여기서 그는 더 이상 피할 수 없는 존재의 위기를 깨닫게 되는데, 이때 시인 이육사가 나서면서 시는 반전의 계기를 마련한다.
>
> 마지막 4연에서 시인은 3연까지 치달아 온 극한의 위기를 담담히 대면한 채, "이러매 눈감아 생각해" 보면서 현실을 새롭게 규정한다. 여기서 눈을 감는 행위는 외면이나 도피가 아니라 피할 수 없는 현실적 조건을 새롭게 반성함으로써 현실의 진정한 면모와 마주하려는 적극적인 행위로 읽힌다. 이는 다음 행, "겨울은 강철로 된 무지갠가보다"라는 시구로 이어지면서 현실에 대한 새로운 성찰로 마무리된다. 이 마지막 구절은 인간과 역사에 대한 희망을 놓지 않으려는 시인의 안간힘으로 보인다.

① 「절정」에는 투사가 처한 극한의 상황이 뚜렷한 계절의 변화로 드러난다.
② 「절정」에서 시인은 투사가 처한 현실적 조건을 외면하지 않고 새롭게 인식한다.
③ 「절정」은 시의 구성이 두 부분으로 나누어지면서 투사와 시인이 반목과 화해를 거듭한다.
④ 「절정」에는 냉엄한 현실에 절망하는 시인의 면모와 인간과 역사에 대한 희망을 놓지 않으려는 투사의 면모가 동시에 담겨 있다.

해설 제시된 작품에서 시인은 3연까지 치달아온 극한의 위기(냉엄한 현실적 조건)를 담담히 대면해 눈을 감으며 현실을 새롭게 규정하고, 현실의 진정한 면모와 마주합니다. 따라서 「절정」에서 시인은 투사가 처한 현실적 조건을 외면하지 않고 새롭게 인식(규정)한다고 볼 수 있습니다. 따라서 답은 ②입니다.

어휘

1. 빈칸에 들어갈 어휘·표현 고르기

지문의 빈칸에 들어갈 적절한 어휘 또는 표현을 고르는 유형입니다. 선택지에 주어진 어휘나 표현의 의미를 파악한 후 지문의 빈칸에 들어갈 적절한 것을 유추하면 쉽게 풀 수 있으므로 필수 기출 어휘와 출제 예상 어휘를 알아두고 지문의 내용 추론 능력을 기르는 것이 중요합니다.

문 9. (가) ~ (다)에 들어갈 한자어로 가장 적절한 것은?
[2024 국가직 9급]

○ 현실을 [(가)   ]한 그 정책은 결국 실패로 돌아갔다.
○ 그는 [(나)   ]이 잦아 친구들 사이에서 신의를 잃었다.
○ 이 소설은 당대의 구조적 [(다)   ]을 예리하게 비판했다.

	(가)	(나)	(다)
①	度外視	食言	矛盾
②	度外視	添言	腹案
③	白眼視	食言	矛盾
④	白眼視	添言	腹案

해설 빈칸 (가)~(다)에 들어갈 한자어를 묻는 문제입니다. (가) 뒤에는 정책이 결국 실패했다는 내용이 제시되어 있습니다. 이와 호응하기 위해서는 (가)에 현실을 고려하지 않았다는 내용이 들어가야 합니다. 따라서 (가)에는 '상관하지 않거나 무시함'을 뜻하는 '度外視(도외시: 법도 도, 바깥 외, 볼 시)'가 들어가는 것이 적절합니다. (나) 뒤의 어떠한 이유로 인해 친구들 사이에서 신의를 잃었다는 내용이 제시되어 있으므로 (나)에는 '한번 입 밖에 낸 말을 도로 입속에 넣는다는 뜻으로, 약속한 말대로 지키지 않음을 이르는 말'인 '食言(식언: 밥 식, 말씀 언)'이 들어가는 것이 적절합니다. (다)의 앞뒤에는 소설이 당대의 어떠한 것을 예리하게 비판했다는 내용이 제시되어 있으므로 (다)에는 '矛盾(모순: 창 모, 방패 순)'이 들어가는 것이 적절합니다. 따라서 답은 ① 입니다.

2. 고유어와 한자어의 대응이 적절한 것 또는 적절하지 않은 것 고르기

고유어와 한자어를 서로 적절하게 바꾸어 썼는지를 묻는 문제입니다. 이 유형의 경우 독해와 세트 문제로 출제되어 지문 속의 고유어 또는 한자어를 적절하게 대응하는 다른 말로 바꾸어 쓸 수 있는지를 묻는 방식으로 출제되고 있습니다. 따라서 단어 앞뒤 맥락을 통해 의미를 정확하게 파악하고 선택지에 제시된 말로 바꾸어 썼을 때 의미가 자연스러운지 파악하는 것이 중요합니다.

문 14. 밑줄 친 부분과 바꾸어 쓰기에 적절하지 않은 것은?
[2024 국가직 9급]

① 나는 하루 종일 거리를 배회(徘徊)하였다. → 돌아다녔다
② 이 산의 광물 자원은 무진장(無盡藏)하다. → 여러 가지가 있다
③ 그분의 주장은 경청(傾聽)할 가치가 있다. → 귀를 기울여 들을
④ 공지문에서는 회의의 사유를 명기(明記)하지 않았다. → 밝혀 적지

해설 한자어의 의미를 해석하고 한자어와 바꾸어 쓸 수 있는 말을 찾는 문제입니다. 무진장(無盡藏: 없을 무, 다할 진, 감출 장)은 '다함이 없이 굉장히 많음'을 뜻하는 말입니다. 따라서 이를 '여러 가지가 있다'로 바꾸어 쓰는 것은 적절하지 않습니다. 따라서 답은 ②입니다.

해커스 단기 합격 기본서 **학습 플랜**

[1회독] 개념 정리 단계	[2회독] 집중 학습 단계	[3회독] 실력 완성 단계
· 아래 진도표에 따라 매일 학습 · 학습 기간: 60일	· 아래 진도표의 이틀 분량을 하루에 학습 · 학습 기간: 30일	· 아래 진도표의 사흘 분량을 하루에 학습 · 학습 기간: 20일

1일	2일	3일	4일	5일	6일	7일	8일	9일	10일
독해 기본 원리 1, 2	독해 기본 원리 3, 4	독해 기본 원리 1 ~ 4 복습	1편 독해 – 1장 – 01	1편 독해 – 1장 – 02	1편 독해 – 1장 – 03	1편 독해 – 1장 – 04	1편 독해 – 1장 – 05	1편 독해 – 1장 – 06	1편 독해 – 1장 01 ~ 06 복습

11일	12일	13일	14일	15일	16일	17일	18일	19일	20일
1편 독해 – 2장 – 01	1편 독해 – 2장 – 02	1편 독해 – 2장 – 03	1편 독해 – 2장 – 04	1편 독해 – 2장 – 05	1편 독해 – 2장 01 ~ 05 복습	2편 논리 – 1장 – 01, 02	2편 논리 – 1장 01 ~ 02 복습	2편 논리 – 2장 – 01, 02	2편 논리 – 2장 01 ~ 02 복습

21일	22일	23일	24일	25일	26일	27일	28일	29일	30일
3편 문법 – 1장 – 01 ~ 02 & 1장 학습 점검 문제	3편 문법 – 2장 – 01	3편 문법 – 2장 – 01, 02	3편 문법 – 2장 – 02	3편 문법 – 2장 – 01, 02 복습	3편 문법 – 2장 – 03	3편 문법 – 2장 – 03	3편 문법 – 2장 – 04	3편 문법 – 2장 – 03, 04 복습	3편 문법 – 2장 학습 점검 문제

31일	32일	33일	34일	35일	36일	37일	38일	39일	40일
4편 문학 – 1장 – 01	4편 문학 – 1장 – 01 복습	4편 문학 – 1장 – 02 (서정 갈래)	4편 문학 – 1장 – 02 (서사 갈래)	4편 문학 – 1장 – 02 (교술, 극 갈래)	4편 문학 – 1장 – 02 복습	4편 문학 – 1장 학습 점검 문제	4편 문학 – 2장 – 01 (고대가요 ~ 고려가요)	4편 문학 – 2장 – 01 (시조 ~ 한시)	4편 문학 – 2장 – 01 (설화 ~ 고전 소설)

41일	42일	43일	44일	45일	46일	47일	48일	49일	50일
4편 문학 – 2장 – 01 (고전 소설)	4편 문학 – 2장 – 01 (고전 수필)	4편 문학 – 2장 – 01 복습	4편 문학 – 2장 – 02 (현대 시)	4편 문학 – 2장 – 02 (현대 시)	4편 문학 – 2장 – 02 (현대 소설)	4편 문학 – 2장 – 02 (현대 소설)	4편 문학 – 2장 – 02 (현대 수필 ~ 현대 극)	4편 문학 – 2장 – 02 복습	4편 문학 – 2장 학습 점검 문제

51일	52일	53일	54일	55일	56일	57일	58일	59일	60일
5편 어휘 – 1장 – 01	5편 어휘 – 1장 –02	5편 어휘 – 1장 – 01 ~ 02 복습	5편 어휘 – 2장 – 01	5편 어휘 – 2장 – 02	5편 어휘 – 2장 – 01 ~ 02 복습	5편 어휘 – 3장 – 01	5편 어휘 – 3장 – 02	5편 어휘 – 3장 – 03	5편 어휘 – 3장 – 01 ~ 03장 복습

회독별 교재 활용법

1회독
개념 정리 단계

학습기간: 총 60일

학습목표: 책에 실린 모든 이론 및 전략의 중심 개념을 이해하기

교재 활용법

· 독해·논리: 1편 독해에서는 '단계별 문제 풀이 전략'과 '유형 필수 이론'을 파악하고 '전략 적용하기'를 통해 문제 풀이 전략을 적용하는 방법을 익힙니다. '유형 공략 문제'에서는 기출 문제와 예상 문제를 풀어 보며 전략을 연습합니다.

· 문법: 보조단 보충 내용과 본단의 '고득점 공략'은 제외하고, 본문에 수록된 문법 핵심 이론을 위주로 가장 기본적인 이론을 학습한 후 '학습 체크'를 풀어 보며 학습한 내용을 간단히 점검합니다.

· 문학: 문학 필수 이론은 예시를 위주로 이론에 제시된 개념을 정확히 파악합니다. 문학 필수 작품은 '간단 작품 설명'과 '작품 해제'를 위주로 학습하고 '학습 체크'를 통해 이해 여부를 확인합니다.

· 어휘: 예시를 중심으로 어휘를 암기하고 '학습 체크'를 풉니다. 잘 외워지지 않는 어휘는 □에 체크합니다.

2회독
집중 학습 단계

학습기간: 총 30일

학습목표: 책에 실린 모든 내용을 놓치지 않고 꼼꼼하게 학습하기

교재 활용법

· 독해·논리: 2편 '논리'에서 학습한 이론에 대해 올바르게 이해하였는지, 개념에 오류가 없는지 재점검합니다.

· 문법: 1회독 때 보지 않았던 보조단의 보충 내용과 '고득점 공략'까지 꼼꼼히 정독하면서 책에 실린 내용을 익히고 '학습 점검 문제'를 통해 학습한 내용을 점검합니다. 4지선다형 학습 문제를 통해 실력을 다집니다.

· 문학: 1회독 때 이해가 잘 되지 않았던 '문학 필수 이론'을 다시 한번 정리하며 내용을 이해하고, '문학 필수 작품'에 수록된 '이해와 감상'을 꼼꼼히 정독하여 작품에 대한 이해를 심화하도록 합니다.

· 어휘: 1회독 때 체크해 둔 잘 외워지지 않는 어휘 위주로 암기하고, 각 어휘들의 동의어 및 참고를 함께 학습합니다.

3회독
실력 완성 단계

학습기간: 총 20일

학습목표: 틀린 문제를 중심으로 완벽히 복습하여 실력 완성하기

교재 활용법

· 독해·논리: '유형별 공략 문제'에서 틀렸거나, 잘 이해가 되지 않았던 지문들을 중심으로 다시 한번 단계별 전략을 활용해 문제를 풀어 보도록 합니다.

· 문법: 1, 2회독 시 틀렸거나 헷갈렸던 문제 위주로 다시 풀고, 해당 문법 이론을 찾아가며 철저히 복습합니다.

· 문학: 1회독 때 '학습 체크'나 '학습 점검 문제'에서 틀린 문제의 문학 이론이나 작품을 중심으로 틀린 내용을 꼼꼼하게 학습합니다.

· 어휘: 잘 외워지지 않거나 헷갈려 체크해 둔 어휘 위주로 완벽하게 암기합니다.

해커스공무원에서 제공하는
합격 가능성을 높이는
프리미엄 콘텐츠!

01
최다 빈출 한자 200 제공
(gosi.Hackers.com)
편리하게 들고 다니며 암기할 수 있는 빈출 한자 어휘장 제공!

02
해커스 매일국어 어플
시험 전 반드시 알아두어야 할 어휘와 한자 성어를 언제 어디서나 학습 가능!

03
공무원 국어 무료 특강
(gosi.Hackers.com)
공무원 국어를 쉽고 효과적으로 학습할 수 있도록 무료 어법·비문학·문학·어휘 동영상강의 제공!

04
해커스 회독증강 콘텐츠
(교재 내 할인쿠폰 수록)
매일 하루 30분씩 꾸준히 학습하는 단계별 코스 제공!

05
공무원 학원 및 시험 정보
(gosi.Hackers.com)
공무원 학원 및 시험에 관한 각종 정보, 다양한 무료 자료, 교재별 핵심정리 동영상강의 및 실전 문제풀이 동영상강의 제공!

해커스공무원

국어
기본서

1권 | 독해+논리

해커스공무원

목차

2권 문법+문학+어휘

이 책의 구성

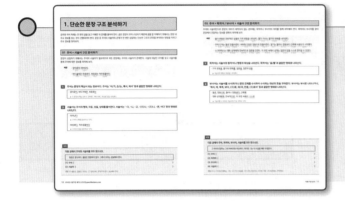

독해 기본 원리

문장의 의미를 정확하게 이해하는 방법과 글 구조에 대한 이해를 바탕으로 빠르게 글의 주요 정보를 파악하는 방법을 제공합니다. 예제를 통해 문장 구조 분석 방법과 글의 구조 분석 방법을 적용해 봄으로써 독해의 기본 원리를 익힐 수 있습니다.

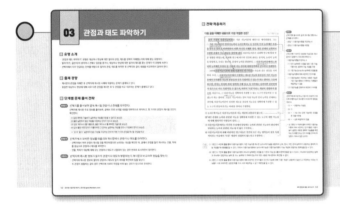

단계별 문제 풀이 전략 및 유형 필수 이론

기출 유형에 대한 분석과 최신 출제 경향을 제공합니다. 단계별 문제 풀이 전략을 제시해 주어 변화된 출제 기조 문제를 가장 빠르고 정확하게 푸는 법을 알 수 있습니다. 또한 명제, 논증 문제에 효과적으로 대비할 수 있도록 출제 가능성이 높은 명제, 논증 이론과 함께 명제를 벤다이어그램 형태로 제시해 복잡한 이론을 쉽게 이해할 수 있도록 하였습니다.

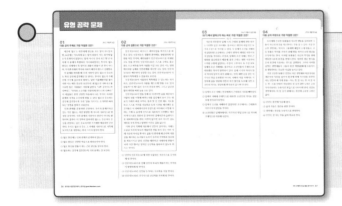

유형 공략 문제

유형별로 제시된 단계별 문제 풀이 전략을 연습할 수 있도록 최신 기출문제 및 예상 문제를 수록하였습니다. 단계별 문제 풀이 전략을 적용하며 풀어 나가면서 각 유형별 문제에 익숙해질 수 있습니다.

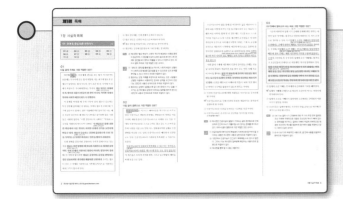

상세하고 풍부한 첨삭 해설

지문에 정답·오답의 근거를 표시한 첨삭 해설을 제공함으로써, 스스로 제시문을 정확하게 이해하고 문제를 풀었는지 효율적으로 확인할 수 있습니다.

문법

문법 핵심 이론

문법 내용이 담긴 독해 지문을 빠르게 풀 수 있게 핵심 이론들만을 선별해 수록하였습니다. 문법 핵심 이론을 학습하여 배경지식을 충분히 쌓은 뒤 문법 관련 지문을 읽어나가면, 문제 풀이 시간을 효과적으로 단축할 수 있습니다.

시험 유형 파악하기 및 고득점 공략

〈시험 유형 파악하기〉를 통해 실제로 출제되는 유형을 제공하였으며, 독해와 연계되어 출제될 수 있는 이론들을 정리해 두었습니다. 또한 〈고득점 공략〉을 통해 심화 개념까지 빈틈없이 학습할 수 있습니다. 핵심 이론을 익힌 후 고득점 공략까지 학습한다면, 아무리 어려운 문법 관련 독해 문제라도 쉽게 풀 수 있습니다.

이 책의 구성

문학

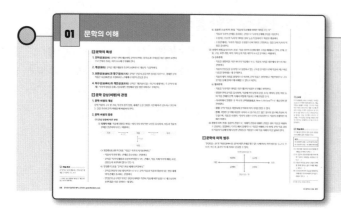

문학 필수 이론

문학 작품의 설명, 작품을 이해하는 관점 등이 지문으로 출제되는 문제를 빠르게 풀 수 있게 반드시 필요한 문학의 핵심 이론만 담았습니다.

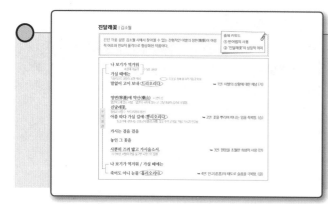

문학 필수 작품

독해 지문의 소재로 시험에 나올 만한 필수 문학 작품을 엄선하여 제공하였고, 작품의 내용 이해에 필요한 부분에 표시 및 설명을 해 쉽게 학습할 수 있습니다. 문학 작품들을 갈래별로 구분하여 수록하였기 때문에 갈래의 특징에 대한 학습도 가능합니다.

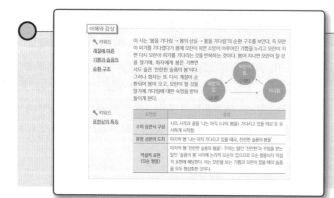

출제키워드 및 작품해설

각 작품에서 독해 지문의 소재로 출제될 가능성이 높은 포인트를 짚어 제시하였습니다. 또한 작품해설을 '출제키워드'별로 제공하여 효과적으로 학습할 수 있습니다. 이때 작품의 내용이나 구조를 도식화하였기에 보다 효과적으로 이해할 수 있습니다.

어휘

빈출 어휘

공무원 국어 시험에 출제되었던 어휘 중에서 주요 어휘만을 엄선하였습니다. 그중에서도 많이 출제되었던 어휘에는 빈출 표시해 반복 출제되는 어휘만 골라 회독 학습을 할 수도 있습니다. 특히 '표기상 틀리기 쉬운 어휘'와 '혼동하기 쉬운 어휘'는 고쳐쓰기 문제와 연계하여 학습한다면 효율적입니다.

학습체크

각 단원의 어휘 학습이 끝나면 '학습체크'를 통해 학습한 내용을 점검할 수 있습니다. 어휘의 의미 찾기, 택일형 등 간단한 문제를 풀어 보는 과정을 통해 단원별 주요 어휘를 완벽하게 학습하였는지 빠르게 체크할 수 있습니다.

공통

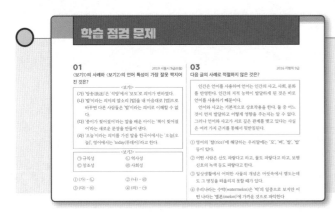

학습 점검 문제

문법, 문학 영역의 최신 기출문제 및 예상문제를 풀어 봄으로써, 실제 시험에서 어떻게 출제되는지 파악할 수 있습니다. 또한 학습한 개념을 제대로 이해하였는지 점검할 수 있습니다.

독해 기본 원리

1. 단순한 문장 구조 분석하기

공무원 국어 독해는 한 편의 글을 읽고 이해한 뒤 문제를 풀어야 한다. 글은 문장이 모여 구성되기 때문에 글을 잘 이해하기 위해서는 문장 내 주요 정보를 찾는 것이 선행되어야 한다. 문장 중 주어와 서술어의 관계가 한 번만 성립하는 단순한 구조의 문장을 분석하는 방법을 익히고 주요 정보를 찾아보자.

01 주어 + 서술어 구조 분석하기

문장이 성립하기 위해서는 주어와 서술어가 필요하므로 모든 문장에는 주어와 서술어가 존재한다. 서술의 대상인 주어를 찾고 서술어를 통해 주어에 대한 정보를 파악해 보자.

예문
- 장미꽃이 피어났다.
  주어   서술어

- 바다거북은 파충류다. 파충류는 척추동물이다.
  주어1   서술어1   주어2   서술어2

1 **주어는 문장의 핵심이 되는 정보이다. 주어는 '이/가, 은/는, 께서, 에서' 등과 결합한 형태로 나타난다.**

> - 장미꽃이, 바다거북은, 파충류는
>   ▶ 각 문장의 핵심 정보가 '장미꽃', '바다거북', '파충류'임을 나타낸다.

2 **서술어는 주어의 행위, 작용, 성질, 상태를 풀이한다. 서술어는 '-다, -니, -고, -(으)나, -(으)니, -면, 이다' 등의 형태로 나타난다.**

> - 피어났다
>   ▶ 주어의 상태를 풀이하고 있다.
>
> - 파충류다, 척추동물이다
>   ▶ 주어의 성질을 풀이하고 있다.

예제

다음 글에서 주어와 서술어를 모두 찾으시오.

> 청춘은 찰나이다. 젊음은 영원하지 않다. 그래서 우리는 성실해야 한다.

(1) 주어: (   )

(2) 서술어: (   )

정답 (1) 청춘은, 젊음은, 우리는 (2) 찰나이다, 영원하지 않다, 성실해야 한다

---

02 주어 + 목적어 / 부사어 + 서술어 구조 분석하기

주어와 서술어만으로 문장의 의미가 파악되지 않는 경우에는 목적이나 부사어의 의미를 함께 파악해야 한다. 목적어와 부사어를 찾아 문장에서 전달하는 정보를 정확히 파악해 보자.

예문
· 물가 변동은 전반적인 상품의 가격 변동을 나타낸다. 물가 지수는 물가의 변화를 나타낸다.
　　　　주어1　　　　　　　　　　　목적어1　　　　서술어1　주어2　　　목적어2　　서술어2

· 주먹 도끼는 돌로 만들어졌다. 비파형 단검은 청동으로 만들어졌다. 철기는 돌이나 청동보다 근래에 사용되었다.
　　주어1　　부사어2　서술어1　　주어2　　　부사어2　　서술어2　주어3　　　부사어3　　　부사어4　　서술어3

· 소크라테스는 대화 상대에게 연속적으로 질문을 던졌다. 이 과정 속에서 상대는 질문의 답을 스스로 찾아낼 수 있었다.
　주어1　　　　부사어1　　　부사어2　　목적어1 서술어1　　　부사어3　　주어2　　목적어2　부사어4　　　서술어2

1　목적어는 서술어의 동작이나 행동의 대상을 나타낸다. 목적어는 '을/를'과 결합한 형태로 나타난다.

> · 가격 변동을, 물가의 변화를, 질문을, 질문의 답을
>
> ▶ 서술어의 행동의 대상을 나타낸다.

2　부사어는 서술어를 수식하거나 문장 전체를 수식하여 수식하는 대상의 뜻을 꾸며준다. 부사어는 부사로 나타나거나, '에서, 에, 에게, 보다, (으)로, 와/과, 만큼, (으)로서' 등과 결합한 형태로 나타난다.

> · 돌로, 청동으로, 돌이나 청동보다, 근래에
> · 대화 상대에게, 연속적으로, 이 과정 속에서, 스스로
>
> ▶ 서술어를 수식하여 서술어의 뜻을 꾸미고 있다.

예제

다음 글에서 주어, 목적어, 부사어, 서술어를 모두 찾으시오.

> 그 아이의 말투는 그의 아버지와 비슷하다. 하지만 그는 이 사실을 매번 부정한다.

(1) 주어: (　　　　　　　　　　　　　　　　　　　　　　　　　　　　　)

(2) 목적어: (　　　　　　　　　　　　　　　　　　　　　　　　　　　　)

(3) 부사어: (　　　　　　　　　　　　　　　　　　　　　　　　　　　　)

(4) 서술어: (　　　　　　　　　　　　　　　　　　　　　　　　　　　　)

정답 (1) (그 아이의) 말투는, 그는 (2) (이) 사실을 (3) (그의) 아버지와, 하지만, 매번 (4) 비슷하다, 부정한다

2. 복잡한 문장 구조 분석하기

공무원 국어 독해에서는 주어와 서술어 관계가 두 번 이상 성립하는 문장들이 자주 사용된다. 복잡한 문장 구조를 분석하는 방법을 익히고 실전에 적용해 보자.

01 안은문장 구조 분석하기

안은문장은 한 문장이 다른 문장을 문장 성분으로 안고 있는 문장이며, 안은문장 안에서 문장 성분 기능을 하는 것을 안긴문장이라고 한다. 안은문장의 문장 성분을 분석해 보고 안긴문장이 문장 내에서 어떻게 기능하는지 파악해 보자.

예문
- 공황 발작은 〈불안을 지속적으로 느끼는〉 현상이다.
  주어1   목적어1   부사어   서술어2   서술어1
- 대부분의 사람들은 〈김치가 우리나라의 전통 음식임〉을 결코 부정하지 않는다.
  주어1   주어2   서술어2   부사어1   서술어1

1 **주어와 서술어를 확인하여 안은문장과 안긴문장을 끊어 읽는다. 안긴문장의 주어가 생략될 때도 있는데 이때는 서술어를 고려하여 생략된 주어를 찾는 것이 필요하다.**

- 공황 발작은 〈(사람이) 불안을 지속적으로 느끼는〉 현상이다.
  주어1   주어2   서술어2   서술어1
▶ 서술어2 '느끼는'은 생략된 주어2 '사람이'의 행위를 풀이한다.

- 대부분의 사람들은 〈김치가 우리나라의 전통 음식임〉을 결코 부정하지 않는다.
  주어1   주어2   서술어2   서술어1
▶ 서술어2 '음식임'은 주어2 '김치가'의 성질을 풀이한다.

2 **앞뒤 문장 간의 의미 관계를 파악한다.**

- 공황 발작은 〈(사람이) ~ 느끼는〉現상이다.
▶ '어떠한'에 해당하며 '현상'을 수식하여 '현상'의 의미를 더해 주는 관형어의 역할을 한다.

- ~ 사람들은 〈김치가 ~ 음식임〉을~ 부정하지 않는다.
▶ '무엇을'에 해당하며 서술어 '부정하지 않는다'의 대상이 되는 목적어의 역할을 한다.

예제

다음 글에서 주어, 서술어를 모두 찾고, 안긴문장이 문장 내에서 어떤 역할을 하는지 파악해 보자.

> 인간에게 문학은 여러 가지 경험을 간접적으로 선사하는 예술 작품이다.

(1) 주어: (   )

(2) 서술어: (   )

(3) 안긴문장의 역할: (   )

정답 (1) 문학은 (2) 선사하는, 예술 작품이다 (3) 관형어

02 이어진문장 구조 분석하기

이어진문장은 두 개 이상의 문장이 연결 어미를 통해 이어진 문장이다. 문장들이 연결되어 어떤 의미 관계를 형성하는지 파악해 보자.

예문
- 몬드리안은 수직선을 남성성의 개념으로 정의했고 / 수평선을 여성성의 개념으로 제시했다.
  <u>주어1</u>　<u>목적어1</u>　<u>부사어1</u>　<u>서술어1</u>　<u>목적어2</u>　<u>부사어2</u>　<u>서술어2</u>

- 만약 창밖에 하늘이 어둡거나 / 구름이 많다면 // 우리는 반드시 우산을 가져가야 한다.
  <u>부사어</u> <u>부사어2</u> <u>주어1</u> <u>서술어1</u>　<u>주어2</u> <u>서술어2</u>　<u>주어3</u> <u>부사어3</u> <u>목적어1</u>　<u>서술어3</u>

---

1 주어와 서술어를 확인하여 연결된 문장을 끊어 읽는다. 뒤 문장에서 주어가 생략될 때도 있는데 이때는 서술어를 고려하여 생략된 주어를 찾는 것이 필요하다.

- [앞 문장] **몬드리안은** 수직선을 남성성의 개념으로 **정의했고** / [뒤 문장] **(몬드리안은)** 수평선을 여성성의 개념으로 **제시했다.**
  <u>주어1</u>　　　　　　　　　　<u>서술어1</u>　　　　<u>주어2</u>　　　　　　　　　<u>서술어2</u>
  ▶ 서술어1 '정의했고'는 주어1 '몬드리안은'의 행위를 풀이한다.
  ▶ 주어2 '몬드리안'은 앞 문장과 동일한 주어로 뒤 문장에서 생략되었다.

- [앞 문장1] 만약 창밖에 하늘이 어둡거나 / [앞 문장2] **구름이 많다면** // [뒤 문장] 우리는 반드시 우산을 **가져가야 한다.**
  　　　　　　　<u>주어1</u> <u>서술어1</u>　　　　<u>주어2</u> <u>서술어2</u>　　　　<u>주어3</u>　　　　　　<u>서술어3</u>
  ▶ 서술어1 '어둡고'는 주어1 '하늘이'의 상태를 풀이한다.
  ▶ 서술어2 '많다면'은 주어2 '구름이'의 상태를 풀이한다.
  ▶ 서술어3 '가져가야 한다'는 주어3 '우리는'의 행위를 풀이한다.

---

2 앞뒤 문장 간의 의미 관계를 파악한다.

- <u>몬드리안은</u> ~ <u>정의했고</u> / <u>(몬드리안은)</u> ~ <u>제시했다.</u>
  　A　　&　　　　　　B
  ▶ 나열의 의미 관계를 가진 문장으로, 앞 문장과 뒤 문장이 비슷한 구조나 내용으로 이어지며 동일한 층위의 정보를 전달한다.

- ~ <u>하늘이 어둡거나</u> / <u>구름이 많다면</u> // <u>우리는</u> ~ <u>가져가야 한다.</u>
  　A　　　OR　　B　　→　　C
  ▶ 선택의 의미 관계를 가진 문장으로, 첫 번째 문장(A)과 두 번째 문장(B)의 동작이나 상태, 대상들 중에서 어느 것이든 선택될 수 있음을 나타내고 있다.
  ▶ 조건·가정의 의미 관계를 가진 문장으로, 첫 번째 문장과 두 번째 문장은 마지막 문장(C)의 전제가 되며 앞의 문장이 성립해야 뒤의 문장도 성립하게 된다.

예제

다음 글에서 주어, 서술어를 모두 찾고, 문장 간의 의미 관계를 파악해 보자.

> 생체 내에서 리간드가 수용체와 결합하면 수용체의 작용에 의해 생체의 변화가 일어난다.

(1) 주어: (　　　　　　　　　　　　　　　　　　　　　　　　　　　　　　　　)

(2) 서술어: (　　　　　　　　　　　　　　　　　　　　　　　　　　　　　　　)

(3) 의미 관계: (　　　　　　　　　　　　　　　　　　　　　　　　　　　　　)

정답 (1) 리간드가, (생체의) 변화가 (2) 결합하면, 일어난다 (3) 조건·가정

3. 글 구조 분석하기①

공무원 국어 독해에서는 다양한 구조의 글이 제시된다. 글은 종류와 목적에 따라 특정한 구조와 관습적인 전개 방식을 갖추고 있는데, 이를 이해하면 글의 정보를 효과적으로 파악할 수 있다. 글의 구조에 따라 주요 정보를 찾는 방법을 익혀보자.

01 대상의 특징을 나열하는 글

설명하고자 하는 대상을 중심으로 대등한 둘 이상의 내용을 늘어놓는 구조의 글이다. 이와 같은 글을 읽을 때는 나열되는 항목들이 설명 대상의 구체적인 사례나 특징에 해당하는 경우가 많으므로 각각의 정보를 정확히 파악하는 것이 중요하다.

예문   우리나라는 씨앗 소유권에 대한 인식이 부족하여 경제적으로 많은 손실을 보고 있다. '수수꽃다리', '나리', '구상나무' 등의
                   중심 화제

씨앗은 우리도 모르는 사이에 해외로 빠져나갔다. 이 씨앗들은 품종이 개량되어 비싼 값에 역수입되고 있다. 또한 우리는 우수한

품종의 씨앗을 사 오는 데 매년 많은 돈을 지불하고 있다. 그동안 씨앗을 개량하려는 노력이 부족하였기 때문이다.

지금부터라도 우리는 씨앗에 대한 소유권을 확보하기 위해 노력해야 한다. 그러면 씨앗의 소유권을 확보하기 위하여 어떻게
                                                                                                   설명 대상

해야 할까? 첫째, 씨앗의 중요성을 인식하고 씨앗 소유권에 대해 관심을 가져야 한다. 둘째, 씨앗을 체계적으로 연구하는 기관을
        ──────────────────────────────────   ─────────────────────────────
             씨앗 소유권 확보 방안 (1)   씨앗 소유권 확보 방안 (2)

많이 만들어야 한다. 셋째, 씨앗에 대한 기초 자료를 조사하고 수집해야 한다. 넷째, 재래종 씨앗을 보전하고 확보해야 한다.
                    ───────────────────────────────────   ──────────────────────────────
                         씨앗 소유권 확보 방안 (3)   씨앗 소유권 확보 방안 (4)

다섯째, 우리 씨앗이 해외로 빠져나가는 것을 막기 위해 관리를 강화해야 한다.
───
              씨앗 소유권 확보 방안 (5)

예로부터 우리 조상들은 아무리 배가 고파도 씨앗으로 쓸 것은 먹지 않고 남겨 두었다. 그만큼 우리 조상들은 씨앗을 소중하게

여겼다. 앞으로 우리는 씨앗에 대한 소유권을 확보하기 위해 더 많은 노력을 기울여야 한다.

1 **나열 구조를 나타내는 표지를 찾는다.** ┄┄┄┄┄● 나열 구조를 나타내는 표지로는 '첫째, 먼저, 우선 / 둘째, 다음으로, 또한, 한편 / 셋째, 마지막으로, 끝으로' 등이 있다.

> · 표지: 첫째, 둘째, 셋째, 넷째

2 **나열 구조를 나타내는 '표지' 뒤의 내용은 주요 정보이므로, 해당 내용들을 파악한다.**

> · 씨앗 소유권을 확보하기 위한 방안
> - 방안 1: 씨앗의 중요성 인식, 씨앗 소유권에 관심 갖기
> - 방안 2: 씨앗을 체계적으로 연구하는 기관 설립
> - 방안 3: 씨앗에 대한 기초 자료 조사 및 수집
> - 방안 4: 재래종 씨앗 보전 및 확보
> - 방안 5: 우리 씨앗의 해외 반출을 위한 관리 강화

다음 글에서 나열 구조를 나타내는 표지를 찾고, 글의 주요 정보를 정리해 보자.

> 한편 제조물의 결함으로 손해가 발생한 경우에 제조업자는 다음 중 어느 하나를 입증하면 손해 배상 책임을 면할 수 있다. 첫째, 제조업자가 해당 제조물을 공급하지 아니한 사실, 둘째, 제조업자가 해당 제조물을 공급한 때의 과학·기술 수준으로는 결함의 존재를 발견할 수 없었다는 사실, 셋째, 제조업자가 해당 제조물을 공급할 당시의 법령이 정하는 기준을 준수함으로써 제조물의 결함이 발생한 사실 등이다. 그밖에 원재료 또는 부품 제조업자의 경우에는 해당 원재료 또는 부품을 사용한 제조물 제조업자의 설계 또는 제작에 관한 지시로 인하여 결함이 발생하였다는 사실을 입증하면 책임을 지지 않아도 된다. 그러나 면책 사유에 해당하더라도 제조업자가 제조물의 결함을 알면서도 적절한 피해 예방 조치를 하지 않은 경우, 또는 주의를 기울였다면 충분히 알 수 있었을 결함을 발견하지 못한 경우에는 책임을 피할 수 없다.

(1) 나열 구조를 나타내는 표지: (   )

(2) 주요 정보 정리

구분	주요 정보
제조업자가 손해 배상 책임을 면할 수 있는 경우	①: ( ) ②: ( ) ③: ( ) ④: ( )
제조업자가 손해 배상 책임을 면할 수 없는 경우	⑤: ( ) ⑥: ( )

정답 (1) 첫째, 둘째, 셋째, 그밖에

　　(2) ① 제조업자가 해당 제조물을 공급하지 않은 사실을 입증한 경우
　　　　② 제조업자가 해당 제조물 공급 당시의 과학·기술 수준으로는 결함을 발견할 수 없었다는 사실을 입증한 경우
　　　　③ 제조업자가 제조물 공급 당시 법령상의 기준을 준수함으로써 제조물의 결함이 발생한 사실을 입증한 경우
　　　　④ 원재료 또는 부품 제조업자가 제조물 제조업자의 설계 또는 제작에 관한 지시로 인해 결함이 발생했다는 사실을 입증한 경우
　　　　⑤ 제조업자가 제조물의 결함을 알면서도 적절한 피해 예방 조치를 하지 않은 경우
　　　　⑥ 제조업자가 주의를 기울였다면 충분히 알 수 있었을 결함을 발견하지 못한 경우

02 내용을 구체화 하는 글

상위 항목으로 설명 대상을 제시하고, 이를 하위 항목으로 나누어 설명하는 구조의 글이다. 이와 같은 글을 읽을 때는 각 항목 간의 관계를 우선적으로 판단한 뒤, 항목별 정의와 특징을 정확히 파악하는 것이 중요하다.

예문　<u>공리주의</u>는 일반적으로 어떤 행위의 옳고 그름이 공리에 따라, 즉 그 행위가 인간의 이익과 행복을 늘리는 데 결과적으로 얼마나
　　　　 상위 항목　　　　　　　　　　　　　　　　　　　'공리주의'의 정의
기여하는가에 따라 결정된다고 보는 이론이다. 공리주의는 인간이 할 수 있는 행위들 중에서 인간의 최대 이익과 행복이라는
'최선의 결과'를 가져오는 행위를 옳은 행위로 본다. 이때 <u>최선의 결과</u>를 무엇으로 보는지에 따라 쾌락주의적 공리주의, 선호
공리주의로 나눌 수 있다.

　　<u>쾌락주의적 공리주의</u>는 <u>최선의 결과를 쾌락의 증진으로 보는 이론이다.</u> 다시 말해 인간의 심리적 경험인 쾌락을 본래적 가치로
　　　　하위 항목 1　　　　　　　　　'쾌락적 공리주의'의 정의
여기는 것이다. 이 이론에 따르면 <u>도덕적으로 옳은 행위는 자신뿐 아니라, 그 행위가 영향을 미치는 모든 인간들의 쾌락을 가장</u>
　　　　　　　　　　　　　　　　　　　　　　　　　　　'쾌락주의적 공리주의'의 특징
<u>증진하는 행위이다.</u>

　　<u>선호 공리주의</u>는 <u>최선의 결과를 선호의 실현으로 본다.</u> 이때 선호란 사람마다 원하는 것 혹은 실현하고자 하는 것을 말한다.
　　　　하위 항목 2　　　　　'선호 공리주의'의 정의
이에 따르면 <u>도덕적으로 옳은 행위는 자신뿐 아니라, 그 행위가 영향을 미치는 모든 사람들 각자가 지닌 선호를 가장 많이</u>
　　　　　　　　　　　　　　　　　　　　　　　　　　　　　'선호 공리주의'의 특징
<u>실현시키는 행위이다.</u>

1　**각 항목 간의 관계를 파악한다.**

```
            상위 항목(설명 대상): 공리주의
        ┌──────────────┴──────────────┐
   하위 항목 1:              &        하위 항목 2:
   쾌락적 공리주의                    선호 공리주의
```

2　**상위 항목과 하위 항목을 판단한 뒤, 항목별 정의와 특징을 파악한다.**

> · 상위 항목: 공리주의
>   - 정의: 어떤 행위의 옳고 그름이 그 행위가 인간의 이익과 행복을 늘리는 데 결과적으로 얼마나 기여하였는지(공리)에 따라
>   결정된다고 보는 이론
>
> · 하위 항목 1: 쾌락적 공리주의
>   - 정의: '최선의 결과'를 쾌락의 증진으로 보는 이론
>   - 특징: 도덕적으로 옳은 행위는 자신뿐만 아니라 자신의 행위가 영향을 미치는 모든 인간들의 쾌락을 증진하는 행위임
> · 하위 항목 2: 선호 공리주의
>   - 정의: 최선의 결과를 선호의 실현으로 보는 이론
>   - 특징: 도덕적으로 옳은 행위는 자신뿐만 아니라 그 행위가 영향을 미치는 모든 인간들의 선호를 많이 실현시키는 행위임

1. 다음 글을 읽고, 상위 항목과 하위 항목을 파악하고 각 항목의 정의를 정리해 보자.

촉매란 자신은 변화하지 않으면서 다른 물질의 화학 반응을 매개하여 반응 속도를 빠르게 하거나 늦추는 물질을 가리킨다. 물질들이 화학 반응을 일으키기 위해서는 충분한 에너지를 지녀야 한다. 이때 필요한 최소한의 에너지가 곧 활성화 에너지이다. 촉매는 반응물이 활성화 에너지보다 낮은 경로로 반응이 일어나거나, 높은 경로로 반응이 일어나도록 한다.

활성화 에너지보다 낮은 경로로 반응이 나타나도록 하는 촉매를 정촉매, 활성화 에너지보다 높은 경로로 반응이 일어나도록 하는 촉매를 부촉매라고 한다. 정촉매를 사용하면 반응 속도가 빨라지는 반면 부촉매를 사용하면 반응 속도가 느려진다.

구분		정의	
상위 항목	①: ( )	②: (	)
하위 항목 1	③: ( )	④: (	)
하위 항목 2	⑤: ( )	⑥: (	)

2. 다음 글을 읽고, 상위 항목과 하위 항목을 파악하고 각 항목의 특징을 정리해 보자.

생명체들은 본성적으로 감각을 갖고 태어나지만, 그들 가운데 일부의 경우에는 감각으로부터 기억이 생겨나지 않는 반면 일부의 경우에는 생겨난다. 그리고 그 때문에 후자의 경우에 해당하는 생명체들은 기억 능력이 없는 것들보다 분별력과 학습력이 더 뛰어난데, 그중 소리를 듣는 능력이 없는 것들은 분별은 하지만 배움을 얻지는 못하고, 기억에 덧붙여 청각 능력이 있는 것들은 배움을 얻는다.

인간 종족은 기술과 추론을 이용해서 살아간다. 인간의 경우에는 기억으로부터 경험이 생겨나는데, 그 까닭은 같은 일에 대한 여러 차례의 기억은 하나의 경험 능력을 만들어 내기 때문이다. 그리고 경험은 학문적인 인식이나 기술과 거의 비슷해 보이지만, 사실 학문적인 인식과 기술은 경험의 결과로서 사람들에게 생겨나는 것이다.

구분		특징	
상위 항목	①: ( )	②: (	)
하위 항목	③: ( )	④: (	)

정답 1. ① 촉매　　　② 자신은 변화하지 않으면서 다른 물질의 화학 반응을 매개하여 반응 속도를 빠르게 하거나 늦추는 물질
　　　③ 정촉매　　④ 활성화 에너지보다 낮은 경로로 반응이 나타나도록 하는 촉매
　　　⑤ 부촉매　　⑥ 활성화 에너지보다 높은 경로로 반응이 일어나도록 하는 촉매
　2. ① 생명체　　② 일부는 감각으로부터 기억이 생겨나지 않는 반면, 일부는 생김
　　　③ 인간　　　④ 특징 기억으로부터 경험이 생김

03 예시를 통해 대상을 설명하는 글

설명 대상(= 중심 화제)과 그에 대한 개념을 제시한 뒤, 예시를 바탕으로 관련된 내용을 구체적으로 설명하는 구조의 글이다. 이와 같은 글을 읽을 때는 설명 대상의 정의를 우선적으로 정리해야 하며, 대상의 세부적인 특징과 관련 예시를 정확히 파악하는 것이 중요하다.

예문

민사 소송에서 판결에 대하여 상소, 곧 항소나 상고가 그 기간 안에 제기되지 않아서 사안이 종결되든가, 그 사안에 대해 대법원에서 최종 판결이 선고되든가 하면, 이제 더 이상 그 일을 다툴 길이 없어진다. 이때 판결은 확정되었다고 한다. 확정 판결에 대하여는 '기판력(旣判力)'이라는 것을 인정한다. 이는 확정된 재판의 판단 내용이 소송 당사자 및 같은 사항을 다루는
  _{설명 대상}   _{정의}
다른 법원을 구속하여, 그 판단 내용에 어긋나는 주장이나 판단을 할 수 없게 하는 소송법적인 효력을 의미한다.

기판력이 있는 판결에 대해서는 더 이상 같은 사안으로 소송에서 다툴 수 없다. 예를 들어, 『계약서를 제시하지 못해 매매
  _{대상의 특징}   _{예시}
사실을 입증하지 못하고 패소한 판결이 확정되면, 이후에 계약서를 발견하더라도 그 사안에 대하여는 다시 소송하지 못한다.』

즉 같은 사안에 대해 서로 모순되는 확정 판결이 존재하도록 할 수는 없는 것이다.
〈요약·정리〉

---

1 글에서 설명하는 대상이 무엇인지 확인하고 정의를 파악한다.

> · 설명 대상: 기판력
> · 정의: 확정된 재판의 판단 내용이 소송 당사자 및 같은 사항을 다루는 다른 법원을 구속하여, 그 판단 내용에 어긋나는 주장이나 판단을 할 수 없게 하는 소송법적인 효력

2 대상의 특징과 이를 구체적으로 설명하기 위한 예시를 파악한다.

> · 특징: 기판력이 있는 판결에 대해서는 더 이상 같은 사안으로 소송해서 다툴 수 없음
> · 예시: 계약서를 제시하지 못해 매매 사실을 입증하지 못하고 패소한 판결이 확정되면, 이후에 계약서를 발견하더라도 그 사안에 대하여는 다시 소송하지 못함

3 요약·정리의 표지 이후에 제시되는 내용은 글에서 강조하는 내용인 경우가 많다.

> '기판력'은 같은 사안에 대해 서로 모순되는 확정 판결이 존재하도록 할 수는 없도록 하기 위해 존재하는 법적 효력임

1. 다음 글에서 설명하고자 하는 대상을 밝히고, 그것의 특징과 예시를 정리한 뒤, 글에서 강조하는 내용을 찾아보자.

> 들뢰즈는 차이의 의미에 따라 차이를 분류하였는데, 그중 하나가 '개념적 차이'이다. 개념적 차이란 개념적 종차*를 통해 파악될 수 있는, 어떤 대상과 다른 대상의 상대적 다름을 의미한다. 개념적 차이는 대상만의 고유한 가치로는 파악될 수 없으며, 대상이 지닌 특성을 다른 대상과 비교할 때 확인할 수 있다. 예를 들어 소금의 보편적 특성은 짠맛이나 흰색 등으로 볼 수 있는데 이러한 특성은 소금과 설탕의 맛을 비교하거나, 소금과 숯의 색깔을 비교함으로써 파악될 수 있다. 즉 대상과 다른 대상들과의 상대적인 비교를 통해 대상의 개념적 차이가 형성되는 것이다.
>
> *종차: 한 유개념 속의 어떤 종개념이 다른 종개념과 구별되는 요소.

(1) 설명 대상과 정의: (   )

(2) 대상의 특징: (   )

(3) 대상에 대한 구체적 예시: (   )

(4) 강조하는 내용: (   )

2. 다음 글에서 설명하고자 하는 대상을 밝히고, 그것의 특징과 예시를 정리해 보자.

> 비용편익분석은 어떤 정책이나 행동이 얼마만큼의 행복을 가져오고 동시에 얼마만큼의 비용이 드는가를 화폐 가치로 환산해서 그 차액으로 정책이나 행동을 결정하는 것이다.
>
> 비용편익분석의 사례로 체코에서 일어난 필립 모리스 담배 문제를 소개할 수 있다. 담배 때문에 사람이 죽게 되는 경우, 살아 있는 동안 국가의 의료비 부담은 늘어나지만, 흡연자는 빨리 사망하기 때문에 연금, 고령자를 위한 주택 등의 예산이 절약되어 국가 재정에는 오히려 도움이 된다. 국민들이 담배를 피울 때 국가의 비용보다 편익이 크므로 국가는 담배를 금하지 말고 계속 피우게 하는 편이 좋다는 이 결과에 인간의 생명을 경시하는, 비인도적인 발상이라는 비난 여론이 들끓었다. 결국 필립 모리스는 사죄하게 되었다.

(1) 설명 대상과 정의: (   )

(2) 대상의 특징: (   )

(3) 대상에 대한 구체적 예시: (   )

정답 1. (1) 개념적 차이, 개념적 종차를 통해 파악될 수 있는, 어떤 대상과 다른 대상의 상대적 다름
      (2) 대상만의 고유한 가치로 파악할 수 없으며, 다른 대상과 특성을 비교할 때 확인됨
      (3) '소금과 설탕의 맛 차이'와 '소금과 숯의 색깔 비교'를 통해 소금의 개념적 차이를 도출할 수 있음
      (4) 개념적 차이는 대상과 다른 대상들의 상대적인 비교를 통해 형성됨
  2. (1) 비용편익분석, 어떤 정책이나 행동이 얼마만큼의 행복을 가져오고 동시에 얼마만큼의 비용이 드는가를 화폐 가치로 환산해서 그 차액으로 정책이나 행동을 결정하는 것
      (2) 비용편익분석은 인간의 생명을 경시하는 비인도적인 발상으로 이어질 수 있음
      (3) 체코의 필립 모리스 담배 문제

04 비교·대조하는 글

둘 이상의 대상을 비교·대조하는 구조의 글이다. 이와 같은 글을 읽을 때는 대등한 층위로 제시되는 설명 대상들의 공통점과 차이점을 정확히 파악하는 것이 중요하다.

예문   영화 포스터를 구성하는 글자와 이미지는 장르에 따라 다르게 사용된다. 영화 포스터에서 글자는 서체와 기울기로 표현된다.
중심 화제
액션 장르의 포스터와 로맨스 장르의 포스터를 비교해 보면 (액션 장르 포스터에 쓰인 고딕체는 굵은 직선으로 되어 있어 격렬한
설명 대상1   차이점1 – 글자
액션 장르의 강인함을 부각한다.) 반면 (로맨스 장르 포스터에 쓰인 손 글씨체는 부드러운 곡선으로 되어 있어 로맨스 장르
설명 대상2   차이점1 – 글자
특유의 섬세한 감성적인 특징을 시각적으로 나타낸다.) 또한 액션 장르 포스터는 글자가 15~20도 정도 기울어져 있는 경우가

있는데, 이렇게 기울기를 적용하면 역동성을 표현하기에 용이하다.

이미지에서도 차이가 있다. 영화 포스터에서 이미지는 사진과 그림으로 표현된다. 사진을 활용하면 대상을 사실적으로 표현할

수 있고, 그림을 활용하면 대상의 인상을 강조할 수 있다. (액션 장르에서는 인물이 뛰는 모습을 순간적으로 포착한 사진이 자주
차이점2 – 이미지
사용되는데 이를 통해 긴박한 상황에 처한 인물을 사실적으로 드러낸다.) 이와 달리 (로맨스 장르 포스터에는 주로 두 남녀가

함께 웃고 있는 사진이 사용되어 밝고 명랑한 느낌을 자아낸다.)
차이점2 – 이미지

---

1 글의 중심 화제를 파악한 뒤, 비교 또는 대조를 통해 설명하고자 하는 대상들을 파악한다.

> · 중심 화제: 영화 포스터
> · 설명 대상 1: 액션 장르 영화 포스터
> · 설명 대상 2: 로맨스 장르 엉화 포스터

2 비교·대조 구조를 나타내는 표지를 찾는다.

> · 비교 구조를 나타내는 접속표현: 반면, 이와 달리
> · 비교 구조를 나타내는 키워드: 비교해 보면, 차이가 있다.

3 설명 대상들이 같은 항목에 대해 어떠한 차이점을 보이는지 파악한다.

구분	액션 장르 영화 포스터	로맨스 장르 영화 포스터
글자	굵은 직선의 고딕체, 기울어진 서체	부드러운 곡선의 손 글씨체
이미지	인물이 뛰는 모습	두 남녀가 함께 웃는 모습
표현하고자 하는 바	역동성, 긴박함	섬세한 감성, 밝음, 명랑함

1. 다음 글에서 비교·대조 구조를 나타내는 표지를 찾고, 설명하고자 하는 대상과 두 대상 간의 공통점 및 차이점을 정리해 보자.

물건을 빌려 쓰거나 보관하고 있는 것을 포함하여 물건을 물리적으로 지배하는 상태를 직접점유라고 한다. 이에 비해 어떤 물건을 빌려 쓰거나 보관하는 사람에게 그 물건의 반환을 청구할 수 있는 권리를 가진 사람도 사실상의 지배를 한다고 볼 수 있다. 이와 같이 반환청구권을 가진 상태를 간접점유라고 한다. 직접점유와 간접점유는 모두 점유에 해당한다. 점유는 소유자를 공시하는 기능도 수행한다. 공시란 물건에 대해 누가 어떤 권리를 가지고 있는지를 알려 주는 것이다.

(1) 비교·대조 구조를 나타내는 표지: ( )

(2)

설명 대상	①: ( )	②: ( )
공통점	③: ( )	
차이점	④: ( )	⑤: ( )

2. 다음 글에서 대조 구조를 나타내는 표지를 찾고, 설명하고자 하는 대상과 각 대상 간의 차이점을 정리해 보자.

음악의 한배를 있게 한 실제적 기준은 호흡이었다. 즉, 숨을 들이쉬고 내쉼이 한배의 틀이 된 것이었다. 이를 기준으로 해서 이루어진 방법을 선인들은 양식척(量息尺)이라고 불렀다. '숨을 헤아리는 자(尺)'라는 의미로 명명된 이 방법은 우리 음악에서 한배와 이에 근거한 박절을 있게 한 이론적 근거가 되었다. 시계가 없었던 당시에 선인들은 건강한 사람의 맥박의 6회 뜀을 한 호흡(一息)으로 계산하여 1박은 그 반인 3맥박으로 하였다. 그러니까 한 호흡을 2박으로 하여 박자와 한배의 기준으로 삼았던 것이다. 반면 서양인들은 우리와 달리 음악적 시간을 심장의 고동에서 구하여 이를 기준으로 하였다. 즉, 맥박을 기준으로 하여 템포를 정하였다. 건강한 성인은 보통 1분에 70회 전후로 맥박이 뛴다고 한다. 이에 의해 그들은 맥박 1회를 1박의 기준으로 하였고, 1분간에 70박 정도 연주하는 속도를 그들 템포의 기본으로 하였다. 그래서 1분간 울리는 심장 박동에 해당하는 빠르기가 바로 '느린 걸음걸이의 빠르기'인 안단테로 이들의 기준적 빠르기 말이 되었다.

(1) 대조 구조를 나타내는 표지: ( )

(2)

설명 대상	①: ( )	②: ( )
차이점	③: ( )	④: ( )

정답 1. (1) 이에 비해, 모두 (~ 해당한다)

    (2) ① 직접 점유 　　　　　　　　② 간접 점유

      ③ 점유에 해당함

      ④ 물건을 물리적으로 지배하는 상태 　　⑤ 물건 반환을 청구할 수 있는 권리를 가진 상태

  2. (1) 반면

    (2) ① 우리 음악의 음악적 시간(한배) 　　② 서양 음악의 음악적 시간(템포)

      ③ 1/2 호흡을 1박의 기준으로 함 　　④ 맥박 1회를 1박의 기준으로 함

4. 글 구조 분석하기②

공무원 국어 독해에서는 다양한 구조의 글이 제시된다. 글은 종류와 목적에 따라 특정한 구조와 관습적인 전개 방식을 갖추고 있는데, 이를 이해하면 글의 정보를 효과적으로 파악할 수 있다. 글의 구조에 따라 주요 정보를 찾는 방법을 익혀보자.

01 문제·해결 구조의 글

현상, 제도, 대상, 기술 등과 관련된 문제가 나타나고 이에 대한 해결 방안이 제시되는 구조의 글이다. 문제가 되는 대상 및 상황과 그것이 문제가 되는 원인이 무엇인지 파악한 후 문제를 해결하기 위한 방안이나 대안의 내용을 정확히 파악하는 것이 중요하다.

예문   일반적으로 동식물에서 종(種)이란 '같은 개체끼리 교배하여 자손을 남길 수 있는' 또는 '외양으로 구분이 가능한' 집단을 뜻한다. 그렇다면 세균처럼 한 개체가 둘로 분열하여 번식하며 외양의 특징도 많지 않은 미생물에서는 종을 어떤 기준으로 구분할까?

미생물의 종 구분(중심 화제)에는 외양과 생리적 특성을 이용한 방법이 사용되기도 한다. 하지만 [이러한 특성들은 미생물이 어떻게 배양되는지에 따라 변할 수 있으며, 모든 미생물에 적용될 만한 공통적 요소가 되기도 어렵다.](문제) [이런 문제를 극복하기 위해(해결 방안) 오늘날 미생물 종의 구분에는 주로 유전적 특성을 이용하고 있다.] 미생물의 유전체는 DNA로 이루어진 많은 유전자로 구성되는데, 특정 유전자를 비교함으로써 미생물들 간의 유전적 관계를 알 수 있다. 종의 구분에는 서로 간의 차이를 잘 나타내 주는 유전자를 이용한다. 유전자 비교를 통해 미생물들이 유전적으로 얼마나 가깝고 먼지를 확인할 수 있는데, 이를 '유전 거리'라 한다. 유전 거리가 가까울수록 같은 종으로 묶일 가능성이 커진다.

1 **문제·해결 구조를 나타내는 표지를 찾는다.**

    ┌─▶ '문제는', '어려움이 있다', '~로 해결할 수 있다', '이를 극복하기 위해' 등과 같이 명시적으로 제시되는 경우가 많다.

> · 표지: 어렵다, 이런 문제를 극복하기 위해서는

2 **문제와 문제의 원인을 확인한 후 그에 대한 해결 방안과 그 원리를 정리한다.**

문제		해결 방안

· 문제: 외양과 생리적 특성을 이용해 미생물 종을 구분하는 데 한계가 있음
· 문제의 원인
  – 외양과 생리적 특성은 미생물 배양에 따라 변할 수 있음
  – 외양과 생리적 특성은 모든 미생물에 적용되는 공통적 요소가 아님
	⇨	· 해결 방안: 유전적 특성을 이용해 미생물 종을 구분함
		· 해결 방안의 원리
		  – 유전자 분석을 통해 유전적 원근을 판단할 수 있음

1. 다음 글에 제시된 문제와 해결 방안을 정리해 보자.

16세기 말부터 중국에 본격 유입된 서양 과학은, 청 왕조가 1644년 중국의 역법(曆法)을 기반으로 서양 천문학 모델과 계산법을 수용한 시헌력을 공식 채택함에 따라 그 위상이 구체화되었다. 브라헤와 케플러의 천문 이론을 차례대로 수용하여 정확도를 높인 시헌력이 생활 리듬으로 자리 잡았지만, 중국 지식인들은 서양 과학이 중국의 지적 유산에 적절히 연결되지 않으면 아무리 효율적이더라도 불온한 요소로 여겼다. 이에 따라 서양 과학에 매료된 학자들도 어떤 방식으로든 서양 과학과 중국 전통 사이의 적절한 관계 맺음을 통해 이 문제를 해결하고자 하였다.

(1) 문제 해결 구조를 나타내는 표지: (   )

(2)

문제		해결 방안
①: ( )	⇨	②: ( )

2. 다음 글에 제시된 문제와 해결 방안을 정리해 보자.

필로티(pilotis) 문제가 아니라 왜 필로티 건축인가를 물어야 한다. 이는 주차 문제와 관련이 있다. 소형 주택·상가에서 법정주차대수를 맞추려면 대지 내에 빼곡히 주차면을 만들어야 한다. 반면에 상부 건물은 대지 경계선으로부터 띄워야 하므로 1층을 필로티로 하여 차가 삐죽 나오도록 하는 것은 논리적 귀결이다.

필로티에 대한 선호 또한 저렴 주택, 나아가 저렴 도시와 관련이 깊다. 다세대·다가구주택은 단독주택용 필지에 부피 늘림만 허용한 1970, 80년대 주택공급 정책의 결과다. 공공에서 책임져야 할 주차·도로·녹지를 모두 개별 대지 안에서 해결하려니 설계는 퍼즐 풀기가 되었고 이때 필로티는 모범답안이었다.

(1) 문제 해결 구조를 나타내는 표지: (   )

(2)

문제		해결 방안
①: ( )	⇨	②: ( )

정답 1. (1) 문제를 해결하고자 하였다

　　　(2) ① 중국 지식인들은 서양 과학이 중국의 지적 유산에 적절히 연결되지 않으면 불온한 요소로 여겼음

　　　　　② 서양 과학과 중국 전통 사이의 적절한 관계를 맺음

　　2. (1) 문제와 관련이 있다, 해결하려니

　　　(2) ① 공공에서 책임져야 할 주차를 개별 대지 안에서 해결해야 했음

　　　　　② 필로티 설계로 주차 공간을 확보함

02 과정이 드러나는 글

시간의 흐름에 따라 대상이나 현상의 변화에 대해 설명하는 구조의 글이다. 이와 같은 글을 읽을 때는 시간의 흐름에 맞춰 각 단계를 설정한 뒤 단계별 특징을 정확히 파악하는 것이 중요하다.

예문
음악에서 연주라는 개념이 본격적으로 의미를 갖게 된 것은 18세기부터이다. 당시 유행하였던 영향미학에 따라 음악은
설명 대상 / *1단계* / *1단계의 특징 (1)*
'내용'을 가지고 있어야 한다고 생각되었다. 여기서 내용은 누구나 느낄 수 있는 객관적인 감정을 의미했는데, 이 시기의
연주는 그 감정을 청중에게 정확하게 전달하는 것으로 이해되었다. 따라서 작곡자들은 악곡 속에 그 감정들을 담아내었고,
1단계의 특징 (2)
연주자들은 자신의 생각이나 주관을 드러내기보다는 작품이 갖고 있는 감정을 청중에게 정확하게 전달하는 역할을 했다.
1단계의 특징 (3)
그러나 이러한 연주의 개념은 19세기에 들어 영향미학이 작품미학으로 전환되면서 바뀌게 된다. 작품 그 자체가 지니는
2단계
의미와 가치에 관심을 갖는 작품미학의 영향에 따라 작곡자들은 음악이 내용을 지시하거나 표상하도록 할 필요가 없게 되었고,
2단계의 특징 (1)
오로지 음악 그 자체로서 고유한 가치를 갖는 절대 음악을 탄생시켰다. 작곡자들은 어떤 내용이나 감정을 표현하는 대신 동기,
2단계의 특징 (2)
악구, 악절, 주제의 발전과 반복 등을 조화롭게 구성하여 작곡함으로써 형식에 의한 음악의 아름다움을 추구하게 된 것이다.
이렇게 음악에서 지시하는 내용이나 감정이 없어지자 연주자는 작품을 구성하는 형식에 의한 아름다움의 의미들을 재구성하여
2단계의 특징 (3)
표현하려 했고, 이에 따라 연주는 해석으로 이해되었다.

---

1 설명하는 대상을 파악하고 시간의 흐름에 맞춰 각 단계를 설정한다.

- 설명 대상: 연주
- 단계 설정
  - 1단계: 18세기
  - 2단계: 19세기

---

2 변화하는 과정에서 나타나는 설명 대상의 특징을 정리한다.

18세기의 '재현'으로서의 연주		19세기의 '해석'으로서의 연주
영향미학의 영향을 받아 '내용(감정)'을 중시		작품미학의 영향을 받아 작품 자체의 '의미'와 '가치'를 중시
'내용(감정)'의 정확한 전달을 중시	⇨	형식에 의한 음악적 아름다움을 중시
연주자는 자신의 주관을 드러내기보다는 작품이 지닌 감정을 청중에게 정확하게 전달하는 역할을 수행		연주자는 작품을 구성하는 형식적 아름다움의 의미를 재구성해 표현하는 역할을 수행

1. 다음 글에서 '단백질 분해 과정'에 대한 설명으로 적절하지 않은 것을 모두 골라 보자.

> 단백질 분해 과정의 하나인, 프로테아솜이라는 효소 복합체에 의한 단백질 분해는 세포 내에서 이루어진다. 프로테아솜은 유비퀴틴이라는 물질이 일정량 이상 결합되어 있는 단백질을 아미노산으로 분해한다. 단백질 분해를 통해 생성된 아미노산의 약 75%는 다른 단백질을 합성하는 데 이용되며, 나머지 아미노산은 분해된다. 아미노산이 분해될 때는 아미노기가 아미노산으로부터 분리되어 암모니아로 바뀐 다음, 요소(尿素)로 합성되어 체외로 배출된다. 그리고 아미노기가 떨어지고 남은 부분은 에너지나 포도당이 부족할 때는 이들을 생성하는 데 이용되고, 그렇지 않으면 지방산으로 합성되거나 체외로 배출된다.

① 프로테아솜은 단백질을 아미노산으로 분해한다.

② 아미노기는 암모니아로 전환되어 체외 배출된다.

③ 아미노산은 유비퀴틴이 결합된 단백질을 분해한다.

④ 아미노기가 분리된 아미노산은 모두 체외 배출된다.

2. 다음 글에서 설명하는 대상의 상황 변화를 시간의 흐름에 맞춰 정리해 보자.

> 하와이어도 사멸 위기를 겪었다. 하와이어의 포식 언어는 영어였다. 80만 명에 달했던 하와이 원주민은 외부로부터 유입된 감기, 홍역 등의 질병과 정치 문화적 박해로 인구가 감소해 1898년에 하와이가 미국에 합병되면서부터 인구가 증가하였으나, 하와이어의 위상은 영어 공용어 교육 정책 시행으로 인하여 크게 위축되었다. 1978년부터 몰입식 공교육을 통한 하와이어 복원이 시도되고 있으나, 하와이어 모국어를 구사할 수 있는 원주민 수는 현재 1,000명 정도에 불과하다.

시간의 흐름	상황
①: ( )	②: ( )
③: ( )	④: ( )

정답 1. ③ ④
　　　③ 프로테아솜이 유비퀴틴이 결합된 단백질을 분해한 결과가 아미노산이므로 ③은 단백질 분해 과정의 선후관계를 잘못 이해한 것이다.
　　　　또한 아미노산의 75%는 다른 단백질을 합성하는 데 이용된다.
　　　④ 아미노기가 분리된 아미노산은 에너지나 포도당이 부족할 경우 이들의 생성에 이용되거나, 지방산으로 합성되기도 한다.
　　　　즉 해당 아미노산이 모두 체외 배출된다는 설명은 적절하지 않다.
　　2. ① 1898년　　② 영어 공용어 교육 정책 시행으로 하와이어의 위상이 위축됨
　　　③ 1978년　　④ 몰입식 공교육을 시행했지만 하와이어를 구사하는 원주민은 1,000명 정도에 불과함

03 인과 구조의 글

어떠한 결과가 발생하게 된 원인을 설명하거나, 어떠한 원인에 의해 초래된 결과를 설명하는 구조의 글이다. 이와 같은 글을 읽을 때는 인과 구조를 나타내는 표지에 주목하여 원인과 그에 따른 결과를 정확히 파악하는 것이 중요하다.

예문　　일반적으로 사막은 연 강수량이 250 mm 이하인 지역을 말하는데, 대부분 저위도와 중위도에 분포한다. 그렇다면 사막은
　　　중심 화제
어떻게 만들어지는 것일까?

　　저위도의 사막은 북회귀선이나 남회귀선이 지나는 곳에 위치하는데, (이 지역은 지구의 대기 대순환에 의해 반영구적인
　　설명 대상1
고기압대가 형성되어 덥고 건조한 기후가 만들어진다.) (북회귀선에 위치한 사하라 사막, 아라비아 사막과 같은 열대 사막은
　　　　　　　　　저위도 사막 형성의 원인　　　　　⇒　　　　　　　　　　　　　결과
이러한 요인으로 형성되었다.)

　　중위도 지역에 위치한 미국 서부의 그레이트솔트레이크 사막과 중국 서부의 타클라마칸 사막의 형성 과정은 이와 다르다.
　　설명 대상2
(1) 그레이트솔트레이크 사막은 시에라네바다 산맥이 해양에서 유입되는 습윤한 공기의 수분 이동을 차단하여 형성되었다. 이는
　　　　　　　　　　　　그레이트솔트레이크 사막 형성의 원인과 결과
수분을 함유한 공기가 높은 산맥을 넘어 반대쪽에 도달할 때 수분을 잃게 되어 건조해지기 때문이다.) 한편, (2) 타클라마칸

사막은 히말라야 산맥에 의해 해양과 차단되어 있을 뿐만 아니라 대륙의 한가운데에 위치하고 있다는 조건 때문에 형성되었다.
　　　　　　　　　　　　　　　　타클라마칸 사막 형성의 원인과 결과
대륙 내부로의 이동 과정에서 생기는 공기 중의 수분 손실도 사막 형성의 한 원인인 것이다.) 이와 같이 사막은 대기 대순환,
　　〈요약·정리〉
지형적 특성, 지리적 위치 등의 요인에 의해 형성된다.

┌─ 이로 인해, ~에 의해, 따라서, ~면, ~(으)로, 때문이다 등

1 　**인과 구조를 나타내는 표지를 찾는다.**

> · 표지: 이러한 요인으로, ~ 때문이다, ~ 때문에, 원인인 것이다, ~에 의해

2 　**원인과 그에 따른 결과를 연결하여 인과 관계를 정리한다.**

원인				결과	
지구 대기의 대순환이 고기압대에 덥고 건조한 기후를 형성함	대기 대순환	⇨		사하라, 아라비아	저위도
산맥이 해양에서 유입된 습윤한 공기의 수분 이동을 차단하여 건조 기후를 형성함	지형적 특성			그레이트솔트레이크	중위도
산맥에 의해 해양과 차단되어 있고 대륙의 한가운데 위치해 공기가 이동하는 과정에서 수분을 손실함	· 지형적 특성 · 지리적 위치			타클라마칸	

1. 다음 글에서 인과 구조를 나타내는 표지를 찾고 글의 주요 정보를 원인과 결과로 나누어 정리해 보자.

> 미토콘드리아와 진핵세포 사이의 관계를 공생 관계로 보지 않는 이유는 무엇일까? 두 생명체가 서로 떨어져서 살 수 없더라도 각자의 개체성을 잃을 정도로 유기적 상호작용이 강하지 않다면 그 둘은 공생 관계에 있다고 보는데, 미토콘드리아와 진핵세포 간의 유기적 상호작용은 둘을 다른 개체로 볼 수 없을 만큼 매우 강하기 때문이다.

(1) 인과 구조를 나타내는 표지: (   )

(2)

원인		결과
①: ( )	⇨	②: ( )

2. 다음 글에서 인과 구조를 나타내는 표지를 찾고 글의 주요 정보를 원인과 결과로 나누어 정리해 보자.

> 에페소스의 문명이 갑자기 몰락하게 된 원인은 무엇일까? 그 이유는 아직도 정확히 밝혀져 있지 않지만 아마도 숲의 감소로 인한 생태계의 변화 때문이었을 것이다. 에페소스에서는 문명이 번창하여 농경 지대가 늘어나면서 숲이 줄어들게 되었고, 그에 따라 물의 순환이 제대로 이루어지지 못하여 강우량이 줄어들었다. 기후가 건조해지면서 땅이 점점 메마르게 되자 에페소스에는 흉년이 거듭되었고, 풍요로웠던 문명의 뿌리는 흔들리기 시작하였다. 게다가 헐벗은 산의 표층토가 빗물에 씻겨 내려 서서히 바다가 메워지면서 에페소스의 교역도 사양길로 접어들었고 해양 도시로서의 기능도 상실하고 말았다.

(1) 인과 구조를 나타내는 표지: (   )

(2)

원인		결과
①: ( )	⇨	②: ( )

정답 1. (1) 이유는 무엇일까, 때문이다
    (2) ① 미토콘드리아와 진핵세포 간의 유기적 상호작용이 매우 강하기 때문임
      ② 미토콘드리아와 진핵 세포는 공생 관계로 보지 않음
  2. (1) 원인은 무엇일까, 이유는, 때문이었을 것이다.
    (2) ① 농경 지대가 늘어나면서 숲이 줄어들게 됨
      ② 숲이 줄어듦에 따라 물의 순환이 제대로 이루어지지 못해 강우량이 줄어듦, 흉년이 거듭되면서 문명의 뿌리가 흔들림

04 주장·근거 / 전제·결론 구조의 글

특정한 대상, 현상, 개념에 대한 주장과 근거 또는 전제와 결론이 제시되는 구조의 글이다. 글의 중심 내용인 주장과 그를 뒷받침하는 내용인 근거를 정확하게 파악하고, 전제와 결론을 바탕으로 어떤 논증 방식을 사용하여 주장을 서술하는지를 파악하는 것이 중요하다.

예문

소비자로서는 세상이 편해졌다고 좋아할 수도 있겠지만, 그 이면에는 그림자가 있다. <u>일부 택배 기사들은 빨리 배달하려고</u> (전제1) <u>과속을 하거나 신호를 어겨 교통사고를 내기도 한다.</u> (2012년 안전보건공단 조사에 따르면 택배 업종에서 발생한 산업 재해 가운데 도로 교통사고가 절반 이상을 차지한다.) (근거1)

문제는 또 있다. <u>아침에 그날 안에 배달해야 하는 택배 기사들은 밤늦게까지 일을 멈출 수 없다.</u> (전제2) (시간은 한정되어 있고, 배달해야 할 물건은 하루 약 170개에 달하기 때문이다.) (근거2)

규모가 커지면 해당 업종에 종사하는 사람들의 수입이 느는 게 당연하지만, 택배 기사들은 그렇지 못하다. <u>택배 시장이 과열되면서, 더 저렴한 가격에 배달하려는 가격 경쟁이 심해졌기 때문에 택배 기사 개인의 수입은 거의 달라지지 않았다.</u> (전제3) (실제로 기사들은 한 건당 800원 정도를 벌 뿐이다.) (근거3)

<u>빠른 속도를 강조하는 사회에서 이렇듯 택배 기사들은 열악한 노동 환경에 처해 있다.</u> (1~3문단에 대한 귀납적 결론) 속도 경쟁, 소비자를 최대한 많이 확보하려는 경쟁의 부담을 소비자도 아닌 택배 기사들이 떠안고 있는 것이다.

1 글에 드러난 주장 및 전제와 그에 대한 근거를 파악한다.

구분	전제	근거
1문단	빠른 배달 속도를 요구하는 배달 구조로 인해 교통사고가 많이 발생함	2012년 안전보건공단 조사 결과 택배 업종 산업 재해 사고 절반 이상이 교통사고임
2문단	정해진 배송 시간 준수를 위해 기사들이 과로를 하고 있음	하루에 약 170개의 물건을 배달해야 함
3문단	배달 업계 규모는 성장하였으나, 택배 기사들의 수입은 늘지 않음	기사들은 한 건당 800원 정도밖에 벌지 못함

> • 연역 논증: 일반적 사실이나 원리를 전제로 하여 개별적인 특수한 사실이나 원리를 결론으로 이끌어 내는 논증 방법
> • 귀납 논증: 개별적인 특수한 사실이나 원리를 전제로 하여 일반적인 사실이나 원리로서의 결론을 이끌어 내는 논증 방법
> • 유추: 두 사물의 유사한 속성을 가지고 있다는 것을 근거로 다른 속성도 유사할 것이라고 추론하는 논증 방법

2 글의 전개 과정에서 사용된 논증 방식을 파악한다.

구분	논증 방식 파악
전제1	빠른 배달 속도를 요구하는 배달 구조로 인해 교통사고가 많이 발생함
전제2	정해진 배송 시간 준수를 위해 기사들이 과로를 하고 있음
전제3	배달 업계 규모는 성장하였으나, 택배 기사들의 수입은 늘지 않음
결론	빠른 속도를 강조하는 사회에서 택배 기사들이 열악한 노동 환경에 처해 있음

1. 다음 글에 제시된 정보를 주장과 근거로 나누어 정리해 보자.

반려동물 유기 문제가 심각한 사회적 문제로 대두된 지도 오래 되었다. 이러한 문제에 대응하기 위해 일각에서는 반려동물의 보호인에게 보유세를 부과하는 일명 '반려동물 보유세'를 도입해야 한다는 주장이 제기되고 있다. 반려동물 보유세를 도입하면 책임감 없는 사람들이 반려동물을 키우는 것을 줄일 수 있고, 장기적인 관점에서 이는 유기되는 반려동물의 수를 줄이는 데도 도움이 될 것이다. 또한 해당 제도를 시행하는 절차도 복잡하지 않을 것이다. 이미 반려동물 등록제가 전국적으로 시행되고 있으므로, 반려동물의 수와 종류를 집계하기가 쉽기 때문이다.

(1) 주장: (   )
(2) 근거
   ①: (   )
   ②: (   )
   ③: (   )

2. 다음 글의 주장과 논증 방식을 파악해 보자.

오늘날의 도시는 각종 환경 문제를 앓고 있는데, 도시 농업이 활성화되면 각종 환경 문제와 식량 위기 문제를 해결할 수 있을 것이다. 도시 농업이 이루어지면 자연스럽게 녹지가 조성되어 열섬 현상을 완화할 수 있으며, 도시인들에게 안정적으로 농산물을 공급할 수 있게 된다.
쿠바에서는 도시 농업이 활성화되면서 식량 자급률이 높아졌고, 환경오염도 크게 줄어들었다. 독일의 클라인가르텐은 도시민들의 건강과 휴양을 위한 공간으로도 활용되어 도시 농업의 성공을 이루었다. 이와 같은 성공 사례를 통해 우리는 도시 농업이 이루어질 경우 식량 자급률 상승, 공해 발생 억제 등의 효과를 확인할 수 있다.
따라서 정부는 도시 농업을 성공한 다른 나라의 사례를 표본으로 삼아 관련법을 제정하고 제도를 마련해야 할 것이다. 또한 시민들은 이러한 도시 농업이 이루어질 수 있도록 보다 많은 관심을 기울이고 정부의 정책에 협조해야 할 것이다.

(1) 주장: (   )
(2) 논증 방식: (   )

정답 1. (1) 반려동물 보유세를 도입해야 한다.
   (2) ① 책임감 없는 사람들이 반려동물을 키우는 것을 줄일 수 있음
      ② 유기되는 반려동물의 수를 줄이는 데 도움이 됨
      ③ 반려동물 등록제가 전국적으로 시행되고 있으므로 반려동물 보유세를 시행하는 절차도 복잡하지 않을 것임

   2. (1) 도시 농업을 활성화할 수 있게 관련법을 제정하고 제도를 마련해야 한다.
   (2) 귀납 논증

제1편

독해

1장

사실적 독해

01 주제 및 중심 내용 파악하기

☐ 유형 소개

· '주제 및 중심 내용 파악하기' 유형은 주로 필자의 의도, 글의 제목, 글 전체의 내용을 포괄하는 문장이 무엇인지 묻는 방식으로 출제된다.
· 글의 중심 내용, 주제, 필자의 의도, 결론, 궁극적으로 강조하는 내용 등을 묻는 문제가 이 유형에 속한다.
· 선택지와 제시문에서 반복적으로 언급되는 핵심어를 파악한 뒤, 글의 처음과 끝의 내용이나 중심 내용을 언급할 때 자주 사용되는 표현에 주목하여 중심 내용을 파악해야 한다.

↳ 즉, 결국, 따라서,
이와 같이, 결과적으로,
다시 말해

☐ 출제 경향

· 글의 맨 앞부분이나 뒷부분에 명시적으로 드러난 주제나 중심 내용을 파악하는 문제가 자주 출제되고 있다.
· 글에 제시된 문장들을 재구성하여 주제나 중심 내용을 도출해야 하거나, 글에 제시된 정보들을 통해 숨겨진 주제, 중심 내용을 추론해야 하는 다소 높은 난도의 문제들도 출제되고 있다.

☐ 단계별 문제 풀이 전략

STEP 1 선택지에서 반복적으로 언급되는 단어에 주목해 핵심어를 파악한다.

· 선택지에서 반복적으로 언급되는 단어가 곧 글의 가장 중심이 되는 단어인 핵심어이다.
· 선택지에서 핵심어를 파악한 후 핵심어를 중심으로 글의 내용을 파악한다.

STEP 2 핵심어를 중심으로 글의 주제 또는 중심 내용을 파악한다.

· 글의 주제, 중심 내용은 주로 문단의 처음이나 끝에 위치하므로 글의 첫 문단과 끝 문단에 주목하여 주제, 중심 내용을 파악한다.
· 중심 내용을 언급할 때 자주 나타나는 표현에 주목하여 중심 내용을 파악한다.
· 주제나 중심 내용이 글에 명확히 드러나지 않는 경우, 핵심어를 바탕으로 주제와 중심 내용을 유추한 뒤 그 내용과 가장 비슷한 선택지를 고른다. 이때 부분적인 내용이나 주제나 중심 내용과 관련이 없는 내용, 글에 제시된 정보와 일치하지 않는 선택지를 고르지 않도록 주의한다.

■ 전략 적용하기

다음 글의 중심 내용으로 가장 적절한 것은?

2023 지방직 9급

교환가치는 거래를 통해 발생하는 가치이며, 사용가치는 어떤 상품을 사용할
_{핵심어1}   _{핵심어1의 정의}   _{핵심어1}   _{핵심어2의 정의}
때 느끼는 가치이다. 전자가 시장에서 결정된다는 점에서 객관적이라면, 후자는
개인에 따라 다르다는 점에서 주관적이다. 상품에는 사용가치와 교환가치가 섞
여 있는데, 교환가치가 아무리 높아도 '나'에게 사용가치가 없다면 해당 상품을
_{선택지 ①의 근거}
구매하지 않을 것이다. → 상품을 구매할 때 사용가치의 영향이 크다.

    하지만 이 같은 상식이 통하지 않는 경우를 종종 볼 수 있다. 예를 들어 보자.
『인터넷 커뮤니티에서 백만 원짜리 공연 티켓을 판매하는데, 어떤 사람이 "이 공
_{교환가치만을 고려하여 상품을 구매한 예시}
연의 가치는 돈으로 환산할 수 없어요." 등의 댓글들을 보고서 애초에 관심도 없
던 이 공연의 티켓을 샀다. 그에게 그 공연의 사용가치는 처음에는 없었으나 많
은 댓글로 인해 사용가치가 있을 것으로 잘못 판단한 것이다. 안타깝게도, 그는
그 공연에서 조금도 만족하지 못했다.』

    이 사례에서 볼 때 건강한 소비를 위해서는 구매하려는 상품의 사용가치가 어
떤 과정을 거쳐 결정된 것인지 곰곰이 생각해 봐야 한다. '나'에게 얼마나 필요한
가에 대한 고민 없이 다른 사람들의 말에 휩쓸려 어떤 상품의 사용가치가 결정
_{선택지 ③의 근거}
될 때, 그 상품은 '나'에게 쓸모없는 골칫덩이가 될 수 있다. → 나의 사용가치를 고려
해 상품을 구매해야 한다.

① 사용가치보다 교환가치가 큰 상품을 구매해야 한다.

② 상품을 구매할 때 사용가치와 교환가치를 두루 고려해야 한다. → 제시문에서 확인 ✕

③ 상품에 대한 다른 사람들의 평가를 반영해서 상품을 구매해야 한다.

④ 상품을 구매할 때 사용가치가 자신의 필요에 의해 결정된 것인지 신중하게 따져
야 한다.

> **STEP 1**
>
> 선택지에서 반복적으로 언급되는 단어에 주목해 핵심어를 파악한다.
>
> ・선택지에서 반복적으로 언급되는 단어: 교환가치, 사용가치

> **STEP 2**
>
> 핵심어를 중심으로 글의 주제 또는 중심 내용을 파악한다.
>
> ・글의 첫 문단과 마지막 문단을 확인해 글의 중심 내용 파악
>   - 1문단: 상품을 구매할 때 교환가치보다 사용가치의 영향이 크다.
>   - 3문단: '나'의 사용가치를 고려해 상품을 구매해야 한다.
>
> → ④ 상품을 구매할 때 사용가치가 자신의 필요에 의해 결정된 것인지 신중하게 따져야 한다.

오답분석

① 1문단 마지막 문장에서 교환가치가 아무리 높아도 '나'에게 사용가치가 없다면 상품을 구매하지 않을 것이라고 말한다. 따라서 ①의 설명은 글의 중심 내용으로 적절하지 않다.

② 1문단에 사용가치와 교환가치가 무엇인지에 대한 설명은 있으나, 상품 구매 시 사용가치와 교환가치를 두루 고려해야 한다는 내용은 제시문에서 확인할 수 없다.

③ 2문단에서 다른 사람의 평가만을 보고 상품을 구매하여 사용가치를 잘못 판단하는 사례를 제시하고, 3문단 마지막 문장에서는 다른 사람들의 말에 휩쓸려 상품의 사용가치가 결정될 때 그 상품은 '나'에게 쓸모없는 골칫덩이가 될 수 있다고 말한다. 따라서 ③의 설명은 글의 중심 내용으로 적절하지 않다.

유형 공략 문제

01

2022 지방직 9급

다음 글의 주제로 가장 적절한 것은?

예전에 '혐오'는 대중에게 관심을 끄는 말이 아니었지만, 요즘에는 익숙하게 듣는 말이 되었다. 이는 과거에 혐오가 존재하지 않았다는 말이 아니다. 단지 최근 몇 년 사이에 이 문제가 폭발하듯 가시화되었다는 뜻이다. 혐오 현상은 외계에서 뚝 떨어진 괴물이 만들어 낸 것이 아니라, 거기엔 자체의 역사와 사회적 배경이 반드시 선행한다.

이 문제를 바라볼 때 주의 사항이 있다. 혐오나 증오라는 특정 감정에 집착해선 안 된다는 것이다. 혐오가 주제인데 거기에 집중하지 말라니, 얼핏 이율배반처럼 들리지만 이는 매우 중요한 포인트다. 왜 혐오가 나쁘냐고 물어보면 많은 사람들은 이렇게 답한다. "나쁜 감정이니까 나쁘다.", "약자와 소수자를 차별하게 만드니까 나쁘다." 이 대답들은 분명 선량한 마음에서 나온 것이다. 하지만 문제의 성격을 오인하게 만들 수 있다. 혐오나 증오라는 감정에 집중할수록 우린 '달을 가리키는 손가락만 바라보는' 잘못을 범하기 쉬워진다.

인과 관계를 혼동하면 곤란하다. 우리가 문제시하고 있는 각종 혐오는 자연 발생한 게 아니라 사회적으로 형성된 감정이다. 사회 문제의 기원이나 원인이 아니라, 발현이며 결과다. 더 정확히 말하자면 혐오는 증상이다. 증상을 관찰하는 일은 중요하지만 거기에만 매몰되면 곤란하다. 우리는 혐오나 증오 그 자체를 사회악으로 지목해 도덕적으로 지탄하는 데서 그치지 말아야 한다.

① 혐오 현상에는 인과 관계가 존재하지 않는다.
② 혐오 현상은 선량한 마음으로 바라보아야 한다.
③ 혐오 현상을 만들어 내는 근본 원인을 찾아야 한다.
④ 혐오라는 감정에 집중할수록 사회 문제는 잘 보인다.

02

2021 지방직 9급

다음 글의 결론으로 가장 적절한 것은?

인공지능(AI)은 비즈니스 패러다임을 획기적으로 바꾸고 있다. 인공지능은 생물학 분야에도 광범위하게 영향을 미칠 것이며, 애완동물이 인공지능(AI)으로 대체될 수도 있을 것이다. 인공지능(AI)은 스스로 수학도 풀고 글도 쓰고 바둑을 두며 사람을 이길 수도 있다. 어느 영화에서처럼 실제로 인간관계를 대신할 수도 있다. 인공지능(AI)은 배우면서 성장할 수도 있다. 인공지능(AI)이 사람보다 똑똑해질 수 있을지도 모른다.

인공지능(AI)이 사람보다 똑똑해질 수 있는지는 차치하고, 인공지능(AI)이 사람을 게으르게 만들 수도 있지 않을까? 이 게으름은 우리의 건강과 행복, 그리고 일상생활의 패턴을 바꿔 놓을 수도 있다.

인공지능(AI)이 앱을 통해 좀 더 편리한 삶을 제공하여 사람의 뇌를 어떻게 바꾸는지를 일상에서 보여 주는 대표적 사례가 바로 GPS다. 불과 몇 년 전만 해도 지도를 보고 스스로 거리를 가늠하고 도착 시간을 계산했던 운전자들은 이 내비게이션의 등장으로 어디에서 어떻게 가라는 기계 속 음성에 전적으로 의존하기 시작했다. 예전의 방식으로도 충분히 잘 찾아가던 길에서조차 습관적으로 내비게이션을 켠다. 이것이 없으면 자주 다니던 길도 제대로 찾지 못하고 멀쩡한 어른도 길을 잃는다.

이와 같이 기계에 의존해서 인간이 살아가는 사례는 오늘날 우리의 두뇌가 게을러진 것을 보여 주는 여러 사례 가운데 하나일 뿐이다. 삶을 더 편하게 해 준다며 지름길을 제시하는 도구들이 도리어 우리의 기억력과 창조력을 퇴보시키고 있다. 인간을 태만하고 나태하게 만들어 뇌의 가장 뛰어난 영역인 상상력을 활용하지 않도록 만드는 것이다.

① 인간의 인공지능(AI)에 대한 독립성은 지속적으로 증가하게 될 것이다.
② 인공지능(AI)으로 인해 인간의 두뇌가 게을러지는 부작용이 발생하게 될 것이다.
③ 인공지능(AI)은 인간을 능가하는 사고력을 가질 것이다.
④ 인공지능(AI)은 궁극적으로 상상력을 가지게 될 것이다.

03

〈보기〉에서 말하고자 하는 바로 가장 적절한 것은?

> ─────〈보기〉─────
>
> 기존의 대부분의 일제 시기 근대화 문제에 관한 연구는 다양한 입장 차이에도 불구하고 대단히 대립적인 두 가지 주장으로 정리될 수 있다. 즉 일제가 조선을 지배하지 않았다면 조선에서는 근대적 변혁이 제대로 이루어지지 않았을 것이라는 주장과, 일제의 조선 지배는 한국 근대화를 압살하였기 때문에 결국 근대는 해방 이후부터 시작될 수밖에 없었다는 주장이 그것이다. 두 주장 모두 일제의 조선 지배에도 불구하고 조선인들이 주체적으로 대응했던 역사가 탈락되어 있다. 일제 시기의 역사가 한국 역사의 일부가 되기 위해서는 민족 해방 운동 같은 적극적인 항일 운동뿐만 아니라, 지배의 억압 속에서도 치열하게 삶을 영위해 가면서 자기 발전을 도모해 나간 조선인의 역사도 정당하게 평가되지 않으면 안 된다.

① 일제의 조선 지배는 한국에게서 근대화의 기회를 빼앗았다.

② 일제의 지배에 주체적으로 대응한 조선인의 역사도 정당하게 평가되어야 한다.

③ 일제가 조선을 지배하지 않았다면 조선에서는 근대화가 이루어지지 않았을 것이다.

④ 조선인들은 일제하에서도 적극적인 항일 운동으로 역사에 주체적으로 대응해 나갔다.

04

다음 글의 주장으로 가장 적절한 것은?

> 우리에게 친숙한 동물들의 사소한 행동을 살펴보면 그들이 자신의 환경을 개조한다는 것을 알 수 있다. 가장 단순한 생명체는 먹이가 그들에게 헤엄쳐 오게 만들고, 고등 동물은 먹이를 구하기 위해 땅을 파거나 포획 대상을 추적하기도 한다. 이처럼 동물들은 자신의 목적을 위해 행동함으로써 환경을 변형시킨다. 이러한 생존 방식을 흔히 환경에 적응하는 것으로 설명한다. 그러나 이러한 설명은 생명체들이 그들의 환경 개변(改變)에 능동적으로 행동한다는 중요한 사실을 놓치고 있다.
>
> 가장 고등한 동물인 인간도 다른 생명체와 마찬가지로 생존이나 적응을 넘어서 환경에 대해 적극성을 보인다. 이는 인간의 세 가지 충동—사는 것, 잘 사는 것, 더 잘 사는 것—으로 인하여 가능하다. 잘 살기 위한 노력은 순응적이기보다는 능동적인 모습으로 나타나게 된다. 인간도 생명체이다. 더 잘 살기 위해서는 환경에 순응할 수만은 없다.

① 인간은 환경에 적응해 왔다.

② 삶의 기술은 생존을 위한 것이다.

③ 생명체는 환경을 능동적으로 변형한다.

④ 인간은 잘 사는 것을 삶의 목표로 한다.

05

2020 지방직 9급

다음 글의 주장으로 가장 적절한 것은?

> 예술 작품의 복제 기술이 좋아지고 있음에도 불구하고 원본을 보러 가는 이유는 무엇인가? 예술 작품의 특성상 원본 고유의 예술적 속성을 복제본에서는 느낄 수 없다고 생각하는 경향이 강하기 때문이다. 사진은 원본인지 복제본인지 중요하지 않지만, 회화는 붓 자국 하나하나가 중요하기 때문에 복제본이 원본을 대체할 수 없다고 생각하는 사람들이 많다.
>
> 그러나 이러한 생각은 잘못이다. 회화와 달리 사진의 경우, 보통은 '그 작품'이라고 지칭되는 사례들이 여러 개 있을 수 있다. 20세기 위대한 사진작가 빌 브란트가 마음만 먹었다면, 런던에 전시한 인화본의 조도를 더 낮추는 방식으로 다른 곳에 전시한 것과 다른 예술적 속성을 갖게 할 수 있었을 것이다. 이것은 사진의 경우, 작가가 재현적 특질을 선택하고 변형할 수 있는 방법이 다양함을 의미한다.

① 복제본의 예술적 가치는 원본을 뛰어넘을 수 없다.

② 복제 기술 덕분에 예술의 매체적 특성이 비슷해졌다.

③ 복제본의 재현적 특질을 변형하는 방법은 제한적이다.

④ 복제본도 원본과는 다른 별개의 예술적 특성을 담보할 수 있다.

06

2019 지방직 9급

다음 글의 제목으로 가장 적절한 것은?

> 계몽주의 사상가들은 명백히 모순되는 두 개의 견해를 취했다. 그들은 인간의 위치를 자연계 안에서 해명하려고 애썼다. 역사의 법칙이란 것을 자연의 법칙과 동일한 것으로 여겼다. 다른 한편, 그들은 진보를 믿었다. 그렇다면 그들이 자연을 진보하는 것으로, 다시 말해 끊임없이 어떤 목적을 향해서 전진하는 것으로 받아들인 데에는 어떤 근거가 있었던가? 헤겔은 역사는 진보하는 것이고 자연은 진보하지 않는 것이라고 뚜렷이 구분했다. 반면, 다윈은 진화와 진보를 동일한 것으로 주장함으로써 모든 혼란을 정리한 듯했다. 자연도 역사와 마찬가지로 진보하는 것으로 본 것이다. 그러나 이것은 진화의 원천인 생물학적인 유전(biological inheritance)을 역사에서의 진보의 원천인 사회적인 획득(social acquisition)과 혼동함으로써 훨씬 더 심각한 오해에 이를 수 있는 길을 열어 놓았다. 오늘날 그 둘이 분명히 구별된다는 것은 익히 알려진 것이다.

① 자연의 진보에 대한 증거

② 인간 유전의 사회적 의미

③ 역사의 법칙과 자연의 법칙

④ 진보와 진화에 관한 견해들

07

다음 발화에 나타난 주장으로 가장 적절한 것은?

신어(新語)에 대해 말할 때, 보통 유행어나 비속어, 은어와 같은 한정된 대상을 떠올리는 경우가 많습니다. 그런데 신어 연구의 대상은 특정한 범주의 언어, 소수 집단의 언어에 한정되지 않습니다. 어려운 전문 용어는 의사소통의 효율성이나 교육적 목적을 위해 순화된 신어로 대체할 필요가 있는데, 특히, 상당수의 전문 용어는 신어에 대한 정책적인 고려가 필요해 보입니다. 예를 들어 '좌창(痤瘡)'이라는 의학 용어를 대체한 '여드름'은 일상생활뿐만 아니라 전문 분야에서도 신어로 자리를 잡았습니다. 이와 같은 신어는 전문 용어의 순화에도 일정한 역할을 하고 있습니다. 이는 신어 연구가 단지 새로운 어휘와 몇 가지 주제를 나열하는 연구를 넘어서 한국어 조어론 전반에 대한 연구로 확장되어야 하는 이유이기도 합니다. 이러한 신어의 영역은 대중이 생산하는 '자연 발생적 신어'의 영역과 더불어 '인위적인 신어'의 영역으로 논의되어야 합니다.

① 신어에서 비속어나 은어가 빠져야 한다.

② 신어는 연구 대상과 영역을 확장해야 한다.

③ 자연 발생적인 신어에 대한 정책적 고려가 필요하다.

④ 신어는 의사소통의 효율성을 위해 그 범주를 특정해야 한다.

08

다음 글의 제목으로 가장 적절한 것은?

사회가 발달하면서 화법과 작문의 윤리에 대한 관심과 요구가 점점 커지고 있다. 화법과 작문의 윤리를 잘 지키지 않으면 사회적 의사소통의 바탕이 되는 상호 신뢰가 깨질 수 있으므로 이를 준수하기 위해 노력해야 한다.

먼저 청자나 독자를 존중하고 배려하는 자세를 갖추어야 한다. 말을 하거나 글을 쓸 때에는 상대방의 인격을 모욕하거나 상대방에게 상처를 주는 언어 표현을 사용하지 않아야 한다. 상대방을 존중하고 배려하는 표현을 사용함으로써 화법과 작문의 윤리를 지킬 수 있다.

다음으로, 다른 사람의 글이나 아이디어 등을 표절하거나 도용하지 않아야 한다. 다른 사람의 글이나 아이디어 등을 인용할 때에는 저작자의 허락을 얻거나 인용의 출처를 명시해야 하며, 내용의 과장·축소·왜곡 없이 정확하게 인용해야 한다. 또한 출처를 명시하더라도 과도하게 인용하지 않아야 한다. 과도한 인용은 출처 명시와는 무관하게 화법과 작문의 윤리를 어기는 것이기 때문이다.

화법과 작문의 윤리를 준수한다면 화자나 필자는 청자나 독자로부터 더욱 큰 신뢰를 얻을 수 있다. 그러므로 화자나 필자는 화법과 작문의 윤리를 잘 인식하고 있어야 하며, 말을 하거나 글을 쓸 때 이를 준수하는 태도를 가져야 한다.

① 화법과 작문의 절차 ② 화법과 작문의 목적

③ 화법과 작문의 기능 ④ 화법과 작문의 윤리

09
2019 지방직 7급

다음 글에서 결론적으로 주장하는 바로 가장 적절한 것은?

사회 관계망 서비스(SNS)는 개인의 알 권리를 충족하거나 사회적 정의 실현을 위해 생각과 정보를 공유할 수 있도록 돕는다는 면에서 긍정적인 가치를 인정받는다. 그러나 도덕적 응징이라는 미명하에 개인의 신상 정보를 무차별적으로 공개하는 범법 행위가 확산되면서 심각한 사회 문제가 일고 있는 것이 사실이다. 법적 처벌이 어렵다면 도덕적으로 응징해서라도 죄를 물어야 한다는 누리꾼들의 요구가, '모욕죄'나 '사이버 명예 훼손죄' 등으로 처벌될 수 있는 범죄 행위 수준의 과도한 행동으로 이어지는 경우를 우려해야 하는 상황인 것이다.

특히 사회적 비난이 집중된 사건의 경우, 공익을 위한다는 생각으로 사건의 사실 여부를 제대로 확인하지도 않은 채 개인 신상 정보부터 무분별하게 유출하는 행위가 끊이지 않고 있어 문제의 심각성이 커지고 있다. 그로 인해 개인의 사생활 침해와 인격 훼손은 물론, 개인 정보가 범죄에 악용되는 부작용이 발생하고 있다. 따라서 사회 관계망 서비스를 이용하여 정보를 공유할 때에는, 개인의 사생활을 침해하거나 인격을 훼손하는 정보를 유출하는 것은 아닌지 각별한 주의를 기울일 필요가 있다.

① 정보 공유를 통해 사회 정의를 실현할 수 있다.
② 정보 유출로 공공의 이익이 훼손되는 경우는 없다.
③ 공유된 정보는 사실 관계를 확인할 수 있어야 한다.
④ 정보 공유 과정에서 개인의 인권이 침해당해서는 안 된다.

10
2018 서울시 9급(3월)

〈보기〉의 (가)에서 밑줄 친 ㉠~㉢ 중 (나)가 뒷받침하는 이론으로 가장 옳은 것은?

─〈보기〉─

(가) 초상화에서 좌안·우안을 골라 그리는 데 대한 일반적인 이론은 대략 세 가지가 있습니다. 하나는 ㉠사람의 표정은 왼쪽 얼굴에 더 잘 나타난다는 이론이며, 다른 하나는 ㉡그림을 그리는 것은 우뇌인데 시야의 왼쪽에 맺힌 상(像)이 우뇌로 들어오기 때문에 왼쪽이 더 잘 그려진다는 이론입니다. 마지막 하나는, ㉢대부분의 화가는 오른손으로 그림을 그리며 오른손잡이는 왼쪽부터 그림을 그려나가는 것이 편하다는 주장입니다. 하지만, 실제로 한국의 초상화 작품들을 살펴보면 ㉣좌안·우안이 시대에 따라 어떤 경향성을 띠는 것으로 보입니다. 이를테면, 비록 원본은 아니지만 고려 말 염제신의 초상화나 조선 초 이천우의 초상화들은 대체로 우안이며, 신숙주의 초상화 이후 조선시대의 초상화들은 거의가 좌안입니다.

(나) 화가가 사람의 얼굴을 그릴 때에는 보통 눈·코·입의 윤곽이 중요하므로 이를 먼저 그리게 된다. 좌안을 그리면 왼쪽에 이목구비가 몰려 있어 이들을 그리고 난 후 자연스럽게 오른쪽으로 이동하면서 왼쪽 뺨·귀·머리, 오른쪽 윤곽 순으로 그려나간다. 이렇게 하면 손의 움직임도 편할 뿐 아니라 그리는 도중 목탄이나 물감이 손에 묻을 확률도 줄어든다.

① ㉠   ② ㉡   ③ ㉢   ④ ㉣

11

다음 글의 주제로 가장 적절한 것은?

신화는 인간에 대한 근원적 진실을 보여 줄 수 있는 매개체이다. 탈마법화를 추구하며 이성을 중요시하는 현대인의 입장에서는 신화가 허무맹랑한 창작물로 보일 수 있다. 그러나 옛날부터 현재에 이르기까지 신화는 사람들에게 영향을 미치고 있다. 현대에 와서도 사람들이 신화를 찾아보는 이유는, 신화를 통해 현재를 비판할 수 있고, 더 나은 방향으로 발전할 수 있기 때문이다. 예를 들어 그리스 로마 신화에 등장하는 메두사 이야기는 현대 페미니즘 논쟁과 연결 지어 생각해 볼 수 있으며, 현대 심리학에서는 오이디푸스 이야기가 등장하곤 한다. 즉 신화는 과거에 머물러 있는 것이 아니라, 시간의 흐름에 따라 끊임없이 확대 및 재생산되고 있는 것이다.

① 신화 속 인물을 현대의 관점으로 이해할 필요가 있다.

② 신화는 현대 사회를 더 좋은 방향으로 나아가게 할 수 있다.

③ 신화의 비이성적 요소는 현대인들의 반감을 불러일으킬 수 있다.

④ 현대인은 신화를 통해 인간의 근원에 대한 궁금증을 해결할 수 있다.

12

다음 글의 제목으로 가장 적절한 것은?

철학자도 사회의 구성원 일부에 지나지 않으며 철학적 사고도 그러한 구성원에 의해 생산된 사회 현상의 일부에 지나지 않는다. 이런 점에서 철학자는 사회를 초월할 수 없고 철학은 사회를 떠날 수 없다. 즉 철학적 규범으로 제시하는 명제 자체도 구체적 사회 제도 혹은 신념들의 추상적 표현으로 볼 수 있다. 그러면서도 모든 인간에게는 반성적 능력이 있고 반성을 통해 주어진 여건을 어느 정도까지 극복할 수 있다. 철학자란 남달리 반성적 인간이며 철학이란 남들보다 각별히 철저한 반성적 사고에 의해 이루어진 지적 생산물에 지나지 않는다. 그러므로 철학적 사고는 한 사회에 존재하는 이념과 관습에 대한 가장 대표적 반성과 비판의 기능을 한다. 이런 점에서 볼 때 사회적 신념 또는 제도는 '넓은 뜻'으로서의 철학적 사고에 의해 결정된 것으로 볼 수 있다. 언뜻 보아 논리적으로 모순되지만 철학은 그가 존재하는 사회에 내재적 (immanent)인 동시에 초월적(transcendent)이다.

① 철학적 규범의 의미

② 철학과 사회의 관계

③ 사회 제도의 발생 원인

④ 철학이 생산한 지적 생산물

02 세부 내용 파악하기

☐ 유형 소개

· '세부 내용 파악하기' 유형은 제시문의 내용과 선택지의 일치, 불일치 여부를 묻는 방식이나 글의 내용을 정확히 이해했는지를 묻는 문제 유형이다.
· 제시문의 내용을 그대로 선택지에 반영한 유형과 변형 및 재구성하여 선택지를 구성한 유형이 주로 출제된다.
· 선택지에 제시된 정보를 빠르게 파악한 후 글을 읽으며 선택지와 글의 정보의 일치 여부를 가려내야 한다.

☐ 출제 경향

· 1개의 선택지에서 2개 이상의 정보를 확인해야 하는 문제들이 출제되고 있다.
· 2개 이상의 문단에서 개별적인 정보들을 취합해서 이해해야 하는 문제들이 출제되고 있다.
· 제시문의 정보가 선택지에 그대로 진술되기보다는 제시문의 내용을 다른 표현으로 바꾸어 진술된 내용이 선택지에 제시되는 방식으로 출제되고 있다.

☐ 단계별 문제 풀이 전략

STEP 1 제시된 발문의 유형이 긍정 발문인지 부정 발문인지를 정확히 파악한다.

· 긍정 발문은 '적절한', '옳은' 등의 표현으로 제시되며, 제시문의 내용과 일치하는 선택지를 정답으로 찾아야 하는 유형이다.
· 부정 발문은 '적절하지 않은', '옳지 않은' 등의 표현으로 제시되며, 제시문의 내용과 불일치하는 선택지를 정답으로 찾아야 하는 유형이다.

STEP 2 선택지에서 다루는 주요 정보를 파악한다.

· 선택지의 정보를 먼저 파악한 후 글에서 필요한 정보를 선별하며 읽는 것이 효율적이므로 선택지의 정보를 우선적으로 파악한다.
· 선택지에 2개 이상의 정보가 제공되는 경우, 정보를 누락하지 않도록 주의한다.

STEP 3 글에서 선택지의 주요 정보와 관련된 내용을 찾고, 선택지와 비교하며 일치 여부를 판단한다.

· 선택지의 주요 정보와 글의 내용을 비교하며 읽되, 글에서 확인되는 선택지의 주요 정보에 선택지 번호를 표시한다.
· 글에서 선택지의 주요 정보를 바로 확인하기 어려운 경우, 글의 내용이 다른 표현으로 재구성되어 선택지에 제시된 것인지 점검한다.
· 선택지의 주요 정보와 글의 내용의 일치, 불일치 여부를 확인하며 답을 찾는다.

■ 전략 적용하기

다음 글을 이해한 내용으로 가장 (적절한) 것은?　　　　2023 지방직 9급

> 『삼국사기』는 본기 28권, 지 9권, 표 3권, 열전 10권의 체제로 되어 있다. 이 중
> <small>선택지 ④의 근거</small>
> 열전은 전체 분량의 5분의 1을 차지하며, 수록된 인물은 86명으로, 신라인이 가
> 장 많고, 백제인이 가장 적다. 수록 인물의 배치에는 원칙이 있는데, 앞부분에는
> <small>선택지 ①의 근거 (1)</small>
> 명장, 명신, 학자 등을 수록했고, 다음으로 관직에 있지는 않았으나 기릴 만한 사
> <small>선택지 ③의 근거</small>
> 람을 실었다.
>
> 　반신(叛臣)의 경우 열전의 끝부분에 배치되어 있다. 이들을 수록한 까닭은 왕
> 을 죽인 부정적 행적을 드러내어 반면교사로 삼는 데에 있었으나, 그 목적에 부
> 합하지 않는 내용이 있어 흥미롭다. 가령 고구려의 연개소문은 반신이지만, 당나
> <small>선택지 ①의 근거 (2)　　선택지 ②의 근거 (1)</small>
> 라에 당당히 대적한 민족적 영웅의 모습도 포함되어 있다. 흔히 『삼국사기』에 대
> <small>선택지 ①의 근거 (3)</small>
> 해, 신라 정통론에 기반해 있으며, 유교적 사관에 따라 당시의 지배 질서를 공고
> 히 하고자 했다고 평가한다. 하지만 연개소문의 사례에서 볼 수 있듯 『삼국사기』
> <small>선택지 ②의 근거 (2)</small>
> 는 기존 평가와 달리 다면적이고 중층적인 역사 텍스트라고 할 수 있다.

① 『삼국사기』 열전에 고구려인과 백제인도 수록되었다는 점은 이 책이 신라 정통론
　을 계승하지 않았다는 것을 보여준다.　×

②（✓）『삼국사기』 열전에 수록된 반신 중에는 이 책에 대한 기존 평가를 다르게 할 수 있
　는 사례가 있다.　○

③ 『삼국사기』 열전에는 기릴 만한 업적이 있더라도 관직에 오르지 못한 사람은 수
　록되지 않았다.　×

④ 『삼국사기』의 체제 중에서 열전이 가장 많은 권수를 차지한다.　×

STEP 1
제시된 발문의 유형이 긍정 발문인지 부정
발문인지를 정확히 파악한다.

STEP 2
선택지에서 다루는 주요 정보를 파악한다.
· ①: 열전에 고구려인, 백제인이 수록됨 / 『삼
국사기』가 신라 정통론 계승하지 않음
· ②: 열전에 반신이 수록됨 / 반신 중 『삼국
사기』에 대한 기존 평가를 달리할 수 있
는 사례가 있음
· ③: 업적이 있더라도 관직에 오르지 못한 사
람은 열전에 수록되지 않음
· ④: 『삼국사기』 체제 중 열전의 권수가 가
장 많음

STEP 3
글에서 선택지의 주요 정보와 관련된 내용
을 찾고, 선택지와 비교하며 일치 여부를 판
단한다.
· ①: ○ / ×
· ②: ○ / ○
· ③: ×
· ④: ×

→ ② 2문단에서 반신이지만 당나라에 대적한
민족적 영웅의 모습으로도 그려진 연개소문을
사례로 들며, '삼국사기'는 기존 평가와 달리
다면적이고 중층적인 역사 텍스트로 볼 수 있
다고 설명한다. 따라서 답은 ②이다.

---

 ① 1문단 2~3번째 줄에서 '삼국사기' 열전에 수록된 인물 중 신라인이 가장 많고, 백제인이 가장 적다는 내용이 나오며, 2문단에서는 열전 끝부분
　에 고구려의 연개소문이 수록되었다는 내용이 나온다. 이를 통해 '삼국사기' 열전에 고구려인과 백제인도 수록되었다는 점은 알 수 있다. 다만,
　2문단 끝에서 3~4번째 줄에서 '삼국사기'가 신라 정통론에 기반해 있다고 설명하였으므로 ①은 제시문을 이해한 내용으로 적절하지 않다.

③ 1문단 마지막 문장에서 '삼국사기' 열전에 수록 인물을 배치하는 원칙에 대해 소개하였다. 앞부분에는 명장, 명신, 학자 등을 수록했고, 다음으
　로 관직에 있지는 않았으나 기릴 만한 사람을 실었다고 설명한 것으로 보아 ③은 제시문을 이해한 내용으로 적절하지 않다.

④ 1문단 첫 문장 내용을 통해 '삼국사기' 체제 중 가장 많은 권수를 차지하는 것은 '열전(10권)'이 아니라 '본기(28권)'임을 알 수 있다.

유형 공략 문제

[01~02] 다음 글을 읽고 물음에 답하시오.

한국 신화에 보이는 신과 인간의 관계는 다른 나라의 신화와 ㉠ 견주어 볼 때 흥미롭다. 한국 신화에서 신은 인간과의 결합을 통해 결핍을 해소함으로써 완전한 존재가 되고, 인간은 신과의 결합을 통해 혼자 할 수 없었던 존재론적 상승을 이룬다.

한국 건국신화에서 주인공인 신은 지상에 내려와 왕이 되고자 한다. 천상적 존재가 지상적 존재가 되기를 ㉡ 바라는 것인데, 인간들의 왕이 된 신은 인간 여성과의 결합을 통해 자식을 낳음으로써 결핍을 메운다. 무속신화에서는 인간이었던 주인공이 신과의 결합을 통해 신적 존재로 ㉢ 거듭나게 됨으로써 존재론적으로 상승하게 된다. 이처럼 한국 신화에서 신과 인간은 서로의 존재를 필요로 한다는 점에서 상호의존적이고 호혜적이다.

다른 나라의 신화들은 신과 인간의 관계가 한국 신화와 달리 위계적이고 종속적이다. 히브리 신화에서 피조물인 인간은 자신을 창조한 유일신에 대해 원초적 부채감을 지니고 있으며, 신이 지상의 모든 일을 관장한다는 점에서 언제나 인간의 우위에 있다. 이러한 양상은 북유럽이나 바빌로니아 등에 ㉣ 퍼져 있는 신체 화생 신화에도 유사하게 나타난다. 신체 화생 신화는 신이 죽음을 맞게 된 후 그 신체가 해체되면서 인간 세계가 만들어지게 된다는 것인데, 신의 희생 덕분에 인간 세계가 만들어질 수 있었다는 점에서 인간은 신에게 철저히 종속되어 있다.

01

9급 출제기조 전환 예시문제

㉠ ~ ㉣과 바꿔 쓸 수 있는 유사한 표현으로 적절하지 않은 것은?

① ㉠: 비교해   ② ㉡: 희망하는

③ ㉢: 복귀하게   ④ ㉣: 분포되어

02

9급 출제기조 전환 예시문제

윗글을 이해한 내용으로 적절하지 않은 것은?

① 히브리 신화에서 신과 인간의 관계는 위계적이다.

② 한국 무속신화에서 신은 인간을 위해 지상에 내려와 왕이 된다.

③ 한국 건국신화에서 신은 인간과의 결합을 통해 완전한 존재가 된다.

④ 한국 신화에 보이는 신과 인간의 관계는 신체 화생 신화에 보이는 신과 인간의 관계와 다르다.

03

2023 국가직 9급

다음 글을 이해한 내용으로 적절하지 않은 것은?

사람의 '지각과 생각'은 항상 어떤 맥락, 관점 혹은 어떤 평가 기준이나 가정하에서 일어난다. 이러한 맥락, 관점, 평가 기준, 가정을 프레임이라고 한다. 지각과 생각은 인간의 모든 정신 활동을 뜻한다. 따라서 우리의 모든 정신 활동은 진공 상태에서 일어나는 것이 아니라, 어떤 맥락이나 가정하에서 일어난다. 한마디로 우리가 프레임이라는 안경을 쓰고 세상을 보고 있음을 의미한다. 간혹 어떤 사람이 자신은 어떤 프레임의 지배도 받지 않고 세상을 있는 그대로, 객관적으로 본다고 주장한다면, 그 주장은 진실이 아닐 것이다.

① 인간의 정신 활동은 프레임 없이 일어나지 않는다.

② 프레임은 인간이 세상을 바라볼 때 어떤 편향성을 가지게 한다.

③ 인간의 지각과 사고를 확장하는 과정에서 프레임은 극복해야 할 대상이다.

④ 프레임은 인간의 정신 활동에 영향을 미치는 어떤 맥락이나 평가 기준이다.

04

다음 글을 이해한 내용으로 가장 적절한 것은?

전 세계를 대표하는 항공기인 보잉과 에어버스의 중요한 차이점은 자동조종시스템의 활용 정도에 있다. 보잉의 경우, 조종사가 대개 항공기를 조종간으로 직접 통제한다. 조종간은 비행기의 날개와 물리적으로 연결되어 있어서 어떤 상황에서도 조종사가 조작한 대로 반응한다. 이와 다르게 에어버스는 조종간 대신 사이드스틱을 설치하여 컴퓨터가 조종사의 행동을 제한하거나 조종에 개입할 수 있게 설계되었다. 보잉에서는 조종사가 항공기를 통제할 수 있는 전권을 가지지만 에어버스에서는 컴퓨터가 조종사의 조작을 감시하고 제한한다.

보잉과 에어버스의 이러한 차이는 기계를 다루는 인간을 바라보는 관점이 서로 다른 데서 비롯된다. 보잉사를 창립한 윌리엄 보잉의 철학은 "비행기를 통제하는 최종 권한은 언제나 조종사에게 있다."이다. 시스템은 불안정하고 완벽하지 않기 때문에 컴퓨터가 조종사의 판단보다 우선시될 수 없다는 것이다. 반면 에어버스의 아버지라고 불리는 베테유는 "인간은 실수할 수 있는 존재"라고 전제한다. 베테유는 이런 자신의 신념을 토대로 에어버스를 설계함으로써 조종사의 모든 조작을 컴퓨터가 모니터링하고 제한하게 만든 것이다.

① 보잉은 시스템의 불완전성을, 에어버스는 인간의 실수 가능성을 고려하여 설계되었다.

② 베테유는 인간이 실수할 수 있는 존재라고 보지만 윌리엄 보잉은 그렇지 않다고 본다.

③ 에어버스의 조종사는 항공기 운항에서 자동조종시스템을 통제하고 조작한다.

④ 보잉의 조종사는 자동조종시스템을 사용하지 않고 항공기를 조종한다.

05

다음 글의 내용과 부합하지 않는 것은?

과학 혁명 이전 아리스토텔레스 철학은 로마 가톨릭교의 정통 교리와 결합되어 있었기 때문에 오랜 시간 동안 지배적인 영향력을 발휘하였다. 천문 분야 또한 예외는 아니었다. 아리스토텔레스의 세계관을 따라 우주의 중심은 지구이며, 모든 천체는 원운동을 하면서 지구의 주위를 공전한다는 천동설이 정설로 자리 잡고 있었다. 프톨레마이오스가 천체들의 공전 궤도를 관찰하던 도중, 행성들이 주기적으로 종전의 운동과는 반대 방향으로 움직인다는 관찰 결과를 얻었을 때도 그는 이를 행성의 역행 운동을 허용하지 않는 천동설로 설명하고자 하였다. 그래서 지구를 중심으로 공전하는 원 궤도에 중심을 두고 있는 원, 즉 주전원(周轉圓)을 따라 공전 궤도를 그리면서 행성들이 운동한다고 주장하였다.

과학과 아리스토텔레스 철학의 결별은 서서히 일어났다. 그 과정에서 일어난 가장 중요한 사건은 1543년 코페르니쿠스가 행성들의 운동 이론에 관한 책을 발간한 일이다. 코페르니쿠스는 천체의 중심에 지구 대신 태양을 놓고 지구가 태양의 주위를 공전한다고 주장하였다. 태양을 우주의 중심에 둔 코페르니쿠스의 지동설은 행성들의 운동에 대해 프톨레마이오스보다 수학적으로 단순하게 설명하였다.

① 과학 혁명 이전 시기에는 천동설이 정설로 받아들여졌다.

② 프톨레마이오스의 주전원은 지동설을 지지하고자 만든 개념이다.

③ 천동설과 지동설은 우주의 중심을 어디에 두느냐에 따라 구분된다.

④ 행성의 공전에 대한 프톨레마이오스의 설명은 코페르니쿠스의 설명보다 수학적으로 복잡하였다.

유형 공략 문제

06

다음 글을 이해한 내용으로 가장 적절한 것은?

루카치는 그리스 세계를 신과 인간의 결합 정도를 가리키는 '총체성' 개념을 기준으로 세 시대로 구분하였다. 첫 번째 시대에서 후대로 갈수록 총체성의 정도는 낮아진다. 첫째는 총체성이 완전히 구현되어 있는 '서사시의 시대'이다. 호메로스의 『일리아드』와 『오디세이아』에서는 신과 인간의 세계가 하나로 얽혀 있다. 인간들이 그리스와 트로이 두 패로 나뉘어 전쟁을 벌일 때 신들도 인간의 모습을 하고 두 패로 나뉘어 전쟁에 참여했다. 둘째는 '비극의 시대'이다. 소포클레스나 에우리피데스의 비극에서는 총체성이 흔들려 신과 인간의 세계가 분리된다. 하지만 두 세계가 완전히 분리되지는 않고 신탁이라는 약한 통로로 이어져 있다. 비극에서 신은 인간의 행위에 직접 개입하지 않고 신탁을 통해서 자신의 뜻을 그저 전달하는 존재로 바뀐다. 셋째는 플라톤으로 대표되는 '철학의 시대'이다. 이 시대는 이미 계몽된 세계여서 신탁 같은 것은 신뢰할 수 없게 되었다. 신과 인간의 세계가 완전히 분리됨으로써 신의 세계는 인격적 성격을 상실하여 '이데아'라는 추상성의 세계로 바뀐다. 신의 세계와 인간의 세계는 그 사이에 어떤 통로도 존재할 수 없는, 절대적으로 분리된 세계가 되었다.

① 계몽사상은 서사시의 시대에서 철학의 시대로의 전환을 이끌었다.
② 플라톤의 이데아는 신탁이 사라진 시대의 비극적 세계를 표현한다.
③ 루카치는 각기 다른 기준에 따라 그리스 세계를 세 시대로 구분하였다.
④ 에우리피데스의 비극에 비해 『오디세이아』에서는 신과 인간의 결합 정도가 높다.

07

다음 글의 내용과 부합하지 않는 것은?

몽유록(夢遊錄)은 '꿈에서 놀다 온 기록'이라는 뜻으로, 어떤 인물이 꿈에서 과거의 역사적 인물을 만나 특정 사건에 대한 견해를 듣고 현실로 돌아온다는 특징이 있다. 이때 꿈을 꾼 인물인 몽유자의 역할에 따라 몽유록을 참여자형과 방관자형으로 구분할 수 있다. 참여자형에서는 몽유자가 꿈에서 만난 인물들의 모임에 초대를 받고 토론과 시연에 직접 참여한다. 방관자형에서는 몽유자가 인물들의 모임을 엿볼 뿐 직접 그 모임에 참여하지는 않는다. 16~17세기에 창작되었던 몽유록에는 참여자형이 많다. 참여자형에서는 몽유자와 꿈속 인물들이 동질적인 이념을 공유하고 현실의 고통스러운 문제에 대해 의견을 나누며 비판적 목소리를 낸다. 그러나 주로 17세기 이후에 창작된 방관자형에서는 몽유자가 꿈속 인물들과 함께 현실을 비판하는 것이 아니라 구경꾼의 위치에 서 있다. 이 시기의 몽유록이 통속적이고 허구적인 성격으로 변모하는 것은 몽유자의 역할 변화와 무관하지 않다.

① 몽유자가 꿈속 인물들의 모임에 직접 참여하는지, 참여하지 않는지에 따라 몽유록의 유형을 나눌 수 있다.
② 17세기보다 나중 시기의 몽유록에서는 몽유자가 현실을 비판하는 경향이 강하게 나타난다.
③ 몽유자가 모임의 구경꾼 역할을 하는 몽유록은 통속적이고 허구적인 성격이 강하다.
④ 몽유자가 꿈속 인물들과 함께 현실을 비판하는 몽유록은 참여자형에 해당한다.

다음 글을 이해한 내용으로 적절한 것은?

> 디지털 트윈은 현실 세계와 똑같은 가상의 세계이다. 최근 주목받고 있는 메타버스와 개념은 유사하지만 활용 목적의 측면에서 구별된다. 메타버스는 가상 세계와 현실 세계가 융합된 플랫폼으로 이용자들에게 새로운 경제·사회·문화적 경험을 제공하는 데 목적을 둔다. 반면 디지털 트윈은 현실 세계에 존재하는 사물, 공간, 환경, 공정 등을 컴퓨터상에 디지털 데이터 모델로 표현하여 똑같이 복제하고 실시간으로 서로 반응할 수 있도록 한다. 그래서 디지털 트윈의 이용자는 가상 세계에서의 시뮬레이션을 통해 미래 상황을 예측할 수 있게 된다. 디지털 트윈에 대한 수요가 증가하면서 관련 시장도 확대되고 있으며, 국내외의 글로벌 기업들은 여러 산업 분야에서 디지털 트윈을 도입하여 사전에 위험 요소를 제거하고 수익 모델의 효율성을 높이고 있다. 디지털 트윈이 이렇게 주목받는 이유는 안정성과 경제성 때문인데 현실 세계를 그대로 옮겨 놓은 가상 세계에 데이터를 전송, 취합, 분석, 이해, 실행하는 과정은 실제 실험보다 매우 빠르고 정밀하며 안전할 뿐 아니라 비용도 적게 든다.

① 디지털 트윈을 활용함에 따라 글로벌 기업들의 고용률이 향상되었다.

② 디지털 트윈의 데이터 모델은 현실 세계의 각종 실험 모델보다 경제성이 낮다.

③ 디지털 트윈에서의 시뮬레이션으로 현실 세계의 위험 요소를 찾아내고 방지할 수 있다.

④ 디지털 트윈은 현실 세계의 이용자에게 새로운 문화적 경험을 제공하는 데 목적이 있다.

다음 글을 이해한 내용으로 적절하지 않은 것은?

> 고소설의 유통 방식은 '구연에 의한 유통'과 '문헌에 의한 유통'으로 나눌 수 있다. 구연에 의한 유통은 구연자가 소설을 사람들에게 읽어 주는 방식으로, 글을 모르는 사람들과 글을 읽을 수 있지만 남이 읽어 주는 것을 선호하는 이들을 대상으로 이루어졌다. 구연자는 '전기수'로 불렸으며, 소설 구연을 통해 돈을 벌던 전문적 직업인이었다. 하지만 이 방식은 문헌에 의한 유통에 비해 시간과 공간의 제약이 많아서 유통 범위를 넓히는 데 뚜렷한 한계가 있었다.
>
> 문헌에 의한 유통은 차람, 구매, 상업적 대여로 나눌 수 있다. 차람은 소설을 소유하고 있는 사람에게 직접 빌려서 보는 것으로, 알고 지내던 개인들 사이에서 이루어졌다. 구매는 서적 중개인에게 돈을 지불하고 책을 사는 것인데, 책값이 상당히 비쌌기 때문에 소설을 구매할 수 있는 사람은 그리 많지 않았다. 상업적 대여는 세책가에 돈을 지불하고 일정 기간 동안 소설을 빌려 보는 것이다. 세책가에서는 소설을 구매하는 것보다 훨씬 적은 비용으로 빌려 볼 수 있었기 때문에 경제적으로 넉넉하지 않은 사람도 소설을 쉽게 접할 수 있었다. 이로 인해 조선 후기 사회에서 세책가가 성행하게 되었다.

① 전기수는 글을 모르는 사람들에게 소설을 구연하였다.

② 차람은 알고 지내던 사람에게 대가를 지불하고 책을 빌려 보는 방식이다.

③ 문헌에 의한 유통은 구연에 의한 유통에 비해 시간과 공간의 제약이 적었다.

④ 조선 후기에 세책가가 성행한 원인은 소설을 구매하는 비용보다 세책가에서 빌리는 비용이 적다는 데 있다.

10

2022 국가직 9급

다음 글에 대한 이해로 적절하지 않은 것은?

국가정보자원관리원과 ○○시는 빅데이터 기반의 맞춤형 복지 서비스 분석 사업을 수행했다. 국가정보자원관리원은 자체 확보한 공공 데이터와 ○○시로부터 받은 복지 사업 관련 데이터를 활용하여 '복지 공감 지도'를 제작하고, 복지 기관 접근성 분석을 통해 취약 지역 지원 방안을 제시했다.

복지 공감 지도는 공간 분석 시스템을 활용하여 ○○시에 소재한 복지 기관들의 다양한 지원 항목과 이를 필요로 하는 복지 대상자, 독거노인, 장애인 등의 수급자 현황을 한눈에 확인할 수 있도록 구현한 것이다. 이 지도를 활용하면 복지 혜택이 필요한 지역과 수급자를 빨리 찾아낼 수 있으며, 생필품 지원이나 방문 상담 등 복지 기관의 맞춤형 대응이 가능하고, 최적의 복지 기관 설립 위치를 선정할 수 있다.

이 사업을 통해 ○○시는 그동안 복지 기관으로부터 도보로 약 15분 내 위치한 수급자에게 복지 혜택이 집중되고 있는 것도 확인했다. 이에 교통이나 건강 등의 문제로 복지 기관 방문이 어려운 수급자를 위해 맞춤형 복지 서비스가 절실하게 필요한 상황임을 발견하고, 복지 셔틀버스 노선을 4개 증설할 계획을 수립했다.

① 빅데이터를 활용하여 복지 사각지대를 줄이는 방안을 마련할 수 있다.

② 복지 기관과 수급자 거주지 사이의 거리는 복지 혜택의 정도에 영향을 준다.

③ 복지 기관 접근성 분석 결과는 복지 셔틀버스 노선 증설의 근거가 된다.

④ 복지 공감 지도로 복지 혜택에 대한 수급자들의 개별 만족도를 파악할 수 있다.

11

2022 지방직 9급

다음 글에 대한 이해로 적절하지 않은 것은?

연출자가 자신의 저작권을 침해당했다고 주장하기 위해서는 우선 그가 유효한 저작권을 소유하고 있어야 한다. 즉 저작권 보호 가능성이 있는 창작물이 필요하다. 다음으로 창작적인 표현을 도용당했는지 밝혀야 하는데, 이것이 쉽지 않다. 왜냐하면 연출자가 주관적으로 창작성이 있다고 느끼는 부분일지라도 객관적인 시각에서는 이미 공연 예술 무대에서 흔히 사용되는 표현 기법일 수 있고, 저작권법상 보호 대상이 아닌 아이디어의 요소와 보호 가능한 요소인 표현이 얽혀 있는 경우가 있기 때문이다. 쉬운 예로 셰익스피어를 보자. 그의 명작 중에 선대에 있었던 작품에 의거하지 않고 탄생한 작품이 있는가. 대부분의 연출자는 선행 예술가로부터 영향을 받아 창작에 임하는 것이 너무도 당연하고 자연스럽다. 따라서 무대 연출 작업 중에서 독보적인 창작을 걸러 내서 배타적인 권한인 저작권을 부여하는 것은 매우 흔치 않은 경우이고, 후발 창작을 방해하는 요소로 작용할 수도 있다. 저작권법은 창작자에게 개인적인 인센티브를 제공하여 창작을 장려함과 동시에 일반 공중이 저작물을 원활하게 이용할 수 있도록 해야 하는 두 가지 가치의 균형을 이루는 것이 목표다.

① 무대 연출의 창작적인 표현의 도용 여부를 밝히기는 쉽지 않다.

② 저작권 침해를 당했다고 주장하려면 유효한 저작권을 소유하고 있어야 한다.

③ 독보적인 무대 연출 작업에 저작권을 부여한다고 해서 후발 창작에 방해가 되지는 않는다.

④ 저작권법의 목표는 창작자의 창작을 장려하고 일반 공중의 저작물 이용을 원활하게 하는 것이다.

12

다음 글의 내용과 부합하는 것은?

사적인 필요가 사적 건축을 낳는다면, 공적인 필요는 다수를 위한 공공 건축을 낳는다. 공공 건축은 정부나 지방 자치 단체가 주도하면서 사적 자본이 생산해 낼 수 없는 공간을 생산해 내어야 한다. 이곳은 자본의 논리에서 소외된 영역을 보살피는 공적인 영역이다. 따라서 공공 건축은 국민의 삶의 질을 한 단계 높이는 데 기여할 수 있어야 한다. 그리고 특정 개인의 취향이 반영된 것이 아니라 보다 큰 다수가 누릴 수 있는 것을 배려하는 보편성을 갖추어야 한다. 그러면서도 사적 건축으로는 하기 어려운 지역의 정체성과 문화적 전통도 보존해야 한다. 이렇게 공공 건축은 공적인 소통의 장이 되어야 하는 것이다.

① 사적 건축은 국민의 삶의 질을 높이는 역할을 해야 한다.

② 사적 건축은 국민 다수의 보편적인 취향을 반영해야 한다.

③ 공공 건축은 지역의 정체성을 반영한 소통의 장이 되어야 한다.

④ 공공 건축은 사적 자본을 활용하여 다수가 누릴 수 있는 공간을 만들어야 한다.

13

다음 글을 이해한 내용으로 적절하지 않은 것은?

우리나라는 다른 나라에 비해 채식주의자의 비율이 낮은 편이다. 하지만 최근 건강을 중요시하는 사회적 분위기에 따라 고혈압, 암과 같은 질병의 원인으로 여겨지는 육식을 삼가고 식단을 채식 위주로 바꾸는 사람들이 늘어나고 있다. 이와 관련하여 채식주의자들은 채식이 꿩 먹고 알 먹기이므로 더 많은 사람들이 채식에 동참해야 한다고 주장한다. 왜냐하면 육류 소비를 줄이면 축산업에서 발생하는 많은 양의 온실가스를 감소시킬 수 있고, 목초지의 사막화를 막는 데에도 효과적이기 때문이다.

① 육식은 고혈압이나 암과 같은 질병의 원인이며, 온실가스 배출과 사막화를 유발하기도 한다.

② 다른 나라에 비해 우리나라 채식주의자 비율은 비교적 낮지만 최근 점차 늘어나는 추세이다.

③ 채식은 개인의 신체적 건강에 도움이 될 뿐만 아니라 환경 오염을 줄이는 데에도 효과적이다.

④ 최근 건강을 중요시하는 사회적 분위기는 많은 사람들이 채식에 동참하면서 발생하기 시작했다.

유형 공략 문제

[14~15] 다음 글을 읽고 물음에 답하시오.

전통적 의미에서 영화적 재현과 만화적 재현의 큰 차이점 중 하나는 움직임의 유무일 것이다. 영화는 사진에 결여되었던 사물의 운동, 즉 시간을 재현한 예술 장르이다. 반면 만화는 공간이라는 차원만을 알고 있다. 정지된 그림이 의도된 순서에 따라 공간적으로 나열된 것이 만화이기 때문이다. 만일 만화에도 시간이 존재한다면 ㉠ 그것은 읽기의 과정에서 독자에 의해 사후에 생성된 것이다. 독자는 정지된 이미지에서 상상을 통해 움직임을 끌어낸다. 그리고 인물이나 물체의 주변에 그어져 속도감을 암시하는 효과선은 독자의 상상을 더욱 부추긴다.

만화는 물리적 시간의 부재를 공간의 유연함으로 극복한다. 영화 화면의 테두리인 프레임과 달리, 만화의 칸은 그 크기와 모양이 다양하다. 또한 만화에는 한 칸 내부에 그림뿐 아니라, 말풍선과 인물의 심리나 작중 상황을 드러내는 언어적·비언어적 정보를 모두 담을 수 있는 자유로움이 있다. 그리고 ㉡ 그것이 독자의 읽기 시간에 변화를 주게 된다. 하지만 영화에서는 이미지를 영사하는 속도가 일정하여 감상의 속도가 강제된다.

영화와 만화는 그 이미지의 성격에서도 대조적이다. 영화가 촬영된 이미지라면 만화는 수작업으로 만들어진 이미지이다. 빛이 렌즈를 통과하여 필름에 착상되는 사진적 원리에 따른 영화의 이미지 생산 과정은 기술적으로 자동화되어 있다. 그렇기에 ㉢ 여기서 감독의 체취를 발견하기란 쉽지 않다. 그에 비해 만화는 수작업의 과정에서 자연스럽게 세계에 대한 작가의 개인적인 해석을 드러내게 된다. ㉣ 이것은 그림의 스타일과 터치 등으로 나타난다. 그래서 만화 이미지는 '서명된 이미지'이다.

촬영된 이미지와 수작업에 따른 이미지는 영화와 만화가 현실과 맺는 관계를 다르게 규정한다. 영화는 실제 대상과 이미지가 인과 관계로 맺어져 있어 본질적으로 사물에 대한 사실적인 기록이 된다. 이 기록의 과정에는 촬영장의 상황이나 촬영 여건과 같은 제약이 따른다. 그러나 최근에는 촬영된 이미지들을 컴퓨터상에서 합성하거나 그래픽 이미지를 활용하는 디지털 특수 효과의 도움을 받는 사례가 늘고 있는데, ㉤ 이것을 통해 만화에서와 마찬가지로 실재하지 않는 대상이나 장소도 만들어 낼 수 있게 되었다.

만화의 경우는 구상을 실행으로 옮기는 단계가 현실을 매개로 하지 않는다. 따라서 만화 이미지는 그 제작 단계가 작가의 통제에 포섭되어 있는 이미지이다. ㉥ 이 점은 만화적 상상력의 동력으로 작용한다. 현실과 직접적으로 대면하지 않기에 작가의 상상력에 이끌려 만화적 현실로 향할 수 있는 것이다.

14

윗글을 이해한 내용으로 적절하지 않은 것은?

① 만화는 공간의 유연함을 통해 만화를 읽는 시간에 변화를 준다.

② 영화의 이미지는 사진적 원리에 따라 생성되므로 감상 시간이 유동적이다.

③ 영화는 디지털 특수 효과를 통해 촬영 여건 등의 물리적 제약을 극복하기도 한다.

④ 만화를 보는 독자는 속도감을 암시하는 효과선을 보고 사물의 움직임을 상상한다.

15

문맥상 ㉠~㉥과 관련 있는 대상이 같은 것으로만 묶인 것은?

① ㉠, ㉢, ㉥

② ㉡, ㉣, ㉤

③ ㉠, ㉡, ㉢, ㉤

④ ㉠, ㉡, ㉣, ㉥

16

다음 글의 내용과 부합하지 않는 것은?

프랑스어로 '새로운 물결'이란 의미를 가지는 누벨바그는 1950년대 후반 프랑스 영화계에 일어난 새로운 경향을 말한다. 제2차 세계대전 이후 프랑스 영화계는 보수적인 기득권층이 주름잡고 있었는데, 기성 감독들은 오랫동안 관습적인 형태의 영화만을 제작하며 타성에 젖어 있는 경우가 많았다.

이에 대해 신인 감독들은 카이에 드 시네마라는 영화 평론지를 중심으로 보수적이고 발전이 없는 기성 영화를 신랄하게 비판하며 혁신을 주장하였다. 특히 누벨바그를 이끈 대표적인 감독 프랑소와 트뤼포는 기존의 안이한 영화 관습에 대항하고자 감독 개인의 개성을 반영한 작가주의 영화를 추구했다. 이렇듯 누벨바그를 이끈 감독들은 우주의 부조리함을 담은 실존주의 철학에 깊은 영향을 받아 비약적인 장면의 전개나 즉흥 연출과 같은 새로운 연출 방식을 시도했다.

한편 누벨바그는 1959년과 1962년에 사이에 정점을 찍었는데, 당시 사회·경제적 요소가 큰 원동력이 되었기 때문이었다. 영화 검열의 약화와 정부의 제작비 사전 지원 정책으로 신인 감독의 영화나 기존의 문법을 거부하는 영화가 쉽게 제작될 수 있었고, 영화 촬영 기술의 발전으로 누벨바그 영화의 감독들이 선호한 자연광과 사실적인 음향을 담을 수 있었다.

이와 같이 누벨바그는 침체되었던 프랑스 영화계에 새로운 반향을 끌어낼 수 있었으며, 프랑스를 넘어 전 세계 영화계에도 영향을 미쳤다. 그뿐만 아니라 영화사에서도 고전 영화와 현대 영화를 가르는 중요한 분기점 역할을 했다는 데에 의의가 있다.

① 프랑스 영화 검열의 약화와 정부의 제작비 사전 지원 정책으로 인해 누벨바그는 발전하여 정점을 찍었다.

② 작가주의 영화를 추구한 영화감독들로 인해 침체되었던 프랑스 영화계에 새로운 반향을 끌어낼 수 있었다.

③ 누벨바그를 이끈 영화감독들은 새로운 연출 방식을 시도하였으며 이는 전 세계 영화계에도 영향을 미쳤다.

④ 제2차 세계대전 이후 영화감독들은 실존주의 철학에 영향을 받아 기성 영화의 형식을 유지하고자 노력하였다.

정답 및 해설 p.8

03 | 관점과 태도 파악하기

☐ 유형 소개

· '관점과 태도 파악하기' 유형은 대상이나 현상에 대한 필자의 관점, 태도를 정확히 이해했는지에 대해 묻는 유형이다.
· 필자(작가, 글쓴이)의 생각이나 견해나 입장을 묻거나, 대상이나 현상에 대한 필자의 태도를 묻는 문제가 이 유형에 속한다.
· 선택지에서 자주 언급되는 단어를 바탕으로 필자의 관점, 태도를 파악한 후 선택지와 글의 내용을 비교하면서 읽어야 한다.

☐ 출제 경향

· 제시문의 관점을 이해한 후 선택지에 제시된 사례에 적용하는 문제가 출제되고 있다.
· 동일한 대상이나 현상에 대해 서로 다른 관점을 제시한 후 두 관점을 비교·대조하는 문제가 출제되고 있다.

☐ 단계별 문제 풀이 전략

STEP 1 선택지를 훑어보며 글에 제시될 관점이나 견해를 파악한다.

선택지에 제시된 주요 정보를 훑어보며, 글에서 주로 논의될 내용을 대략적으로 파악하고, 몇 가지의 관점이 제시될 것인지 확인한다.

> ① 갑은 축약된 기술어가 실존하는 대상을 지칭할 수 없다고 보는군.
> ② 을은 실존하지 않는 대상을 지칭하는 단어가 있다고 보는군.
> ③ 갑은 '페가수스'를 이름으로, 을은 '페가수스'를 축약된 기술어로 보는군.
> ④ 갑과 을은 어떤 단어가 이름이려면 그 단어는 실존하는 대상을 반드시 지칭해야 한다고 보는군.
>
> ▶ '갑'과 '을'이 '실존하지 않는 대상을 지칭하는 단어'에 대한 각각의 관점을 제시할 것임을 예상

STEP 2 선택지에서 파악한 정보를 떠올리며 제시문에서 관점이나 태도를 파악한다.

· 선택지에서 여러 관점이 제시될 것을 확인하였다면 논의되는 대상을 확인한 뒤, 글에서 관점을 달리 제시하는 인물, 학파를 중심으로 관점이나 태도를 파악한다.
· 인물, 학파가 대상에 대해 갖는 관점이나 태도가 나열되어 있는 경우 번호로 표시하면서 정리한다.

STEP 3 선택지에 제시된 정보가 필자의 관점이나 태도와 부합하는지 제시문과 비교하며 정답을 찾는다.

· 선택지에 제시된 정보와 필자의 관점이나 태도의 일치 여부를 확인하며 답을 찾는다.
· 두 관점이 충돌하는 글의 경우 선택지에 서로의 주장을 바꿔 놓는 경우가 있으므로 주의한다.

■ 전략 적용하기

다음 글을 이해한 내용으로 가장 적절한 것은?

2024 국가직 9급

 A가 주장한 다중지능이론은 기존 지능이론의 대안으로 제시되었다. 그는 (1) 기존 지능이론이 언어지능이나 논리수학지능 등 인간의 인지 능력에만 초점
〈선택지 ①의 근거〉
을 맞추고 있다고 비판하면서 이뿐 아니라 신체와 정서, 대인 관계의 능력까지 포괄한 총체적 지능 개념을 창안해 냈다. 다중지능이론은 뇌과학 연구에 일정 부분 영향을 받았는데, 뇌과학 연구에 따르면 인간의 좌뇌는 분석적, 논리적 능력을 담당하고, 우뇌는 창조적, 감성적 능력을 담당한다. (2) 다중지능이론에서는 좌뇌의 능력에만 초점을 둔 기존의 지능 검사에 대해 반쪽짜리 검사라고 혹평한다.
〈선택지 ③의 근거〉

 그런데 다중지능이론에 대해 비판적인 연구자들은 다음과 같은 점들을 지적한다. 우선, (1) 다중지능이론에서 주장하는 새로운 지능의 종류들이 기존 지능이
〈선택지 ④의 근거〉
론에서 주목했던 지능의 종류들과 상호 독립적일 수 있는가 하는 점이다. 그들에 따르면, 전자는 후자의 하위 영역에 속해 있고, 둘 사이에는 유의미한 상관관계가 있으므로 서로 독립적일 수 없으며, 따라서 '다중'이라는 개념이 성립하지 않는다. 다음으로, (2) 다중지능을 정확하게 측정할 수 있는 도구가 만들어질 수 있
〈선택지 ②의 근거〉
겠는가 하는 점이다. 그들은 지능이라는 말이 측정 가능한 인지 능력을 전제하는 것인데, 다중지능이론이 설정한 새로운 종류의 지능들을 정확하게 측정할 수 있는 도구가 만들어지기는 어려울 것이라 주장한다.

① 논리수학지능은 다중지능이론의 지능 개념에 포함되지 않는다. ×

② 대인 관계의 능력과 관련된 지능을 정확하게 측정할 수 있는 도구의 개발 가능성에 대해 회의적인 사람들이 있다. ○

③ 다중지능이론에서는 인간의 우뇌에서 담당하는 능력과 관련된 지능보다 좌뇌에서 담당하는 능력과 관련된 지능에 더 많이 주목한다. ×

④ 다중지능이론에 대해 비판적인 연구자들은 인간의 모든 지능 영역들이 상호 독립적이라는 이유에서 '다중' 개념이 성립하지 않는다고 주장한다. ×

STEP 1

선택지를 훑어보며 글에 제시될 관점이나 견해를 파악한다.

· 관점 1: 다중지능이론을 주장하는 A
· 관점 2: 다중지능이론을 비판함

STEP 2

선택지에서 파악한 정보를 떠올리며 제시문에서 관점이나 태도를 파악한다.

· 다중지능이론을 주장하는 A
 (1) 인지 능력에만 초점을 맞춘 기존 지능이론 비판, 총체적 지능 개념을 지향
 (2) 기존 지능 검사는 좌뇌능력에만 초점을 둠
· 다중지능이론에 대해 비판적인 연구자들
 (1) 다중지능에서 주장하는 새로운 지능은 기존 지능이론에서 주목하는 지능들로부터 독립적일 수 없음
 (2) 다중지능을 정확하게 측정하기 어려움

STEP 3

선택지에 제시된 정보가 필자의 관점이나 태도와 부합하는지 제시문과 비교하며 정답을 찾는다.

· ①: × → 포함하는 개념임
· ②: ○
· ③: × → A는 좌뇌 관련 지능에만 초점을 둔 것을 비판함
· ④: × → 상호 독립적이지 않음

→ ② 2문단 6~9번째 줄에 의하면 다중지능이론에 대해 비판적인 연구자들은 다중지능이 설정한 새로운 종류의 지능들을 측정하는 도구를 만드는 것이 어려울 것이라 주장한다. 따라서 답은 ②이다.

---

① 1문단 2~4번째 줄을 통해 다중지능이론이 기존 지능이론 제시한 논리수학지능을 포함하여 신체, 정서, 대인 관계 능력까지 포함하는 총체적 지능 개념을 제시했음을 알 수 있다. 따라서 다중지능이론에서 논리수학지능은 다중지능이론의 지능 개념에 포함되는 항목임을 알 수 있다.

③ 1문단 6~7번째 줄을 통해 다중지능이론이 좌뇌의 능력에만 초점을 둔 기존의 지능 검사를 비판하였음은 알 수 있으나, 우뇌에서 담당하는 능력과 좌뇌에서 담당하는 능력 중 어느 능력에 더 주목하였는지에 대한 내용은 제시문에서 확인할 수 없다.

④ 2문단 2~6번째 줄을 통해 다중지능이론에 대해 비판적인 연구자들이 인간의 지능에 대해 '다중' 개념이 성립하지 않는다고 주장하는 이유는 지능들이 서로 유의미한 상관관계를 지녀 서로 독립적일 수 없기 때문임을 알 수 있다.

유형 공략 문제

01

글쓴이의 견해에 부합하는 것은?

2022 국가직 9급

문화란 공동체의 구성원들이 공유하는 생각과 행동 양식의 총체라고 할 수 있다. 문화를 연구하는 사람들의 주된 관심사는 특정 생각과 행동 양식이 하나의 공동체 안에서 전파되는 기제이다.

이에 대한 견해 중 하나는 문화를 생각의 전염이라는 각도에서 바라보는 것이다. 예컨대, 리처드 도킨스는 '밈 (meme)'이라는 개념을 통해 생각의 전염 과정을 설명하고자 했다. 그에 따르면 문화는 복수의 밈으로 이루어져 있는데, 유전자에 저장된 생명체의 주요 정보가 번식을 통해 복제되어 개체군 내에서 확산되듯이, 밈 역시 유전자와 마찬가지로 공동체 내에서 복제를 통해 확산된다.

그러나 문화 전파의 기제를 설명하는 이론으로는 밈 이론보다 의사소통 이론이 더 적절해 보인다. 일례로, 요크셔 지역에 내려오는 독특한 푸딩 요리법은 누군가가 푸딩 만드는 것을 지켜본 후 그것을 그대로 따라 하는 방식으로 전파되었다기보다는 요크셔푸딩 요리법에 대한 부모와 친척, 친구들의 설명을 통해 입에서 입으로 전파되고 공유되었을 가능성이 크다.

생명체의 경우와 달리 문화는 완벽하게 동일한 형태로 전파되지 않는다. 전파된 문화와 그것을 수용한 결과는 큰 틀에서는 비슷하더라도 세부적으로는 다를 수밖에 없다. 다시 말해 요크셔 지방의 푸딩 요리법은 다른 지방의 푸딩 요리법과 변별되는 특색을 지니는 동시에 요크셔 지방 내부에서도 가정이나 개인에 따라 약간씩의 차이를 보인다. 이는 푸딩 요리법의 수신자가 발신자가 전해 준 정보에다 자신의 생각을 덧붙였기 때문인데, 복제의 관점에서 문화의 전파를 설명하는 이론으로는 이와 같은 현상을 설명하기 어렵다. 반면, 의사소통 이론으로는 설명 가능하다. 이에 따르면 사람들은 자신이 들은 이야기를 남에게 전달할때 들은 이야기에다 자신의 생각을 더해서 그 이야기를 전달하기 때문이다.

① 문화의 전파 기제는 밈 이론보다는 의사소통 이론으로 설명하는 것이 적절하다.

② 의사소통 이론에 따르면 문화의 수용 과정에는 수용 주체의 주관이 개입하지 않는다.

③ 의사소통 이론에 따르면 특정 공동체의 문화는 다른 공동체로 복제를 통해 전파될 수 있다.

④ 요크셔푸딩 요리법이 요크셔 지방의 가정이나 개인에 따라 세부적인 차이를 보이는 현상은 밈 이론에 의해 설명할 수 있다.

02

2023 군무원 9급

다음 글을 읽고 필자의 서술태도와 가장 거리가 먼 것을 고르시오.

겨울철에 빙판이 만들어지면 노인들의 낙상 사고가 잦아진다. 대부분의 노인들은 근육 감소로 인한 순발력 저하로 방어기제가 제대로 작동하지 않는다. 그런 사고를 당하면 운동이 부족해져 그나마 남아 있던 근육이 퇴화하고 노화가 빨라진다. 건강수명은 대부분 거기서 끝이다. 참으로 무서운 일이다. 그런데도 불구하고 노년층에게 적극적으로 근력운동을 처방하지 않는다. 우리의 주변을 둘러보라. 요양병원이 상당히 많이 늘어났다. 앞으로도 부가가치가 매우 높은 산업이라고 한다. 안타까운 일이다.

① 논리적　　　　　　② 회고적

③ 비판적　　　　　　④ 동정적

03

글쓴이의 견해에 부합하지 않는 것은?

사물 인터넷(IoT, Internet of Things)의 정의로 '수십억 개의 사물이 서로 연결되는 것'이라고 설명하는 것은 그리 유용하지 않다. 사물 인터넷이 무엇인지 이해하기 위해서는 '사물'에서 출발하기보다는 '인터넷'에서 출발하는 것이 좋다. 인터넷이 전 세계의 컴퓨터를 서로 소통하도록 만든다는 생각이 실현된 것이라면, 사물 인터넷은 이제 전 세계의 사물들을 '컴퓨터로 만들어' 서로 소통하도록 만든다는 생각을 실현하는 것이다. 컴퓨터는 본래 전원이 있고 칩이 있고, 이것이 통신 장치와 프로토콜을 갖게 되어 연결된 것이다. 그렇다면 이제는 전원이 있었던 전자 기기나 기계 등은 그 자체로, 전원이 없었던 일반 사물들은 새롭게 센서와 배터리, 통신 모듈이 부착되면서 컴퓨터가 되고 이렇게 컴퓨터가 된 사물들이 그들 간에 또는 인간의 스마트 기기와 네트워크로 연결되는 것이다.

현재의 인터넷과 사물 인터넷의 차이를, 혹자는 사람이 개입되는 것은 사물 인터넷이 아니라고 이야기하면서 엄격한 M2M(Machine to Machine)이라는 개념에 근거해 설명한다. 또 혹자는 사물 인터넷이 실현되려면 사람만큼 사물이 판단할 수 있어야 한다고 주장하면서 사물의 지능성을 중요시하는 경우도 있는데, 두 가지 모두 그릇된 것이다. 사물 인터넷을 제대로 이해하려면 기존 인터넷과의 차이점에 주목하기보다는 오히려 공통점을 인식하는 것이 더 중요하다. 컴퓨터를 서로 연결하는 수준에서 출발한 것이 기존의 인터넷이라면, 이제는 사물 각각이 컴퓨터가 되고, 그 사물들이 사람과 손쉽게 닿는 스마트폰, 스마트 워치 등과 서로 소통하는 것이다.

① 사물 인터넷의 개념을 파악하기 위해서는 기존 인터넷과의 공통점을 이해하는 것이 필요하다.

② 센서와 배터리, 통신 모듈 등을 갖춘 사물들이 네트워크로 연결되어 사물 인터넷으로 기능한다.

③ 사물 인터넷은 사람 수준의 지능을 가진 사물들이 네트워크상에서 인간의 개입 없이 서로 소통하는 것으로 정의된다.

④ 사물 인터넷은 컴퓨터가 아니었던 사물도 네트워크로 연결될 수 있다는 점에서 기존의 인터넷과 다르다.

04

다음 글쓴이의 입장에 부합하는 것은?

효(孝)가 개인과 가족, 곧 일차적인 인간관계에서 일어나는 행위를 규정한 것이라면, 충(忠)은 가족이 아닌 사람들과의 관계, 곧 이차적인 인간관계에서 일어나는 사회적 행위를 규정한 것이었다. 그런데 언제부터인가 우리는 효를 순응적 가치관을 주입하는 봉건 가부장제 사회의 유습이라고 오해하는가 하면, 충과 효를 동일시하는 오류를 저지르는 경향이 많아졌다. 다음을 보자.

"부모에게 효도하고 형제를 사랑하는 사람은 윗사람의 명령을 거역하는 경우가 드물다. 또 윗사람의 명령을 어기지 않는 사람은 난동을 일으키는 경우도 드물다. 군자는 근본에 힘쓴다. 근본이 확립되면 도가 생기기 때문이다. 효도와 우애는 인(仁)의 근본이다."

위 구절에 담긴 입장을 기준으로 보면 효는 윗사람에 대한 절대 복종으로 연결된다. 곧 종족 윤리의 기본이 되는 연장자에 대한 예우는 물론이고 신분 사회의 엄격한 상하 관계까지 포괄적으로 인정하는 것이다. 하지만 이 구절만을 근거로 효를 복종의 윤리라고 보는 것은 성급한 판단이다. 왜냐하면 원래부터 효란 가족 윤리 또는 종족 윤리로서 사회 윤리였던 충보다 우선시되었을 뿐만 아니라, 유교의 기본 입장은 설사 부모의 명령이라 하더라도 옳고 그름을 가리지 않는 맹목적인 복종은 그 자체가 불효라고 보았기 때문이다.

유교에서는 부모와 자식의 관계가 자연에 의해서 결정된다고 한다. 이 때문에 부모와 자식의 관계는 인위적으로 끊을 수 없다고 본다. 이에 비해 임금과 신하의 관계는 공동의 목표를 위한 관계로서 의리에 의해서 맺어진 관계로 본다. 의리가 맞지 않는다면 언제라도 끊을 수 있다고 생각하는 것이다.

① 효는 봉건 가부장제 사회에서 비롯한 일차적 인간관계이다.

② 효는 부모와 자식 간의 관계이므로 조건 없는 신뢰에 기초한 덕목이다.

③ 윗사람에 대한 복종을 절대시하지 않는 것이 유교적 윤리의 한 바탕이다.

④ 충의 도리를 다함으로써 효의 도리에 도달할 수 있다는 것이 인의 이치다.

05

밑줄 친 부분의 이유에 대한 필자의 견해로 볼 수 없는 것은?

관리가 본디부터 간악한 것이 아니다. 그들을 간악하게 만드는 것은 법이다. 간악함이 생기는 이유는 이루 다 열거할 수 없다. 대체로 직책은 하찮은데도 재주가 넘치면 간악하게 되며, 지위는 낮은데도 아는 것이 많으면 간악하게 되며, 노력을 조금 들였는데도 효과가 신속하면 간악하게 되며, 자신은 그 자리에 오랫동안 있는데 자신을 감독하는 사람이 자주 교체되면 간악하게 되며, 자신을 감독하는 사람의 행동이 또한 정도에서 나오지 않으면 간악하게 되며, 아래에 자신의 무리는 많은데 윗사람이 외롭고 어리석으면 간악하게 되며, 자신을 미워하는 사람이 자신보다 약하여 두려워하면서 잘못을 밝히지 않으면 간악하게 되며, 자신이 꺼리는 사람이 같이 죄를 범하였는데도 서로 버티면서 죄를 밝히지 않으면 간악하게 되며, 형벌에 원칙이 없고 염치가 확립되지 않으면 간악하게 된다. …… 간악함이 일어나기 쉬운 것이 대체로 이러하다.

① 노력은 적게 들이고 성과를 빨리 얻는다.
② 자신이 범한 과오를 감추고 남의 잘못을 드러낸다.
③ 자신은 같은 자리에 있으나 감독자가 자주 교체된다.
④ 자신의 세력이 밑에서 강한 반면 상부는 외롭고 우매하다.

06

다음 중 아래 글에 나타난 저자의 의도를 가장 적절하게 설명한 것은?

인공지능은 컴퓨터 프로그램을 활용해 인간과 비슷한 인지적 능력을 구현한 기술을 말한다. 인공지능은 기본적으로 보고 듣고 읽고 말하는 능력을 갖춤으로써 인간과 대화할 수 있을 뿐만 아니라 지적 판단이 필요한 상황에서 합리적 결정을 내릴 수 있다. 인공지능이 인간의 말을 알아듣고 명령을 실행하는 똑똑한 기계가 되는 것은 반길 일인가, 아니면 주인과 노예의 관계를 역전시키는 재앙이라고 경계해야 할 일인가?

① 쟁점 제기   ② 정서적 공감
③ 논리적 설득   ④ 배경 설명

07

다음 글에 대한 이해로 적절하지 않은 것은?

(가) 유전자 변형 농작물에 대한 서로 다른 입장이 있다. 하나는 실질적 동등성을 주장하는 입장이고 다른 하나는 사전 예방 원칙을 주장하는 입장이다.

(나) ㉠ 실질적 동등성의 입장에서는 유전자 재조합 방식*으로 만들어진 농작물이 기존의 품종 개량 방식인 육종으로 만들어진 농작물과 같다고 본다. 육종은 생물의 암수를 교잡하는 방식으로 품종을 개량하는 것인데, 유전자 재조합은 육종을 단기간에 실시한 것에 불과하다는 것이다. 따라서 육종 농작물이 안전하기 때문에 육종을 단기간에 실시한 유전자 변형 농작물도 안전하며, 그것의 재배와 유통에도 문제가 없다는 것이 그들의 주장이다.

(다) ㉡ 사전 예방 원칙의 입장에서는 유전자 변형 농작물은 유전자 재조합이라는 신기술로 만들어진 완전히 새로운 농작물로 육종 농작물과는 엄연히 다르다고 본다. 육종은 오랜 기간 동안 동종 또는 유사 종 사이의 교배를 통해 이루어지는 데 반해, 유전자 변형은 아주 짧은 기간에 종의 경계를 넘어 유전자를 직접 조작하는 방식으로 이루어지기 때문에 서로 다르다는 것이다. 그리고 안전성에 대한 과학적 증명도 아직 제대로 이루어지지 못했기 때문에 안전성이 증명될 때까지 유전자 변형 농작물의 재배와 유통이 금지되어야 한다고 주장한다.

(라) 유전자 변형 농작물이 인류의 식량 문제를 해결해 줄 수도 있다. 그렇지만 그것의 안전성에 대한 의문이 완전히 해소된 것은 아니다. 따라서 유전자 변형 농작물에 대해 관심을 가지고 보다 현실적인 대비책을 고민해야 한다.

*유전자 재조합 방식: 미세 조작으로 종이나 속이 다른 생물의 유전자를 한 생물에 집어넣어 활동하게 하는 기술.

① ㉠과 ㉡은 유전자 변형 농작물의 성격을 두고 상반된 주장을 하고 있군.
② ㉠과 ㉡은 모두 유전자 변형 농작물의 유통을 위해서는 안전성이 확보되어야 한다고 보는군.
③ ㉠은 유전자 변형 농작물과 육종 농작물이 모두 안전하다고 생각하는군.
④ ㉡은 육종 농작물과 유전자 변형 농작물에 유전자 재조합 방식이 적용된다고 주장하고 있군.

08

⊙과 ⓛ에 대한 글쓴이의 견해로 적절하지 않은 것은?

'대중예술'이라는 용어는 다소 모호하게 사용된다. 이 용어는 19세기부터 쓰였고, 오늘날에는 대중매체 예술뿐 아니라 서민들이 향유하는 예술에도 적용된다. 이 용어의 사용과 관련하여 제기되는 비판과 의문은, 예술이란 용어 자체가 이미 고유한 미적 가치를 함축하고 있기 때문에 대중예술이라는 개념은 본질적으로 모순이며 범주상의 오류라는 것이다. 이 같은 논쟁은 고급 예술과 대중예술 사이의 위계적 이분법 아래에 예술 대 엔터테인먼트라는 대립이 존재함을 알려 준다.

대중예술과 마찬가지로 엔터테인먼트는 고급 문화와 대비하여 저급한 것으로 널리 규정되어 왔다. 결과적으로 엔터테인먼트와 대중예술에 관한 이론은 대개 두 입장 사이에 놓인다. ⊙ 첫 번째 입장은 엔터테인먼트가 고급 문화를 차용해서 타락시키는 것이라고 주장하면서, 엔터테인먼트를 고급 문화에 전적으로 의존하고, 종속되며 그것에서 파생되는 것으로 간주한다. ⓛ 두 번째 입장은 엔터테인먼트를 고급 문화와 동떨어진 영역, 즉 고급 문화에 도전함으로써 대립적인 태도를 유지하면서 엔터테인먼트 자체의 자율적 규칙, 가치, 원리와 미적 기준을 갖고 있는 것으로 규정한다.

첫 번째 입장은 다양한 가치를 이상적인 진리 안에 종속시킴으로써, 예술의 형식과 즐거움의 미적 가치에 대한 어떠한 상대적 자율성도 인정하지 않는다. 두 번째 입장은 대중예술에 대한 극단적 자율성을 주장하는 것으로서, 고급 예술이 대중예술에 대하여 휘두르고 있는 오래된 헤게모니의 흔적을 제대로 평가하지 않을 뿐 아니라 고급 예술과 대중예술 사이의 관계를 설명하지 못한다.

① ⊙은 고급 문화와 엔터테인먼트 사이의 위계성을 설명하지 못한다.

② ⊙은 대중예술과 엔터테인먼트에 비해 고급 예술과 고급 문화의 우월성을 강조한다.

③ ⓛ은 고급 예술과 대중예술 사이의 관계성을 설명하지 못한다.

④ ⓛ은 고급 예술과 고급 문화에 대해 대중예술과 엔터테인먼트의 독자성을 강조한다.

09

다음 글에 나타난 필자의 견해로 볼 수 없는 것은?

서양에서 주인공을 '히어로(hero)', 즉 '영웅'이라고 부른 것은 고대 서사시나 희곡의 소재가 되던 주인공들이 초인간적인 능력을 가진 인물들이었기 때문이다. 신화적 세계관 속에서 영웅들은 신과 밀접한 관계를 맺거나 신의 후손이기도 하였다.

신화와 달리 문학 작품은 인물의 행위를 단일한 것으로 통일시킨다. 영웅들의 초인간적이고 신적인 행위는 차차 문학 작품의 구조에 제한되어 훨씬 인간화되었다. 문학 작품의 통일된 구조에 적합하지 않은 것은 대폭 수정되거나 제거되는 수밖에 없었다.

아리스토텔레스는 비극이 '보통보다 우수한 인물'을 모방한다고 하였는데, 이는 문학의 인물이 신화의 영웅이 아닌 보통의 인간임을 지적한 것이다. 극의 주인공은 작품의 통일성을 기하는 데 기여하는 중심적인 인물이면 된다고 한 것으로 볼 수 있다.

낭만주의 및 역사주의 비평가들은 작중 인물을 실제 인물인 양 따로 떼어 내어, 그의 개인적인 역사를 재구성해 보려고도 하였다. 그들은 영웅이라는 표현 대신 '성격(인물, character)'이라는 개념을 즐겨 썼는데, 이 용어는 지금도 비평계에서 애용되고 있다.

① 영웅이라는 말은 고대의 예술적 조건과 자연스럽게 관련된다.

② 신화의 영웅은 문학 작품에 와서 점차 인간화되었다.

③ 아리스토텔레스가 말한 '보통보다 우수한 인물'은 신화적 영웅과 다르다.

④ 역사주의 비평가들은 작중 인물을 역사적 영웅으로 재평가하려고 했다.

10

다음 글에서 '칸트'의 견해로 볼 수 없는 것은?

칸트는 계몽이란 인간이 자신의 과오로 인한 미성년 상태로부터 벗어나는 것이라고 했다. 이때 '미성년 상태'는 타인의 지도 없이는 스스로의 이성을 사용할 수 없는 상태를 뜻하며, 이를 벗어나는 데 필요한 것은 용기를 내어 스스로의 이성을 사용하려고 하는 것이다.

칸트에 의하면 계몽은 두 가지 양상으로 이루어진다. 하나는 개인적 계몽으로 각자 스스로 미성년 상태를 벗어나서 이성 능력을 발휘하는 것이다. 하지만 모든 사람이 개인적 계몽을 이룰 수 있는 것은 아니다. 미성년 상태는 편하다. 이 상태의 개인은 스스로 생각하고 판단함으로써 저지를지 모르는 실수의 위험을 과장해서 생각한다. 한 개인이 실수의 두려움으로 인해 미성년 상태에 머무르기를 선택하면 편안함에 대한 유혹과 실수에 대한 공포심을 극복하며 스스로를 계몽하기는 힘들다.

대중 일반의 계몽은 이보다는 쉽게 이루어질 수 있다. 어느 시대에나 개인적 계몽에 성공한 독립적인 정신의 사상가들이 있기 마련이고, 이들은 편안함에 안주하며 두려움의 방패 뒤에 도피하려는 사람들의 의식을 일깨워 자각의 계기를 제공해 줄 수 있다. 개인적 계몽에 성공한 이들에게 자신의 생각을 표현하고 발표하는 자유가 주어진다면 계몽 정신은 자연스레 널리 전파될 것이고 사람들은 독립에의 공포심에서 벗어나 스스로 생각하는 성년 단계로 진입하게 될 것이다.

칸트는 대중 일반의 계몽을 위해 필요한 이성의 사용을 이성의 공적 사용이라 일컫는다. 이성의 사용은 사적 사용과 공적 사용으로 구분된다. 이성의 사적 사용은 각자가 개인이나 소규모 공동체의 이익을 위해 이성을 사용하는 것을 말한다. 그러나 한 개인이 몸담고 있는 공동체의 범위를 벗어나 세계 시민의 한 사람으로서 그리고 학자로서 글을 통해 자신의 생각을 대중에게 전달하게 되면 그는 이성을 공적으로 사용하는 것이 된다.

① 개인적 계몽을 모든 사람이 이룰 수 있는 것은 아니다.

② 대중 일반의 계몽을 위한 이성의 사용을 이성의 공적 사용이라 불렀다.

③ 미성년 상태에서 벗어나기 위해서는 스스로의 이성을 사용하려고 해야 한다.

④ 개인적 계몽을 이룬 이들에게 자유가 주어진다면 독립에 대한 공포심에 빠지게 된다.

11

〈보기〉의 비판 대상으로 가장 옳지 않은 것은?

───── 〈보기〉 ─────

그는 가상의 대화에서 스스로 채식주의의 대변인이 되어 다양한 육식 옹호론자들의 위선과 논리적 허구성을 논박함으로써 육식의 폐해를 신랄하게 비판하고 채식 위주로의 식습관 개혁을 역설한다. 그러면서 육식을 반대하기 위한 형식 논리에 빠지지 않도록 신문 기사를 비롯한 다양한 사실적 논거들을 제시함으로써 설득력을 확보한다.

우리나라에서는 아직까지 채식주의는 특정 종교에 국한되거나 지나치게 염결한 사람들의 기벽 정도에 치부되고 있다. 한 예로 장거리 비행기를 탈 때 채식주의 기내식을 요구하는 한국인은 극히 드물다.

① 육류 위주의 식습관

② 채식주의 기내식 요구자

③ 육식 옹호론자들의 위선

④ 채식주의를 기벽으로 치부하는 사회

12

필자의 견해로 볼 수 없는 것은?

우리는 우리가 생각한 것을 말로 나타낸다. 또 다른 사람의 말을 듣고, 그 사람이 무슨 생각을 가지고 있는가를 짐작한다. 그러므로 생각과 말은 서로 떨어질 수 없는 깊은 관계를 가지고 있다.

그러면 말과 생각이 얼마만큼 깊은 관계를 가지고 있을까? 이 문제를 놓고 사람들은 오랫동안 여러 가지 생각을 하였다. 그 가운데 가장 두드러진 것이 두 가지 있다. 그 하나는 말과 생각이 서로 꼭 달라붙은 쌍둥이인데 한 놈은 생각이 되어 속에 감추어져 있고 다른 한 놈은 말이 되어 사람 귀에 들리는 것이라는 생각이다. 다른 하나는 생각이 큰 그릇이고 말은 생각 속에 들어가는 작은 그릇이어서 생각에는 말 이외에도 다른 것이 더 있다는 생각이다.

이 두 가지 생각 가운데서 앞의 것은 조금만 깊이 생각해 보면 틀렸다는 것을 즉시 깨달을 수 있다. 우리가 생각한 것은 거의 대부분 말로 나타낼 수 있지만, 누구든지 가슴 속에 응어리진 어떤 생각이 분명히 있기는 한데 그것을 어떻게 말로 표현해야 할지 애태운 경험을 가지고 있을 것이다. 이것 한 가지만 보더라도 말과 생각이 서로 안팎을 이루는 쌍둥이가 아님은 쉽게 판명된다.

인간의 생각이라는 것은 매우 넓고 큰 것이며 말이란 결국 생각의 일부분을 주워 담는 작은 그릇에 지나지 않는다. 그러나 아무리 인간의 생각이 말보다 범위가 넓고 큰 것이라고 하여도 그것을 가능한 한 말로 바꾸어 놓지 않으면 그 생각의 위대함이나 오묘함이 다른 사람에게 전달되지 않기 때문에 생각이 형님이요, 말이 동생이라고 할지라도 생각은 동생의 신세를 지지 않을 수가 없게 되어 있다. 그러니 말을 통하지 않고는 생각을 전달할 수가 없는 것이다.

① 말은 생각보다 범위가 좁다.

② 말은 생각을 나타내는 매개체이다.

③ 말과 생각은 불가분의 관계에 놓여 있다.

④ 말을 통하지 않고도 얼마든지 생각을 전달할 수 있다.

13

㉠과 ㉡에 대한 글쓴이의 견해로 적절하지 않은 것은?

1901년에 태어난 ㉠ 월트 디즈니. 그리고 40년 뒤인 1941년에 태어난 ㉡ 미야자키 하야오. 두 사람은 닮았으면서도 다른 점이 많은 서양과 동양의 대표적인 애니메이션 감독이다. 두 사람은 모두 어린 시절 전쟁을 경험했다. 그리고 애니메이션을 발견했고, 이를 평생의 업으로 삼았다.

그러나 두 사람이 걸어온 길은 확연히 달랐다. 월트 디즈니는 처음부터 자신의 회사를 설립해 비즈니스를 시작했고, 미야자키 하야오는 애니메이션 회사에 입사해 제작의 첫 단계부터 기초를 쌓아 갔다. 월트 디즈니가 공격적인 방식으로 애니메이션의 새로운 분야를 개발했다면, 미야자키 하야오는 자신이 가장 잘할 수 있는 작품 제작에만 매달렸다. 작품에서 보여 주고자 하는 내용도 달랐다. 똑같은 모험담이라고 하더라도 월트 디즈니는 늘 가족의 가치에 주목했고, 여기에 엔터테인먼트를 도입했다. 반면 미야자키 하야오는 인물의 성장, 자연의 치유와 같은 가치에 주목했다.

월트 디즈니는 애니메이터라기보다는 사업가이자 혁신가다. 그는 결정적인 순간에 이전의 것을 답습하기보다는 혁신을 선택했다. 또한 가장 최적화된 사업 방식을 고민했고, 그 결과 월트 디즈니는 세계적인 복합 미디어 그룹이 되었다. 미야자키 하야오는 사업가이기보다는 애니메이터이자 크리에이터였다. 애니메이션 제작의 하부 구조에서부터 천천히 올라온 그의 끈기와 노력은 대단한 것이었고, 작품에 대한 그의 창조력과 영감은 놀라웠다. 그 결과 일본 애니메이션은 디즈니를 넘어서는 새로운 미학을 완성할 수 있었다.

① ㉡은 ㉠을 능가하는 새로운 미학을 창조했다.

② ㉠은 전쟁으로 인한 상처를 가족의 사랑으로 극복하고자 했다.

③ ㉠은 혁신적인 사업 방식을 통해 세계적으로 성공한 사업가이다.

④ ㉡은 사업적 이익을 추구하기보다 자신만의 작품 세계를 구축하는 것을 중요시했다.

정답 및 해설 p.18

04 글의 전략 파악하기

📑 유형 소개

- '글의 전략 파악하기' 유형은 글에서 내용을 효과적으로 전개하기 위해 어떤 방법을 사용했는지를 묻는 문제 유형이다.
- 논지 전개 방식이나, 서술상의 특징·전략의 적절성을 묻는 문제가 모두 이 유형에 속한다.
- 선택지에 제시된 전략과 그에 따른 효과를 명확히 파악하고 실제로 제시문에 선택지의 전략이 사용되었는지 확인해야 한다.

📑 출제 경향

- 제시문에서 대상을 설명하기 위해 사용한 논지 전개 방식이나 전략을 제시한 뒤 그에 따른 효과의 적절성을 묻는 문제가 출제되고 있다.
- 논지 전개 방식이나 논증에 대한 이해를 요구하는 문제가 출제되고 있다.

📑 단계별 문제 풀이 전략

STEP 1 선택지에 제시된 '전략'과 '효과'를 파악한다.

하나의 선택지에 '전략'과 '효과'와 관련된 정보가 동시에 제시되므로 선택지를 '전략'과 '효과'로 나누어 분석한다.

- 자문자답의 형식을 사용해 독자의 흥미를 유발하고 있다.
  전략   효과
- 학자의 견해를 근거로 들어 독자의 공감을 이끌어 내고 있다.
  전략   효과

STEP 2 선택지에 제시된 '전략'이 제시문에 실제로 사용되었는지 확인하고 '효과'의 적절성을 판단한다.

- 글에서 주로 사용되는 '전략'으로는 주로 '논지 전개 방식'이나 '논증' 등이 있다.

  - 논지 전개 방식: 정의, 예시, 비교·대조, 분류·구분, 분석, 과정, 인과 등
  - 논증 방법: 귀납, 연역, 유추
  - 그 외 전략: 나열, 반박, 암시, 인용, 질문(의문문),구체화(수치화), 절충 후 대안 제시, 문제·해결, 변천 양상 제시

- 선택지에 제시된 글의 '전략'에 따른 '효과'가 적절한지 확인한다.
- '전략'이 사용되었음을 확인한 사실만으로 성급하게 답을 고르지 않도록 주의한다.

■ 전략 적용하기

다음 글에 대한 이해로 적절하지 않은 것은?

2022 국가직 9급

> △△시 시장님께
>
> 안녕하십니까? 저는 △△시에서 농장을 운영하는 □□□입니다. 이렇게 글을 쓰게 된 것은 우리 농장 근처에 신축된 골프장의 빛 공해 문제 에 대해 말씀드리기 위함입니다. 빛이 공해가 될 수 있다는 말이 다소 생소하실 수도 있습니다. 하지만 지나친 야간 조명이 식물의 성장에 부정적인 영향을 끼쳐 작물 수확량을 감
> <small>선택지 ②의 근거 – 인용한 자료의 출처를 밝히지는 않음</small>
> 소시킬 수 있음은 이미 여러 연구를 통해 입증된 바 있습니다. 좀 늦었지만 △△
> 시에서도 이 문제에 대해 경각심을 가질 필요가 있습니다. 실제로 골프장이 야간
> <small>선택지 ①의 근거 (1) – 어려움에 대해 관심 촉구</small>
> 운영을 시작했을 때를 기점으로 우리 농장의 수확률이 현저히 낮아졌음을 제가
> 확인했습니다. 물론, 이윤을 추구하는 골프장의 야간 운영을 무조건 막는다면 골
> <small>선택지 ④의 근거 – 예상되는 문제점 제시 후 해결 방안 제시</small>
> 프장 측에서 반발할 것입니다. 그래서 계절에 따라 야간 운영 시간을 조정하거나
> 운영 제한에 따른 손실금을 보전해 주는 등의 보완책도 필요합니다. 또한 ○○군
> 에서도 빛 공해 문제를 해결하기 위해 야간 조명의 조도를 조정하는 프로젝트를
> <small>선택지 ③의 근거 – 다른 지역 문제 해결 사례 언급</small>
> 진행한 바 있으니 참고해 보시기 바랍니다. 모쪼록 시장님께서 이 문제에 관심
> <small>선택지 ①의 근거 (2) – 어려움에 대해 관심 촉구</small>
> 을 가지고 농장과 골프장이 상생할 수 있는 정책을 펼쳐 주시기를 부탁드립니다.

① 시장에게 빛 공해로 농장이 겪는 어려움에 대해 관심을 촉구하고 있다. <small>전략</small>
✔ 건의에 대한 신뢰성을 높이기 위해 인용한 자료의 출처를 밝히고 있다. <small>효과 / 전략</small>
③ 다른 지역에서 야간 조명으로 인한 폐해를 해결하기 위해 노력한 사례를 언급하고 있다. <small>전략</small>
④ 골프장의 야간 운영을 제한할 때 예상되는 문제점과 그 해결 방안에 대해 제시하고 있다. <small>전략</small>

STEP 1

선택지에 제시된 '전략'과 '효과'를 파악한다.

· ①: 문제 제시 후 관심 촉구
· ②: 자료 인용 후 출처 제시 → 신뢰성 제고
· ③: 문제 해결 사례 제시
· ④: 예상되는 문제점 제시 후 해결 방안 제시

STEP 2

선택지에 제시된 '전략'이 제시문에 실제로 사용되었는지 확인하고 '효과'의 적절성을 판단한다.

· ①: 전략 ○
· ②: 전략 × / 효과 ○
  → 전략의 효과는 적절하나 제시된 전략이 제시문에 나타나지 않음
· ③: 전략 ○
· ④: 전략 ○

→ ② 지나친 야간 조명으로 인해 작물 수확량이 감소될 수 있음을 입증한 연구 자료를 제시하고 있으나, 해당 자료의 출처는 밝히고 있지 않으므로 적절하지 않다. 참고로, 정확하고 믿을 수 있는 자료를 활용하고, 출처를 분명히 밝힘으로써 신뢰성을 높일 수 있다.

오답분석

① 6~9번째 줄과 끝에서 1~2번째 줄에서 빛 공해로 인하여 농장의 수확률이 현저히 낮아지는 어려움에 대해 언급하며 시장에게 빛 공해 문제에 대해 관심을 갖기를 촉구하고 있으므로 적절하다.

③ 끝에서 2~4번째 줄에서 ○○군이 빛 공해 문제를 해결하기 위해 야간 조명의 조도를 조정하는 프로젝트를 진행했다는 사례를 확인할 수 있으므로 적절하다.

④ 끝에서 4~6번째 줄에서 골프장 측이 반발할 것이라는 문제점과 야간 운영 시간 조정 및 손실금 보전과 같은 해결 방안을 제시하고 있으므로 적절하다.

01

2019 국가직 9급

다음 글에 대한 설명으로 적절하지 않은 것은?

> (가) 20세기 들어서 생태학자들은 지속성 농약이 자연 생태계에 어떤 악영향을 미치는지를 밝힐 수 있었다. 예컨대 제2차 세계대전 이후 전 세계에서 해충 구제용으로 널리 사용됨으로써 농업 생산량 향상에 커다란 기여를 한 디디티(DDT)는 유기 염소계 살충제의 대명사이다.
>
> (나) 그렇지만 이 유기 염소계 살충제는 물에 잘 녹지 않고 자연에서 햇빛에 의한 광분해나 미생물에 의한 생물학적 분해가 거의 이루어지지 않는다. 그래서 디디티는 토양이나 물속의 퇴적물 속에 수십 년간 축적된다. 게다가 디디티는 지방에는 잘 녹아서 먹이사슬을 거치는 동안 지방 함량이 높은 동물 체내에 그 농도가 높아진다. 이렇듯 많은 양의 유기 염소계 살충제를 체내에 축적하게 된 맹금류는 물질대사에 장애를 일으켜서 껍질이 매우 얇은 알을 낳기 때문에, 포란 중 대부분의 알이 깨져 버려 멸종의 길을 걷게 된다.
>
> (다) 디디티는 쉽게 분해되지 않기 때문에 한번 뿌려진 디디티는 물과 공기, 생물체 등을 매개로 세계 전역으로 퍼질 수 있다. 그래서 디디티에 한 번도 노출된 적이 없는 알래스카 지방의 에스키모 산모의 젖에서도 디디티가 검출되었고, 남극 지방의 펭귄 몸속에서도 디디티가 발견되었다. 이러한 생물 농축과 잔존성의 특성이 밝혀짐으로써 미국에서는 1972년부터 디디티 생산이 전면 중단되었고, 1980년대에 이르러서는 유기 염소계 농약의 사용이 대부분 금지되었다.
>
> (라) 이와 같이 디디티의 생물 농축 현상에서처럼 생태학자들은 한 생물 종에 미치는 오염의 영향이 오랫동안 누적되면 전체 생태계를 훼손시킬 수 있다는 사실을 발견하였다. 그래서인지 최근 우리나라에서도 사소한 환경오염 행위가 장차 어떠한 재앙을 몰고 올 수 있는지에 대한 연구가 활발히 이루어지고 있다.

① (가)는 중심 화제를 소개하고, 핵심어를 제시함으로써 전개될 내용을 암시하고 있다.

② (나)는 디디티가 끼칠 생태계의 영향을 인과 분석의 방법으로 설명하고 있다.

③ (다)는 디디티의 악영향을 제시하고, 그것의 사용 금지를 주장하고 있다.

④ (라)는 환경오염에 대한 경각심을 암시적으로 드러내고 있다.

02

2018 지방직 7급

다음 글의 논지 전개 방식으로 적절한 것은?

> 군산이 일본으로 쌀을 이출하는 전형적인 식민 도시였다면, 금강과 만경강 하구 사이에서 군산을 에워싸고 있는 옥구는 그 쌀을 생산하는 대표적인 식민 농촌이었다. 1903년 미야자키 농장을 시작으로 1910년 강점 이전에 이미 10개의 일본인 농장이 세워졌으며, 1930년 무렵에는 15~16개로 늘어났다. 1908년 한국인 지주들도 조선 최초의 수리조합인 옥구 서부 수리 조합을 세우긴 했지만 일본인의 기세를 꺾지 못했다. 1930년 무렵 일본인은 전라북도 경지의 대략 1/4을 차지하였으며, 평야 지역인 옥구는 절반 이상이 일본인 땅이었다. 쌀을 군산으로 보내기 편한 철도 부근의 지역에서는 일본인 지주의 비중이 더 높았을 것이다. '이리부터 군산에 이르는 철도 연선의 만경강 쪽 평야는 90%가 일본인이 경영한다.'는 말이 허풍만은 아닐 거다. 일본인이 좋은 땅 다 차지하고 조선인은 '산비탈 흙구덩이'에 몰려 사는 처지라는 푸념 또한 과언이 아닐 거다.

① 인과적 연결을 통해 대상을 논증하고 있다.

② 반어적 수사를 동원하여 대상을 비판하고 있다.

③ 풍자와 해학을 동원하여 대상을 희화화하고 있다.

④ 구체적인 사실과 정보를 중심으로 대상을 설명하고 있다.

03 2019 국가직 9급

다음 글의 글쓰기 전략으로 볼 수 없는 것은?

고전파 음악은 어떤 음악인가? 서양 음악의 뿌리는 종교 음악에서 비롯되었다. 바로크 시대까지는 음악이 종교에 예속되어 있었으며, 음악가들 또한 종교에 예속되어 있었다. 고전파는 이렇게 종교에 예속되었던 음악을, 음악을 위한 음악으로 정립하려는 예술 운동에서 출발하였다. 따라서 종래의 신을 위한 음악에서 탈피해 형식과 내용의 일체화를 꾀하고 균형 잡힌 절대 음악을 추구하였다. 즉 '신'보다는 '사람'을 위한 음악, '음악'을 위한 음악을 이루어 나가겠다는 굳은 결의를 보여 준 것이다.

또한 고전파 음악은 음악적 형식과 내용의 완숙을 이룬 음악이기도 하다. 이 시기에는 하이든, 모차르트, 베토벤 등 음악의 역사에서 가장 위대한 작곡가들이 배출되기도 하였다. 이때에는 성악이 아닌 기악만으로도 음악이 가능하게 되었으며, 교향곡의 기본을 이루는 소나타 형식이 완성되었다. 특히 옛 그리스나 로마 때처럼 보다 정돈된 형식을 가진 음악을 해 보자고 주장하였기에 '옛 것에서 배우자는 의미의 고전'과 '청정하고 우아하며 흐림 없음, 최고의 예술적 경지에 다다름으로서의 고전'을 모두 지향하게 되었다.

이렇듯 역사적으로 고전파 음악은 종교의 영역에서 음악 자체의 영역을 확보하였으며 최고 수준의 음악적 내용과 형식을 수립하였다. 고전파 음악이 서양 전통 음악 전체를 대표하게 된 것은 고전파 음악이 이룩한 역사적인 성과에서 비롯된 것일지도 모른다. 따라서 고전 음악의 개념을 이해하기 위해서는 고전파 음악의 성격과 특질에 대한 이해가 선행되어야 할 것이다.

① 고전파 음악이 지닌 음악사적 의의를 밝힌다.

② 고전파 음악의 음악가를 예시하여 이해를 돕는다.

③ 고전파 음악의 특징이 형식과 내용의 분리에 있음을 강조한다.

④ 질문을 통해 화제를 제시함으로써 호기심을 유발한다.

04 2018 교육행정직 9급

다음 글에 대한 설명으로 가장 적절한 것은?

빅데이터는 그 규모가 매우 큰 데이터를 말하는데, 이는 단순히 데이터의 양이 매우 많다는 것뿐 아니라 데이터의 복잡성이 매우 높다는 의미도 내포되어 있다. 데이터의 복잡성이 높다는 말은 데이터의 구성 항목이 많고 그 항목들의 연결 고리가 함께 수록되어 있다는 것을 의미한다. 데이터의 복잡성이 높으면 다양한 파생 정보를 끌어낼 수 있다. 데이터로부터 정보를 추출할 때에는, 구성 항목을 독립적으로 이용하기도 하고, 두 개 이상의 항목들의 연관성을 이용하기도 한다. 일반적으로 구성 항목이 많은 데이터는 한 번에 얻기 어렵다. 이런 경우에는, 따로 수집되었지만 연결고리가 있는 여러 종류의 데이터들을 연결하여 사용한다.

가령 한 집단의 구성원의 몸무게와 키의 데이터가 있다면, 각 항목에 대한 구성원의 평균 몸무게, 평균 키 등의 정보뿐만 아니라 몸무게와 키의 관계를 이용해 평균 비만도 같은 파생 정보도 얻을 수 있다. 이때는 반드시 몸무게와 키의 값이 동일인의 것이어야 하는 연결 고리가 있어야 한다. 여기에다 구성원들의 교통 카드 이용 데이터를 따로 얻을 수 있다면, 이것을 교통 카드의 사용자 정보를 이용해 사용자의 몸무게와 키의 데이터를 연결할 수 있다. 이렇게 연결된 데이터 세트를 통해 비만도와 대중교통의 이용 빈도 간의 파생 정보를 추출할 수 있다. 연결할 수 있는 데이터가 많을수록 얻을 수 있는 파생 정보도 늘어난다.

① 빅데이터에 대한 다양한 견해를 나열하고 있다.

② 빅데이터의 특성을 사례를 들어 설명하고 있다.

③ 빅데이터의 동작 원리를 이론적으로 증명하고 있다.

④ 빅데이터의 장단점을 유형별로 구분하여 평가하고 있다.

유형 공략 문제

05

2022 법원직 9급

다음 글의 전개 방식에 대한 설명으로 가장 적절하지 않은 것은?

> 20세기의 두드러진 특징 중 하나는 세계 모든 나라에서 학교라 불리는 교육 기관들이 엄청나게 빠른 속도로 성장했으며, 각국의 학생들이 교육을 받기 위해 학교로 몰려들었다는 것이다. 예를 들어 한국의 대학생 수는 1945년 약 8000명이었지만, 2010년 약 350만 명으로 증가했다. 무엇이 학교를 이토록 팽창하게 만들었을까? 학교 팽창의 원인은 학습 욕구 차원, 경제적 차원, 정치적 차원, 사회적 차원에서 설명될 수 있다.
>
> 먼저 학습 욕구 차원에서, 인간은 지적·인격적 성장을 위한 학습 욕구를 지니고 있다. 그리고 부모들은 자식의 지적·인격적 성장을 바라는 마음이 있다. 특히 한국인은 배움에 높은 가치를 부여하기 때문에, 한국 사회에서는 부모가 자식에게 최선의 배움의 기회를 제공하는 것이 부모가 자식에게 해주어야 할 의무로 인식되는 경향이 있다. 이러한 학습에 대한 욕구가 학교를 팽창하게 만드는 요인 중 하나인 것이다.
>
> 다음으로 경제적 차원에서 학교는 산업 사회가 성장하는 데 있어서 필수적인 인력 양성 기관의 역할을 담당하였다. 전통적인 농경 사회에서는 특별한 기능이나 기술의 훈련이 필요하지 않았지만, 산업 사회에서는 훈련 받은 인재가 필요하였다. 이러한 산업 사회의 과제를 해결하기 위한 기관이 학교였다. 산업 수준이 더욱 고도화됨에 따라 학교 교육의 기간도 장기화된다. 경제 규모의 확대와 산업 기술 수준의 향상은 학교를 팽창하게 만드는 요인 중 하나인 것이다.
>
> 다음으로 정치적 차원에서 학교는 국민 통합을 이룰 수 있는 장치였다. 통일 국가에서는 언어, 역사의식, 가치관, 국가 이념 등을 모든 국가 구성원들에게 가르쳐야 했다. 그리고 국민 통합 교육은 사교육에 맡겨둘 수 없었다. 이러한 맥락에서 학교에서의 의무 교육 제도는 국민 통합 교육을 위한 국가적 필요에 의해 시작된 것으로 볼 수 있다. 국민 통합의 필요는 학교를 팽창하게 만드는 요인 중 하나인 것이다.
>
> 마지막으로 사회적 차원에서 학교의 팽창은 현대 사회가 학력 사회로 변화된 데에 기인한다. 신분 제도가 무너진 뒤 그 자리를 채운 학력 제도에서, 학력은 각자의 능력을 판단하는 잣대로 활용되었다. 막스 베버는 그의 저서《경제와 사회》에서 사회적으로 대접 받고 높은 관직에 오르기 위해서 과거에는 명문가의 족보가 필요했지만, 오늘날에는 학력 증명이 있어야 한다고 주장했다. 나아가 그는 높은 학력을 가진 사람은 사회 경제적으로 높은 지위를 독점할 수 있다고 기술한 바 있다. 현대 사회의 학력 사회로의 변모는 학교가 팽창하게 되는 요인 중 하나인 것이다.

① 의문문을 활용하여 독자의 궁금증을 유발하고 있다.

② 특정 현상의 원인을 다양한 차원에서 병렬적으로 제시하고 있다.

③ 특정 현상을 대략적인 수치 자료를 예로 제시하며 설명하고 있다.

④ 특정 현상의 역사적 의의를 제시하며 현대 사회가 나아가야 할 방향을 제시하고 있다.

06

2015 국가직 9급

다음 글을 읽은 독자의 반응으로 적절한 것은?

인문학은 세상에 대한 종합적이고 비판적인 해석과 시각을 제공한다. 인문학이 해석하는 세상은 지금 우리가 살고 있는 세상이다. 현대 사회는 사회의 복잡성이 비교할 수 없을 정도로 증가함에 따라 위험과 불확실성이 커졌으며, 다양한 정보 통신 기술이 정보와 지식의 생산, 유통, 소비를 혁신적으로 바꾸면서 사람들 사이의 새로운 상호의존 관계를 만들어 낸다는 점에서 과거와는 다른 차별성을 지니고 있다. 이것은 현대 사회가 불확실하고 복잡하며 매일매일 바쁘게 돌아가는 세상이 되었다는 것, 나아가 지구 구석구석에 존재하는 타인과의 상호 관계가 내 삶에 예기치 못한 영향을 미치는 세상이 되었다는 것을 의미한다. 이러한 세상을 살아가는 데에 인문학은 실질적인 지침을 제공해야 한다.

① 현대 사회에서 인문학이 담당해야 할 역할에 대해 말하고 있어.

② 현대 사회의 문제점을 부각시키면서 바람직한 해결 방안을 제시하고 있어.

③ 과거와 현대 사회의 모습을 구체적으로 대조하면서 현대 사회의 특징을 드러내고 있어.

④ 사회의 복잡성으로 인해 타인과의 소통에 장애가 생긴다는 점을 현대 사회의 주요한 특징으로 말하고 있어.

07

2019 서울시 7급

〈보기〉 글의 서술 방식으로 가장 옳은 것은?

───〈보기〉───

이러한 음악의 한배를 있게 한 실제적 기준은 호흡이었다. 즉, 숨을 들이쉬고 내쉼이 한배의 틀이 된 것이었다. 이를 기준으로 해서 이루어진 방법을 선인들은 양식척(量息尺)이라고 불렀다. '숨을 헤아리는 자(尺)'라는 의미로 명명된 이 방법은 우리 음악에서 한배와 이에 근거한 박절을 있게 한 이론적 근거가 되었다. 시계가 없었던 당시에 선인들은 건강한 사람의 맥박의 6회 뜀을 한 호흡(一息)으로 계산하여 1박은 그 반인 3맥박으로 하였다. 그러니까 한 호흡을 2박으로 하여 박자와 한배의 기준으로 삼았던 것이다. 반면 서양인들은 우리와 달리 음악적 시간을 심장의 고동에서 구하여 이를 기준으로 하였다. 즉, 맥박을 기준으로 하여 템포를 정하였다. 건강한 성인은 보통 1분에 70회 전후로 맥박이 뛴다고 한다. 이에 의해 그들은 맥박 1회를 1박의 기준으로 하였고, 1분간에 70박 정도 연주하는 속도를 그들 템포의 기본으로 하였다. 그래서 1분간 울리는 심장 박동에 해당하는 빠르기가 바로 '느린 걸음걸이의 빠르기'인 안단테로 이들의 기준적 빠르기 말이 되었다.

① 주장을 먼저 제시한 뒤 다양한 실례를 들어 타당성을 증명하고 있다.

② 서로 대립되는 두 견해를 제시하고 검토한 뒤 제3의 견해를 도출하고 있다.

③ 대상의 특성을 분석한 뒤 대조하여 대상의 특징을 제시하고 있다.

④ 구체적인 사례를 먼저 제시한 뒤 통념을 반박하여 해결책을 모색하고 있다.

08

다음 글의 전개 방식에 대한 설명으로 적절한 것은?

유럽의 18~19세기는 혁신적 지성의 열기로 가득 찬 시대였다. 혁신적 지성은 정치적, 경제적, 사회적 여건의 성숙과 더불어 서양 근대 사회의 확립에 주도적 역할을 하였다. 수많은 개혁 사상과 혁명 사상의 제공자는 물론이요, 실천 면에서도 개혁가와 혁명가는 지성인 출신이었다. 그들은 새로운 미래를 제시하고, 그것을 뒷받침할 이데올로기를 마련하고, 그것을 실현할 구체적인 방안을 제시하는 동시에, 현실의 모순을 과감하게 비판하고 몸소 실천에 뛰어들기도 하였다.

하지만 20세기에 이르러 사태는 달라지기 시작하였다. 근대 사회 성립에 주도적 역할을 담당했던 혁신적 지성은 그 혁신적 성격과 개혁적 정열을 점차로 상실하고, 직업적이고 기술적인 지성으로 변모하였다. 이는 근대 사회가 완성되고 성숙함에 따른 당연한 귀결일지도 모르며, 오늘날 고도로 발달한 서구 사회에 직업적이고 기술적인 지성이 필요 불가결하기도 하다. 그러나 지성이 고도로 발달한 사회에서 직업적이고 전문적인 지식과 기술을 제공하는 것으로 만족할 것인가의 문제는 다시 한번 생각해 봄직하다.

만일 서구 사회가 현재에 안주하고 현상 유지를 계속할 수가 있다면 문제는 다르다. 그러나 그것은 사회의 전면적인 침체를 가지고 올 것이며, 그것은 또한 불길한 몰락의 징조일지도 모른다.

현재의 모순과 문제를 파헤치고 이를 개혁하여 새로운 미래로 나아가는 구체적 방안을 모색하는 임무는 누가 져야 할 것인가? 그것은 역시 지성의 임무이다. 지성은 거의 영구불변의 기능이라고 할 수 있는 문화 창조의 기능을 가져야 한다. 현대의 지성은 전문 지식과 기술을 제공하는 데 그치지 말고, 현실을 비판하며 실현 가능한 구체적 방안을 모색하여 새로운 미래를 제시하는 혁신적 성격을 상실해서는 안 될 것이다.

① 자신의 주장을 밝히고 이와 상반된 견해를 반박하고 있다.

② 상호 대립된 견해를 제시하고 자신의 입장을 밝히고 있다.

③ 용어에 대한 개념 차이를 밝히며 자신의 주장을 펼치고 있다.

④ 시대적 변천 양상을 살피면서 바람직한 방향을 제시하고 있다.

09

다음 글의 글쓰기 방식에 대한 설명으로 적절한 것은?

미국 해양 대기 관리청(NOAA)도 2005년, "그린란드 빙상이 과거에 볼 수 없었던 속도로 녹고 있다."라고 보도했다. 나사(NASA)의 로버트 빈드샤들러 연구원은 "남극 빙하가 지금 속도로 녹으면 4000년 후에는 서남극이 사라지고 세계 해수면은 엄청나게 상승할 것"이라고 발표했다.

하지만 반론도 있어서, 유럽 우주 기구(ESA)는 "그린란드 빙상은 증감을 되풀이하고 있고 그린란드 중앙부 빙량은 오히려 증가하고 있다."고 발표했다. 또한 세계 해수면의 상승을 경고했던 빈드샤들러 연구원도 훗날 자신의 발표가 남극 중 한정된 영역에서 얻은 자료로 전 영역에 경향성을 적용한 데 따른 잘못된 예측이라고 인정하였다.

① 전문 용어의 정의를 제시하여 독자의 이해를 돕고 있다.

② 서로 반대가 되는 견해를 소개하여 글의 공정성을 확보하고 있다.

③ 전문가의 의견을 인용하여 특정 이론의 발달 과정을 밝히고 있다.

④ 인과적 연결을 통해 기존의 가설을 부정하고 새로운 논점을 제시하였다.

10

2021 국회직 8급

다음 글의 전개 방식에 대한 설명으로 적절한 것은?

> 부여의 정월 영고, 고구려의 10월 동맹, 동예의 10월 무천 등은 모두 하늘에 제사를 지내고, 나라 안 사람들이 모두 모여서 음주가무를 하였던 일종의 공동 의례였다. 이것은 상고시대 부족들의 종교·예술 생활이 담겨 있는 제정일치의 표현이라고 볼 수 있다. 제천행사는 힘든 농사일과 휴식의 관계 속에서 형성된 농경사회의 풍속이다. 씨뿌리기가 끝나는 5월과 추수가 끝난 10월에 각각 하늘에 제사를 지냈는데, 이때는 온 나라 사람이 춤추고 노래 부르며 즐겼다. 농사일로 쌓인 심신의 피로를 풀며 모든 사람들이 마음껏 즐겼던 일종의 공동체적 축제이자 동시에 풍년을 기원하고 추수를 감사하는 의식이었던 것이다.
>
> 이러한 고대의 축제는 국가적 공의(公儀)와 민간인들의 마을굿으로 나뉘어 전해 내려오게 되었다. 이것은 사졸들의 위령제였던 신라의 '팔관회'를 거쳐 고려조에서는 일종의 추수감사제 성격의 공동체 신앙으로 10월에 개최된 '팔관회'와, 새해 농사의 풍년을 기원하는 성격으로 정월 보름에 향촌 사회를 중심으로 향촌 구성원을 결속시켰던 '연등회'라는 두 개의 형식으로 구분되어서 전해 내려오게 되었다. 팔관회는 지배 계층의 결속을 강화하는 역할을 하였고, 연등회는 농경의례적인 성격의 종교집단 행사였다고 볼 수 있다. 오늘날의 한가위 추석도 이런 제천의식에서 그 유래를 찾을 수 있다.
>
> 조선조에서는 연등회나 팔관회가 사라지고 중국의 영향을 받아 산대잡극이 성행했다. 즉 광대줄타기, 곡예, 재담, 음악 등이 연주되었다. 즉 공연자와 관람자가 분명히 구분되었고, 직접 연행을 벌이는 사람들의 사회적 지위는 그들을 관람하는 사람들보다 낮은 것으로 평가되었다. 그러나 민간 차원에서는 마을굿이나 두레가 축제적 고유 성격을 유지하였다. 즉 도당굿, 별신굿, 단오굿, 동제 등이 지역민을 묶어주는 역할을 하였다는 것이다.

① 두 개념의 장단점을 비교하여 서술하고 있다.

② 시대별로 비판을 제시하며 대안을 서술하고 있다.

③ 다양한 사례를 제시하여 개념을 정당화하고 있다.

④ 두 개의 이론을 제시하고 새로운 이론을 도출하고 있다.

⑤ 시대별로 중심 화제의 성격 변화를 서술하고 있다.

11

다음 글의 글쓰기 방식에 대한 설명으로 적절한 것은?

> 딸꾹질의 빈도는 나이와 반비례한다. 아이들이 어른보다 훨씬 많이 한다. 임신 8주부터 시작하는 딸꾹질은 실제로 태아가 숨쉬기 운동보다도 더 빈번하게 하는 행동이다. 그 유명한 발 달린 물고기 틱타알릭(Tiktaalik)을 발견한 시카고 대학교의 고생물학자 닐슈빈은 그의 저서 『내 안의 물고기』에서 딸꾹질은 그 옛날 우리가 뭍으로 올라오기 전 올챙이로 살던 시절에 빠끔거리며 하던 아가미 호흡의 연장이라고 설명한다. 딸꾹질도 분명 진화 과정에서 어느 순간 필요에 의해 생겨난 현상일 텐데, 지금은 점잖은 자리에서 우리를 민망하게 만드는 것 외에는 별다른 기능이 없어 보여 여전히 풀기 어려운 진화의 수수께끼로 남아 있다.

① 상반된 현상을 제시하여 통념을 반박하고 있다.

② 비교와 대조를 통해 현상의 원인을 밝히고 있다.

③ 학자의 견해를 근거로 들어 설명의 신뢰성을 높이고 있다.

④ 개인적인 경험을 바탕으로 독자의 공감을 이끌어 내고 있다.

12

2018 서울시 9급

〈보기〉에 대한 설명으로 가장 옳은 것은?

> ─────〈보기〉─────
>
> 화랑도(花郎道)란, 신라 때의 청소년들이 자신의 마음과 몸을 닦고 목숨을 바쳐 나라를 지키려는 우리 고유의 정신적 흐름을 말한다. 그리고 이를 실천하기 위하여 조직된 단체를 화랑도(花郎徒)라 한다. 그 사회의 중심인물이 되기 위하여 마음과 몸을 단련하고, 올바른 사회생활의 규범을 익히며, 나라가 어려운 시기에 처할 때 싸움터에서 목숨을 바치려는 기풍은 고구려나 백제에도 있었지만, 특히 신라에서 가장 활발하였다.
>
> – 변태섭, '화랑도' 중에서

① 용어 정의를 통해 독자의 이해를 돕고 있다.

② 자신의 체험담을 제시하여 독자의 이해를 돕고 있다.

③ 반론을 위한 전제를 제시하여 독자의 이해를 돕고 있다.

④ 통계적 사실이나 사례 제시를 통해 독자의 이해를 돕고 있다.

정답 및 해설 p.27

05 말하기 전략 파악하기

📋 유형 소개

· '말하기 전략 파악하기' 유형은 대화, 발표, 연설, 협상, 토의, 토론 등과 같은 다양한 종류의 담화에서 발화자들이 어떤 말하기 방식을 사용했는지를 묻는 유형이다.

· 말하기 전략의 적절성을 묻는 문제와 토의·토론에서 사회자나 참여자, 청중의 역할이나 말하기 방식의 적절성을 묻는 문제 등이 모두 이 유형에 속한다.

· 문제 유형은 선택지에 발화자가 명시된 유형과 명시되지 않은 유형으로 나뉘는데, 특히 발화자가 명시된 유형의 경우 선택지에 발화자의 말하기 방식이 뒤바뀌어 제시되는 경우가 많으므로 있으므로 주의한다.

📋 출제 경향

· 가장 많이 출제되는 담화 유형은 '대화'이다. 일상적인 대화가 가장 많이 출제되지만 학술적인 담론이나 직장 내 의사 결정 과정을 담고 있는 대화 유형의 문제도 출제되고 있다.

· 다음으로 많이 출제되는 담화 유형은 '토의'이며, 토의 과정에서 '사회자', '참여자', '청중'의 말하기 방식을 파악하는 문제가 출제되고 있다.

📋 단계별 문제 풀이 전략

STEP 1 **선택지에 제시된 말하기 전략을 파악한다.**

· 선택지에 발화자가 제시된 경우: 발화자와 발화자의 말하기 전략을 함께 파악한다.

· 선택지에 발화자가 제시되지 않은 경우: 선택지에 제시된 말하기 전략을 파악한다.

STEP 2 **선택지에 제시된 말하기 전략이 제시문에 실제로 사용되었는지 비교하며 확인한다.**

· 선택지에 발화자가 제시된 경우: 각 선택지에 명시된 발화자들의 발화로 바로 이동하여 선택지와 관련된 말하기 전략의 일치 여부를 확인한다.

· 선택지에 발화자가 제시되지 않은 경우: 제시문을 처음부터 빠르게 훑어보며, 선택지에 언급된 말하기 전략이 적절히 사용되었는지 확인한다.

■ 전략 적용하기

다음 대화를 분석한 내용으로 가장 적절한 것은?

9급 출제기조 전환 예시문제

> 갑: 전염병이 창궐했을 때 마스크를 착용하는 것은 당연한 일인데, 그것을 거부하
> 는 사람이 있다니 도대체 이해가 안 돼.
>
> 을: 마스크 착용을 거부하는 사람들을 무조건 비난하지 말고 먼저 왜 그러는지 정
> 확하게 이유를 파악하는 것이 필요해.
>
> 병: 그 사람들은 개인의 자유가 가장 존중받아야 하는 기본권이라고 생각하기 때
> 문일 거야.
>
> 갑: 개인의 자유로운 선택이 타인의 생명을 위협한다면 기본권이라 하더라도 제•
> 선택지 ②의 근거 – '을'로 부터 의견을 반박당했으나, 화제 전환 ×
> 한하는 것이 보편적 상식 아닐까?
>
> 병: 맞아. 개인이 모여 공동체를 이루는데 나의 자유만을 고집하면 결국 사회는
> 극단적 이기주의에 빠져 붕괴하고 말 거야.
>
> 을: 마스크를 쓰지 않는 행위를 윤리적 차원에서만 접근하지 말고, 문화적 차원
> 선택지 ①의 근거 – 화제에 대해 남들과 다른 측면에서 탐색
> 에서도 고려할 필요가 있어. 어떤 사회에서는 얼굴을 가리는 것이 범죄자의
> 징표로 인식되기도 해.

 화제에 대해 남들과 다른 측면에서 탐색하는 사람이 있다. ○
② 자신의 의견이 반박되자 질문을 던져 화제를 전환하는 사람이 있다. ×
③ 대화가 진행되면서 논점에 대한 찬반 입장이 바뀌는 사람이 있다. ×
④ 사례의 공통점을 종합하여 자신의 주장을 강화하는 사람이 있다. ×

STEP 1

선택지에 제시된 말하기 전략을 파악한다.

· ①: 남들과 다른 측면에서 화제 탐색
· ②: 자신의 의견이 반박되자 질문을 던져 화제를 전환
· ③: 대화 과정에서 논점에 대한 찬반 입장 변화
· ④: 사례의 공통점을 종합해 자신의 주장을 강화

STEP 2

선택지에 제시된 말하기 전략이 제시문에 실제로 사용되었는지 비교하며 확인한다.

· ①: ○ 윤리적 차원 → 문화적 차원
· ②: ×
· ③: ×
· ④: ×

→ ① '을'의 마지막 발화 이전까지는 '개인의 자유', '기본권', '타인의 생명 위협'과 같은 윤리적 차원에서 마스크 착용을 거부하는 행위를 다루고 있다. 그리고 '을'은 마지막 발화에서 이러한 행위를 윤리적 차원에서만 접근하지 말고, 이와 다른 측면인 문화적 차원에서도 고려해야 한다고 주장한다. 따라서 가장 적절한 것은 ①이다.

오답 분석

② '갑'은 첫 번째 발화에서 전염병이 도는 상황에서 마스크 착용을 거부하는 행위를 비판하고 있다. 이에 '을'은 무조건 비난하기보다 그 이유를 파악해야 한다고 '갑'의 의견을 반박하고 있다. 이후, '갑'은 두 번째 발화에서 질문을 던지고 있으나 이를 통해 화제를 전환하고 있지는 않다.

③ ④ 논점에 대한 찬반 입장이 바뀌거나, 사례의 공통점을 종합하여 자신의 주장을 강화하는 사람은 확인할 수 없다.

유형 공략 문제

01

다음 대화를 분석한 내용으로 가장 적절한 것은?

> 갑: 고대 노예제 사회나 중세 봉건 사회는 타고난 신분에 따라 사회적 지위가 결정되는 계급사회였지만, 현대 사회는 계급사회가 아니라고 많이들 말해. 그런데 과연 그런지 의문이야.
>
> 을: 현대 사회는 고대나 중세만큼은 아니지만 귀속지위가 성취지위를 결정하는 면이 없다고 할 수 없어. 빈부 격차에 따라 계급이 나뉘고 그에 따른 불평등이 엄연히 존재하잖아. '금수저', '흙수저'라는 유행어에서 볼 수 있듯 빈부 격차가 대물림되면서 개인의 계급이 결정되고 있어.
>
> 병: 현대 사회가 빈부 격차로 인해 계급이 나누어지는 것처럼 보인다고 해서 계급사회라고 단정할 수는 없어. 계급사회라고 말하려면 계급 체계 자체가 인간의 생활을 전적으로 규정할 수 있어야 하는데, 오늘날 각종 문화나 생활 방식 전체를 특정한 계급 논리만으로는 설명할 수 없어. 따라서 현대 사회를 계급사회로 보기는 어려워.
>
> 갑: 현대 사회의 문화가 다양하다는 것은 맞아. 하지만 인간 생활의 근간은 결국 경제 활동이고, 경제적 계급 논리로 현대 사회의 문화를 충분히 설명하고 규정할 수 있어. 또한 현대 사회에서 인간의 사회적 지위는 부모의 경제력과 직결되기 때문에 계급사회라고 말할 수 있어.

① 갑은 을의 주장 중 일부는 수용하고 일부는 반박한다.

② 을의 주장은 갑의 주장과 대립하지 않는다.

③ 갑과 병은 상이한 전제에서 유사한 결론을 도출하고 있다.

④ 병의 주장은 갑의 주장과는 대립하지 않지만 을의 주장과는 대립한다.

02

진행자의 말하기 방식에 대한 설명으로 적절하지 않은 것은?

> 진행자: 우리 시에서도 다음 달부터 시내 도심부에서의 제한 속도를 조정하기로 했습니다. 이와 관련하여, 강□□ 교수님 모시고 말씀 듣겠습니다. 교수님, 안녕하세요?
>
> 강 교수: 네, 안녕하세요?
>
> 진행자: 바뀌는 제도의 내용을 좀 더 구체적으로 설명해 주시죠.
>
> 강 교수: 네, 시내 도심부 간선도로에서의 제한 속도를 기존의 70km/h에서 60km/h로 낮추는 정책입니다.
>
> 진행자: 시의회에서 이 정책 도입에 중요한 역할을 하신 것으로 아는데, 어떤 효과를 얻을 것이라고 주장하셨나요?
>
> 강 교수: 차량 간 교통사고 발생 가능성을 줄이고 보행자 안전을 확보할 수 있다고 했습니다.
>
> 진행자: 그런데 일각에서는 그런 효과는 미미하고 오히려 교통체증을 유발하여 대기오염이 심화될 것이라며 이 정책에 반대합니다. 이에 대해 말씀해 주시겠어요?
>
> 강 교수: 그렇지 않습니다. ○○시가 작년에 7개 구간을 대상으로 이 제도를 시험 적용해 보니, 차가 막히는 시간은 2분 정도밖에 증가하지 않았습니다. 그런데 중상 이상의 인명 사고는 26.2% 감소했습니다. 또 이산화질소와 미세먼지 같은 오염물질도 각각 28%, 21%가량 오히려 감소한다는 연구 결과가 있습니다.
>
> 진행자: 아, 그러니까 속도를 10km/h 낮출 때 2분 정도 늦어지는 것이라면 인명 사고의 예방과 오염물질의 감소를 위해 충분히 감수할 만한 시간이라는 말씀이시군요.
>
> 강 교수: 네, 맞습니다.
>
> 진행자: 교통사고를 줄이고 보행자 안전을 확보할 수 있다는 점, 교통체증 유발은 미미할 것이라는 점, 오염물질 배출이 감소할 것이라는 점에서 이번의 제한 속도 조정 정책은 훌륭한 정책이라는 것이군요. 맞습니까?
>
> 강 교수: 네, 그렇게 정리할 수 있겠습니다.

① 상대방이 통계 수치를 제시한 의도를 자기 나름대로 풀어 설명한다.

② 상대방의 견해를 요약하며 자신이 이해한 바가 맞는지를 확인한다.

③ 상대방의 주장에 대한 이견을 소개하고 그에 대한 의견을 요청한다.

④ 상대방이 설명한 내용을 뒷받침할 수 있는 자신의 경험을 예시한다.

03

2023 국가직 9급

다음 대화에 나타난 말하기 방식을 설명한 것으로 적절하지 않은 것은?

> 백 팀장: 이번 워크숍 장면을 사내 게시판에 올리는 게 좋겠어요. 워크숍 내용을 공유하면 좋을 것 같아서요.
>
> 고 대리: 전 반대합니다. 사내 게시판에 영상을 공개하는 것은 부담스러워요. 타 부서와 비교될 것 같기도 하고요.
>
> 임 대리: 저도 팀장님 말씀대로 정보를 공유한다는 취지는 좋다고 생각해요. 다만 다른 팀원들의 동의도 구해야 할 것 같고, 여러 면에서 우려되긴 하네요. 팀원들 의견을 먼저 들어 보고, 잘된 것만 시범적으로 한두 개 올리는 것이 어떨까요?

① 백 팀장은 팀원들에 대한 유대감을 드러내는 표현을 사용하며 자신의 바람을 전달하고 있다.

② 고 대리는 백 팀장의 제안에 반대하는 이유를 명시적으로 밝히며 백 팀장의 요청을 거절하고 있다.

③ 임 대리는 발언 초반에 백 팀장 발언의 취지에 공감하여 백 팀장의 체면을 세워 주고 있다.

④ 임 대리는 대화 참여자의 의견을 묻는 의문문을 사용하여 자신의 의견을 간접적으로 드러내고 있다.

04

㉠~㉣의 말하기 방식을 설명한 내용으로 가장 적절한 것은?

> 박 주무관: 기획 중인 주민자치센터 프로그램 운영 방식을 봤는데요. ㉠ 프로그램 수가 더 필요하다고 생각해요.
>
> 허 주무관: 사실 저도 기획안을 검토하면서 프로그램 수가 적절한지 고민 중이었어요.
>
> 박 주무관: 주민자치센터 프로그램은 주민분들의 호응도가 중요하니, ㉡ 어르신들이 참여할 수 있는 프로그램을 추가하는 것이 어떨까요?
>
> 허 주무관: 우리 동에는 어르신들이 많이 거주하시니, ㉢ 그것도 좋은 생각이네요. 하지만 현재 프로그램도 대부분 어르신께 초점이 맞춰져 있어서요, 젊은 세대가 참여할 수 있는 프로그램을 추가하는 건 어떨까요?
>
> 박 주무관: 네. ㉣ 한쪽으로 치중되지 않게 다양한 프로그램을 추가로 개발하는 편이 좋겠네요.

① ㉠: 자신의 의견을 우회적으로 드러내고 있다.

② ㉡: 대화의 주제를 바꾸기 위해 질문하고 있다.

③ ㉢: 상대의 의견을 검증하기 위해 근거를 요구하고 있다.

④ ㉣: 상대의 의견을 수용하며 합의를 이끌어 내고 있다.

05

2023 지방직 9급

㉠~㉢의 말하기 방식을 설명한 내용으로 가장 적절한 것은?

> 김 주무관: AI에 대한 국민 이해도를 높이기 위해 설명회를 개최할 필요가 있다고 생각해요.
>
> 최 주무관: ㉠ 저도 요즘 그 필요성을 절감하고 있어요.
>
> 김 주무관: ㉡ 그런데 어떻게 준비해야 효과적으로 전달할 수 있을지 고민이에요.
>
> 최 주무관: 설명회에 참여할 청중 분석이 먼저 되어야겠지요.
>
> 김 주무관: 청중이 주로 어떤 분야에 관심이 있는지 알면 준비할 때 유용하겠네요.
>
> 최 주무관: ㉢ 그럼 청중의 관심 분야를 파악하려면 청중의 특성 중에서 어떤 것들을 조사하면 좋을까요?
>
> 김 주무관: ㉣ 나이, 성별, 직업 등을 조사할까요?

① ㉠: 상대의 의견에 대해 공감을 표현하고 있다.

② ㉡: 정중한 표현을 사용하여 직접 질문하고 있다.

③ ㉢: 자신의 반대 의사를 우회적으로 드러내고 있다.

④ ㉣: 의문문을 통해 상대의 의견을 반박하고 있다.

06

2023 지방직 9급

다음 대화를 분석한 내용으로 적절하지 않은 것은?

> 은지: 최근 국민 건강 문제와 관련해 '설탕세' 부과 여부가 논란인데, 나는 설탕세를 부과해야 한다고 생각해. 그러면 당 함유 식품의 소비가 감소하게 되고, 비만이나 당뇨병 등의 질병이 예방되니까 국민 건강 증진에 도움이 되기 때문이야.
>
> 운용: 설탕세를 부과하면 당 소비가 감소한다고 믿을 만한 근거가 있니?
>
> 은지: 세계보건기구 보고서를 보면 당이 포함된 음료에 설탕세를 부과하면 이에 비례해 소비가 감소한다고 나와 있어.
>
> 재윤: 그건 나도 알아. 그런데 설탕세 부과가 질병을 예방한다는 것은 타당하지 않아. 여러 연구 결과를 보면 당 섭취와 질병 발생은 유의미한 상관관계가 없어.

① 은지는 첫 번째 발언에서 화제를 제시하고 있다.

② 운용은 은지의 주장에 반대하고 있다.

③ 은지는 두 번째 발언에서 자신의 주장에 대한 근거를 제시하고 있다.

④ 재윤은 은지가 제시한 주장의 근거를 부정하고 있다.

07

다음 발표에 대한 설명으로 가장 적절한 것은?

> 1학년 학생 여러분, 반갑습니다. 저는 교내 안전 동아리 '안전 지킴이' 대표 2학년 윤지수입니다. 우리 동아리에서 기획한 안전 캠페인 활동의 일환으로 오늘은 우리 학교 학생들에게 가장 자주 발생하는 교통사고 사례와 예방법을 안내하고자 합니다.
>
> 작년 한 해 우리 학교 학생들을 대상으로 조사한 교통사고 피해 통계에 따르면, 보행 중 자동차와 충돌하거나 자동차를 피하다가 다친 사례가 제일 많았습니다. 이러한 사고를 당한 학생들 절대다수가 사고 당시에 스마트폰을 보고 있었습니다.
>
> 요즘 길을 걸으면서 스마트폰을 보는 학생들이 많은데, 이렇게 되면 주변 상황을 제대로 살피기가 어려워 돌발 상황이 벌어졌을 때 반응 속도가 늦어져서 위험합니다. 따라서 보행 중 교통사고를 예방하기 위해서는 보행 중에는 스마트폰을 보지 말아야 합니다.

① 다양한 원인을 진단하여 해결책을 구체적으로 제시하고 있다.

② 실제 조사 내용을 근거로 제시하여 화자의 신뢰도를 높이고 있다.

③ 도입부에 사례를 제시하여 관심을 끈 후에 화제를 제시하고 있다.

④ 청자의 상황과 요구를 고려하여 청자가 관심 있는 정보를 제공하고 있다.

08

다음 대화에서 나타난 '지민'의 의사소통 방식으로 가장 적절한 것은?

> 정수: 지난번에 너랑 같이 들었던 면접 전략 강의가 정말 유익했어.
>
> 지민: 그랬어? 나도 그랬는데.
>
> 정수: 특히 아이스크림 회사의 면접 내용이 도움이 많이 됐어.
>
> 지민: 맞아. 그중에서도 두괄식으로 답변하라는 첫 번째 내용이 정말 인상적이더라. 핵심 내용을 먼저 말하는 전략이 면접에서 그렇게 효과적일 줄 몰랐어.
>
> 정수: 어! 그래? 나는 두 번째 내용이 훨씬 더 인상적이었는데.
>
> 지민: 그랬구나. 하긴 아이스크림 매출 증가에 관한 통계 자료를 인용해서 답변한 전략도 설득력이 있었어. 하지만 초두 효과의 효용성도 크지 않을까 해.
>
> 정수: 그렇긴 해.

① 자신의 면접 경험을 예로 들어 상대방을 설득하고 있다.

② 상대방의 약점을 공략하며 상대방의 이견을 반박하고 있다.

③ 상대방의 견해를 존중하면서 자신의 의견을 제시하고 있다.

④ 상대방과의 갈등 해소를 위해 자신의 감정을 표현하고 있다.

09
2022 지방직 9급

다음 대화에 대한 설명으로 가장 적절한 것은?

> A: 예은 씨. 오늘 회의 내용을 팀원들에게 공유해 주시면 좋겠네요.
>
> B: 네. 알겠습니다. 팀장님, 오늘 회의 내용을 요약 정리해서 메일로 공유하면 되겠지요?
>
> A: (고개를 끄덕이며) 맞습니다.
>
> B: 네. 그럼 회의 내용은 개조식으로 요약하고, 팀장님을 포함해서 전체 팀원에게 메일로 보내도록 하겠습니다.
>
> A: 예은 씨. 그런데 개조식으로 회의 내용을 요약하는 방식에는 문제가 있지 않을까요?
>
> B: (고개를 끄덕이며) 그렇겠네요. 개조식으로 요약할 경우 회의 내용이 과도하게 생략되어 이해가 어려울 수 있겠네요.

① A는 B에게 내용 요약 방식을 제안하고 있다.

② A와 B는 대화 중에 공감의 표지를 드러내며 상대방의 말을 듣고 있다.

③ B는 회의 내용 요약 방식에 대한 A의 문제 제기에 대해 자신이 다른 입장임을 드러내고 있다.

④ A는 개조식 요약 방식이 회의 내용을 과도하게 생략하여 이해에 어려움을 줄 수 있다고 명시하고 있다.

10
2022 지방직 7급

다음 연설에 대한 설명으로 가장 적절한 것은?

> 올림픽 헌장은 "올림픽의 목적은 인류의 조화로운 발전과 인간 존엄성의 수호를 위해, 평화로운 사회를 만들기 위해 스포츠 경기를 하는 것이다."라고 말합니다. 이것이 올림픽 정신이며, 스포츠의 가능성과 힘을 보여 주는 것이라고 저는 굳게 믿습니다. 열 살 때 남북 선수단이 올림픽 경기장에 동시 입장하는 것을 보고 처음으로 스포츠의 힘을 느꼈습니다. 오늘 저는 유엔 총회의 '올림픽 휴전 결의안' 초안 승인을 통해 그때 목격했던 스포츠의 힘을 다시 한번 볼 수 있기를 바랍니다.

① 반대되는 사례를 제시하여 주장을 부각하고 있다.

② 권위 있는 자료를 인용하여 설득력을 높이고 있다.

③ 설의적인 표현을 사용하여 공감대를 형성하고 있다.

④ 연설자의 공신력을 강조하여 신뢰도를 높이고 있다.

11

2022 지방직 7급

다음 대화에 대한 설명으로 가장 적절한 것은?

> 민서: 정국이 말이야. 우리한테는 말도 안 해 주고 자기 혼자 공모전에 신청했더라.
>
> 채연: 글쎄, 왜 그랬을까?
>
> 민서: 그러게 말이야. 정말 기분 나빠.
>
> 채연: 정국이도 나름대로 사정이 있었을 거야.
>
> 민서: 사정은 무슨 사정? 자기 혼자 튀어 보고 싶은 거겠지.
>
> 채연: 내가 지난 학기에 과제를 함께 해 봐서 아는데, 그럴 애가 아니야. 민서야, 정국이에 대해 다시 한번 생각해 보는 건 어때?
>
> 민서: 너 자꾸 이럴 거야? 도대체 왜 정국이 편만 드는 거야.

① 채연은 자신의 경험을 예로 들며 민서를 설득하고 있다.

② 채연은 민서의 의견을 수용하며 원만한 갈등 해소를 유도하고 있다.

③ 민서는 정국이의 상황과 감정을 고려하며 대화의 타협점을 찾고 있다.

④ 민서는 채연의 답변에서 모순점을 찾아내며 논리적으로 비판하고 있다.

12

2021 국가직 9급

다음 토의에 대한 설명으로 적절하지 않은 것은?

> 사회자: 오늘의 토의 주제는 '통일 시대의 남북한 언어가 나아갈 길'입니다. 먼저 최○○ 교수님께서 '남북한 언어 차이와 의사소통'이라는 제목으로 발표해 주시겠습니다.
>
> 최 교수: 남한과 북한의 말은 비슷하지만 다른 점이 있습니다. 남한과 북한의 어휘 차이가 대표적입니다. 남한과 북한의 어휘 차이를 분석한 결과, …(중략)… 앞으로도 남북한 언어 차이에 대한 연구가 지속되어야 합니다.
>
> 사회자: 이로써 최 교수님의 발표를 마치겠습니다. 다음은 정○○ 박사님의 '남북한 언어의 동질성 회복 방안'에 대한 발표가 있겠습니다.
>
> 정 박사: 앞으로 통일을 대비해 남북한 언어의 다른 점을 줄여 나가는 노력이 필요합니다. 실제로도 남한과 북한의 학자들로 구성된 '겨레말 큰사전 편찬위원회'에서는 남북한 공통의 사전인 『겨레말큰사전』을 만들며 서로의 차이를 이해하고 받아들이기 위한 노력을 하고 있습니다. …(중략)…
>
> 사회자: 그러면 질의응답이 있겠습니다. 시간상 간략하게 질문해 주시기 바랍니다.
>
> 청중 A: 두 분의 말씀 잘 들었습니다. 남북한 언어의 차이와 이를 극복하는 방안을 말씀하셨는데요. 그렇다면 통일 시대에 대비한 언어 정책에는 무엇이 있을까요?

① 학술적인 주제에 대해 발표 형식으로 진행되고 있다.

② 사회자는 발표자 간의 이견을 조정하여 의사결정을 유도하고 있다.

③ 발표자는 주제에 대한 자신의 견해를 밝혀 청중에게 정보를 제공하고 있다.

④ 청중 A는 발표자의 발표 내용을 확인하고 주제와 관련된 질문을 하고 있다.

유형 공략 문제

13

2021 국가직 9급

㉠~㉣은 '공손하게 말하기'에 대한 설명이다. ㉠~㉣을 적용한 B의 대답으로 적절하지 않은 것은?

> ㉠ 자신을 상대방에게 낮추어 겸손하게 말해야 한다.
> ㉡ 상대방의 처지를 고려하여 상대방이 부담을 갖지 않도록 말해야 한다.
> ㉢ 상대방이 관용을 베풀 수 있도록 문제를 자신의 탓으로 돌려 말해야 한다.
> ㉣ 상대방의 의견에서 동의하는 부분을 찾아 인정해 준 다음에 자신의 의견을 말해야 한다.

① ㉠ ─ A: "이번에 제출한 디자인 시안 정말 멋있었어."
  └ B: "아닙니다. 아직도 여러모로 부족한 부분이 많습니다."

② ㉡ ─ A: "미안해요. 생각보다 길이 많이 막혀서 늦었어요."
  └ B: "괜찮아요. 쇼핑하면서 기다리니 시간 가는 줄 몰랐어요."

③ ㉢ ─ A: "혹시 내가 설명한 내용이 이해 가니?"
  └ B: "네 목소리가 작아서 내용이 잘 안 들렸는데 다시 한 번 크게 말해 줄래?"

④ ㉣ ─ A: "가원아, 경희 생일 선물로 귀걸이를 사주는 것은 어때?"
  └ B: "그거 좋은 생각이네. 하지만 경희의 취향을 우리가 잘 모르니까 귀걸이 대신 책을 선물하는 게 어떨까?"

14

2021 지방직 9급

다음 대화에 대한 설명으로 적절한 것은?

> A: 지난번 제안서 프레젠테이션을 마친 후 "검토하고 연락드리겠습니다."라고 답변을 받았는데 아직 별다른 연락이 없어서 고민이에요.
> B: 어떤 연락을 기다리신다는 거예요?
> A: 해당 사업에 관하여 제 제안서를 승낙했다는 답변이잖아요. 그런데 후속 사업 진행을 위해 지금쯤 연락이 와야 할 텐데 싶어서요.
> B: 글쎄요. 보통 그런 상황에서는 완곡하게 거절하는 의사표현이라 볼 수 있어요. 그리고 해당 고객이 제안서 내용은 정리가 잘되었지만, 요즘 같은 코로나 시기에는 이전과 동일한 사업적 효과가 있을지 궁금하다고 말한 것을 보면 알 수 있죠.
> A: 네, 기억납니다. 하지만 궁금하다고 말한 것이지 사업을 수용하지 않는다는 것은 아니지 않나요? 답변을 할 때도 굉장히 표정도 좋고 박수도 쳤는데 말이죠. 목소리도 부드러웠고요.

① A와 B는 고객의 답변에 대해 제안서 승낙이라는 의미로 동일하게 이해한다.
② A는 동일한 사업적 효과가 있을지 궁금하다는 표현을 제안한 사업에 대한 부정적 평가라고 판단한다.
③ B는 고객이 제안서에 의문을 제기한 내용을 근거로 고객의 답변에 대해 판단한다.
④ A는 비언어적 표현을 바탕으로 하여 고객의 답변을 제안서에 대한 완곡한 거절로 해석한다.

15

다음 대화를 분석한 내용으로 가장 적절한 것은?

> 은영: 인문학은 사람들의 삶과 생각이 담긴 기록들을 찾아 읽고 정리해서 인간을 이해하려는 학문이야. 예를 들자면, 선인들의 행적을 구체적으로 기록한 글이나 허구적인 인물의 삶을 그려낸 글, 또 인생의 구체적인 장면들과 거리가 먼 추상적인 원리들을 담은 글도 있지.
>
> 대호: 그러니까 인간이 남긴 모든 기록들이 인문학의 연구 자료가 될 수 있는 거구나. 과학자들도 연구를 위해 많은 글을 읽어야 하는데, 이 또한 인문학적인 연구라고 볼 수 있을 거야.
>
> 민경: 글쎄, 과학자로서의 글 읽기란 자신들의 연구를 위한 수단이지 않을까? 앞선 사람들의 연구를 단시간에 배우기도 하고, 최신의 연구 성과를 흡수하기도 하잖아.
>
> 은영: 맞아. 만약 아인슈타인의 이론을 물리 현상에 적용하기 위해 그의 글을 읽는다면 과학자로서의 글 읽기가 될 테지만, 누군가 아인슈타인이 어떤 생각을 했는지 알고 싶어서 그가 쓴 수필과 논문들까지 모두 읽고 정리한다면 아마도 그는 과학자를 연구하는 인문학자일 거야.
>
> 대호: 결국 사람들이 남긴 온갖 기록 속에서 인간이란 어떤 존재인가, 인간으로서 살 만한 삶이란 어떤 것인가에 대한 통찰을 끌어내는 것, 이것이 인문학이구나.

① 질문을 던져 화제를 전환하는 사람이 있다.

② 대화 중 화제와 관련이 없는 이야기를 하는 사람이 있다.

③ 다른 사람의 의견에 동화되어 의견이 바뀌는 사람이 있다.

④ 화제에 대한 사례를 제시함으로써 개념을 정의하는 사람이 있다.

16

다음 대화를 분석한 내용으로 적절하지 않은 것은?

> 갑: 올해 출시한 '우와 교통카드'의 판매율이 우리 지역에서 저조하네요. 사람들이 많이 구매하지 않는 이유가 뭘까요?
>
> 을: 저는 가격이 너무 비싸다고 생각해요. '우와 교통카드'의 판매가가 80,000원인데, 기존 교통카드에 비해 저렴하다고 느껴지지 않아요.
>
> 병: 저는 카드 이름의 영향도 있다고 생각해요. 아이디어 공모전을 열어서 카드 이름 변경에 대한 시민들의 의견을 받아 보면 좋겠어요.
>
> 갑: 교통카드 이름을 바꾸는 것도 고려해 봐야겠네요. 그런데 만약 가격을 인하해야 한다면 어느 정도 금액이 적당할까요?
>
> 을: 제가 준비한 자료를 보세요. 우리 지역 시민들의 한 달 평균 교통비가 70,000원이라는 조사 결과가 있어요. '우와 교통카드'의 가격은 이 금액보다 낮아야 한다고 생각해요. 60,000원으로 낮추는 게 좋겠어요.
>
> 병: 수익성 측면의 문제도 어느 정도 생각할 필요가 있어요. 너무 낮은 가격을 설정하게 되면 예산이 부족할 우려가 있으니 65,000원이 괜찮겠어요.

① 질문을 통해 토의 주제를 제시하는 사람이 있다.

② 미리 준비한 자료를 이용하여 자신의 주장을 강화하는 사람이 있다.

③ 상대의 의도를 파악한 후 자신의 감정을 직접적으로 드러내는 사람이 있다.

④ 다른 사람이 제시한 의견에 대해 다른 측면에서 접근하여 자신의 의견을 전달하는 사람이 있다.

정답 및 해설 p.34

06 글의 순서 파악하기

□ 유형 소개

→ 내용 구체화, 열거, 예시, 문제·해결, 비교·대조, 과정, 인과, 주장·근거(전제·결론)

· '글의 순서 파악하기' 유형은 글 구조에 대한 이해를 바탕으로 글의 전개 순서나 논리적 배열 관계의 적절성을 묻는 유형이다.

· 문장이나 문단의 순서를 배열하는 문제, 문장이나 문단 사이에 들어갈 적절한 접속어를 찾는 문제, 특정 문장이 문단 안에 들어갈 적절한 위치를 찾는 문제 모두 이 유형에 속한다.

· 제시된 문장이나 문단의 접속 표현, 지시 표현, 반복되는 키워드를 확인하며 글의 논리적인 흐름을 파악해야 한다.

→ 문맥 내에서 주로 어떤 말을 가리킬 때 쓰이는 표현

→ 단어와 단어, 구절과 구절, 문장과 문장을 이어 주는 표현

□ 출제 경향

· 무작위로 나열된 4~5개의 문장이나 문단을 논리적 순서에 맞게 배열하는 문제, 제시문의 처음이나 끝에 하나의 문장이나 문단이 고정되어 있고 나머지 3~4개의 문장이나 문단을 논리적 순서에 맞게 배열하는 문제가 주로 출제되고 있다.

· 〈보기〉에 제시된 문장이 들어가기에 적절한 위치를 찾는 문제가 출제되고 있다.

□ 단계별 문제 풀이 전략

STEP 1 접속 표현이나 지시 표현으로 시작하지 않는 문장 중에서 글의 첫 번째 문장(문단)을 파악한다.

· 접속 표현이나 지시 표현으로 시작되는 문장은 주로 글의 중간에 위치하므로 글의 순서상 첫 번째 문장을 고르기 위해서는 접속 표현이나 지시 표현으로 시작하는 문단을 소거한다.

· 접속 표현: 그리고, 또한, 그래서, 그러나, 하지만, 따라서, 예를 들어, 가령, 즉, 결국 등
· 지시 표현: 이, 그, 저, 이것, 그것, 저것, 이런, 저런, 그런, 이러한, 그러한, 저러한 등

· 글의 첫 번째 문장에는 주로 대상에 대한 정의가 제시되거나 독자의 흥미와 관심을 유발하기 위한 사례나 질문이 제시된다.

· 첫 번째 문장(문단)이 글의 처음에 고정되어 있는 경우에는 해당 문장(문단)의 핵심어를 파악한다.

STEP 2 문장(문단)의 접속 표현이나 지시 표현, 반복되는 키워드를 중심으로 글의 흐름을 파악하며 답을 찾는다.

· 자주 사용되는 접속 표현이나 지시 표현의 종류와 기능을 떠올리며 이어질 내용을 예측한다.

· 문장(문단)에 접속 표현이나 지시 표현이 제시되어 있지 않은 경우 키워드에 대한 구체적인 설명이나 예시가 주어지는 경우가 많으므로, 앞뒤 내용의 연결성을 파악하며 이어질 내용을 예측한다.

· 〈보기〉에 제시된 문장이 들어가기에 적절한 위치를 찾는 문제는 빈칸 앞뒤 문장이 어떤 관계인지 따져보고 〈보기〉의 문장을 넣었을 때, 앞뒤 내용이 자연스럽게 이어지는지 확인한다.

□ 전략 적용하기

(가) ~ (라)를 맥락에 맞추어 가장 적절하게 나열한 것은? 9급 출제기조 전환 예시문제

(가) 다음으로 시청자의 마음을 사로잡을 수 있는 (2) 참신한 인물을 창조해야 한
접속 표현 '다음으로': '스토리텔링 전략'의 두 번째 절차
다. 특히 주인공은 장애를 만나 새로운 목표를 만들고, 그것을 이루는 과정에
서 최종적으로 영웅이 된다. 시청자는 주인공이 목표를 이루는 데 적합한 인
물로 변화를 거듭할 때 그에게 매료된다.

(나) 스토리텔링 전략에서 제일 먼저 해야 할 일이 (1) 로그라인을 만드는 것이
키워드: '스토리텔링 전략'의 첫 번째 절차
다. 로그라인은 '장애, 목표, 변화, 영웅'이라는 네 가지 요소를 담아야 하며,
3분 이내로 압축적이어야 한다. 이를 통해 스토리의 목적과 방향이 마련된다.

(다) 이 같은 인물 창조의 과정에서 스토리의 주제가 만들어진다. '사랑과 소속감,
지시 표현 '이': 참신한 인물 창조
안전과 안정, 자유와 자발성, 권력과 책임, 즐거움과 재미, 인식과 이해'는 수
천 년 동안 성별, 나이, 문화를 초월하여 두루 통용된 주제이다.

(라) 시청자가 드라마나 영화에 대해 시청 여부를 결정하는 데 걸리는 시간은
독자의 흥미를 끄는 내용 – 스토리텔링 전략의 필요성 제시
8초에 불과하다. 제작자는 이 짧은 시간 안에 시청자를 사로잡을 수 있는
스토리텔링 전략이 필요하다.
화제 제시

① (나) - (가) - (라) - (다)
② (나) - (다) - (가) - (라)
③ (라) - (나) - (가) - (다)
④ (라) - (나) - (다) - (가)

STEP 1

접속 표현이나 지시 표현으로 시작하지 않
는 문장 중에서 글의 첫 번째 문장(문단)을
파악한다.

· 지시 표현이나 접속 표현이 문단의 첫 번째
  문장에 드러나는 (가), (다)를 소거
· (나)와 (라) 중에서 독자의 흥미를 유발하
  기 위한 내용이 제시된 (라)를 첫 번째 문
  장으로 선택
→ (라) 스토리텔링 전략의 필요성(키워드)

STEP 2

문장(문단)의 접속 표현이나 지시 표현, 반
복되는 키워드를 중심으로 글의 흐름을 파
악하며 답을 찾는다.

· (라) 스토리텔링 전략의 필요성
· (나) 스토리텔링 전략 절차 (1): 로그라인
  제작
  → 키워드 '스토리텔링 전략에서 제일 먼저
    해야 할 일'
· (가) 스토리텔링 전략 절차 (2): 참신한 인
  물 창조
  → 접속 표현 '다음으로'
· (다) 스토리텔링 전략 절차 (2)에서 수반되
  는 과정: 주제 생성
  → 지시 표현 '이 같은 인물 창조 과정'

해설 ③ (라) - (나) - (가) - (다)의 순서가 가장 적절하다.

순서	순서 판단의 단서와 근거
(라)	접속어나 지시 표현으로 시작하지 않으면서, 독자의 흥미를 끄는 소재(스토리텔링 전략)를 필요성과 함께 소개함
(나)	키워드 '스토리텔링 전략에서 제일 먼저 해야 할 일': (라)에서 '스토리텔링 전략'에 대해 소개한 것에 이어 '스토리텔링 전략'의 절차 중 제일 먼저 해야 할 일(로그라인 만들기)에 대해 제시함
(가)	접속 표현 '다음으로': (나)에 이어 '스토리텔링 전략'의 그다음 절차(참신한 인물 창조)에 대해 소개함으로써 문단별 선후 관계를 드러냄
(다)	지시 표현 '이 같은 인물 창조의 과정': (가)에서 설명한 '참신한 인물 창조'를 가리킴. (가)의 과정에서 주제가 생성됨을 설명함

유형 공략 문제

01
2023 국가직 9급
다음 글에서 (가) ~ (다)의 순서를 자연스럽게 배열한 것은?

빅데이터가 부각된다는 것은 기업들이 빅데이터의 가치를 받아들이기 시작했다는 뜻이다. 여기에는 기업들이 데이터를 바라보는 시각이 변한 측면도 있다.

(가) 기업들은 고객이 판촉 활동에 어떻게 반응하고 평소에 어떻게 행동하며 사물에 대해 어떤 태도를 보이는지 알기 위해 많은 돈을 투자해 마케팅 조사를 해 왔다.

(나) 그런 상황에서 기업들은 SNS나 스마트폰 등 새로운 데이터 소스로부터 그러한 궁금증과 답답함을 해결할 수 있다는 것을 알게 되었다. 페이스북에 올리는 광고에 친구가 '좋아요'를 한 것에서 기업들은 궁금증과 답답함을 해결할 수 있다.

(다) 그런데 기업들의 그런 노력이 효과가 있는 경우도 있었으나 아쉬운 점도 많았다. 쉬운 예로, 기업들은 많은 광고비를 쓰지만 그 돈이 구체적으로 어느 부분에서 효과를 내는지는 알지 못했다.

결국 데이터가 있는 곳에서 기업들은 점점 더 고객의 취향에 집중할 수 있게 되었으며, 이에 따라 기업들은 소셜미디어의 빅데이터를 중요한 경영 수단으로 수용하기 시작한 것이다.

① (가) - (나) - (다)　　② (가) - (다) - (나)
③ (나) - (가) - (다)　　④ (다) - (나) - (가)

02
2023 지방직 9급
(가) ~ (다)를 맥락에 따라 가장 자연스럽게 배열한 것은?

독서는 아이들의 전반적인 뇌 발달에 큰 영향을 미친다.

(가) 그에 따르면 뇌의 전두엽은 상상력을 관장하는데, 책을 읽으면 상상력이 자극되어 전두엽을 많이 사용하게 된다.

(나) A 교수는 책을 읽을 때와 읽지 않을 때의 뇌 변화를 연구해서 세계적인 명성을 얻었다.

(다) 이처럼 책을 많이 읽으면 전두엽이 훈련되어 전반적인 뇌 발달의 가능성이 높아지는데, 그 결과는 교육 현장에서 실증된 바 있다.

독서를 많이 한 아이는 학교에서 더 좋은 성적을 낼 뿐 아니라 언어 능력도 발달한다는 사실이 밝혀진 것이다.

① (나) - (가) - (다)　　② (나) - (다) - (가)
③ (다) - (가) - (나)　　④ (다) - (나) - (가)

03
(가) ~ (다)를 맥락에 따라 가장 자연스럽게 배열한 것은?

우리는 숨을 무의식적으로 쉬며, 숨 쉴 때마다 매번 대뇌의 명령을 받지 않는다.

(가) 그곳에서 시작하는 말초 신경들은 그 화학적 정보를 뇌간으로 전달하며, 뇌간의 신경 세포들은 이것을 분석한 후 손발을 척척 맞추어 숨을 내쉬거나 들이쉬도록 가로막이나 가슴뼈 사이의 근육들에게 명령한다.

(나) 그것들은 우리 몸의 대사 상태에 따라 변화하는 혈액의 이산화탄소, 산소, 수소 이온 농도와 같은 정보를 경동맥 근처에 있는 화학적 수용체에 전해 준다.

(다) 이런 자율적 숨쉬기 기능은 뇌간(brainstem, 뇌의 가장 아랫부분을 지칭)에 위치한 몇몇 신경 세포들이 담당한다.

즉 뇌간은 이런 몸의 화학 정보를 일일이 대뇌에 보고하지 않고 '자율적으로' 일을 하는 것이다.

① (나) - (가) - (다)　　② (나) - (다) - (가)
③ (다) - (가) - (나)　　④ (다) - (나) - (가)

04

2023 군무원 9급

다음 글의 (가)와 (나)에 들어갈 적절한 말을 순서대로 바르게 짝지은 것은?

> 비즈니스 화법에서는 상사에게 보고할 때 결론부터 말하라고 한다. 이것도 맞는 말이다. 그렇지 않아도 바쁜데 주저리주저리 이야기를 길게 늘어놓으면 짜증이 난다. (가) 현실은 인간관계의 미묘한 심리가 복잡하게 얽혀 있는 비즈니스 사회. 때로는 일부러 결론을 뒤로 미뤄 상대의 관심을 끌게 만들어야 할 때도 있다. 예를 들어, 회사에서의 라이벌 동료와의 관계처럼 자기와 상대의 힘의 균형이 미묘할 때이다.
>
> 당신과 상사, 당신과 부하라는 상하관계가 분명한 경우는 대응이 항상 사무적이 된다. 사무적인 관계에서는 쓸데없는 시간과 노력을 들이지 않아도 된다. (나) 같은 사내의 인간관계라도 라이벌 동료가 되면 일을 원활하게 해나가는 것만이 능사는 아니다. 권력 관계에서의 차이가 없는 만큼 미묘한 줄다리기가 필요하다. 이렇게 권력관계가 미묘한 상대와의 대화에서 탁월한 최면 효과를 발휘하는 것이 '클라이맥스 법'이다. 비즈니스 현장에서뿐만 아니라 미묘한 줄다리기를 요하는 연애 관계에서도 초기에는 클라이맥스 법이 그 위력을 발휘한다.

① 그러므로 – 그러므로

② 하지만 – 하지만

③ 하지만 – 그러므로

④ 그러므로 – 하지만

05

2022 군무원 9급

다음 중 (가) ~ (다)를 문맥에 맞는 순서대로 나열한 것은?

> 최근 수십 년간 세계 각국의 정부들은 공격적인 환경 보호 조치들을 취해왔다. 대기오염과 수질오염, 살충제와 독성 화학물질의 확산, 동식물의 멸종 위기 등을 우려한 각국의 정부들은 인간의 건강을 증진하고 인간 활동이 야생 및 원시 지역에서 만들어 낸 해로운 결과를 줄이기 위해 상당한 자원을 투자해왔다.
>
> (가) 그러나 이러한 규제 노력 가운데는 막대한 비용을 헛되이 낭비한 것들도 상당수에 달하며, 그중 일부는 해결하고자 했던 문제를 오히려 악화시키기도 했다.
>
> (나) 이 중 많은 조치들이 커다란 성과를 거두었다. 이를테면 대기오염을 줄이려는 노력으로 수십만 명의 조기 사망과 수백만 가지의 질병을 예방할 수 있었다.
>
> (다) 예를 들어, 새로운 대기 오염원을 공격적으로 통제할 경우, 기존의 오래된 오염원의 수명이 길어져서 적어도 단기적으로는 대기오염을 가중시킬 수 있다.

① (나) → (가) → (다)

② (나) → (다) → (가)

③ (다) → (가) → (나)

④ (다) → (나) → (가)

06

다음 문장이 들어가기에 가장 적절한 곳을 ㉠~㉣에서 고르면?

> 신분에 따라 문체를 고착화하는 것을 인정하지 않았던 것이다.

> 유럽이 교회로부터 정신적으로 해방된 것은 그리스와 로마의 고대 작가들에 대한 재발견을 통해서였다. ㉠ 그 이후 고대 작가들의 문체는 귀족 중심의 유럽 문화에서 모범으로 여겨졌다. ㉡ 이러한 상황은 대략 1770년대에 시작되는 낭만주의에서부터 변화하기 시작했다. ㉢ 이 낭만주의 시기에 평등과 민주주의를 꿈꿨던 신흥 시민 계급은 문학에서 운문과 영웅적 운명을 귀족에게만 전속시키고 하층민에게는 산문과 우스꽝스러운 상황을 배정하는 전통 시학을 거부했다. ㉣ 고전 문학은 더 이상 문학의 규범이 아니었으며, 문학을 현실의 모방으로 인식하는 태도도 포기되었다.

① ㉠　　② ㉡　　③ ㉢　　④ ㉣

07

다음 글의 '동기화 단계 조직'에 따라 (가)~(마)를 배열한 것으로 가장 적절한 것은?

> 설득하는 말하기의 메시지를 조직하는 방법으로 '동기화 단계 조직'이 있다. 이 방법의 세부 단계는 다음과 같다.
> 1단계: 주제에 대한 청자의 주의나 관심을 환기한다.
> 2단계: 특정 문제를 청자와 관련지어 설명함으로써 청자의 요구나 기대를 자극한다.
> 3단계: 해결 방안을 제시하여 청자의 이해와 만족을 유도한다.
> 4단계: 해결 방안이 청자에게 어떤 도움이 되는지 구체화한다.
> 5단계: 구체적인 행동의 내용과 방법을 제시하여 특정 행동을 요구한다.

> (가) 지난주 제 친구는 일을 마친 후 자전거를 타고 집으로 돌아오다가 사고를 당해 머리를 다쳤습니다.
> (나) 여러분이 자전거를 탈 때 헬멧을 착용하면 머리를 보호할 수 있습니다.
> (다) 아마 여러분도 가끔 자전거를 타는 경우가 있을 것입니다. 그런데 매년 2천여 명이 자전거를 타다가 머리를 다쳐 고생한다고 합니다.
> (라) 만약 자전거를 타는 모든 사람이 헬멧을 착용한다면 자전거 사고를 당해도 뇌 손상을 비롯한 신체 피해를 75% 줄일 수 있습니다. 또 자전거 타기가 주는 즐거움과 편리함을 안전하게 누릴 수 있습니다.
> (마) 자전거를 탈 때는 안전을 위해서 반드시 헬멧을 착용하시기 바랍니다.

① (가) - (나) - (다) - (라) - (마)
② (가) - (다) - (나) - (라) - (마)
③ (가) - (다) - (라) - (나) - (마)
④ (가) - (라) - (다) - (나) - (마)

다음 글의 전개 순서로 가장 자연스러운 것은?

> (가) 이 기관을 잘 수리하여 정련하면 그 작동도 원활하게 될 것이요, 수리하지 아니하여 노둔해지면 그 작동도 막혀 버릴 것이니 이런 기관을 다스리지 아니하고야 어찌 그 사회를 고취하여 발달케 하리오.
> (나) 이러므로 말과 글은 한 사회가 조직되는 근본이요, 사회 경영의 목표와 지향을 발표하여 그 인민을 통합시키고 작동하게 하는 기관과 같다.
> (다) 말과 글이 없으면 어찌 그 뜻을 서로 통할 수 있으며, 그 뜻을 서로 통하지 못하면 어찌 그 인민들이 서로 이어져 번듯한 사회의 모습을 갖출 수 있으리오.
> (라) 그뿐 아니라 그 기관은 점점 녹슬고 상하여 필경은 쓸 수 없는 지경에 이를 것이니 그 사회가 어찌 유지될 수 있으리오. 반드시 패망을 면하지 못할지라.
> (마) 사회는 여러 사람이 그 뜻을 서로 통하고 그 힘을 서로 이어서 개인의 생활을 경영하고 보존하는 데에 서로 의지하는 인연의 한 단체라.
>
> - 주시경, '대한국어문법 발문' 중에서

① (마) - (가) - (다) - (나) - (라)

② (마) - (가) - (라) - (다) - (나)

③ (마) - (다) - (가) - (라) - (나)

④ (마) - (다) - (나) - (가) - (라)

다음 글의 전개 순서로 가장 자연스러운 것은?

> (가) 과거에는 고통만을 안겨 주었던 지정학적 조건이 이제는 희망의 조건이 되고 있습니다. 이제 한반도는 사람과 물자가 모여드는 동북아 물류와 금융, 비즈니스의 중심지가 될 것입니다. 우리가 주도해서 평화와 번영의 동북아 시대를 열어 나가야 합니다.
> (나) 100년 전 우리는 수난과 비극의 역사를 겪었습니다. 해양으로 나가려는 세력과 대륙으로 진출하려는 세력이 한반도를 가운데 놓고 싸움을 벌였습니다. 마침내 우리는 국권을 상실하는 아픔을 감수해야 했습니다.
> (다) 지금은 무력이 아니라 경제력이 국력을 좌우하는 시대입니다. 우리나라는 전쟁의 폐허를 극복하고 세계적인 경제 강국을 건설하고 있습니다. 우수한 인력과 세계 선두권의 정보화 기반을 갖추고 있습니다. 바다와 하늘과 땅을 연결하는 물류 기반도 손색이 없습니다.
> (라) 그 아픔은 분단으로 이어져서 오늘에 이르고 있습니다. 그 과정에서는 정의가 패배하고 기회주의가 득세하는 불행한 역사를 겪었습니다. 그러나 이제 우리에게도 새로운 희망의 시대가 열리고 있습니다. 세계의 변방으로 머물러 왔던 동북아시아가 북미·유럽 지역과 함께 세계 경제의 3대 축으로 떠오르고 있습니다.

① (가) - (나) - (다) - (라)

② (가) - (라) - (나) - (다)

③ (나) - (가) - (라) - (다)

④ (나) - (라) - (다) - (가)

10

다음 글의 전개 순서로 가장 자연스러운 것은?

(가) 젊은이들 가운데 약삭빠르고 방탕하여 어딘가에 얽매이는 것을 싫어하는 자들이 이 말을 듣고 제 세상 만난 듯 기뻐하여 앉고 서고 움직이는 예절을 마음에 내키는 대로 한다.

(나) 성인께서도 사람을 가르치실 때 먼저 겉모습부터 단정히 해야만 바야흐로 자신의 마음을 안정시킬 수 있다고 하시었다. 세상에 비스듬히 눕고 기대서서 멋대로 말하고 멋대로 보면서 주경존심(主敬存心)*할 수 있는 사람은 없다.

(다) 근래 어떤 자가 반관(反觀)*으로 이름을 떨쳐 겉모습을 단정하게 꾸미는 것을 가식이요, 허위라고 한다.

(라) 나도 예전에 이 병에 깊이 걸렸던 터라 늙어서까지 예절을 익히지 못했으니 비록 후회해도 고치기가 어렵다.

(마) 지난번 너를 보니 옷깃을 가지런히 하여 똑바로 앉는 것을 즐기지 않아 장중하고 엄숙한 기색을 조금도 볼 수 없었는데, 이는 내 병통이 한 바퀴 돌아 네가 된 것이다.

– 정약용, '두 아들에게 부침'

* 주경존심(主敬存心): 공경하는 마음을 간직함.
* 반관(反觀): 남들이 하는 대로 보지 않고 거꾸로 보거나 반대로 생각하는 것.

① 가 - 나 - 다 - 라 - 마
② 나 - 라 - 마 - 다 - 가
③ 다 - 가 - 라 - 마 - 나
④ 마 - 라 - 가 - 나 - 다

11

(가) ~ (라)에 들어갈 말로 가장 적절한 것은?

정철, 윤선도, 황진이, 이황, 이조년 그리고 무명씨. 우리말로 시조나 가사를 썼던 이들이다. 황진이는 말할 것도 없고 무명씨도 대부분 양반이 아니었겠지만 정철, 윤선도, 이황은 양반 중에 양반이었다. ___(가)___ 그들이 우리말로 작품을 썼던 걸 보면 양반들도 한글 쓰는 것을 즐겨 했다는 것을 부정할 수는 없다. ___(나)___ 허균이나 김만중은 한글로 소설까지 쓰지 않았던가. ___(다)___ 이들이 특별한 취향을 가진 소수의 양반이었다면 이야기는 달라진다. 우리말로 된 문학 작품을 만들겠다는 생각을 가진 특별한 양반들을 제외하고 대다수 양반들은 한문을 썼기 때문에 한글을 모를 수도 있었기 때문이다. 실학자 박지원이 당시 양반 사회를 풍자한 작품 『호질』은 한문으로 쓰여 있다. ___(라)___ 한 가지 분명한 것은 양반 대부분이 한글을 이해하지 못하는 상황이었다면 정철도 이황도 윤선도도 한글로 작품을 쓰지는 않았을 것이란 사실이다.

	(가)	(나)	(다)	(라)
①	그런데	게다가	그렇지만	그러나
②	그런데	그리고	그래서	또는
③	그리고	그러나	하지만	즉
④	그래서	더구나	따라서	하지만

12

⊙~⑩의 전개 순서로 가장 자연스러운 것은?

> 폭설, 즉 대설이란 많은 눈이 시간적, 공간적으로 집중되어 내리는 현상을 말한다.
> ⊙ 그런데 눈은 한 시간 안에 5 cm 이상 쌓일 수 있어 순식간에 도심 교통을 마비시키는 위력을 가지고 있다.
> ⓒ 또한, 경보는 24시간 신적설이 20 cm 이상 예상될 때이다.
> ⓒ 다만, 산지는 24시간 신적설이 30 cm 이상 예상될 때 발령된다.
> ⓐ 이때 대설의 기준으로 주의보는 24시간 새로 쌓인 눈이 5 cm 이상 예상될 때이다.
> ⑩ 이뿐만 아니라 운송, 유통, 관광, 보험을 비롯한 서비스 업종과 사회 전반에 영향을 미친다.

① ⊙ - ⑩ - ⓒ - ⓒ - ⓐ

② ⊙ - ⓐ - ⑩ - ⓒ - ⓒ

③ ⓐ - ⓒ - ⓒ - ⊙ - ⑩

④ ⓐ - ⊙ - ⑩ - ⓒ - ⓒ

13

(가) ~ (라)를 맥락에 맞추어 가장 적절하게 나열한 것은?

> (가) 클리셰는 이러한 반복되는 특징 때문에 장르 규범과 자주 비교된다. 하지만 이 둘은 분명히 다르다. 장르 규범이 장르에서 마땅히 따르고 지켜야 할 기준이라면, 클리셰는 특별한 기준이 없는 무의식적인 반복에 가깝다.
> (나) 오늘날 클리셰는 판에 박힌 듯이 쓰이는 표현이나 문구를 지칭하는 말로 사용된다. 영화에서 사용될 때도 마찬가지로 오랫동안 습관적으로 쓰여 뻔하게 느껴지는 표현이나 캐릭터, 표현 기법 등을 종합하여 지칭한다.
> (다) 하지만 클리셰가 영화에서 반드시 배제해야 할 요소는 아니다. 적절히만 사용하면 관객이 이를 바탕으로 작품의 내용을 쉽게 이해할 수 있게 돕는다. 따라서 감독은 클리셰를 사용하되, 지극히 전략적으로 접근해야 한다.
> (라) 예를 들어, 영화에는 주동 인물과 반동 인물이 존재하는데 이는 영화라는 장르에서 플롯을 전개하기 위해 반드시 갖추어야 할 조건으로 모든 영화가 이러한 규범을 따른다. 반면 클리셰는 주인공이 상대방에게 첫눈에 반하는 것과 같이 장르의 규범과는 무관하게 여러 작품들에서 반복적으로 목격되는 요소들이며, 관객들로 하여금 식상함을 느끼게 한다.

① (가) - (나) - (라) - (다)

② (가) - (다) - (라) - (나)

③ (나) - (가) - (라) - (다)

④ (나) - (가) - (다) - (라)

독해

1장 사실적 독해 해커스공무원 국어 1권 독해+논리

정답 및 해설 p.43

2장
추론 및 비판적 독해

01 숨겨진 내용 추론하기

☐ 유형 소개

· '숨겨진 내용 추론하기' 유형은 글의 표면에 드러난 정보를 바탕으로 새로운 정보, 필자가 독자들이 당연히 알 것이라고 여기고 생략한 내용을 추론할 수 있는지를 묻는 유형이다.

· 글에 없는 내용을 추론하거나, 글의 시사점이나 핵심 내용을 추론하는 문제 모두 이 유형에 속한다.

· 주어진 정보에만 근거하여 선택지의 내용이 타당한 추론인지 판단해야 하며, 상식에 근거하여 추론하거나, 정보를 지나치게 주관적으로 해석하지 않도록 주의한다.

☐ 출제 경향

· 글의 표면에 드러난 정보를 바탕으로 숨겨진 내용, 생략된 내용을 추론하는 문제가 주로 출제되고 있다.

· 인문, 사회, 과학, 예술 등 다양한 소재의 지문이 출제되고 있으며, 최근에는 지문 속 정보들 간의 논리적 연결 관계가 복잡한 지문들도 출제되고 있다.

· 제시문의 일부분만으로 추론할 수 있는 문제보다는 글의 전체적인 내용을 종합적으로 이해해야 추론할 수 있는 문제들이 출제되고 있다.

☐ 단계별 문제 풀이 전략

STEP 1 **선택지에서 다루는 주요 정보를 파악한다.**

· 정보들 간의 논리 관계가 복잡한 지문일수록 글부터 읽기보다는 선택지의 정보를 먼저 파악한 후 글에서 필요한 정보를 선별하며 읽도록 한다.

· 선택지에 둘 이상의 문장이 결합되어 있는 경우 앞뒤 문장이 서로 인과적이거나, 전제·결론의 관계일 가능성이 크므로 앞뒤 내용 간의 연결 관계를 미리 파악해 둔다.

STEP 2 **선택지에서 파악한 주요 정보를 중심으로 글의 핵심 내용을 파악하고, 원리나 절차는 구조화한다.**

· 선택지에서 다루는 내용은 주로 글에서 핵심이 되는 원리나 대상과 관련된 것이므로, 글을 읽을 때는 중심 문장과 뒷받침 문장을 구분하여 핵심적인 내용에 주의를 기울인다.

· 정보들 간의 논리 관계가 복잡하거나, 원리, 절차가 제시된 경우에는 내용들 간의 연결 관계를 구조화한다. 이때, 편의를 위해 자의적으로 내용을 왜곡해서 구조화하지 않도록 주의한다.

> 예) 물가가 상승하면 소비가 위축되고 결국 경기가 침체된다
> ▶ 물가↑ 소비↓ → 경기↓

STEP 3 **글을 읽으며 정리한 정보들과 글의 흐름을 바탕으로 선택지에 제시된 추론 내용이 적절한지 판단한다.**

친숙한 소재에 대한 글일지라도 상식에 근거하여 판단하지 않고 글에 제시된 내용만을 근거로 추론한다.

■ 전략 적용하기

다음 글에서 추론한 내용으로 적절하지 않은 것은?

2023 지방직 9급

우리는 개별적으로 고립된 채 살아가는 존재일 수 없다. 사회 속에서 여럿이

선택지 ①의 근거 - 우리는 '복수'로서의 존재임
모여 '복수(複數)'의 상태로 살아갈 수밖에 없는 존재라는 것이다. 복수의 상태로
살아가는 우리는 종(種)적인 차원에서 보면 보편적이고 동등한 존재이다. 그러나
우리는 각각 유일무이성을 지닌 '단수(單數)'이기도 하다. 즉 모든 인간은 개인
으로서 고유한 인격체라는 특수성을 지닌다. 사회 속에서 우리는 보편적 복수성

선택지 ③의 근거 - 보편적 복수성과 특수한 단수성(= 유일무이성)은 공존하는 개념임
과 특수한 단수성을 겸비한 채 살아가고 있는 셈이다. 바로 이러한 이유로 우리는

선택지 ②의 근거 (1) - 우리는 '다원적 존재'임
다원적 존재이다. 이러한 존재들로 구성된 다원적 사회에서는 어떠한 획일화도
시도되어서는 안 된다. 우리가 이 같은 사회에서 살아가기 위해서는 타인을 포용

선택지 ②의 근거 (2) - 우리는 포용적으로 공존해야 하는 존재임
하는 공존의 태도가 필요하다. 공동체 정화 등을 목적으로 개별적 유일무이성을

= 특수한 단수성
제거하는 것은 우리가 살아가는 사회의 다원성을 파괴하는 일이다.

선택지 ④의 근거

① 우리는 고립된 상태에서 '단수'로 살아가는 존재가 아니다.
➡ ○ 우리는 '사회'에서 '복수'로 살아가는 존재임
② 우리는 다원성을 지닌 존재로서 포용적으로 공존해야 한다.
➡ ○ '다원적 존재' & '포용'
③ 개인의 유일무이성을 보존하려는 제도는 개인의 보편적 복수성을 침해한다.
➡ × '유일무이성(= 특수한 단수성)' & '보편적 복수성'은 공존하는 개념임
④ 개인의 특수한 단수성을 제거하려는 시도는 사회의 다원성을 파괴하는 결과로 이
어질 수 있다. ➡ ○ '유일무이성(= 단수성)' 제거 = 사회의 '다원성' 파괴

STEP 1
선택지에서 다루는 주요 정보를 파악한다.
- 선택지에서 확인할 수 있는 주요 정보: 우리, 개인, 단수성, 유일무이성 복수성, 다원성

STEP 2
선택지에서 파악한 주요 정보를 중심으로 글의 핵심 내용을 파악하고, 원리나 절차는 구조화한다.
- 우리: '복수'로서의 존재 (○)
  '단수'로서의 존재 (○)
  = '복수성' & '단수성' 겸비한 '다원적 존재'
- 다원적 존재: 다원적 사회에서는 획일화 시도해선 안 됨
- 유일무이성 제거 = 사회의 다원성 파괴

STEP 3
글을 읽으며 정리한 정보들과 글의 흐름을 바탕으로 선택지에 제시된 내용이 적절한지 판단한다.
→ ③ 유일무이성(특수한 단수성)과 보편적 복수성은 공존하는 성질임을 알 수 있으며, 개인의 유일무이성을 보존하려는 제도가 개인의 보편적 복수성을 침해한다는 내용은 제시문에서 확인할 수 없다.

---

① 1~2번째 줄에서 우리는 개별적으로 고립된 채 살아갈 수 없으며, 여럿이 모여 '복수'의 상태로 살아갈 수밖에 없는 존재라고 설명한다. 이는 우리가 고립된 상태에서 '단수'로 살아가는 존재가 아님을 의미한다.

② 끝에서 4~5번째 줄에서 우리가 다원적 존재라고 하였고, 끝에서 2~3번째 줄에서 이러한 존재들로 구성된 다원화 사회에서 살아가기 위해 타인을 포용하는 공존의 태도가 필요함을 설명하고 있다.

④ 제시문 마지막 문장에서 공동체 정화 등을 목적으로 개별적 유일무이성(개인의 특수한 단수성)을 제거하는 것은 우리가 살아가는 사회의 다원성을 파괴하는 일임을 설명하고 있다.

유형 공략 문제

01

다음 글의 시사점으로 적절하지 않은 것은?

기존의 의학적 연구는 건장한 성인 남성의 몸을 표준으로 삼아 이루어지는 경우가 많았다. 예를 들어 농약과 같은 화학 물질이 몸에 들어와 어떠한 변화를 일으키는지 검토한 연구에서 생리 주기에 따라 변화하는 여성 호르몬이 그 물질과 어떤 상호 작용을 일으킬 수 있는지는 고려되지 않았다. 자동차 충돌 사고를 인체 공학적으로 시뮬레이션할 때도 특정 연령대 남성의 몸이 연구 대상으로 사용되었고, 여성의 신체 특성이나 다양한 연령대 남성의 신체적 특성은 고려되지 않았다.

특정 연령대 성인 남성의 몸을 표준화된 인체로 여겼던 사고방식은 여러 문제점을 낳고 있다. 예를 들어 대사율, 피부와 조직 두께 등을 감안한, 사람이 가장 효과적으로 일할 수 있는 사무실 온도는 21°C로 알려져 있다. 그런데 한 연구에서 남성과 여성 직장인에게 각각 선호하는 사무실 온도를 조사한 결과는 남성은 평균 22°C, 여성은 평균 25°C였다. 남성은 기존의 적정 실내 온도에 가까운 답을 했고, 여성은 더 따뜻한 사무실에서 일하기를 원했다.

이러한 차이의 이유는 무엇일까? 현재 적정 사무실 온도로 알려진 21°C는 1960년대 측정된 자료를 바탕으로 하는데, 당시 몸무게 70kg인 40세 성인 남성을 기준으로 측정된 것이다. 이러한 '표준화된 신체'를 가진 남성의 대사율은 여성이나 다른 연령대 남성들의 대사율과 다르고, 당연히 체내 열 생산의 양도 차이가 있다.

① 표준으로 삼은 대상이 나머지 대상의 특성까지 대표하지 못하므로 앞으로 의학적 연구를 하려면 하나의 표준을 정하기보다 가능한 한 다양한 대상을 선정해서 하는 것이 바람직하다.

② 현재 우리가 알고 있는 의학 지식 중에는 특정 표준 대상만을 연구한 결과인 것이 있으므로 앞으로 이런 의학 지식을 활용하려면 연구한 대상을 살펴봐서 그대로 활용할지를 결정하는 것이 바람직하다.

③ 성별이나 연령대 등에 따라 신체 조건이 같지 않으므로 근무 환경을 조성할 때 근무자들의 성별이나 연령대를 고려하는 것이 바람직하다.

④ 기존의 사무실 적정 실내 온도가 조사된 것보다 낮게 설정되어 있으므로 향후에 모든 공공 기관의 사무실 온도를 조정할 때 현재보다 설정 온도를 일률적으로 높이는 것이 바람직하다.

02

다음 글에서 추론한 내용으로 적절하지 않은 것은?

프랑스에서 의무교육 제도를 실시하면서 정규학교에 입학하기 어려운 지적장애아, 학습부진아를 가려내고자 하였다. 이에 기초 학습 능력 평가를 목적으로, 1905년 최초의 IQ 검사가 이루어졌다. 이 검사를 통해 비로소 인간의 지능을 구체적으로 수치화하고 객관적으로 비교할 수 있게 되었다.

이후 오랫동안 IQ가 높으면 똑똑한 사람, 그렇지 않으면 머리가 좋지 않고 학습에도 부진한 사람으로 판단했다. 물론 IQ가 높은 아이는 그렇지 않은 아이에 비해 읽기나 계산 등 사고 기능과 관련된 과목에서 높은 성취도를 보이는 경우가 많다. 이는 IQ 검사가 기초 학습에 필요한 최소 능력인 언어 이해력, 어휘력, 수리력 등을 측정하기 때문이다. 학습의 기초 능력을 측정하는 IQ 검사에서 높은 점수를 받은 아이는 동일한 능력을 측정하는 학업 평가에서도 높은 점수를 받을 가능성이 크다. 하지만 문제는 IQ 검사가 인간의 지능 중 일부만을 측정한다는 점이다.

① 최초의 IQ 검사는 학습 능력이 우수한 아이를 고르기 위해 시행되었다.

② IQ 검사가 만들어지기 전에는 인간의 지능을 수치로 비교할 수 없었다.

③ IQ가 높은 아이라도 전체 지능은 높지 않을 수 있다.

④ IQ가 높은 아이가 읽기 능력이 좋을 확률이 높다.

03

다음 글에서 추론한 내용으로 가장 적절한 것은?

> 미셸 교수는 '마시멜로 실험'을 하였다. 아동들에게 마시멜로를 하나씩 주고 15분간 먹지 않으면 하나 더 주겠다고 한 뒤 아이가 못 참고 먹는지 아니면 끝까지 참는지를 관찰하였다. 아이들이 참을성을 발휘한 시간은 평균 2분이었지만, 25%의 아이들은 끝까지 참아 내 마시멜로를 더 먹을 수 있었다. 흥미로운 점은 12년이 지나서 당시 실험에 참가했던 아이들을 추적 조사한 결과이다. 1분 이내에 마시멜로를 먹은 아이들은 학교나 가정에서 문제를 일으키는 경우가 많았지만, 15분간 참을성을 발휘한 아이들은 1분 이내에 마시멜로를 먹은 아이보다 대학 진학 시험 점수 평균이 훨씬 더 높았다. 이 실험 결과는 감정이나 욕망을 조절할 수 있는 자기 통제력이 큰 사람이 미래의 성공 가능성이 더 크다는 것을 보여 준다.
>
> 이후 비슷한 실험이 이루어졌다. 그러나 이 실험에서는 마시멜로에 뚜껑을 덮어 두고 기다리게 했다는 점에서 차이가 있었다. 실험 결과 뚜껑이 없이 기다리게 했던 경우보다 뚜껑을 덮었을 때 두 배 가까이 더 아이들이 잘 참을 수 있었다. 뚜껑 하나라는 아주 작은 차이가 아이들의 참을성을 크게 향상시킨 셈이다.

① 자기 통제력이 낮은 아동일수록 주변 환경이 열악하다.

② 자기 통제력은 선천적 요인보다 후천적 요인에 더 영향을 받는다.

③ 자기 통제력을 발휘하는 데에는 환경적 요인이 중요하게 작용한다.

④ 자기 통제력이 높은 아동은 유아기부터 가정과 학교에서 사랑과 관심을 많이 받는다.

04

다음은 〈보기〉에 제시된 글의 핵심 내용을 정리한 것이다. 가장 잘 이해한 것은?

— 〈보기〉 —

> '무엇인가', '어떠한 것인가'라는 물음에 대응하는 내용이 '질'이고 '어느 정도'라는 물음에 대응하는 내용이 '양'이다. '책상이란 무엇인가' 또는 '책상이 어떠한 것인가'를 알기 위해 사전에서 '책상'을 찾으면, "책을 읽거나 글을 쓰는 상"으로 나와 있다. 이것이 책상을 의자와 찬장 및 그 밖의 유사한 사물들과 구분해 주는 책상의 '질'이다. 예를 들어 "이 책상의 높이는 어느 정도인가?" 라고 물으면 "70cm이다" 라고 답한다. 이때 말한 '70cm'가 바로 '양'이다. 그런데 책상의 높이는 70cm가 60cm로 되거나 40cm로 된다고 하더라도 그것이 책상임에는 변함이 없다. 성인용 책상에서 아동용 책상으로, 의자 달린 책상에서 앉은뱅이책상으로 바뀐다고 하더라도 그것이 '책을 읽거나 글을 쓰는 상'으로서의 기능은 수행할 수 있기 때문이다. 그러나 책상의 높이를 일정한 한도가 넘는 수준, 예컨대 70cm를 1cm로 낮추어 버리면 그 책상은 나무판에 가까운 것으로 변하여 책상의 기능을 수행할 수 없게 되어 더 이상 책상이라 할 수 없게 될 것이다.

① 양의 변화는 질의 변화를 초래하고 질의 변화는 양의 변화를 이끈다.

② 양의 변화가 누적되면 질의 변화가 일어나므로 양의 변화는 변화된 양만큼 질의 변화를 이끈다.

③ 양의 변화는 일정한 한도 내에서 질의 변화를 이끌지 못하지만 어느 한도를 넘으면 질의 변화를 초래한다.

④ 양의 변화든 질의 변화든 변화는 모두 본래의 상태로 환원되는 과정이기 때문에 두 변화는 본질적으로 동일하다.

05

2022 지방직 9급

다음 글에서 추론한 내용으로 가장 적절한 것은?

논리 실증주의자들에 따르면, 만약 어떤 것이 과학일 경우 거기에서 사용되는 문장은 유의미하다. 그들은 유의미한 문장의 기준으로 소위 '검증 원리'라고 불리는 것을 제안했다. 검증 원리란, 경험을 통해 참이나 거짓을 검증할 수 있는 문장은 유의미하고 그렇지 않은 문장은 유의미하지 않다는 것이다. 다음 두 문장을 예로 생각해 보자.

(가) 달의 다른 쪽 표면에 산이 있다.

(나) 절대자는 진화와 진보에 관계하지만, 그 자체는 진화하거나 진보하지 않는다.

위 두 문장 중 경험을 통해 검증할 수 있는 것은 무엇인가? 비록 현실적으로 큰 비용이 들기는 하지만 (가)는 분명히 경험을 통해 진위를 밝힐 수 있다. 즉 우리는 (가)의 진위를 확정하기 위해서 무엇을 경험해야 하는지 알고 있다는 것이다. 이런 점에 근거하여 논리 실증주의자들은 (가)는 검증할 수 있고, 유의미한 문장이라고 판단한다. 그럼 (나)는 어떠한가? 우리는 무엇을 경험해야 (나)의 진위를 확정할 수 있는가? 논리 실증주의자들은 그런 것은 없다고 주장하고, 이에 (나)는 검증할 수 없고 과학에서 사용될 수 없는 무의미한 문장이라고 말한다.

① 논리 실증주의자들에 따르면 무의미한 문장을 사용하는 것은 과학이 아니다.

② 논리 실증주의자들에 따르면 과학의 문장들만이 유의미하다.

③ 검증 원리에 따르면 아직까지 경험되지 않은 것을 언급한 문장은 무의미하다.

④ 검증 원리에 따르면 거짓인 문장은 무의미하다.

06

2022 지방직 9급

다음 글에서 추론한 내용으로 가장 적절한 것은?

컴퓨터에는 자유 의지가 있을까? 나아가 컴퓨터에 도덕적 의무를 귀속시킬 수 있을까? 컴퓨터는 다양한 전기 회로로 구성되어 있고, 물리 법칙, 프로그래밍 방식, 하드웨어의 속성 등에 따라 필연적으로 특정한 초기 상태로부터 다음 상태로 넘어간다. 마찬가지로 두 번째 상태에서 세 번째 상태로 이동하고, 이러한 과정이 계속해서 이어진다. 즉 컴퓨터는 결정론적 법칙의 지배를 받는 시스템이라는 것이다. 그럼 이러한 시스템에는 자유 의지가 있을까?

결정론적 법칙의 지배를 받는 시스템의 중요한 특징은 주어진 조건에 따라 결과가 하나로 고정된다는 점이다. 다시 말해, 이러한 시스템에는 항상 하나의 선택지만 있을 뿐이다. 그런 뜻에서 결정론적 지배를 받는다는 것과 자유 의지를 가진다는 것은 양립할 수 없음이 분명하다. 어떤 선택을 할 때 그것과 다른 선택을 할 수도 있다는 것은 자유 의지의 필요조건이기 때문이다. 결국 결정론적 법칙의 지배를 받는 시스템은 자유 의지를 가지지 않는다. 또한 자유 의지를 가지지 않는 시스템에 도덕적 의무를 귀속시킬 수 없음은 당연하다.

─〈보기〉─

ㄱ. 컴퓨터는 자유 의지를 가지지 않으며 도덕적 의무의 귀속 대상일 수도 없다.

ㄴ. 도덕적 의무를 귀속시킬 수 있는 시스템은 결정론적 법칙의 지배를 받지 않는다.

ㄷ. 어떤 선택을 할 때 그것과 다른 선택을 할 수 없는 시스템은 자유 의지를 가지지 않는다.

① ㄱ, ㄴ

② ㄱ, ㄷ

③ ㄴ, ㄷ

④ ㄱ, ㄴ, ㄷ

다음 글에서 추론할 수 있는 것은?

포도주는 유럽 문명을 대표하는 술이자 동시에 음료수다. 우리는 대개 포도주를 취하기 위해 마시는 술로만 생각하기 쉬우나 유럽에서는 물 대신 마시는 '음료수'로서의 역할이 크다. 유럽의 많은 지역에서는 물이 워낙 안 좋아서 맨 물을 그냥 마시면 위험하기 때문에 제조 과정에서 안전성이 보장된 포도주나 맥주를 마시는 것이다. 이런 용도로 일상적으로 마시는 식사용 포도주로는 당연히 고급 포도주와는 다른 저렴한 포도주가 쓰이며, 술이 약한 사람들은 여기에 물을 섞어서 마시기도 한다.

소비의 확대와 함께, 포도주의 생산을 다른 지역으로 확산시키려는 노력도 계속되어 왔다. 포도주 생산의 확산에서 가장 큰 문제는 포도 재배가 추운 북쪽 지역으로 확대되기 힘들다는 점이다. 자연 상태에서는 포도가 자라는 북방 한계가 이탈리아 정도에서 멈춰야 했지만, 중세 유럽에서 수도원마다 온갖 노력을 기울인 결과 포도 재배가 상당히 북쪽까지 올라갔다. 대체로 대서양의 루아르강 하구로부터 크림반도와 조지아를 잇는 선이 상업적으로 포도를 재배할 수 있는 북방한계선이다.

적정한 기온은 포도주 생산 가능 여부뿐 아니라 생산된 포도주의 질을 결정하는 중요한 요인이다. 너무 추운 지역이나 너무 더운 지역에서는 포도주의 품질이 떨어질 수밖에 없다. 추운 지역에서는 포도에 당분이 너무 적어서 그것으로 포도주를 담그면 신맛이 강하게 된다. 반면 너무 더운 지역에서는 섬세한 맛이 부족해서 '흐물거리는' 포도주가 생산된다(그 대신 이를 잘 활용하면 포르토나 셰리처럼 도수를 높인 고급 포도주를 만들 수 있다). 그러므로 고급 포도주 주요 생산지는 보르도나 부르고뉴처럼 너무 덥지도 않고 너무 춥지도 않은 곳이다. 다만 달콤한 백포도주의 경우는 샤토 디켐(Château d'Yquem)처럼 뜨거운 여름 날씨가 지속하는 곳에서 명품이 만들어진다.

포도주의 수요는 전 유럽적인 데 비해 생산은 이처럼 지리적으로 제한됐기 때문에 포도주는 일찍부터 원거리 무역 품목이 됐고, 언제나 고가품 취급을 받았다. 그런데 한 가지 기억해야 할 점은 이렇게 수출되는 고급 포도주는 오래된 포도주가 아니라 바로 그해에 만든 술이라는 점이다. 우리는 포도주는 오래될수록 좋아진다고 믿는 경향이 있지만, 대부분의 백포도주 혹은 중급 이하 적포도주는 시간이 지날수록 오히려 품질이 떨어진다. 시간이 흐를수록 품질이 개선되는 것은 일부 고급 적포도주에만 한정된 이야기이며, 그나마 포도주를 병에 담아 코르크 마개를 끼워 보관한 이후의 일이다.

① 고급 포도주는 모두 너무 덥지도 춥지도 않은 곳에서 재배된 포도로 만들어졌다.

② 루아르강 하구로부터 크림반도와 조지아를 잇는 선은 이탈리아보다 남쪽에 있을 것이다.

③ 유럽에서 일상적으로 마시는 식사용 포도주는 저렴한 포도주거나 고급 포도주에 물을 섞은 것이다.

④ 병에 담겨 코르크 마개를 끼운 고급 백포도주는 보관 기간에 비례하여 품질이 개선되지는 않을 것이다.

08

2021 법원직 9급

다음 글의 내용을 통해 도출할 수 있는 내용으로 가장 적절하지 않은 것은?

미생물은 오늘날 흔히 질병과 연관된 것으로 여겨진다. 1762년 마르쿠스 플렌치즈는 미생물이 체내에서 증식함으로써 질병을 일으키고, 이는 공기를 통해 전염될 수 있다고 주장했으며, 모든 질병은 각자 고유의 미생물을 갖고 있다고 말했다. 그러나 유감스럽게도 그 주장에 대한 증거가 없었으므로 플렌치즈는 외견상 하찮아 보이는 미생물들도 사실은 중요하다는 점을 다른 사람들에게 납득시킬 수가 없었다. 심지어 한 비평가는 그처럼 어처구니없는 가설에 반박하느라 시간을 허비할 생각이 없다며 대꾸했다.

그런데 19세기 중반 들어 프랑스의 화학자 루이 파스퇴르에 의해 상황이 바뀌기 시작했다. 파스퇴르는 세균이 술을 식초로 만들고 고기를 썩게 한다는 사실을 연달아 증명한 뒤 만약 세균이 발효와 부패의 주범이라면 질병도 일으킬 수 있을 것이라고 주장했다. 이러한 배종설은 오랫동안 이어져 내려온 자연발생설에 반박하는 이론으로서 플렌치즈 등에 의해 옹호되었지만 아직 논란이 많았다. 사람들은 흔히 썩어가는 물질이 내뿜는 나쁜 공기, 즉 독기가 질병을 일으킨다고 생각했다. 1865년 파스퇴르는 이런 생각이 틀렸음을 증명했다. 그는 미생물이 누에에게 두 가지 질병을 일으킨다는 사실을 입증한 뒤, 감염된 알을 분리하여 질병이 전염되는 것을 막음으로써 프랑스의 잠사업을 위기에서 구했다.

한편 독일에서는 로베르트 코흐라는 내과 의사가 지역 농장의 사육동물을 휩쓸던 탄저병을 연구하고 있었다. 때마침 다른 과학자들이 동물의 시체에서 탄저균을 발견하자, 1876년 코흐는 이 미생물을 쥐에게 주입한 뒤 쥐가 죽은 것을 확인했다. 그는 이 암울한 과정을 스무 세대에 걸쳐 집요하게 반복하여 번번이 똑같은 현상이 반복되는 것을 확인했고, 마침내 세균이 탄저병을 일으킨다는 결론을 내렸다. 배종설이 옳았던 것이다.

파스퇴르와 코흐가 미생물을 효과적으로 재발견하자 미생물은 곧 죽음의 아바타로 캐스팅되어 전염병을 옮기는 주범으로 여겨지기 시작했다. 탄저병이 연구된 뒤 20년에 걸쳐 코흐를 비롯한 과학자들은 한센병, 임질, 장티푸스, 결핵 등의 질병 뒤에 도사리고 있는 세균들을 속속 발견했다. 이러한 발견을 견인한 것은 새로운 도구였다.

이전에 있었던 렌즈를 능가하는 렌즈가 나왔고, 젤리 비슷한 배양액이 깔린 접시에서 순수한 미생물을 배양하는 방법이 개발되었으며, 새로운 염색제가 등장하여 세균의 발견과 확인을 도왔다.

세균을 확인하자 과학자들은 거두절미하고 세균을 제거하는 작업에 착수했다. 조지프 리스터는 파스퇴르에게서 영감을 얻어 소독 기법을 실무에 도입했다. 그는 자신의 스태프들에게 손과 의료 장비와 수술실을 화학적으로 소독하라고 지시함으로써 수많은 환자들을 극심한 감염으로부터 구해냈다. 또, 다른 과학자들은 질병 치료, 위생 개선, 식품 보존이라는 명분으로 세균 차단 방법을 궁리했다. 그리고 세균학은 응용과학이 되어 미생물을 쫓아내거나 파괴하는데 동원되었다. 과학자들은 미생물과의 전쟁을 선포하고, 병든 개인과 사회에서 미생물을 몰아내는 것을 목표로 삼은 것이다. 이렇게 미생물에 대한 인식이 형성되었으며 그 부정적 태도는 오늘날에도 지속되고 있다.

① 세균은 미생물의 일종이다.

② 세균은 화학적인 방법으로 제거할 수 있다.

③ 미생물과 질병의 연관성에 대한 인식은 통시적으로 변화해왔다.

④ 코흐는 새로운 도구의 개발 이전에 질병을 유발하는 미생물들을 발견했다.

다음 글을 바탕으로 ㉠을 이해할 때 가장 적절한 것은?

> 나는 ㉠'연극에서의 관객의 공감'에 대해 강연한 일이 있다. 나는 관객이 공감하는 것을 직접 보여 주려고 시도했다. 먼저 나는 자원자가 있으면 나와서 배우처럼 읽어 주기를 청했다. 그리고 청중에게는 연극의 관객이 되어 들어 달라고 했다. 한 사람이 앞으로 나왔다. 나는 그에게 아우슈비츠를 소재로 한 드라마의 한 장면이 적힌 종이를 건네주었다. 자원자가 종이를 받아들고 그것을 훑어볼 때 청중들은 어수선했다. 그런데 자원자의 입에서 떨어진 첫 대사는 끔찍한 내용이었다. 아우슈비츠에 관한 적나라한 증언은 너무나 충격적이어서 청중들은 완전히 압도되었다. 자원자는 청중들의 얼어붙은 듯한 침묵 속에서 낭독을 계속했다. 자원자의 낭독은 세련되지도 능숙하지도 않았다. 그러나 관객들의 열렬한 공감을 이끌어 냈다. 과거 역사가 현재의 관객들에게 생생하게 공감되었다.
>
> 이것이 끝나고 이번에는 강연장에 함께 갔던 전문 배우에게 셰익스피어의 희곡 「헨리 5세」에서 발췌한 대사를 낭독해 달라고 부탁했다. 그 대본은 400년 전 아젠쿠르 전투(백년 전쟁 당시 벌어졌던 영국과 프랑스의 치열한 전투)에서 처참하게 사망한 자들의 명단과 그 숫자를 나열한 것이었다. 그는 셰익스피어의 위대한 희곡임을 알아보자 품위 있고 고풍스럽게 큰 목소리로 낭독했다. 그는 유려한 어조로 전쟁에서 희생된 이들의 이름을 읽어 내려갔다. 그러나 청중들은 듣는 둥 마는 둥 했다. 갈수록 청중들은 낭독자 따위는 안중에도 없다는 듯이 행동했다. 그들에게 아젠쿠르 전투는 공감할 수 없는 것으로 분리된 것 같아 보였다. 앞서의 경우와는 전혀 다른 반응이었다.

① 배우의 연기력이 관객의 공감을 좌우한다.

② 비참한 죽음을 다룬 비극적인 소재는 관객의 공감을 일으킨다.

③ 훌륭한 고전이라고 해서 항상 청중의 공감을 불러일으킬 수 있는 것은 아니다.

④ 현재와 가까운 역사적 사실을 극화했다고 해서 관객의 공감 가능성이 커지는 않는다.

(가)와 (나)를 통해서 추정하기 어려운 내용은?

> (가) 찬성공 형제께서 정경부인의 상(喪)을 당하였다. 부윤공의 부인 이 씨가 우연히 언문 소설을 읽다가 그 소리가 밖으로 들렸다. 찬성공이 기뻐하지 않으며 제수를 계단 아래에 서게 하고, "부녀자의 무식을 심하게 책망할 필요는 없지만, 어찌 상중(喪中)에 있으면서 예의에 어긋난 책을 소리 내어 읽어서 스스로 평민과 같아지려 할 수 있는가?" 하고 꾸짖었다.
>
> (나) 전기수: 늙은이가 동문 밖에 살면서 입으로 언문 소설을 읽었는데, 「숙향전」, 「소대성전」, 「심청전」, 「설인귀전」과 같은 전기소설이었다. … 잘 읽었기 때문에 옆에서 구경하는 사람들이 빙 둘러섰다. 가장 재미있고 긴요하여 매우 들을 만한 구절에 이르면 갑자기 침묵하고 소리를 내지 않았다. 사람들이 다음 이야기를 듣고 싶어서 다투어 돈을 던졌다. 이를 바로 '요전법(돈을 요구하는 법)'이라 한다.

① 상층 남성들은 상중의 예법에 대해 매우 엄격하였다.

② 혼자 소설을 보면서 소리 내어 읽기도 하였다.

③ 하층에서도 소설을 창작하는 사람이 많았다.

④ 상층이 아닌 하층에서도 소설을 즐겼다.

11

2019 국가직 9급

(가)를 바탕으로 (나)에 담긴 글쓴이의 생각을 적절히 추론한 것은?

(가) 철학사에서 합리론의 전통은 감각에 대해 매우 비판적이었다. 예컨대 플라톤은 감각이 보여 주는 세계를 끊임없이 변화하는, 전적으로 불안정한 세계로 간주하고 이에 근거하여 지식을 얻는 것은 불가능하다고 생각했다. 반대로 경험론자들은 우리의 모든 관념과 판단은 감각 경험에서 출발한다고 주장하면서 어떤 지식도 절대적으로 확실할 수는 없다고 결론짓는다.

(나) 모든 사람은 착시 현상 등을 경험해 본 적이 있기에 감각이 우리를 속일 수 있다는 것을 분명히 알고 있고 감각에 대한 어느 정도의 경계심을 지니고 있다. 하지만 그렇다고 해서 일상생활에서 자신의 감각을 신뢰하고 이에 따라 행동하는 것은 잘못이 아니다. 모든 감각적 정보를 검증 절차를 거친 후 받아들이다가는 정상적 생활을 영위하는 것 자체가 불가능해질 것이기 때문이다. 반대로, 실용적 기술 개발이나 평범한 일상적 행동과는 달리 과학적 연구는 상당한 정도의 정확성을 요구하므로 경험적 자료에 대해 어느 정도의 경계심을 유지하는 것도 당연하다.

① 실용적 기술을 개발하는 것은 일차적으로 경험론적 사고에 토대를 둔다.

② 세계는 끊임없이 변화하므로 일상생활에서는 합리론적 사고를 우선하여야 한다.

③ 과학 연구는 합리론을 버리고 철저히 경험론을 바탕으로 이루어져야 한다.

④ 감각에 대한 신뢰는 어느 분야에나 전적으로 차별 없이 요구된다.

12

다음 글에서 추론한 내용으로 가장 적절한 것은?

애덤스(J.Stacy Adams)는 조직 구성원의 동기와 연결한 공정성 이론을 제시하였다. 공정성 이론에 의하면 조직 내의 구성원은 업무 과정에서 투입한 것과 산출된 것을 다른 사람의 투입, 산출과 비교하여 조직 내 자신의 행동을 결정한다. 이때 투입은 노력, 지식, 기술, 업무 성과 등을 말하며, 산출은 일한 대가로 주어지는 보상으로서 임금, 인정, 지위, 승진 등을 포함한다.

자신의 투입 대비 산출이 다른 사람의 투입 대비 산출 결과와 일치하는 경우 그 사람은 공정함을 느낄 것이며, 일에 대한 만족감을 얻는다. 한편 불공정은 자기와 다른 사람을 비교하였을 때, 투입 대비 산출이 큰 경우와 투입 대비 산출이 적은 경우에 발생한다. 전자의 경우에는 주로 투입을 늘린다. 반면 투입 대비 산출이 적은 경우에 조직 구성원은 전자보다 더 큰 불만족을 느끼고 이러한 불공정을 줄이고자 방안을 모색하는데, 대개 산출을 증대시키기 위해 애쓰거나, 투입을 줄이거나, 비교의 대상이 되는 사람 또는 집단을 교체하여 현실적인 수준에서 비교가 이루어지도록 한다.

① 자신이 업무 성과가 다른 동료의 업무 성과에 미치지 못할 경우 불공정을 경험할 것이다.

② 연봉 협상에서 자신이 회사의 성장에 기여한 만큼 연봉을 올린다면 공정함을 느낄 것이다.

③ 자신과 동료가 업무에서 낸 성과가 동일하고 받는 연봉도 동일하다면 일에 대한 만족감을 느낄 것이다.

④ 자신이 노력한 것에 비해 다른 사람들보다 더 많은 월급을 받고 있다고 생각한다면, 그 사람은 노력의 양을 줄일 것이다.

13

다음 글에서 추론한 내용으로 가장 적절한 것은?

심리학자 애쉬가 심리 실험을 진행하였다. 그는 한 명의 실제 피험자와 일곱 명의 연구진으로 구성된 그룹을 만들었다. 그리고 실제 피험자에게 일곱 명의 연구진이 가짜 피험자임을 알려주지 않았다. 애쉬는 여덟 명의 피험자들을 한 연구실에 모으고, 그들에게 두 장의 카드를 주었다. 먼저 준 카드에는 직선이 하나 그어져 있었고, 이후에 준 카드에는 세 개의 직선이 그어져 있었다. 세 개의 직선 중 하나는 첫 번째 카드의 직선과 길이가 똑같았으며, 나머지 두 개의 직선은 첫 번째 카드의 직선과 길이가 전혀 달랐다.

애쉬는 실제 피험자가 가장 마지막에 응답하도록 자리를 배치한 후 피험자들에게 두 번째 카드의 직선 3개 중 첫 번째 카드에 있는 직선과 길이가 똑같은 직선을 찾으라는 과제를 주었다. 그러면서 일곱 명의 가짜 피험자에게 같은 과제를 수행할 때마다 동일한 오답을 자신감 있게 대답하라고 요구하였다. 놀랍게도 실제 피험자는 답이 명확한 직선 대신 가짜 피험자들이 답이라고 우기는 직선을 답으로 선택하였다. 일곱 명의 가짜 피험자들의 동일한 목소리가 실제 피험자의 선택에 영향을 끼친 것이다.

① 실제 피험자는 진실을 추구하는 존재이기보다는 주변 사람들에게 순응하려는 존재이다.

② 가짜 피험자들은 주변 사람들에게 순응하려는 존재이기보다는 진실을 추구하는 존재이다.

③ 가짜 피험자들은 두 번째 카드의 직선 중에서 첫 번째 카드의 직선과 같은 길이의 직선이 어떤 것인지 알지 못한다.

④ 실제 피험자에게 세 개의 직선이 그려진 두 번째 카드를 첫 번째 카드보다 먼저 주었다면, 실제 피험자는 답이 명확한 직선을 골랐을 것이다.

14

다음 글에서 추론한 내용으로 적절하지 않은 것은?

새의 몸에서 나오는 테스토스테론은 구애 행위나 짝짓기와 밀접하게 관련된다. 따라서 번식기가 아닌 시기에는 거의 분비되지 않는데, 번식기에 나타나는 테스토스테론의 수치 변화 양상은 새의 종류에 따라 다르다.

노래참새 수컷의 테스토스테론 수치는 짝짓기에 성공하여 암컷의 수정이 이루어지는 시점을 전후하여 달라진다. 번식기가 되면 수컷은 암컷의 마음을 얻는 데 필요한 영역을 차지하려고 다른 수컷과 싸워야 한다. 이 시기 수컷의 테스토스테론 수치는 암컷의 수정이 이루어질 때까지 계속 높아진다. 그러다가 수정이 이루어지면 수컷은 곧바로 새끼를 돌볼 준비를 하게 되는데, 이때부터 그 수치는 떨어진다. 새끼가 커서 둥지를 떠나게 되면 수컷은 더 이상 영역을 지킬 필요가 없기 때문에 번식기가 끝나지 않았는데도 테스토스테론 수치는 좀 더 떨어지고, 번식기가 끝나면 테스토스테론은 거의 분비되지 않는다.

검정깃찌르레기 수컷은 테스토스테론 수치가 번식기가 되면 올라갔다가 암컷이 수정한 이후부터 번식기가 끝날 때까지 떨어지지 않는다. 이 수컷은 자신의 둥지를 지키면서 암컷과 새끼를 돌보는 대신 다른 암컷과의 짝짓기를 위해 자신의 둥지를 떠나 버린다.

① 노래참새 수컷은 번식기 동안 테스토스테론 수치가 새끼를 양육할 때보다 양육이 끝난 후에 높게 나타난다.

② 번식기 동안 노래참새 수컷의 테스토스테론 수치는 암컷의 수정이 이루어지기 전보다 이루어진 후에 낮게 나타난다.

③ 검정깃찌르레기 수컷은 암컷이 수정한 이후 번식기가 끝날 때까지 테스토스테론 수치가 떨어지지 않는다.

④ 노래참새 수컷과 검정깃찌르레기 수컷 모두 번식기의 테스토스테론 수치는 번식기가 아닌 시기의 테스토스테론 수치보다 높다.

정답 및 해설 p.51

02 빈칸 및 이어질 내용 추론하기

☐ 유형 소개

· '빈칸 및 이어질 내용 추론하기' 유형은 제시문의 빈칸에 들어갈 적절한 내용을 추론하여 찾는 방식으로 출제된다.
· 빈칸에 들어갈 내용은 주로 글의 결론, 사태나 현상에 대한 원인, 실험이나 원리를 적용했을 때 예상되는 결과에 해당한다.
· 글의 흐름을 파악하여 빈칸에 들어갈 내용에 대해 추론해야 한다.

☐ 출제 경향

· 한 개의 빈칸을 제시한 후 빈칸 앞뒤의 맥락을 파악해 빈칸 안에 들어갈 내용을 추론하는 문제가 주로 출제되었다.
· 최근에는 정보들 간의 논리적 연결 관계가 복잡한 지문을 제시하고 두 개의 빈칸에 들어갈 내용을 묻는 등 난도가 높은 문제들이 출제되고 있다.

☐ 단계별 문제 풀이 전략

STEP 1 선택지의 핵심 정보를 파악한다.

정보들 간의 논리 관계가 복잡한 실험이나 과학적 원리에 관한 글일수록 바로 글을 읽기보다는 선택지의 정보를 먼저 파악한 후 글에서 필요한 정보를 선별하며 읽도록 한다.

STEP 2 빈칸의 위치와 빈칸의 앞뒤 내용을 파악한 후 빈칸에 들어가야 할 내용을 추론한다.

· 빈칸의 위치를 확인한 후 빈칸에 들어갈 내용을 1차로 예측한다.

· 빈칸이 글이나 문단의 중간에 있는 경우: 전제, 근거, 이유, 과정의 내용이 들어감
· 빈칸이 글이나 문단의 끝에 있는 경우: 결론, 주장, 실험이나 원리를 적용했을 때 예상되는 결과, 사태나 현상의 종합적인 원인의 내용이 들어감

· 그 후 빈칸의 앞뒤 내용을 확인하여 빈칸에 들어갈 내용을 구체화한다.

· 원인, 이유: 원인은~, 왜냐하면~, 이유는~, 이로 인해, ~때문이다
· 결과, 결론: ~라는 결론을 내렸다, ~을 의미한다, 즉, 결과적으로

전략 적용하기

(가)와 (나)에 들어갈 말로 가장 적절한 것은?

2022 지방직 7급

A는 다음과 같은 실험을 진행했다. 먼저, 검은색 옷과 흰색 옷을 입은 6명이 두 개의 농구공을 가지고 패스를 주고받는 동안 고릴라 복장의 사람을 지나가게 하고 그 장면을 동영상으로 촬영했다. 그리고 실험 참가자들에게 이 동영상을 보여 주면서 흰색 옷을 입은 사람들이 몇 번 패스를 주고받았는지 세어 달라고 요청했다. 이에 대해 **참가자들은 패스 횟수에 대해서는 각자의 답을 말했는데, 동영상 중간 중간에 출현한 고릴라 복장의 사람에 대해서는 하나같이 보지 못했다고 답했다.** 참가자들이 패스 횟수를 세는 데 집중하느라 1분이 채 안 되는 동영상 가운데 9초에 걸쳐 등장하는 고릴라 복장의 사람을 인지하지 못한 것이다. A는 이 실험을 통해 다음의 결론을 도출했다. [(가)].
(가)의 근거 - 중요하게 생각하는 것만 기억함
결론

이 실험 결과를 우리의 일상에서도 확인해 볼 수 있다. 오토바이 운전자의 안전을 위해 눈에 잘 띄는 밝은색 옷을 입도록 권하는데, **밝은색 옷의 오토바이 운전자는 시각적으로 더 잘 보이고, 덕분에 더 쉽게 알아볼 수 있기 때문이다.)** 그렇다고 해도 **(모든 자동차 운전자가 밝은색 옷을 입은 오토바이 운전자를 다 알아보는 것은 아니다. 바라보는 행위는 인지의 [(나)] 없기 때문이다.**
(나)의 근거 - 시각이 인지의 충분조건은 아님
원인, 이유

① (가): 인간의 **인지는 시각**과 밀접하게 관련되어 있다
　(나): **충분조건**일 수 있어도 **필요조건**일 수는

② (가): 인간의 **인지는 시각**과 밀접하게 관련되어 있다
　(나): **필요조건**일 수 있어도 **충분조건**일 수는

③ (가): 인간은 중요하다고 생각하는 것 위주로 주의를 기울인다
　(나): **충분조건**일 수 있어도 **필요조건**일 수는

④ (가): 인간은 중요하다고 생각하는 것 위주로 주의를 기울인다
　(나): **필요조건**일 수 있어도 **충분조건**일 수는

STEP 1
선택지의 핵심 정보를 파악한다.
· (가): 인지와 시각의 관계
· (나): 필요조건, 충분조건

STEP 2
빈칸의 위치와 빈칸의 앞뒤 내용을 파악한 후 빈칸에 들어가야 할 내용을 추론한다.

〈빈칸의 위치 파악〉
· (가): 문단 끝부분에 위치하므로 실험의 '결론'이 들어가야 함
· (나): 문단의 끝부분에 위치하고 '~때문이다'라는 표현을 사용하므로 '원인, 이유'에 해당하는 내용이 들어가야 함

〈빈칸의 앞뒤 내용 파악〉
· (가) 앞의 내용: 실험 참가자들이 자기가 중요하게 생각하는 것(패스 횟수)만 기억하고 중요하게 생각하지 않는 것(고릴라 복장의 사람)은 기억하지 못함
→ 인간은 중요하다고 생각하는 것 위주로 주의를 기울인다
· (나) 앞의 내용: 밝은색 옷을 입으면 눈에 더 잘 띠나 모든 운전자가 밝은색 옷을 입은 사람을 다 알아보는 것은 아님
→ 필요조건일 수는 있어도 충분조건일 수는

해설　(가)와 (나)에 들어갈 내용으로 가장 적절한 것은 ④이다.

· (가): 1문단에서 실험 참가자들은 모두 중요하다고 생각하는 것(동영상 속 흰색 옷을 입은 사람들의 패스 횟수)에 주의를 기울이는 동안 고릴라 복장의 사람이 출현한 것을 인지하지 못했다. 이 실험을 통해 '인간은 중요하다고 생각하는 것 위주로 주의를 기울인다'라는 결론을 도출할 수 있다.

· (나): 2문단에서 오토바이 운전자가 밝은색 옷을 입으면 시각적으로 더 잘 보일 수는 있으나, 모든 자동차 운전자가 밝은색 옷을 입은 오토바이 운전자를 다 알아보는 것은 아니라고 말한다. 이는 바라보는 행위가 오토바이 운전자를 인지하기 위해 필요한 조건(필요조건)이긴 하나, 바라보는 것만으로 반드시 오토바이 운전자를 인지할 수 있는 것은 아니므로 충분한 조건(충분조건)일 수는 없다는 점을 의미한다.

01

다음 글의 빈칸에 들어갈 내용으로 가장 적절한 것은?

독자는 글을 읽을 때 생소하거나 이해하기 어려운 단어에 주시하는데, 이때 특정 단어에 눈동자를 멈추는 '고정'이 나타나며, 고정과 고정 사이에는 '이동', 단어를 건너뛸 때는 '도약'이 나타난다. 고정이 관찰될 때는 의미를 이해하려는 시도가 이루어지지만, 이동이나 도약이 관찰될 때는 이루어지지 않는다. 이를 바탕으로, K 연구진은 동일한 텍스트를 활용하여 읽기 능력 하위 집단(A)과 읽기 능력 평균 집단(B)의 읽기 특성을 탐색하는 연구를 진행하였다. 독서 횟수는 1회로 제한하되 독서 시간은 제한하지 않았다.

그 결과, 눈동자의 평균 고정 빈도에서 A 집단은 B 집단에 비해 약 2배 많은 수치를 보였다. 그런데 총 고정 시간을 총 고정 빈도로 나눈 평균 고정 시간은 B 집단이 A 집단에 비해 더 높게 나타났다. 읽기 후 독해 검사에서 B 집단은 A 집단보다 평균 점수가 높았고, 독서 과정에서 눈동자가 이전으로 돌아가거나 이전으로 건너뛰는 현상은 모두 관찰되지 않았다. 연구진은 이를 종합하여 읽기 능력이 부족한 독자는 읽기 능력이 평균인 독자에 비해 난해하다고 느끼는 단어들이 _____는 결론을 내렸다.

① 더 많지만 난해하다고 느끼는 각각의 단어를 이해하는 과정에 들이는 평균 시간은 더 적다

② 더 많고 난해하다고 느끼는 각각의 단어를 이해하는 과정에 들이는 평균 시간도 더 많다

③ 더 적지만 난해하다고 느끼는 각각의 단어를 이해하는 과정에 들이는 평균 시간은 더 많다

④ 더 적고 난해하다고 느끼는 각각의 단어를 이해하는 과정에 들이는 평균 시간도 더 적다

02

다음 글의 (가)와 (나)에 들어갈 말로 적절한 것은?

채식주의자는 고기, 생선, 유제품, 달걀 섭취 여부에 따라 다섯 가지로 나뉜다. 완전 채식주의자는 이들 모두를 섭취하지 않으며, 페스코 채식주의자는 고기는 섭취하지 않지만 생선은 먹으며, 유제품과 달걀은 개인적 선호에 따라 선택적으로 섭취한다. 남은 세 가지 채식주의자는 고기와 생선 모두를 먹지 않되 유제품과 달걀 중 어떤 것을 먹느냐의 여부로 결정된다. 이들의 명칭은 라틴어의 '우유'를 의미하는 '락토(lacto)'와 '달걀'을 의미하는 '오보(ovo)'를 사용해 정해졌는데, 예를 들어, 락토오보 채식주의자는 고기와 생선은 먹지 않으나 유제품과 달걀은 먹는다. 락토 채식주의자는 ____(가)____ 먹지 않으며, 오보 채식주의자는 ____(나)____ 먹지 않는다.

① (가): 달걀은 먹지만 고기와 생선과 유제품은
　 (나): 고기와 생선과 달걀은 먹지만 유제품은

② (가): 달걀은 먹지만 고기와 생선과 유제품은
　 (나): 유제품은 먹지만 고기와 생선과 달걀은

③ (가): 유제품은 먹지만 고기와 생선과 달걀은
　 (나): 고기와 생선과 유제품은 먹지만 달걀은

④ (가): 유제품은 먹지만 고기와 생선과 달걀은
　 (나): 달걀은 먹지만 고기와 생선과 유제품은

03

9급 출제기조 전환 예시문제

다음 글의 빈칸에 들어갈 결론으로 가장 적절한 것은?

신경 과학자 아이젠버거는 참가자들을 모집하여 실험을 진행하였다. 이 실험에서 그의 연구팀은 실험 참가자의 뇌를 'fMRI' 기계를 이용해 촬영하였다. 뇌의 어떤 부위가 활성화되는가를 촬영하여 실험 참가자가 어떤 심리적 상태인가를 파악하려는 것이었다. 아이젠버거는 각 참가자에게 그가 세 사람으로 구성된 그룹의 일원이 될 것이고, 온라인에 각각 접속하여 서로 공을 주고받는 게임을 하게 될 것이라고 알려주었다. 그런데 이 실험에서 각 그룹의 구성원 중 실제 참가자는 한 명뿐이었고 나머지 둘은 컴퓨터 프로그램이었다. 실험이 시작되면 처음 몇 분 동안 셋이 사이좋게 순서대로 공을 주고받지만, 어느 순간부터 실험 참가자는 공을 받지 못한다. 실험 참가자를 제외한 나머지 둘은 계속 공을 주고받기 때문에, 실험 참가자는 나머지 두 사람이 아무런 설명 없이 자신을 따돌린다고 느끼게 된다. 연구팀은 실험 참가자가 따돌림을 당할 때 그의 뇌에서 전두엽의 전대상피질 부위가 활성화된다는 것을 확인했다. 이는 인간이 물리적 폭력을 당할 때 활성화되는 뇌의 부위이다. 연구팀은 이로부터 ⬚⬚⬚⬚⬚⬚⬚는 결론을 내릴 수 있었다.

① 물리적 폭력은 뇌 전두엽의 전대상피질 부위를 활성화한다

② 물리적 폭력은 피해자의 개인적 경험을 사회적 문제로 전환한다

③ 따돌림은 피해자에게 물리적 폭력보다 더 심각한 부정적 영향을 미친다

④ 따돌림을 당할 때와 물리적 폭력을 당할 때의 심리적 상태는 서로 다르지 않다

04

(가)와 (나)에 들어갈 말로 가장 적절한 것은?

특정한 작업을 수행하기 위해 신체 근육의 특정 움직임을 조작하는 능력을 운동 능력이라고 한다. 언어에 관한 운동 능력은 '발음 능력'과 '필기 능력' 두 가지인데 모두 표현을 위한 능력이다.

말로 표현하기 위해서는 발음 능력이 필요한데, 이는 음성 기관을 움직여 원하는 음성을 만들어 내는 능력이다. 이 능력은 영·유아기에 수많은 시행착오와 꾸준한 훈련을 통해 습득된다. 이렇게 발음 능력을 습득하면 음성 기관의 움직임은 자동화되어 음성 기관의 어느 부분을 언제 어떻게 움직일지를 화자가 거의 의식하지 않는다. 우리가 모어에 없는 외국어 음성을 발음하기 어려운 이유는 ⬚⬚(가)⬚⬚ 있기 때문이다.

글로 표현하기 위해서는 필기 능력이 필요하다. 필기에서는 글자의 모양을 서로 구별되게 쓰는 것은 기본이고 그 수준을 넘어서서 쉽게 알아볼 수 있는 모양으로 잘 쓰는 것도 필요하다. 글씨를 쓰기 위해 손을 놀리는 것은 발음을 하기 위해 음성 기관을 움직이는 것에 비해 상당히 의식적이라 할 수 있다. 그렇지만 개인의 의지와 관계없이 필체가 꽤 일정하다는 사실은 손을 놀리는 데에 ⬚⬚(나)⬚⬚ 의미한다.

① (가): 음성 기관의 움직임이 모어의 음성에 맞게 자동화되어
  (나): 무의식적이고 자동적인 면이 있음을

② (가): 낯선 음성은 무의식적으로 발음하도록 훈련되어
  (나): 유아기에 수행한 훈련이 효과적이지 않음을

③ (가): 음성 기관의 움직임이 모어의 음성에 맞게 자동화되어
  (나): 유아기에 수행한 훈련이 효과적이지 않음을

④ (가): 낯선 음성은 무의식적으로 발음하도록 훈련되어
  (나): 무의식적이고 자동적인 면이 있음을

2장 추론 및 비판적 독해 해커스공무원 국어 1권 독해+논리

02 빈칸 및 이어질 내용 추론하기 **101**

05

다음 글의 맥락을 고려할 때 빈칸에 들어갈 말로 가장 적절한 것은?

> 능숙한 필자와 미숙한 필자는 글쓰기 과정 중 '계획하기'에서 뚜렷한 차이를 보인다. 전자는 이 과정에 오랜 시간 공을 들이는 반면, 후자는 그렇지 않다. 글쓰기에서 계획하기는 글쓰기의 목적 수립, 주제 선정, 예상 독자 분석 등을 포함한다. 이 중 예상 독자 분석이 중요한 이유는 [   ] 때문이다. 글을 쓸 때 독자의 수준에 비해 너무 어려운 개념과 전문용어를 사용한다면 독자가 글을 이해하기 어렵게 된다. 글쓰기는 필자가 글을 통해 자신의 메시지를 독자에게 전달하는 행위라는 점을 고려하면 계획하기 단계에서 반드시 예상 독자를 분석해야 한다.

① 계획하기 과정이 글쓰기 전체 과정의 첫 단계이기

② 글에 어려운 개념이나 전문용어를 어느 정도 포함해야 하기

③ 필자의 메시지를 독자에게 효과적으로 전달하는 데 도움이 되기

④ 독자의 배경지식 수준을 고려해야 글의 목적과 주제가 결정되기

06

다음 글의 맥락을 고려할 때 빈칸에 들어갈 내용으로 가장 적절한 것은?

> 사람들은 법을 자유와 대립하는 것으로 착각하여 법을 혐오하는 경향이 있다. 그러나 모든 국민이 법 없이 최대의 자유를 누리는 이상적인 사회질서를 주장했던 자유지상주의는 환상에 지나지 않는다. 몽테스키외는 인간이 법과 동시에 자유를 가졌다고 말했다. 또한 인간이 법 밖에서 자유를 찾으려 한다면, 주인의 집을 도망쳐 나온 정처 없는 노예처럼 된다고 하였다. 자유는 정당한 행위를 할 수 있는 상태를 의미한다. 그렇다면 자유는 정의를 실현하는 올바른 사회질서에 의해서만 보장될 수 있다. 따라서 법이 없다면 자유도 없다고 할 수 있다. 왜냐하면 [   ] 때문이다. 결국 자유와 법은 대립하는 것이 아니다.

① 법은 정당한 행위를 할 수 있는 상태의 실현 가능성을 높이기

② 자유가 없다면 정의를 실현하는 올바른 사회질서도 확립될 수 없기

③ 정의를 실현하는 올바른 사회질서는 법에 의해서만 확립될 수 있기

④ 법과 자유가 있다면 정의를 실현하는 올바른 사회질서가 확립될 수 있기

07

다음 글의 맥락을 고려할 때 (가)와 (나)에 들어갈 내용으로 가장 적절한 것은?

> 육각형의 벌집 모양은 자연이 만든 경이로운 디자인이다. 이 벌집의 과학적인 구조는 역사적으로 경탄의 대상이었는데, 다윈은 벌집을 경이롭고 완벽한 과학이라고 평가했다. 벌집의 정육각형 구조는 구멍과 구멍 사이의 간격을 최소화하면서 공간을 최대화할 수 있는 가장 안정적인 형태이다. 이 구조는 [(가)   ]는 이점이 있다. 벌이 밀랍 1온스를 만들려면 약 8온스의 꿀을 먹어야 한다. 공간이 최적화됨으로써 필요한 밀랍의 양이 줄어, 벌집을 짓는 데드는 노력과 에너지가 최소화된다. 이처럼 벌집은 과학적으로 탄탄하고 기술적으로 효율적인 디자인이다. 게다가 예술적으로 아름다운 것은 두말할 필요 없다. 견고하고 가볍고 실용적이면서 아름답기까지 한 이 구조를 닮은 건축 양식이나 각종 생활용품을 흔히 발견할 수 있다. 이는 [(나)   ]는 뜻이다.

① (가): 벌집을 짓는 데 소요되는 노동량을 최대화한다

  (나): 자연의 구조인 벌집이 인간의 창조 활동에 영감을 주었다

② (가): 벌집을 짓는 데 소요되는 노동량을 최대화한다

  (나): 인간이 만든 디자인은 자연이 만든 디자인보다 뛰어날 수 없다

③ (가): 벌집을 짓기 위해 필요한 밀랍의 양이 적게 든다

  (나): 자연의 구조인 벌집이 인간의 창조 활동에 영감을 주었다

④ (가): 벌집을 짓기 위해 필요한 밀랍의 양이 적게 든다

  (나): 인간이 만든 디자인은 자연이 만든 디자인보다 뛰어날 수 없다

08

다음 글의 맥락을 고려할 때 (가)와 (나)에 들어갈 내용으로 가장 적절한 것은?

> 비버는 강한 이빨과 턱으로 거대한 나무를 갉아 쓰러뜨리고 댐을 건설하여 서식지를 구축한다. 나뭇가지와 진흙 구조물로 댐을 만들고, 개울물을 막아 큰 연못과 집을 만든다. 비버는 물속에 집의 입구를 만드는데 이 구조는 비버가 포식자로부터 안전하게 보호받을 수 있게 해준다. 또한 비버가 만든 댐으로 물의 흐름이 약해지면서 습지가 생기고, 습지에 다양한 식물이 자라면서 동물들이 모이게 된다. 이렇듯 비버가 만든 댐은 [(가)   ]
>
> 비버는 다른 비버가 침입하지 못하게 자신의 서식지 근처에 항문의 냄새를 묻히고, 적을 발견하면 넓은 꼬리로 물을 강하게 내리쳐 무리에게 경고 신호를 보내기도 한다. 이는 [(나)   ]임을 알려 준다.

① (가): 새로운 생태계를 조성하기도 한다.

  (나): 비버가 세력권을 가지고 있는 동물

② (가): 새로운 생태계를 조성하기도 한다.

  (나): 비버가 예민하고 독립적인 성격의 동물

③ (가): 자연의 섭리를 거스르기도 한다.

  (나): 비버가 세력권을 가지고 있는 동물

④ (가): 자연의 섭리를 거스르기도 한다.

  (나): 비버가 예민하고 독립적인 성격의 동물

09

(가)에 들어갈 말로 가장 적절한 것은?

> 자기지향적 동기와 타인지향적 동기는 행위의 적극성과 어떤 관계가 있을까? A는 자율 방범대원들에게 이 일의 자원 동기에 대해 물어보았다. 자기지향적 동기만 말한 사람과 타인지향적 동기만 말한 사람, 그리고 둘 다 말한 사람이 고르게 분포되었다. 그 후 설문에 참여한 사람들이 2개월간 방범 순찰에 참여한 횟수를 살펴보았다. 그 결과 자기지향적 동기를 말한 사람들 모두가 자기지향적 동기를 말하지 않은 사람들보다 순찰 횟수가 더 많은 것으로 나타났다. 그리고 전자 중 타인지향적 동기를 말한 사람들의 순찰 횟수가 그렇지 않은 사람들보다 유의미하게 많은 것으로 나타났다. A는 이를 토대로 　(가)　고 추정하였다.

① 자기지향적 동기만 가진 사람은 타인지향적 동기만 가진 사람보다 행위의 적극성이 높다

② 타인지향적 동기를 가진 사람은 자기지향적 동기를 가진 사람보다 행위의 적극성이 높다

③ 자기지향적 동기는 행위의 적극성에 긍정적 영향을 주기도 하고 부정적 영향을 주기도 한다

④ 자기지향적 동기가 행위의 적극성에 긍정적 영향을 주는 경우 타인지향적 동기는 부정적 영향을 준다

10

글의 통일성을 고려할 때 (가)에 들어갈 말로 가장 적절한 것은?

> 혼정신성(昏定晨省)이란 저녁에는 부모님의 잠자리를 봐 드리고 아침에는 문안을 드린다는 뜻으로 자식이 아침저녁으로 부모의 안부를 물어 살핌을 뜻하는 말로 '예기(禮記)'의 '곡례편(曲禮篇)'에 나오는 말이다. 아랫목 요에 손을 넣어 방 안 온도를 살피면서 부모님께 문안을 드리던 우리의 옛 전통은 온돌을 통한 난방 방식과 관련 깊다. 온돌을 통한 난방 방식은 방바닥에 깔려 있는 돌이 열기로 인해 뜨거워지고, 뜨거워진 돌의 열기로 방바닥이 뜨거워지면 방 전체에 복사열이 전달되는 방법이다. 방바닥 쪽의 차가운 공기는 온돌에 의해 따뜻하게 데워지므로 위로 올라가고, 위로 올라간 공기가 다시 식으면 아래로 내려와 다시 데워져 위로 올라가는 대류 현상으로 인해 결국 방 전체가 따뜻해진다. 벽난로를 통한 서양식의 난방 방식은 복사열을 이용하여 상체와 위쪽 공기를 데우는 방식인데, 대류 현상으로 바닥 바로 위 공기까지는 따뜻해지지 않는다. 그 이유는 　(가)　.

① 벽난로에 의한 난방은 방바닥의 따뜻한 공기가 위로 올라가 식으면 복사열로 위쪽의 공기만을 따뜻하게 하기 때문이다

② 벽난로에 의한 난방이 복사열에 의한 난방에서 대류 현상으로 인한 난방이라는 순서로 이루어졌기 때문이다

③ 대류 현상을 통한 난방 방식은 상체와 위쪽의 공기만 따뜻하게 하기 때문이다

④ 상체와 위쪽의 따뜻한 공기는 차가운 바닥으로 내려오지 않기 때문이다

11

2023 군무원 7급

다음 글의 (가)에 들어갈 단어는?

> 한자는 늘 그 많은 글자의 수 때문에 나쁜 평가를 받아왔다. 한글 전용론자들은 그걸 배우느라 아까운 청춘을 다 버려야 하겠느냐고도 한다. 그러나 헨드슨 교수는 이 점에 대해서도 명쾌하게 설명한다. 5만 자니 6만 자니 하며 그 글자 수의 많음을 부각시키는 것은 사람들을 오도한다는 것이다. 중국에서조차 1,000자가 현대 중국어 문헌의 90%를 담당하고, 거기다가 그 글자들이 뿔뿔이 따로 만들어진 것이 아니고 대부분 (가)와/과 같은 방식으로 만들어져 그렇게 대단한 부담이 아니라는 것이다.

① 상형(象形)

② 형성(形聲)

③ 회의(會意)

④ 가차(假借)

12

다음 글의 맥락을 고려할 때 빈칸에 들어갈 내용으로 가장 적절한 것은?

> 표현의 자유는 민주주의 사회의 기본적 권리이다. 헌법은 누구나 자기의 의견을 자유롭게 표현할 수 있도록 표현의 자유를 보장한다. 하지만 온라인 공간에서 무분별하게 사용되는 혐오 표현이 단순히 표현에 머무르지 않고, 차별을 선동하고 물리적 폭력을 가하는 사례로 이어지면서 표현의 자유에 대한 규제가 필요하다는 목소리가 나오고 있다. 법적으로 혐오 표현의 정의를 내리고, 그 경계를 정하는 것은 생각보다 복잡하다. 또한 표현의 자유에 혐오 표현이 속하는지도 문제가 된다. 그렇다면 민주주의에서 표현의 자유는 어디까지 허용이 되는가. 표현의 자유는 보장되어야 하지만, 그것이 민주주의에서 인정하는 다른 가치를 훼손하면 안 된다. '나'의 표현의 자유가 '남'의 존엄성과 평등을 보장받는 권리를 침해하면 안 된다는 것이다. 즉, _____

① 표현의 자유가 보장될수록 민주주의는 발전하게 된다.

② 민주주의에서 권리를 유지하기 위해서는 권리 간의 균형이 필요하다.

③ 혐오 표현으로 권리를 침해받은 대상을 보호하는 제도를 구축해 포용적인 문화 환경을 조성해야 한다.

④ 권리의 행사가 사회적 갈등을 조장한다고 하여도 민주주의에서 보장되는 권리는 마땅히 보호되어야 한다.

13

(가)에 들어갈 말로 가장 적절한 것은?

스포츠 경기를 보다 보면 시상식에서 은메달을 딴 선수보다 동메달을 딴 선수의 표정이 더 밝은 것을 종종 볼 수 있다. 심리학에서는 이러한 표정 차이의 원인이 '사후 가정 사고'에 있다고 해석한다. 사후 가정 사고란 일어날 수도 있었지만 결국 일어나지 않은 가상의 상황을 상상하는 것을 의미한다. 앞선 사례에 대입해 보자면 은메달리스트는 '조금만 더 잘했더라면 금메달을 딸 수 있었는데'라는 상향적 사후 가정 사고를 했고, 동메달리스트는 '하마터면 메달을 못 딸 뻔했네'라는 하향적 사후 가정 사고를 했을 가능성이 높다.

인간은 보통 상향적 사후 가정 사고를 하는 경우가 많기 때문에 해도 후회, 안 해도 후회하는 상황에 빈번히 놓이게 된다. 길로비치와 메드벡의 연구에 따르면 단기적으로는 이미 한 행동에 대한 후회가 컸지만, 장기적으로는 하지 않은 행동에 대한 후회가 컸다. 이는 곧 [(가)]을 의미한다. 당장은 후회할 수 있어도 나중에 되돌아보면 행동하지 않아서 생기는 후회가 더 큰 후유증을 남기기 때문이다.

① 사후 가정 사고가 개인의 삶에 미치는 부정적 영향

② 할까 말까 고민이 들 때 일단 해보는 것도 나쁘지 않음

③ 특정 행동에 대한 후회의 크기는 기간에 따라 달라질 수 있음

④ 상향적 사후 가정 사고보다 하향적 사후 가정 사고를 할 때 만족도가 높음

14

다음 글의 맥락을 고려할 때 빈칸에 들어갈 말로 가장 적절한 것은?

독서는 의미 구성 행위이자, 의사소통 행위이다. 독자는 자신의 배경지식, 경험, 신념을 적극적으로 동원하여 자기 나름으로 의미를 구성한다.

독자는 독서를 통해 책과 소통하는 즐거움을 경험한다. 이때 독서는 필자와 간접적으로 대화를 나누는 것이다. 독자는 자신이 속한 사회나 시대의 영향 아래 필자가 속해 있거나 드러내고자 하는 사회나 시대를 경험한다. 직접 경험하지 못했던 다양한 삶을 필자를 매개로 만나고 이해하면서 독자는 더 넓은 시야로 세계를 바라볼 수 있다. 이때 같은 책을 읽은 독자라도 독자의 배경지식이나 관점 등의 독자 요인, 읽기 환경이나 과제 등의 상황 요인이 다르므로, [   ]

① 필자가 독자에게 전달하고자 하는 의미를 그대로 수용한다.

② 필자가 보여 주는 세계와 별개로 전혀 다른 새로운 의미를 구성할 수 있다.

③ 독자는 상황 요인을 적절히 통제하여 다른 독자들과의 의미 차이를 최소화해야 한다.

④ 필자가 보여 주는 세계를 그대로 수용하지 않고 저마다 소통 과정에서 다른 의미를 구성할 수 있다.

15

다음 글의 빈칸에 들어갈 결론으로 가장 적절한 것은?

심리학자 데시와 라이언(decy & ryan)은 인간이 주어진 환경에서 어떻게 반응할지 스스로 결정하는 것을 의미하는 '자기 결정'을 외재적 동기와 내재적 동기의 관계를 통해 설명한다. 이때 외재적 동기는 과제 수행의 결과가 가져다주는 보상이나 벌에서 비롯되는 동기를, 내재적 동기는 과제 자체를 수행하는 과정에서 얻는 즐거움에서 유발되는 동기를 의미한다.

1단계는 '무동기' 상태이다. 이는 과제를 수행할 동기가 존재하지 않는 것으로, 이 상태에서는 과제 수행에 가치를 두지 않는다. 2단계는 '외적 조절'이다. 이 단계는 보상을 획득하거나 위협을 피하고자 주어진 행동을 하는 것으로, 외적인 자극(보상, 벌) 없이는 스스로 행동하지 않는다. 3단계는 '내사 조절'이다. 이 단계에서는 외적인 자극이 직접적으로 제시되지는 않지만, 죄책감 또는 과제를 수행해야만 한다는 압박감에 의해 동기화된다. 이때 어느 정도는 자기 결정적인 행동을 한다고 할 수는 있으나, 통제감이나 구속감을 느끼게 된다. 4단계는 앞 단계보다 더 자기 결정성을 보이는 '동일시 조절'이다. 이 단계는 과제를 수행하는 것을 통해 얻는 장점과 과제의 중요성을 수용하는 단계에 해당하는 것으로 학생이 공부의 중요성을 깨닫는 것과 같다. 5단계는 '통합 조절'이다. 이 단계에서는 외재적 동기 중 가장 자율성이 높은 방식으로 4단계에서 깨달은 과제의 가치를 온전히 자신의 가치관과 통합하는 단계이다. 이와 같은 과정을 거쳤을 때, 인간은 비로소 특정 과제 수행에 대한 내재적 동기를 갖추게 되고 스스로 자기 결정을 할 수 있게 된다. 이를 통해

_____

① 외재적 동기보다 내재적 동기를 유발하는 것이 학습자의 성장에 더 큰 도움이 됨을 알 수 있다.

② 학습자의 지적 수준에 맞게 내재적 동기와 외재적 동기를 적절히 사용해야 함을 알 수 있다.

③ 외재적 동기는 내재적 동기 유발의 방해물이며, 외재적 동기에서 벗어날 때 내재적 동기를 유발할 수 있다.

④ 내재적 동기와 외재적 동기는 연속선상에 있으며, 외재적 동기는 내재적 동기 유발의 바탕이 됨을 알 수 있다.

정답 및 해설 p.61

03 사례 추론하기

☐ 유형 소개

· '사례 추론하기' 유형은 글에서 파악한 바를 다른 글이나 대상, 현상에 적용할 수 있는지를 묻는 유형이다.
· 글에 적용할 수 있는 대상이나 사례를 찾는 문제 등이 모두 이 유형에 속한다.
· 제시된 원리, 이론을 간단하게 기호화해 두면 원리, 이론을 정확하게 파악할 수 있을 뿐만 아니라 선택지와 〈보기〉에 원리, 이론을 적용하는 과정에서 발생할 수 있는 오류를 최소화할 수 있다.

☐ 출제 경향

· 언어학, 심리학, 과학 원리, 사회 현상과 관련된 이론이나 원리를 제시한 뒤 선택지나 〈보기〉에서 해당 이론, 원리를 적절하게 적용하였는지 판단하는 문제가 출제되고 있다.
· 글에 제시된 필자의 관점이나 견해를 선택지나 〈보기〉에 적절하게 적용하였는지 판단하는 문제가 출제되고 있다.

☐ 단계별 문제 풀이 전략

STEP 1 글에 제시된 원리, 이론의 내용을 정확히 파악한다.

· 원리, 이론의 내용이 복잡할 경우에는 기호를 통해 지문의 내용을 간략하게 정리하면 쉽게 이해할 수 있다.

> 예 정적 상관관계와 부적 상관관계
> – 정적 상관계수: A값↑ → B값↑ or A값↓ → B값↓
> – 부적 상관계수: A값↑ → B값↓ or A값↓ → B값↑

STEP 2 글에서 파악한 원리, 이론을 선택지에 적용하여 적절성을 확인한다.

· 이론, 원리와 선택지에 제시된 사례의 내용을 일대일로 대조하며 사례의 적절성을 판단한다.

> 예 ① 학습 시간이 많을수록 성적이 향상되었다는 연구 결과는 두 변인이 정적 상관관계에 있음을 의미한다. ➡ A와 B가 정적 상관관계에
>   A(학습 시간)↑   B(성적)↑   해당함을 알 수 있음

☐ 전략 적용하기

다음 글에서 추론한 내용으로 가장 적절한 것은?

2023 국가직 9급

공포의 상태와 불안의 상태를 구분하는 것은 쉽지 않다. 왜냐하면 두 감정을 함께 느끼거나 한 감정이 다른 감정을 유발할 때가 많기 때문이다. 가령, 무시무시한 전염병을 목도하고 공포에 빠진 사람은 자신도 언젠가 그 병에 걸릴지 모른다는 불안 상태에 빠지게 된다. 이처럼 두 감정은 서로 밀접하게 얽혀 있다는 점에서 혼동하기 쉽다. 하지만 두 감정을 야기한 원인을 따져 보면 두 감정을 명확하게 구분할 수 있다. 공포는 실재하는 객관적 위협에 의해 야기된 상태를 의미하고, 불안은 현재 발생하지 않았으며 미래에 일어날지 모르는 불명확한 위협에 의해 야기된 상태를 의미한다. 공포와 불안의 감정은 둘 다 자아와 관련되어 있지만 여기에서도 차이를 찾을 수 있다. 공포를 느끼는 것은 '나 자신'이 위험한 상황에 놓여 있다는 사실을 아는 것이고, 불안의 경험은 '나 자신'이 위해를 입을까봐 걱정하는 것이다.

선택지 ④의 근거
선택지 ② ③의 근거
선택지 ①의 근거

① 자신이 처한 위험한 상황을 정확히 인식하는 경우에는 공포감에 비해 불안감이 더 크다.

☑ 전기·가스 사고가 날까 두려워 외출하지 못하는 사람은 불안한 상태에 있는 것이다.

③ 시험에 불합격할 수 있다는 생각에 사로잡힌 사람은 공포감에 빠져 있는 것이다.

④ 과거에 큰 교통사고를 경험한 사람은 공포감은 크지만 불안감은 작다.

STEP 1

글에 제시된 원리, 이론의 내용을 정확히 파악한다.

〈공포와 불안의 차이〉

· 감정 유발 원인
  (1) 공포: 실재하는 객관적 위협에 의해 야기됨
  (2) 불안: 현재 발생하지 않았으며 미래에 일어날지 모르는 불명확한 위협에 의해 야기됨

· 자아
  (1) 공포: '나 자신'이 위험에 처해 있음을 아는 것
  (2) 불안: '나' 자신이 위해를 입을까봐 걱정하는 것

STEP 2

글에서 파악한 원리, 이론을 선택지에 적용하여 적절성을 확인한다.

· ①: × 공포를 느끼는 상황임
· ②: ○
· ③: × 불안을 느끼는 상황임
· ④: × 공포와 불안을 모두 느끼는 상황임

→ ② 제시문 끝에서 4~5번째 줄에 따르면, 불안은 현재 발생하지 않으며 미래에 일어날지 모르는 불명확한 위협에 의해 야기된 상태이다. ②에서 말한 '전기·가스 사고'는 미래에 일어날지 모르는 불명확한 위협에 해당하므로, 이로 인해 두려워서 외출을 못하는 사람은 불안한 상태에 있다고 볼 수 있다.

 오답 분석

① 제시문 마지막 문장에서 공포를 느끼는 것은 '나 자신'이 위험한 상황에 놓여 있다는 사실을 아는 것이고, 불안의 경험은 '나 자신'이 위해를 입을까 봐 걱정하는 것이라고 설명한다. 이에 따르면 ①의 '자신이 처한 위험한 상황을 정확히 인식하는 경우'는 공포를 느끼는 것에 해당하므로, 공포감에 비해 불안감이 더 크다는 설명은 적절하지 않다.

③ 제시문 끝에서 4~5번째 줄에 따르면, 불안은 현재 발생하지 않으며 미래에 일어날지 모르는 불명확한 위협에 의해 야기된 상태이다. ③에서 말한 '시험에 불합격할 수 있다는 생각'은 미래에 일어날지 모르는 불명확한 위협에 해당하므로, 이러한 생각에 사로잡힌 사람은 공포감이 아닌 불안감에 빠져 있다고 볼 수 있다.

④ 제시문은 공포와 불안 두 감정을 함께 느끼거나 한 감정이 다른 감정을 유발할 때가 많다고 말하며, 전염병을 목도하고 공포에 빠진 사람은 자신도 언젠가 그 병에 걸릴지 모른다는 불안 상태에 빠지게 된다고 설명한다. 이처럼 과거에 큰 교통사고를 경험한 사람은 실재하는 객관적 위협으로 인해 공포감이 크고, 미래에 또다시 교통사고가 일어날지도 모른다는 불명확한 위협으로 인해 불안감도 클 것이다.

유형 공략 문제

01

다음 글에서 추론한 내용으로 적절하지 않은 것은?

한글은 소리를 나타내는 표음문자여서 한국어 문장을 읽는 데 학습해야 할 글자가 적지만, 한자는 음과 상관없이 일정한 뜻을 나타내는 표의문자여서 한문을 읽는 데 익혀야 할 글자 수가 훨씬 많다. 이러한 번거로움에도 한글과 달리 한자가 갖는 장점이 있다. 한글에서는 동음이의어, 즉 형태와 음이 같은데 뜻이 다른 단어가 많아 글자만으로 의미를 파악하지 못하는 경우가 많다. 하지만 한자는 그렇지 않다. 예컨대, 한글로 '사고'라고만 쓰면 '뜻밖에 발생한 사건'인지 '생각하고 궁리함'인지 구별할 수 없다. 한자로 전자는 '事故', 후자는 '思考'로 표기한다. 그런데 한자는 문맥에 따라 같은 글자가 다른 뜻으로 쓰이지는 않지만 다른 문장성분으로 사용되기도 해 혼란을 야기한다. 가령 '愛人'은 문맥에 따라 '愛'가 '人'을 수식하는 관형어일 때도, '人'을 목적어로 삼는 서술어일 때도 있는 것이다.

① 한문은 한국어 문장보다 문장성분이 복잡하다.

② '淨水'가 문맥상 '깨끗하게 한 물'일 때 '淨'은 '水'를 수식한다.

③ '愛人'에서 '愛'의 문장성분이 바뀌더라도 '愛'는 동음이의어가 아니다.

④ '의사'만으로는 '병을 고치는 사람'인지 '의로운 지사'인지 구별할 수 없다.

02

하버마스의 주장에 부합하는 사례로 가장 적절한 것은?

하버마스는 18세기부터 현대까지 미디어의 등장 배경과 발전 과정을 분석하면서, 공공 영역의 부상과 쇠퇴를 추적했다. 하버마스에게 공공 영역은 일반적 쟁점에 대한 토론과 의견을 형성하는 공공 토론의 민주적 장으로서 역할을 한다.

하버마스는 17세기와 18세기 유럽 도시의 살롱에서 당시의 공공 영역을 찾았다. 비록 소수의 사람들만이 살롱 토론 문화에 참여했으나, 공공 토론을 통해 정치적 문제를 해결하는 논리를 도입할 수 있었기 때문에 살롱이 초기 민주주의 발전에 중요한 역할을 했다고 그는 주장한다. 적어도 살롱 문화의 원칙에서 공개적 토론을 위한 공공 영역은 각각의 참석자들에게 동등한 자격을 부여했다.

그러나 하버마스에 따르면, 현대 사회에서 민주적 토론은 문화 산업의 발달과 함께 퇴보했다. 대중매체와 대중오락의 보급은 공공 영역이 공허해지는 원인으로 작용했다. 상업적 이해관계는 공공의 이해관계에 우선하게 되었다. 공공 여론은 개방적이고 합리적 토론을 통해서가 아니라 광고에서처럼 조작과 통제를 통해 형성되고 있다.

미디어가 점차 상업화되면서 하버마스가 주장한 대로 공공 영역이 침식당하고 있다. 상업화된 미디어는 광고 수입에 기대어 높은 시청률과 수익을 보장하는 콘텐츠 제작만을 선호하게 되었다. 그 결과 공적 주제에 대한 시민들의 논의와 소통의 장이 줄어들어 결과적으로 공공 영역이 축소되었다. 많은 것을 약속한 미디어는 이제 민주주의 문제의 일부로 변해 버린 것이다.

① 살롱 문화에서 특정 사회 계층에 대한 비판적인 토론은 허용되지 않았다.

② 인터넷의 발달과 보급은 상업적 광고뿐만 아니라 공익 광고도 증가시켰다.

③ 글로벌 미디어가 발달하더라도 국제 사회의 공공 영역은 공허해지지 않는다.

④ 수익성 위주의 미디어 플랫폼과 콘텐츠가 더 많아지면서 민주적 토론이 감소되었다.

03

2021 국가직 9급

다음 글에서 추론한 내용으로 적절하지 않은 것은?

과학의 개념은 분류 개념, 비교 개념, 정량 개념으로 구분할 수 있다. 식물학과 동물학의 종, 속, 목처럼 분명한 경계를 가지고 대상들을 분류하는 개념들이 분류 개념이다. 어린이들이 맨 처음에 배우는 단어인 '사과', '개', '나무' 같은 것 역시 분류 개념인데, 하위 개념으로 분류할수록 그 대상에 대한 정보가 더 많이 전달된다. 또한, 현실 세계에 적용 대상이 하나도 없는 분류 개념도 있을 수 있다. 예를 들어 '유니콘'이라는 개념은 '이마에 뿔이 달린 말의 일종임' 같은 분명한 정의가 있기에 '유니콘'은 분류 개념으로 인정되는 것이다.

'더 무거움', '더 짧음' 등과 같은 비교 개념은 분류 개념보다 설명에 있어서 정보 전달에 더 효과적이다. 이것은 분류 개념처럼 자연의 사실에 적용되어야 하지만, 분류 개념과 달리 논리적 관계도 반드시 성립해야 한다. 예를 들면, 대상 A의 무게가 대상 B의 무게보다 더 무겁다면, 대상 B의 무게가 대상 A의 무게보다 더 무겁다고 말할 수 없는 것처럼 '더 무거움' 같은 비교 개념은 논리적 관계를 반드시 따라야 한다.

마지막으로 정량 개념은 비교 개념으로부터 발전된 것인데, 이것은 자연의 사실로부터 파악할 수 있는 물리량을 측정함으로써 만들어진다. 물리량을 측정하기 위해서는 몇 가지 규칙이 필요한데, 그 규칙에는 두 물리량의 크기를 비교하는 경험적 규칙과 물리량의 측정 단위를 정하는 규칙 등이 포함된다. 이러한 정량 개념은 자연에 의해서 주어지는 것이 아니라 우리가 자연현상에 수를 적용하는 과정에서 생겨나는 것이다. 정량 개념은 과학의 언어를 수많은 비교 개념 대신 수를 사용할 수 있게 하여 과학 발전의 기초가 되었다.

① '호랑나비'는 '나비'와 동일한 종에 속하지만, 나비에 비해 정보량이 적다.

② '용(龍)'은 현실 세계에 적용할 수 있는 지시물이 없더라도 분류 개념으로 인정된다.

③ '꽃'이나 '고양이'와 같은 개념은 논리적 관계를 따라야 하는 것은 아니기 때문에 비교 개념에 포함되지 않는다.

④ 물리량을 측정할 수 있는 'cm'나 'kg'과 같은 측정 단위는 자연현상에 수를 적용할 수 있게 해 주었다.

04

2021 지방직 9급

글쓴이의 견해에 부합하는 대응으로 가장 적절한 것은?

정중하고 단호한 태도를 보이는 것과, 수동적이거나 공격적인 반응을 하는 것은 엄청난 차이가 있다. 수동적인 사람들은 마음속에 있는 자신의 생각을 표현하면 분란이 일어날까 봐 두려워한다. 그러나 자신의 의견을 말하지 않는 한 자신이 원하는 것을 얻을 수는 없다. 이와 반대로 공격적인 태도는 자신의 권리를 앞세워 생각해서 남을 희생시켜서라도 자신이 원하는 것을 얻으려는 것이다. 공격적인 사람은 사람들이 싫어하는 행동을 하곤 한다. 그러나 단호한 반응은 공격적인 반응과 다르다. 단호한 반응은 다른 사람의 권리를 침해하지 않으면서 자신의 권리를 존중하고 지키겠다는 것이다. 이것은 상대방을 배려하는 태도를 보여 준다. 상대방을 존중하면서도 얼마든지 자신의 의견을 내세울 수 있다. 단호한 주장은 명쾌하고 직접적이며 요점을 찌른다.

그럼 실제로 연습해 보자. 어느 흡연자가 당신의 차 안에서 담배를 피워도 되는지 묻는다. 당신은 담배 연기를 싫어하고 건강에 해롭다는 것도 잘 알고 있어 달갑지 않다. 어떻게 대응하는 것이 좋을까?

① 좀 그러긴 하지만, 괜찮아요. 창문 열고 피우세요.

② 안 되죠. 흡연이 얼마나 해로운데요. 좀 참아 보시겠어요.

③ 안 피우시면 좋겠어요. 연기가 해롭잖아요. 피우고 싶으시면 차를 세워 드릴게요.

④ 물어봐 줘서 고마워요. 피워도 그렇고 안 피워도 좀 그러네요. 생각해 보시고서 좋은 대로 결정하세요.

05

밑줄 친 ⊙의 구체적 사례로 가장 적절한 것은?

> 의사소통과 관련된 수많은 연구 결과에 따르면 정보 전달을 위해서 우선적으로 음성 언어가 사용되고, ⊙ 동작 언어는 사람과 사람 사이의 태도를 변화시키며, 어떤 경우에는 음성 언어의 대체로서 동작 언어가 사용된다는 데에 동의한다. 의사소통 시 동작 언어가 전달하는 정보의 양이 65%~70%에 해당되고, 음성 언어는 약 30~35%의 정보만을 전달한다는 버드휘스텔(Birdwhistel)의 연구를 통해 보더라도, 대화에서 동작 언어가 차지하는 비중은 대단히 크다는 것을 알 수 있다. 그러나 동작 언어 안에 감싸여 있는 것이 음성 언어이기 때문에, 이들 두 가지를 따로 떼어놓는다는 것은 거의 불가능한 일이다.
>
> 동작 언어를 사용하고 이해하는 능력이 선천적인 것인지, 체험에서 얻어지는 것인지, 유전적으로 전이되는 것인지, 그렇지 않으면 어떤 다른 방법으로 습득되는 것인지에 대해 많은 연구와 조사가 있었다.

① A는 외국어를 잘하지 못하지만 길에서 만난 외국인에게 몸짓을 해가며 길을 설명해 주었다.

② B는 친구들에게 화가 나지 않았다고 대답하였지만 빨개진 얼굴 때문에 기분을 감출 수가 없었다.

③ C는 못생긴 외모의 남자가 마음에 들지 않았지만, 밝은 표정으로 대화하는 남자의 태도를 보고 호감이 생겼다.

④ D는 멀리 서 있는 사람이 친구인지 아닌지 헷갈렸지만 먼저 손을 흔드는 모습을 보고 친구임을 알 수 있었다.

06

밑줄 친 부분에 해당하는 예시로 적절한 것은?

> 사람들은 어떤 결과에는 항상 그에 상응하는 원인이 존재한다고 생각한다. 원인과 결과의 필연성은 개별적인 사례들을 통해 일반화될 수 있다. 가령 A라는 사람이 스트레스로 병에 걸렸고, B도 스트레스로 병에 걸렸다면 이런 개별적인 사례들로부터 '스트레스가 병의 원인이다.'라는 일반적인 인과가 도출된다. 이때 개별적인 사례에 해당하는 인과를 '개별자 수준의 인과'라 하고 일반적인 인과를 '집단 수준의 인과'라 한다. 사람들은 오랫동안 이러한 집단 수준의 인과가 필연성을 지닌다고 믿어 왔다.
>
> 그런데 집단 수준의 인과를 필연적인 것이 아니라 개연적인 것으로 파악해야 한다고 주장하는 사람들이 있다. 가령 '스트레스가 병의 원인이다.'라는 진술에서 스트레스는 병의 필연적인 원인이 아니라 단지 병을 발생시킬 확률을 높이는 요인일 뿐이라고 말한다. A와 B가 특정한 병에 걸렸다 하더라도 집단 수준에서는 그 병의 원인을 스트레스로 단언할 수 없다는 것이다. 그렇게 본다면 스트레스와 병은 필연적인 관계가 아니라 개연적인 관계에 놓인 것으로 설명된다.

① 과수원을 운영하기 위해서는 성실함이 반드시 수반되어야 한다.

② 다른 과수원과 다르게 비료의 양을 늘린다면 수확량이 증가할 것이다.

③ ×× 과수원은 다른 품종을 재배하여 질 좋은 과일을 수확할 수 있었다고 한다.

④ 다른 과수원이 그랬던 것처럼 물을 조금만 준다면 질 좋은 과일을 수확할 수 있다.

07

밑줄 친 ㉠에서 언급된 해결 방안에 해당하지 않는 것은?

공공재에 의한 시장 실패는 정부가 공공재의 공급 비용을 부담함으로써 쉽게 예방할 수 있다. 하지만 공유 자원에 의한 시장 실패는 개인들이 더 많은 자원을 사용하려고 경합하는 데서 발생하기 때문에 재화의 경합성을 적절하게 조정하는 예방책이 필요하다. 그 구체적인 예방책으로는 정부가 공유 자원의 사용을 직접 통제하거나 공유 자원에 사유 재산권을 부여하는 방법이 있다. 정부의 직접 통제는 정부가 ㉠특정 장비 사용의 제한, 사용 시간이나 장소의 할당, 이용 단위나 비용의 설정 등을 통해 수요를 억제하는 방법이다. 사유 재산권 부여는 자신의 재산을 잘 관리하려는 사람들의 성향을 이용하여 공유 자원을 관리하게 함으로써 공유 자원이 황폐화되는 것을 막기 위한 방법이다. 이 두 방법은 정부의 시장 개입이 수반된다는 점에서 통제 방식이나 절차, 사유 재산권 배분 기준에 대한 사회적 합의가 전제되어야 한다. 또한 공유 자원을 사용하는 사람들에 대한 정부의 통제 능력과 개인의 사유 재산 관리 능력을 확보하는 것이 성패의 관건이 된다.

① 동물들을 보호하기 위해 수렵 허가 지역을 운영한다.
② 혼잡한 도로에 진입하는 차량들에 통행료를 징수한다.
③ 환경 파괴를 막기 위해 등산로에 휴식년제를 도입한다.
④ 우범 지역마다 CCTV를 설치하여 범죄 발생을 예방한다.

정답 및 해설 p.69

04 개요 및 글 고쳐쓰기

유형 소개

· '개요 및 글 고쳐쓰기' 유형은 문법상의 적절성을 묻거나, 글의 흐름이 자연스럽게 이어지도록 올바르게 수정할 수 있는지를 묻는 유형이다.
· 글의 개요나 공문서 등을 제시하고, 문맥에 맞지 않은 단어나 문장을 자연스럽게 수정하는 문제가 모두 이 유형에 속한다.

출제 경향

· 문법상의 오류가 있거나, 문맥상 어색한 단어 또는 문장을 찾아 고치는 문제가 주로 출제되고 있다.
· 최근 공문서를 수정하는 문제가 출제되었는데, 앞으로도 국립국어원 〈공공언어 바로 쓰기〉 자료를 근거로 출제될 가능성이 있다.

단계별 문제 풀이 전략

STEP 1 발문을 보고 문제의 세부 유형을 파악한다.

· 문맥에 맞게 수정하는 문제인지, 문법에 맞게 수정하는 문제인지 확인한다.
· 공문서나 개요를 수정하는 문제의 경우 〈보기〉에서 서론, 본론, 결론의 지침을 확인한다.

STEP 2 문제의 세부 유형에 따라 제시된 선택지의 적절성을 판단한다.

· 문맥에 맞게 수정하는 문제: ㉠~㉣의 앞뒤 맥락을 파악하며 내용의 적절성을 판단한다.
· 문법에 맞게 수정하는 문제: 자주 출제되는 문법상의 오류를 떠올리며 선택지의 적절성을 판단한다.

> · '고쳐쓰기'에서 자주 출제되는 문법상의 오류
> ▶ 문장 성분 간의 호응, 조사나 어미의 부적절한 사용, 이중 피동 표현, 의미 중복, 중의적인 표현, 번역투, 접속어의 부적절한 사용

· 개요를 수정하는 문제: 하위 항목이 상위 항목을 뒷받침하는지, 제재들이 글의 구성에 맞게 대응되는지(현상-대책, 원인-결과), 통일성과 일관성을 갖추고 있는지 판단한다.

■ 전략 적용하기

다음 글을 퇴고할 때, ㉠ ~ ㉣ 중 어법상 수정할 필요가 있는 것은?

2024 국가직 9급

주지하듯이 ㉠기후 위기는 날이 갈수록 심각해지고 있다. 극지방의 빙하가 녹고, 유럽에는 사상 최악의 폭염과 가뭄이 발생하고 그 반대편에서는 감당하기 어려울 정도의 폭우가 쏟아져 많은 사람이 고통받고 있다. ㉡우리의 삶을 지속적으로 위협하는 이러한 기상 재해 앞에서 기후학자로서 자괴감이 든다. 무엇이 문제인지, 상황이 얼마나 심각한지 잘 알고 있으면서도 지구의 위기를 그저 바라만 볼 수밖에 없다.

그러나 우리가 기후 문제에 관심을 가지고 적극적으로 대처한다면 아직 희망이 있다. 크게는 신재생 에너지와 관련하여 ㉢국가 정책 수립과 / 국제 협약을 체결하기 위해 힘을 기울여야 한다. 작게는 일상생활에서 불필요한 소비를 줄이고 에너지 절약을 습관화해야 한다. 만시지탄(晩時之歎)일 수는 있겠으나, ㉣지구가 파국으로 치닫는 것을 막을 기회는 아직 남아 있다. 우리 모두 힘을 모아 지구의 위기를 극복하여야 한다.

① ㉠
② ㉡
③ ㉢
④ ㉣

오답분석 ①②④ ㉠, ㉡, ㉣은 모두 어법상 적절한 문장이다.

유형 공략 문제

01
9급 출제기조 전환 예시문제

〈공공언어 바로 쓰기 원칙〉에 따라 〈공문서〉의 ㉠~㉣을 수정한 것으로 적절하지 않은 것은?

─── 〈공공언어 바로 쓰기 원칙〉 ───
○ 중복되는 표현을 삼갈 것.
○ 대등한 것끼리 접속할 때는 구조가 같은 표현을 사용할 것.
○ 주어와 서술어를 호응시킬 것.
○ 필요한 문장 성분이 생략되지 않도록 할 것.

─────── 〈공문서〉 ───────
한국의약품정보원

수신 국립국어원
(경유)
제목 의약품 용어 표준화를 위한 자문회의 참석 ㉠안내 알림

1. ㉡표준적인 언어생활의 확립과 일상적인 국어 생활을 향상하기 위해 일하시는 귀원의 노고에 감사드립니다.
2. 본원은 국내 유일의 의약품 관련 비영리 재단법인으로서 의약품에 관한 ㉢표준 정보가 제공되고 있습니다.
3. 의약품의 표준 용어 체계를 구축하고 ㉣일반 국민도 알기 쉬운 표현으로 개선하여 안전한 의약품 사용 환경을 마련하기 위해 자문회의를 개최하니 귀원의 연구원이 참석해 주시기를 바랍니다.

① ㉠: 안내
② ㉡: 표준적인 언어생활을 확립하고 일상적인 국어 생활의 향상을 위해
③ ㉢: 표준 정보를 제공하고 있습니다.
④ ㉣: 의약품 용어를 일반 국민도 알기 쉬운 표현으로 개선하여

02
9급 출제기조 전환 예시문제

〈지침〉에 따라 〈개요〉를 작성할 때 ㉠~㉣에 들어갈 내용으로 적절하지 않은 것은?

──────── 〈지침〉 ────────
○ 서론은 중심 소재의 개념 정의와 문제 제기를 1개의 장으로 작성할 것.
○ 본론은 제목에서 밝힌 내용을 2개의 장으로 구성하되 각 장의 하위 항목끼리 대응되도록 작성할 것.
○ 결론은 기대 효과와 향후 과제를 1개의 장으로 작성할 것.

──────── 〈개요〉 ────────
○ 제목: 복지 사각지대의 발생 원인과 해소 방안
Ⅰ. **서론**
  1. 복지 사각지대의 정의
  2. ㉠
Ⅱ. **복지 사각지대의 발생 원인**
  1. ㉡
  2. 사회복지 담당 공무원의 인력 부족
Ⅲ. **복지 사각지대의 해소 방안**
  1. 사회적 변화를 반영하여 기존 복지 제도의 미비점 보완
  2. ㉢
Ⅳ. **결론**
  1. ㉣
  2. 복지 사각지대의 근본적이고 지속가능한 해소 방안 마련

① ㉠: 복지 사각지대의 발생에 따른 사회 문제의 증가
② ㉡: 사회적 변화를 반영하지 못한 기존 복지 제도의 한계
③ ㉢: 사회복지 업무 경감을 통한 공무원 직무 만족도 증대
④ ㉣: 복지 혜택의 범위 확장을 통한 사회 안전망 강화

03

다음 글의 ⊙~② 중 어색한 곳을 찾아 가장 적절하게 수정한 것은?

수명을 늘릴 수 있는 여러 방법 중 가장 좋은 방법은 노화 문제를 해결하는 것이다. 이 방법은 인간이 젊고 건강한 상태로 수명을 연장할 수 있다는 점에서 ⊙ 늙고 병든 상태에서 단순히 죽음의 시간을 지연시킨다는 기존 발상과 근본적으로 다르다. ⓒ 노화가 진행된 상태를 진행되기 전의 상태로 되돌린다거나 노화가 시작되기 전에 노화를 막는 장치가 개발된다면, 젊음을 유지한 채 수명을 늘리는 것은 충분히 가능하다.

그러나 노화 문제와 관련된 현재까지의 연구는 초라하다. 이는 대부분 연구가 신약 개발의 방식으로만 진행되어 왔기 때문이다. 현재 기준에서는 질병 치료를 목적으로 개발한 신약만 승인받을 수 있는데, 식품의약국이 노화를 ⓒ 질병으로 본 탓에 노화를 멈추는 약은 승인받을 수 없었다. 노화를 질병으로 보더라도 해당 약들이 상용화되기까지는 아주 오랜 시간이 필요하다.

그런데 노화 문제는 발전을 거듭하고 있는 인공지능 덕분에 신약 개발과는 다른 방식으로 극복될 수 있을지 모른다. 일반 사람들에 비해 ② 노화가 더디게 진행되는 사람들의 유전자 자료를 데이터화하면 그들에게서 노화를 지연시키는 생리적 특징을 추출할 수 있는데, 이를 통해 유전자를 조작하는 방식으로 노화를 막을 수 있다.

① ⊙: 늙고 병든 상태에서 담담히 죽음의 시간을 기다린다

② ⓒ: 노화가 진행되기 전의 신체를 노화가 진행된 신체

③ ⓒ: 질병으로 보지 않은 탓에 노화를 멈추는 약은 승인받을 수 없었다

④ ②: 노화가 더디게 진행되는 사람들의 유전자 자료를 데이터화하면 그들에게서 노화를 촉진

04

⊙~②의 고쳐 쓰기로 적절하지 않은 것은?

파놉티콘(panopticon)은 원형 평면의 중심에 감시탑을 설치해 놓고, 주변으로 빙 둘러서 죄수들의 방이 배치된 감시 시스템이다. 감시탑의 내부는 어둡게 되어 있는 반면 죄수들의 방은 밝아 교도관은 죄수를 볼 수 있지만, 죄수는 교도관을 바라볼 수 없다. 죄수가 잘못했을 때 교도관은 잘 보이는 곳에서 처벌을 가한다. 그렇게 수차례의 처벌이 있게 되면 죄수들은 실제로 교도관이 자리에 ⊙ 있을 때조차도 언제 처벌을 받을지 모르는 공포감에 의해서 스스로를 감시하게 된다. 이렇게 권력자에 의한 정보 독점 아래 ⓒ 다수가 통제된다는 점에서 파놉티콘의 디자인은 과거 사회 구조와 본질적으로 같았다.

현대 사회는 다수가 소수의 권력자를 동시에 감시할 수 있는 시놉티콘(synopticon)의 시대가 되었다. 시놉티콘에 가장 크게 기여한 것은 인터넷의 ⓒ 동시성이다. 권력자에 대한 비판을 신변 노출 없이 자유롭게 표현할 수 있게 되었기 때문이다. 정보화 시대가 오면서 언론과 통신이 발달했고, ② 특정인이 정보를 수용하고 생산하게 되었다. 그로 인해 사회에서 일어나는 일에 대한 비판적 인식 교류와 부정적 현실 고발 등 네티즌의 활동으로 권력자들을 감시하는 전환이 일어났다.

① ⊙을 '없을'로 고친다.

② ⓒ을 '소수'로 고친다.

③ ⓒ을 '익명성'으로 고친다.

④ ②을 '누구나가'로 고친다.

05
2023 국가직 9급

㉠~㉣을 문맥에 맞게 수정하는 방안으로 적절한 것은?

> 난독(難讀)을 해결하려면 정독을 해야 한다. 여기서 말하는 정독은 '뜻을 새겨 가며 자세히 읽음', 즉 '정교한 독서'라는 뜻으로 한자로는 '精讀'이다. '精讀'은 '바른 독서'를 의미하는 '正讀'과 ㉠소리는 같지만 뜻이 다르다. 무엇이 정교한 것일까? 모든 단어에 눈을 마주치면서 제대로 인식하는 것이다. 이와 같은 ㉡정독(精讀)의 결과로 생기는 어문 실력이 문해력이다. 문해력이 발달하면 결국 독서 속도가 빨라져, '빨리 읽기'인 속독(速讀)이 가능해진다. 빨리 읽기는 정독을 전제로 할 때 빛을 발한다. 짧은 시간에 같은 책을 제대로 여러 번 읽을 수 있기 때문이다. 그래서 문해력의 증가는 '정교하고 빠르게 읽기', 즉 ㉢정속독(正速讀)에서 일어나게 되어 있다. 정독이 생활화되면 자기도 모르게 정속독의 경지에 오르게 된다. 그런 경지에 오른 사람들은 뭐든지 확실히 읽고 빨리 이해한다. 자연스레 집중하고 여러 번 읽어도 빠르게 읽으므로 시간이 여유롭다. ㉣정독이 빠진 속독은 곧 빼먹고 읽는 습관, 즉 난독의 일종임을 잊지 말아야 한다.

① ㉠을 '다르게 읽지만 뜻이 같다'로 수정한다.

② ㉡을 '정독(正讀)'으로 수정한다.

③ ㉢을 '정속독(精速讀)'으로 수정한다.

④ ㉣을 '속독이 빠진 정독'으로 수정한다.

06
2023 지방직 9급

㉠~㉣ 중 어색한 곳을 찾아 수정하는 방안으로 가장 적절한 것은?

> 조선 후기에 서학으로 불린 천주학은 '학(學)'이라는 말에서도 짐작할 수 있듯이 ㉠종교적인 관점에서보다 학문적인 관점에서 받아들여졌다. 당시의 유학자 중 서학 수용에 적극적인 이들까지도 서학을 무조건 따르자고 ㉡주장하지는 않았는데, 서학은 신봉의 대상이 아니라 분석의 대상이었기 때문이다. 그들은 조선 사회를 바로잡고 발전시키기 위해 새로운 학문과 지식이 필요하다고 생각했지만, 외부에서 유입된 사유 체계에는 양명학이나 고증학 등도 있어서 서학이 ㉢유일한 대안은 아니었다. 그들은 서학을 검토하며 어떤 부분은 수용했지만, 반대로 어떤 부분은 ㉣지향했다.

① ㉠: '학문적인 관점에서보다 종교적인 관점에서'로 수정한다.

② ㉡: '주장하였는데'로 수정한다.

③ ㉢: '유일한 대안이었다'로 수정한다.

④ ㉣: '지양했다'로 수정한다.

07

〈지침〉에 따라 〈개요〉를 작성할 때 ㉠~㉣에 들어갈 내용으로 적절하지 않은 것은?

─〈지침〉─
○ 서론에는 중심 소재의 개념을 정의하고, 문제 심화 원인을 제시할 것.
○ 본론은 제목의 하위 내용으로 구성하되, 각 장의 하위 항목끼리 대응되도록 작성할 것.
○ 결론은 본론에 제시된 해결 방안의 하위 항목에 각각 대응되도록 작성하되, 기대 효과를 포함할 것.

─〈개요〉─
○ 제목: 청소년 언어폭력의 실태와 해결 방안
Ⅰ. 서론
　1. 언어폭력의 정의
　2. ┌─────── ㉠ ───────┐
Ⅱ. 청소년 언어폭력의 실태
　1. 초등·중·고등학교 언어폭력 피해 경험 설문 조사 결과
　2. ┌─────── ㉡ ───────┐
Ⅲ. 청소년 언어폭력의 해결 방안
　1. ┌─────── ㉢ ───────┐
　2. 언어폭력 가해 청소년 교육 및 선도 강화
Ⅳ. 결론
　1. 언어폭력 피해 청소년의 지원 확대로 보호 및 치유 강화
　2. ┌─────── ㉣ ───────┐

① ㉠: 언어폭력이 증가하게 된 사회적 배경

② ㉡: 초등·중·고등학교 언어폭력 가해 경험 설문 조사 결과

③ ㉢: 언어폭력 피해 청소년을 위한 상담 지원

④ ㉣: 언어폭력 가해 청소년을 대상으로 운영하는 봉사활동 프로그램 홍보

08

㉠~㉣을 문맥을 고려하여 수정한 것으로 가장 적절한 것은?

　농촌의 모습을 주된 소재로 삼는 A 드라마에 결혼 이주 여성이 등장한다는 것은 그녀들이 직면한 여러 문제들을 다룰 기회가 마련되었다는 점에서 일단은 긍정적이다. 하지만 ㉠그녀들이 농촌에 정착하는 과정에서 경험하게 되는 다양한 문제들을 단순화할 수 있는 위험성도 내포하고 있다.

　이 드라마에는 모문화와 이문화 사이의 차이로 인해 힘겨워하는 여성, 민족적 정체성에 혼란을 겪는 여성, 아이의 출산과 양육 문제로 갈등을 겪는 여성 등이 등장한다. 문제는 이 드라마에서 이러한 갈등의 원인을 제대로 규명하는 것보다는 ㉡부부간의 사랑이나 가족애를 통해 극복하는 낭만적인 해결 방식을 주로 선택한다는 데에 있다. 예를 들어, ○○화에서는 여성 주인공이 아이의 태교 문제로 내적 갈등을 겪다가 결국 자신의 생각을 포기함으로써 그 갈등이 해소된 것처럼 마무리된다. 태교에 대한 문화적 차이가 주된 원인이었지만, 이 드라마에서는 그것에 주목하기보다 ㉢남편과 갈등을 일으키는 여성 주인공의 모습을 부각하여 사랑과 이해에 기반한 순종과 순응을 결혼 이주 여성이 갖추어야 할 덕목으로 묘사한 것이다.

　이 드라마에서 ㉣이러한 강요된 선택과 해소되지 않은 심적 갈등이 사실대로 재현되지 않음으로써 실질적인 원인은 은폐되고 여성의 일방적인 양보와 희생을 통해 해당 문제들이 성급히 봉합된다. 이는 어디까지나 한국인의 시선으로만 결혼 이주 여성과 다문화 가정을 바라보고 있기 때문이다.

① ㉠을 "그녀들이 농촌에 정착하는 과정에서 경험하게 되는 다양한 문제들을 탐색할 수 있는 가능성도"로 고친다.

② ㉡을 "시댁 식구를 비롯한 한국인들과의 온정적인 소통을 통해 극복하는 구체적인 해결 방식"으로 고친다.

③ ㉢을 "남편의 의견을 따르는 여성 주인공의 모습"으로 고친다.

④ ㉣을 "이러한 억압적 상황과 해소되지 않은 외적 갈등이 여과 없이 노출됨으로써"로 고친다.

유형 공략 문제

09
2021 지방직 9급

(가)~(라)의 고쳐 쓰기 방안으로 적절하지 않은 것은?

> (가) 현재 우리 구청 조직도에는 기획실, 홍보실, 감사실, 행정국, 복지국, 안전국, 보건소가 있었다.
> (나) 오늘은 우리 시청이 지양하는 '누구나 행복한 ○○시'를 실현하기 위한 추진 방안을 논의합니다.
> (다) 지난달 수해로 인한 준비 기간이 짧았기 때문에 지역 축제는 예년보다 규모가 줄어들었다.
> (라) 공과금을 기한 내에 지정 금융 기관에 납부하지 않으면 연체료를 내야 한다.

① (가): '있었다'는 문맥상 시제 표현이 적절하지 않으므로 '있다'로 고쳐 쓴다.

② (나): '지양'은 어떤 목표로 뜻이 쏠리어 향한다는 의미인 '지향'으로 고쳐 쓴다.

③ (다): '지난달 수해로 인한'은 '준비 기간'을 수식하는 절이 아니므로 '지난달 수해로 인하여'로 고쳐 쓴다.

④ (라): '납부'는 맥락상 금융 기관이 돈이나 물품 따위를 받아 거두어들인다는 '수납'으로 고쳐 쓴다.

10
2021 지방직 7급

㉠~㉣에 들어갈 말로 적절하지 않은 것은?

> 제목: ○○청소기 관련 고객 만족도 제고 방안
>
> **Ⅰ. 고객 불만 현황**
>   1. ㉠
>   2. 인터넷 고객 문의 접수 및 처리 지연
> **Ⅱ.** ㉡
>   1. 해외 공장에서 제작한 모터 품질 불량
>   2. 인터넷 고객 지원 서비스 시스템의 잦은 오류
> **Ⅲ.** ㉢
>   1. 동종 제품 전량 회수 후 수리 또는 신제품으로 교환
>   2. 고객 지원 서비스 시스템 최신화 및 관리 인력 충원
> **Ⅳ.** ㉣
>   1. 제품에 대한 고객 민원 해결 및 회사 이미지 제고
>   2. 품질 결함 최소화를 위한 품질 관리 체계의 개선 방향

① ㉠: 소음 과다 및 흡입력 미흡

② ㉡: 고객 불만 발생의 원인

③ ㉢: 고객 지원 센터의 지원 인력 부족

④ ㉣: 기대 효과와 향후 과제

11

〈보기〉를 근거로 판단할 때, ㉠~㉣ 중 적절하지 않은 것은?

———— 〈보기〉 ————

통일성은 글의 내용이 하나의 주제로 긴밀하게 관련되는 특성을 말한다. 초고의 적절성을 평가할 때에는 글의 내용이 하나의 주제를 드러낼 수 있도록 선정되었는지, 그리고 중심 내용에 부합하는 하위 내용들로 선정되었는지를 검토한다.

사람들은 대개 수학 과목이 어렵다고 한다. 하지만 나는 수학 시간이 재미있다. ㉠바로 수업을 재미있게 진행하시는 수학 선생님 덕분이다. 수학 선생님은 유머로 딱딱한 수학 시간을 웃음바다로 만들곤 한다. ㉡졸리는 오후 시간에 뜬금없이 외국으로 수학여행을 가자고 하여 분위기를 부드럽게 만든 후 어려운 수학 문제를 쉽게 설명한 적도 있다. 그래서 우리 학교에서는 수학 선생님의 인기가 시들 줄 모른다. ㉢그리고 수학 선생님의 아들이 수학을 굉장히 잘한다는 소문이 나 있다. ㉣내 수학 성적이 좋아진 것도 수학 선생님의 재미있는 수업 덕택이다.

① ㉠   ② ㉡

③ ㉢   ④ ㉣

12

〈공공언어 바로 쓰기 원칙〉에 따라 〈공문서〉의 ㉠~㉣을 수정한 것으로 적절하지 않은 것은?

———— 〈공공언어 바로 쓰기 원칙〉 ————

○ 어려운 한자어는 우리말로 표현할 것.
○ 올바른 띄어쓰기에 맞게 표기할 것.
○ 문장 성분 간의 호응에 유의할 것.
○ 외국어 번역 투를 사용하지 말 것.

———— 〈공문서〉 ————

○○광역시

수신 수신자 참조
(경유)
제목 20××년 10월 『문화나누미 서비스』 홍보 협조 요청

———

1. 귀 기관의 무궁한 발전을 기원합니다.
2. 우리 시에서는 지역 복지를 실현하고자 『문화나누미 서비스』의 ㉠일환으로 금관 5중주 공연을 시행하고자 하오니, 많은 대상자가 공연을 관람할 수 있도록 홍보해 주시기를 바랍니다.
3. 신청 자격 및 기간은 아래와 같으며, ㉡기관별로 신청서를 모아 회신해 주시기를 바랍니다. 우리 시는 신규 신청자를 우선적으로 ㉢대상자가 선정할 예정이며, ㉣초대권은 문자 알림에 의해 전달될 예정입니다.

① ㉠: 하나로

② ㉡: 기관 별

③ ㉢: 대상자로 선정할 예정이며

④ ㉣: 문자 알림으로 초대권을 전달할

13

〈공공언어 바로 쓰기 원칙〉에 따라 〈공문서〉의 ⑦~②을 수정한 것으로 적절하지 않은 것은?

─────── 〈공공언어 바로 쓰기 원칙〉 ───────
○ 외국어 번역 투를 사용하지 말 것.
○ 어문 규범에 맞는 용어를 사용할 것.
○ 어려운 한자는 쉬운 말로 다듬어 쓸 것.
○ 대등한 것끼리 접속할 때는 구조가 동일한 표현을 쓸 것.

─────── 〈공문서〉 ───────
○○시

수신 수신자 참조
(경유)
제목 학교 및 돌봄 공간 종사자 코로나19 백신 접종 안내 알림

──────────────────────

1. ⑦ <u>귀기관</u>의 무궁한 발전을 기원합니다.
2. ⑥ <u>기 통보한</u> 대로 학교 및 돌봄 공간 종사자에 대한 코로나19 백신 접종을 아래와 같이 진행하고자 합니다.
3. 신청 자격 및 기간은 아래와 같으며, 접종 전에 ⑥ <u>예진표를 작성하시고 개인 상비약 구비</u> 바랍니다.
4. 아울러 ② <u>이번 백신 접종에 있어서</u> 학교 및 돌봄 공간 종사자들이 빠짐없이 참여할 수 있도록 하여 집단 면역에 차질이 없도록 협조해 주시기를 바랍니다.

① ⑦: 귀 기관
② ⑥: 이미 알려 드린
③ ⑥: 예진표 작성과 개인 상비약을 구비하시기 바랍니다.
④ ②: 이번 백신 접종에

14

〈지침〉에 따라 〈개요〉를 작성할 때 ⑦~②에 들어갈 내용으로 적절하지 않은 것은?

─────── 〈지침〉 ───────
○ 서론에는 중심 소재의 개념을 제시하고, 문제의 심각성을 1개의 장으로 작성할 것.
○ 본론은 제목의 하위 내용으로 구성하되, 각 장의 하위 항목끼리 대응되도록 작성할 것.
○ 결론은 본론과 관련된 기대 효과와 향후 과제를 각각 1개의 장으로 제시할 것.

─────── 〈개요〉 ───────
○ 제목: 소나무 재선충병의 확산 원인과 해결 방안
Ⅰ. **서론**
　1. 소나무 재선충병의 정의
　2. [　　　⑦　　　]
Ⅱ. **소나무 재선충병 확산 원인**
　1. 지구 온난화로 인한 솔수염하늘소의 출현 시기가 빨라짐
　2. [　　　⑥　　　]
Ⅲ. **소나무 재선충병 확산 해결 방안**
　1. [　　　⑥　　　]
　2. 감염된 소나무 소재 파악 및 벌목을 위한 방제 예산 확보
Ⅳ. **결론**
　1. 소나무 재선충병의 사전 및 사후 방제가 가능함
　2. [　　　②　　　]

① ⑦: 소나무 재선충병 감염으로 인한 막대한 산림 훼손
② ⑥: 산림청 소나무 재선충 방제 예산 감소
③ ⑥: 솔수염하늘소 확산 방지를 위해 천적인 가시고치벌 인공 사육 및 자연 방사
④ ②: 소나무 재선충병으로 피해를 본 산림 소유자에 대한 피해 보상 방안 마련

15

다음 글의 ㉠~㉣ 중 어색한 곳을 찾아 가장 적절하게 수정한 것은?

언어의 사회성이란 소리와 의미의 관계가 그 언어를 사용하는 사회 구성원들 간에 약속이 된 뒤에는 어느 한 개인이 마음대로 바꿀 수 없음을 말한다. 특히 사회를 형성하는 데 있어 언어는 매우 중요한 요소이기 때문에 ㉠국가는 언어적 통일성을 유지하기 위하여 언어 규범인 표준어를 제정하여 사용한다. 그러나 ㉡언어 규범이 국민의 언어생활에 직접적인 영향을 미친 사례도 있다. 본래 규범에 따르면 '너무'는 '일정한 정도나 한계에 지나치게'라는 뜻의 부사로 용언을 부정적으로 한정하는 기능이 있다. 그래서 긍정적인 맥락에서는 '너무' 대신에 '매우', '아주', '정말', '무척' 등을 사용해야 하지만, 오래전부터 많은 사람들은 문맥과 상관없이 '너무 좋다', '너무 맛있다', '너무 멋지다' 등의 비문법적인 표현을 일상적으로 사용해 왔다. 심지어 대중가요 가사나 드라마, 영화 제목에서도 '너무'가 잘못 사용되는 경우가 많았다. 결국 2015년 6월 국립국어원은 '너무'를 ㉢긍정적인 서술어와도 어울려 쓸 수 있도록 표준국어대사전의 정보를 수정하였다. 이러한 조치는 문법과 상관없이 사람들이 '너무'를 사용한 현실을 인정한 것으로, 이는 ㉣언어의 변화 가능성을 잘 보여주는 사례이다. 이와 유사한 사례로 본래 표준어가 아니었다가 뒤늦게 표준어로 인정받은 '짜장면'이 있다.

① ㉠: 국가는 언어적 다양성을 유지하기 위하여

② ㉡: 사회 구성원의 실제 언어 사용이 언어 규범을 바꾸는 사례

③ ㉢: 부정적인 서술어와는 어울리지 못하도록

④ ㉣: 언어의 고착성을 잘 보여주는 사례

정답 및 해설 p.73

05 논증 판단하기

유형 소개

· '논증 판단하기' 유형은 제시문에 나타난 필자의 견해·관점·주장을 파악한 뒤 선택지 또는 〈보기〉에 진술된 내용이 그것들을 강화하는지 혹은 약화하는지를 판단하는 유형이다.

· 글에 제시된 견해·관점·주장을 비판하는 문제, 논증에 대한 강화·약화 문제가 모두 이 유형에 속한다.

출제 경향

· 제시문에 필자의 견해·관점·주장을 제시한 뒤 선택지나 〈보기〉에 제시된 사례에 각각의 관점을 적용하는 문제가 출제되고 있다.

· 제시문에 이론이나 가설을 제시한 뒤 선택지나 〈보기〉에 이론이나 가설을 적용했을 때 도출되는 결과가 이론이나 가설을 강화하는지 혹은 약화하는지를 묻는 문제가 출제되고 있다.

단계별 문제 풀이 전략

STEP 1 문단 또는 글의 처음과 끝 부분에 주목하여 필자의 견해·관점·주장을 파악한다.

· 글의 중심 내용은 주로 처음과 끝에 위치하므로 이에 주목하여 필자의 견해·관점·주장을 파악한다.

· 하나의 글에 둘 이상의 견해·관점·주장이 제시되는 경우, 각 관점이 서로 대조적인 경우가 많으므로 글을 읽을 때 견해·관점·주장의 차이점에 주목하며 읽는다.

STEP 2 선택지나 〈보기〉에 제시된 사례가 필자의 견해·관점·주장을 강화하는지 약화하는지 판단한다.

· 선택지나 〈보기〉의 진술 방식은 '약화한다', '강화한다', '약화하지 않는다'로 유형화할 수 있다. 이때 '약화하지 않는다'라는 진술은 말 그대로 제시된 사례가 필자의 견해·관점·주장을 약화하지 않는다는 뜻이므로 이를 '강화한다'는 의미로 잘못 이해하지 않도록 주의해야 한다.

· 제시된 사례와 필자의 견해·관점·주장의 관계를 파악한다. 이때 사례가 제시문에 나타난 필자의 견해·관점·주장을 반박하는 근거가 되면 '약화'하는 예가 되고, 뒷받침하는 근거가 되면 '강화'하는 예가 된다.

◼ 전략 적용하기

㉠을 평가한 내용으로 적절한 것만을 〈보기〉에서 모두 고르면?

9급 출제기조 전환 예시문제

흔히 '일곱 빛깔 무지개'라는 말을 한다. 서로 다른 빛깔의 띠 일곱 개가 무지개를 이루고 있다는 뜻이다. 영어나 프랑스어를 비롯해 다른 자연언어들에도 이와 똑같은 표현이 있는데, 이는 해당 자연언어가 무지개의 색상에 대응하는 색채 어휘를 일곱 개씩 지녔기 때문이라고 할 수 있다.

언어학자 사피어와 그의 제자 워프는 여기서 어떤 영감을 얻었다. 그들은 서로 다른 언어를 쓰는 아메리카 원주민들에게 무지개의 띠가 몇 개냐고 물었다. 대답은 제각각 달랐다. 사피어와 워프는 이 설문 결과에 기대어, 사람들은 자신의 언어에 얽매인 채 세계를 경험한다고 판단했다. 이 판단으로부터, "우리는 모국어가 그려놓은 선에 따라 자연세계를 분단한다."라는 유명한 발언이 나왔다. 이에 따르면 <u>특정 현상과 관련한 단어가 많을수록 해당 언어권의 화자들은 그 현상에 대해 심도 있게 경험하는 것이다.</u> 언어가 의식을, 사고와 세계관을 결정한다는 이 견해는 ㉠ <u>사피어-워프 가설</u>이라 불리며 언어학과 인지과학의 논란거리가 되어왔다.

ㄱ, ㄴ, ㄷ의 근거

〈보기〉

ㄱ. 눈[雪]을 가리키는 단어를 4개 지니고 있는 이누이트족이 1개 지니고 있는 영어 화자들보다 눈을 넓고 섬세하게 경험한다는 것은 ㉠을 (강화)한다.

ㄴ. 수를 세는 단어가 '하나', '둘', '많다' 3개뿐인 피라하족의 사람들이 세 개 이상의 대상을 모두 '많다'고 인식하는 것은 ㉠을 (강화)한다.

ㄷ. 색채 어휘가 적은 자연언어 화자들이 색채 어휘가 많은 자연언어 화자들에 비해 색채를 구별하는 능력이 뛰어나다는 것은 ㉠을 (약화)한다.

① ㄱ   ② ㄱ, ㄴ   ③ ㄴ, ㄷ   ④ ㄱ, ㄴ, ㄷ

STEP 1

문단 또는 글의 처음과 끝 부분에 주목하여 필자의 견해·관점·주장을 파악한다.

· ㉠ '사피어-워프 가설': 언어가 의식, 사고, 세계관을 결정함

STEP 2

선택지나 〈보기〉에 제시된 사례가 필자의 견해·관점·주장을 강화하는지 약화하는지 판단한다.

· 선택지 진술 분석
 - ㄱ: 강화
 - ㄴ: 강화
 - ㄷ: 약화
· 사례와 필자의 견해·관점·주장의 관계 파악
 - ㄱ: 단어 개수가 많아 대상을 더욱 섬세하게(심도 있게) 경험하는 사례
  → ㉠을 강화
 - ㄴ: 단어 개수가 적어 대상을 심도 있게 경험하지 못하는 사례
  → ㉠을 강화
 - ㄷ: 대상에 대한 단어 개수가 적은 사람들이 단어 개수 많은 사람들보다 능력이 뛰어난 사례
  → ㉠을 약화

→ ④ '사피어-워프가설'을 평가한 내용으로 적절한 것만을 〈보기〉에서 모두 고른 것은 ④ 'ㄱ, ㄴ, ㄷ'이다.

해설
· ㄱ: ㉠에 따르면 현상에 대한 단어의 개수가 많을수록 해당 언어권의 화자들은 그 현상을 심도 있게 경험한다. 이누이트족이 영어권 화자들에 비해 눈[雪]을 가리키는 단어를 더 많이 지니고 있고, 눈을 더 넓고 섬세하게 경험한다는 것은 이러한 ㉠의 견해를 뒷받침한다. 따라서 'ㄱ'의 평가는 적절하다.

· ㄴ: ㉠에 따르면 현상에 대한 단어의 개수가 적을수록 그 현상을 심도 있게 경험하기 어렵다. 즉, 피라하족 사람들이 세 개 이상의 대상을 '많다'고 인식하는 것은 비교적 '수' 관련 단어의 수가 적어 '수'에 대해 심도 있게 경험할 수 없기 때문이다. 이는 ㉠을 뒷받침 하는 내용이므로 'ㄴ'의 평가는 적절하다.

· ㄷ: ㉠에 따르면 색채 어휘가 많은 자연언어 화자들이 색채 어휘가 적은 자연언어 화자들에 비해 색채를 구별하는 능력이 뛰어나야 한다. 그러나 'ㄷ'은 색채 어휘가 적은 자연 언어 화자들의 능력이 더 뛰어나다고 설명한다. 이는 ㉠과 맞서는 내용이므로 'ㄷ'의 평가는 적절하다.

01

갑~병에 대한 평가로 적절한 것만을 〈보기〉에서 모두 고르면?

> 갑: 일상적인 언어생활에서 가족이 아닌 이들과 대화할 때 '우리 엄마'라는 표현을 자주 쓰곤 하는데, 좀 이상하지 않아? '우리 동네'라는 표현과 비교하면 무엇이 문제인지 분명하게 알 수 있어. '우리 동네'는 화자의 동네이기도 하면서 청자의 동네이기도 한 특정한 하나의 동네를 지칭하잖아. 그런 식이라면 '우리 엄마'는 형제가 아닌 화자와 청자가 공유하는 엄마를 지칭하는 이상한 표현이 되는 셈이지. 그러니까 이 경우의 '우리 엄마'는 잘못된 어법이고 '내 엄마'라고 하는 것이 올바른 어법이라고 할 수 있어.
>
> 을: 청자가 사는 동네와 화자가 사는 동네가 다른 경우에도 '우리 동네'라는 표현을 쓸 수 있어. 물론 이 표현이 의미하는 것은 청자가 사는 동네와 다른, 화자가 사는 동네가 되겠지. 이 경우 '우리 동네'라는 표현은 '그 표현을 말하는 사람이 사는 동네' 정도를 의미할 거야. 갑이 문제를 제기한 '우리 엄마'의 경우도 마찬가지라고 볼 수 있어.
>
> 병: '우리 엄마'와 '내 엄마'가 같은 뜻을 갖는 것은 아니야. '내 동네'라고 하지 않고 '우리 동네'라고 하는 것은 동네를 공유하는 공동체가 존재하기 때문이겠지. 마찬가지로 '내 엄마'라고 하지 않고 '우리 엄마'라고 하는 것은 우리가 늘 가족 공동체 속에서의 엄마를 생각하기 때문일 거야. 즉, 가족 구성원 중의 한 명인 엄마를 공유하는 공동체가 존재한다는 것이지.

―――――〈보기〉―――――

ㄱ. 갑은 '우리 엄마'라는 표현이 화자와 청자 모두의 엄마를 가리킨다고 보는 입장이다.

ㄴ. 형제가 서로 대화하면서 '우리 엄마'라는 표현을 쓸 때 이 표현이 형과 동생 모두의 엄마를 가리킨다는 것은 을의 입장을 약화한다.

ㄷ. 무인도에 혼자 살아온 사람이 그 섬을 '우리 마을'이라고 말하면 어색하게 느껴진다는 것은 병의 입장을 약화하지 않는다.

① ㄱ
② ㄱ, ㄷ
③ ㄴ, ㄷ
④ ㄱ, ㄴ, ㄷ

02

⊙, ⓒ의 주장에 대한 비판으로 적절하지 않은 것은?

> 투표 제도에는 투표권 행사를 투표자의 자유의사에 맡기는 자유 투표제와 투표권 행사를 정당한 사유 없이 기권하면 법적 제재를 가하는 의무 투표제가 있다. 우리나라는 자유 투표제를 채택하고 있는데, ⊙ 의무 투표제를 도입하자는 측은 낮은 투표율로 투표 결과의 정당성이 확보되지 못하는 문제를 지적한다. 법적 제재는 분명 높은 투표율로 이어질 것이므로 의무 투표제가 낮은 투표율을 해결할 최선의 방안이라고 그들은 말한다. 나아가 더 많은 국민이 투표에 참여할수록 정치인들은 정책 경쟁력을 높이려 할 것이므로 정치 소외 계층에 대한 관심이 높아질 것이라고 기대한다.
>
> 반면 ⓒ 의무 투표제에 반대하는 측은 현재 우리나라의 투표율이 정치 지도자들의 대표성을 훼손할 만큼 심각하지는 않다고 본다. 또 시민 교육 등 다른 방식으로도 투표율 상승을 기대할 수 있다며 의무 투표제가 투표율을 높일 가장 효과적인 방안은 아니라고 말한다. 그리고 의무 투표제를 도입하면, 선출된 정치인들이 높은 투표율을 핑계로 안하무인의 태도를 취하는 부작용이 생겨 국민의 뜻이 오히려 왜곡될 수 있다는 우려의 목소리를 내고 있다.

① ⊙은 투표율의 증가가 후보들의 정책 경쟁으로 이어진다는 것에 대한 근거를 제시해야 한다.

② ⊙은 정당한 사유 없는 기권에 대한 법적 제재가 투표율 상승으로 이어진다는 것을 뒷받침할 자료를 제시해야 한다.

③ ⓒ은 선출된 정치인들이 높은 투표율을 핑계로 안하무인의 태도를 취하는 부작용에 대한 대책을 제시해야 한다.

④ ⓒ은 현재 우리나라의 투표율이 정치 지도자들의 대표성을 훼손할 만큼 심각하지 않다는 것에 대한 근거를 제시해야 한다.

[03~04] 다음 글을 읽고 물음에 답하시오.

영국의 유명한 원형 석조물인 스톤헨지는 기원전 3,000년경 신석기시대에 세워졌다. 1960년대에 천문학자 호일이 스톤헨지가 일종의 연산장치라는 주장을 하였고, 이후 엔지니어인 톰은 태양과 달을 관찰하기 위한 정교한 기구라고 확신했다. 천문학자 호킨스는 스톤헨지의 모양이 태양과 달의 배열을 나타낸 것이라는 의견을 제시해 관심을 모았다.

그러나 고고학자 앳킨슨은 ㉠ 그들의 생각을 비난했다. 앳킨슨은 스톤헨지를 세운 사람들을 '야만인'으로 묘사하면서, ㉡ 이들은 호킨스의 주장과 달리 과학적 사고를 할 줄 모른다고 주장했다. 이에 호킨스를 옹호하는 학자들이 진화적 관점에서 앳킨슨을 비판하였다. ㉢ 이들은 신석기시대보다 훨씬 이전인 4만 년 전의 사람들도 신체적으로 우리와 동일했으며 지능 또한 우리보다 열등했다고 볼 근거가 없다고 주장했다.

하지만 스톤헨지의 건설자들이 포괄적인 의미에서 현대인과 같은 지능을 가졌다고 해도 과학적 사고와 기술적 지식을 가지지는 못했다. ㉣ 그들에게는 우리처럼 2,500년에 걸쳐 수학과 천문학의 지식이 보존되고 세대를 거쳐 전승되어 쌓인 방대하고 정교한 문자 기록이 없었다. 선사시대의 생각과 행동이 우리와 똑같은 식으로 전개되지 않았으리라는 점은 매우 중요하다. 지적 능력을 갖췄다고 해서 누구나 우리와 같은 동기와 관심, 개념적 틀을 가졌으리라고 생각하는 것은 잘못이다.

03

9급 출제기조 전환 예시문제

윗글에 대해 평가한 내용으로 가장 적절한 것은?

① 스톤헨지가 제사를 지내는 장소였다는 후대 기록이 발견되면 호킨스의 주장은 강화될 것이다.

② 스톤헨지 건설 당시의 사람들이 숫자를 사용하였다는 증거가 발견되면 호일의 주장은 약화될 것이다.

③ 스톤헨지의 유적지에서 수학과 과학에 관련된 신석기시대 기록물이 발견되면 글쓴이의 주장은 강화될 것이다.

④ 기원전 3,000년경 인류에게 천문학 지식이 있었다는 증거가 발견되면 앳킨슨의 주장은 약화될 것이다.

04

9급 출제기조 전환 예시문제

문맥상 ㉠~㉣ 중 지시 대상이 같은 것만으로 묶인 것은?

① ㉠, ㉢   ② ㉡, ㉣

③ ㉠, ㉡, ㉢   ④ ㉠, ㉡, ㉣

05

A와 B의 주장에 대한 평가로 적절한 것만을 〈보기〉에서 모두 고르면?

A는 아동의 사고와 언어의 발달이 개인적 차원에서 사회적 차원으로 진행된다고 주장한다. 그에 따르면 말을 배우기 시작하는 2~3세경에 '자기중심적 언어'가 나타났다가 8세경에 학령이 되면서 자기중심적 언어는 소멸하고 '사회적 언어'의 단계로 진입한다고 주장한다.

B는 A가 주장한 자기중심적 언어의 존재를 인정하면서도 그것의 성격에 있어서는 다른 견해를 지닌다. A와 달리 그는 자기중심적 언어가 문제에 대한 해결 방법을 구안하는 데 중요한 사고의 도구가 된다고 주장한다. 그에 따르면 자기중심적 언어는 아동이 자기 자신과 대화할 때 나타나는데, 아동은 자신과 대화하는 방식으로 소리 내며 사고한다. 그는 자기중심적 언어가 자연적 존재를 문화적 존재로 변모시키는 기능을 하며, 학령이 되면서 소멸하는 게 아니라 내면화되어 소리 없는 '내적 언어'를 구성함으로써 정신 기능을 발달시킬 수 있는 원동력이 된다고 본다.

이러한 두 사람의 입장 차이는 자기중심적 언어의 전(前) 단계에 대한 서로 다른 생각에서 기인한 것으로 보인다. A는 출생 이후 약 2세까지의 아이가 언어 이전의 '환상적 사고'의 단계에 머물러 있는 것으로 보는데, 여기서 환상적 사고는 자신과 대상 세계를 구분하지 못하는 것을 가리킨다. 자신과 대상 세계를 구분하지 못하면 의사소통 행위가 불가능하므로 A는 이 단계의 아이가 보여주는 타인과의 상호작용을 의사소통 행위가 아니라고 주장한다. 반면, B의 경우 출생 이후 약 2세까지의 상호작용을 의사소통 행위로 판단한다. 그에 따르면 이때의 의사소통 행위는 타자의 규제와 이에 따른 자기규제가 작동하는 대화적 상호작용의 일종으로, 사회적 언어를 통해 수행된다.

B 역시 A와 마찬가지로 아동의 언어와 사고의 발달이 3단계로 진행된다고 보지만, 그 방향에 있어서는 사회적 언어에서 출발하여 자기중심적 언어를 거쳐 내적 언어 순으로 진행된다고 본다.

〈보기〉

ㄱ. '자기중심적 언어'의 단계 전에 A는 의사소통 행위가 이루어지지 않는 것으로, B는 이루어지는 것으로 본다.

ㄴ. A는 '자기중심적 언어'가 학령이 되면 없어지는 것으로 보는 반면, B는 없어지지 않는 것으로 본다.

ㄷ. A와 B는 '사회적 언어'의 단계로 진입하는 시기에 대해 견해를 달리한다.

① ㄱ
② ㄱ, ㄷ
③ ㄴ, ㄷ
④ ㄱ, ㄴ, ㄷ

06

맹자와 순자의 주장에 대한 평가로 적절한 것만을 〈보기〉에서 모두 고르면?

인간의 본성에 대해 맹자는 그것이 본래 착하다고 주장한다. 이 근거로 그는 인간에게 네 가지 착함이 있다고 말한다. "측은하게 여기는 마음은 어짊의 시작이요, 부끄러워하는 마음은 의로움의 시작이요, 사양하는 마음은 예절의 시작이요, 옳고 그름을 가리는 마음은 지혜의 시작이라." 그러므로 누구든지 타고난 본성대로 행동만 하면 착해질 수 있다. 이러한 본성을 잘 보존하기 위해서는 인간의 후천적인 노력이 뒷받침되어야 하고, 바로 여기에서 교육의 필요성이 제기되는 것이다.

이렇게 함양된 개인의 도덕 가치를 국가사회에 실현하는 일은 매우 중요하다. 여기에서 왕도정치(王道政治)가 정치론의 핵심으로 떠오른다. 왕도정치는 먼저 공리주의(功利主義)를 물리친다. 또한 왕도정치는 백성의 먹고 사는 문제, 즉 민생문제를 해결해 주어야 한다. 백성은 일정한 수입이 있어야 착한 성품을 보존할 수 있기 때문이다. 정치의 궁극적 목표는 인간의 도덕 가치를 충분히 발휘하도록 하는 데 있다. …(중략)…

순자에 의하면 사람은 타고날 때부터 그 본성이 악하다. 그러므로 마땅히 스승의 가르침으로 감화를 받고 예절의 도를 배워야 한다. 학문을 배우는 것 역시 선천적 본성이 착해서가 아니라, 후천적이고 인위적인 노력에 의한 것이다. 예의범절이라는 것도 높은 도덕성을 지닌 성인(聖人)이 만들어낸 것으로, 학문을 통하여 얻어진 결과다. 인간이 얼마나 후천적인 노력을 기울이느냐에 따라 성인과 도적, 군자와 소인으로 구별된다.

이렇게 본다면 맹자가 말하는 본성이 인간의 '이성'을 가리키는 데 반하여, 순자가 말하는 본성이란 인간의 '본능'과 '욕망'을 가리키는 것이 아닌가 생각된다. 그래서 맹자는 타고난 선의 본성(이성)을 잘 보존하기 위하여, 순자는 타고난 악의 본성(본능, 욕망)을 고치기 위하여 교육이 필요하다고 보았던 것이다.

공자와 마찬가지로 순자가 생각하는 이상적인 인간 역시 군자다. 군자는 도를 얻는 것을 즐거워하는 반면, 소인은 욕망을 얻는 것을 즐거워한다. 군자는 누구나 쉽게 사귈 수 있지만 아무 허물없이 친하기는 어렵고, 쉽게 두려워하나 위협하기는 어렵다. 군자는 의로운 죽음을 마다하지 않으며, 이익을 위해 그릇된 짓을 하지 않는다.

─────〈보기〉─────

ㄱ. 맹자는 교육을 통해 인간의 본성을 지키고자 하였고, 순자는 교육을 통해 인간의 본성을 개선하고자 하였다.

ㄴ. 맹자는 왕도정치를 통해 백성들의 본성을 보존하고자 하였고, 순자는 모든 백성로 하여금 스스로 욕망을 이성으로 대치하도록 하고자 하였다.

ㄷ. 맹자의 개인의 도덕성을 국가적 차원으로 확대하는 것을 추구하였고 순자는 개인적 차원에서 이상적 인간상으로 거듭날 것을 추구하였다.

① ㄱ　　② ㄱ, ㄴ　　③ ㄱ, ㄷ　　④ ㄱ, ㄴ, ㄷ

07

2022 국회직 8급

〈보기〉의 관점에서 ㈀을 비판한 것으로 적절한 것은?

원칙적으로 사람들은 제1 언어 습득 연구에 대한 양극단 중 하나의 입장을 취할 수 있을 것이다. ㈀ 극단적 행동주의자적 입장은 어린이들이 백지 상태, 즉 세상이나 언어에 대해 아무런 전제된 개념을 갖지 않은 깨끗한 서판을 갖고 세상에 나오며, 따라서 어린이들은 환경에 의해 형성되고 다양하게 강화된 예정표에 따라 서서히 조건화된다고 주장하였다. 또 반대쪽 극단에 있는 구성주의의 입장은 어린이들이 매우 구체적인 내재적 지식과 경향, 생물학적 일정표를 갖고 세상에 나온다는 인지주의적 주장을 할 뿐만 아니라 주로 상호 작용과 담화를 통해 언어 기능을 배운다고 주장한다. 이 두 입장은 연속선상의 양극단을 나타내며, 그 사이에는 다양한 입장들이 있을 수 있다.

─────〈보기〉─────

생득론자는 언어 습득이 생득적으로 결정되며, 우리는 주변의 언어에 대해 체계적으로 인식할 수 있도록 되어 있어서 결과적으로 언어의 내재화된 체계를 구축하는 유전적 능력을 타고난다고 주장한다.

① 언어 습득에 대한 연구에서 실제적 언어 사용의 양상이 무시될 가능성이 크다.

② 아동의 언어 습득을 관장하는 유전자의 실체가 확인될 때까지는 행동주의는 불완전한 가설일 뿐이다.

③ 아동은 단순히 문법적으로 정확한 문장을 만드는 방법을 배우는 것이 아니라 의사소통 방법을 배우는 것이다.

④ 아동의 언어 습득은 특정 언어공동체의 일원이 되는 핵심 과정인데, 행동주의는 공동체 구성원들과의 상호 작용이 차지하는 중요성을 간과하고 있다.

⑤ 아동의 언어 습득이 외적 자극인 환경에 의해 전적으로 형성된다고 보는 행동주의 모델은 배우거나 들어본 적 없는 표현을 만들어내는 어린이 언어의 창조성을 설명하지 못한다.

08

㉠을 평가한 내용으로 적절한 것만을 〈보기〉에서 모두 고르면?

인간은 누가 알려 준 적 없고, 들어본 적도 없는 문장을 포함해 무수히 많은 양의 문장을 만들고 이해한다. 이는 인간이 '언어 능력'을 갖고 태어나기 때문이다. 인간이 태어나면서부터 지닌 언어 능력을 연구하는 것을 언어학의 목적으로 삼는 언어학의 분야가 바로 ㉠변형생성문법이다.

변형생성문법에서 가장 중요하게 다루어지는 것은 '언어 습득 기제'이다. 이는 인간의 머릿속에 문장 생성의 기본적인 원리가 몇 개 존재하고 이를 반복적으로 적용함으로써 무한한 수의 문장을 생성할 수 있음을 의미한다. 이러한 원리는 인간의 언어에는 공통적으로 존재하는 '보편문법'이며, 인간이라면 누구나 부여받는 선천적인 능력이다.

변형생성문법에서는 통사 구조를 표층 구조와 심층 구조로 나누어 분석하는데, 이 두 통사 구조 사이에 '변형 기제'를 설정하여 설명한다. 표층 구조는 문장이 실제로 발화되는 형태를 가리키고, 심층 구조는 문장의 의미를 가리킨다. 심층 구조는 표층 구조로 변형되는데, 이 과정에서 문장의 의미는 1개이지만 문법적, 음운적으로 변형이 일어나므로 표층 구조는 다양한 형태로 나타난다. 따라서 심층 구조와 표층 구조는 일대일의 관계가 아니다. "A가 B에게 돈을 주었다"라는 심층 구조가 표층 구조에서 "B가 A에게 돈을 받았다" 또는 "돈이 A로부터 B에게 주어졌다"와 같은 형태로 나타나는 것이 그 예다.

〈보기〉

ㄱ. 야생에서 발견된 소년이 인간의 언어를 전혀 구사하지 못했다는 연구 결과는 ㉠을 약화한다.
ㄴ. 인간이 하나의 의미를 지닌 문장을 여러 가지의 형태로 나타낼 수 있다는 사실은 ㉠을 약화한다.
ㄷ. 부모가 아이에게 간단한 단어들만을 알려 주었으나, 아이가 단어들을 배열해 자연스러운 문장의 형태를 만들었다는 사례는 ㉠을 강화한다.

① ㄱ
② ㄱ, ㄷ
③ ㄴ, ㄷ
④ ㄱ, ㄴ, ㄷ

09

A와 B에 대한 평가로 적절한 것만을 〈보기〉에서 고른 것은?

A: 저는 사회 통제 메커니즘이 깨지거나 느슨해질 때 청소년들이 비행을 저지른다고 생각합니다. 즉 청소년 개인이 그 자체로서 문제가 있는 것이 아니라, 개인을 둘러싸는 사회적 통제가 더 중요한 것이지요. 이때 통제는 내적 통제와 외적 통제로 나눌 수 있는데, 내적 통제는 주로 심리적 요인에 의한 규제로 부모, 교사, 또래 친구들과의 유대감을 의미하고, 외적 통제는 주로 법에 의한 규제를 의미합니다. 이 두 가지 요인 중 어느 하나가 느슨해지거나 깨지면 청소년은 비행을 일으키는 것이지요.

B: 제 생각은 다릅니다. 청소년 비행은 청소년들이 비행을 저지르는 또 다른 청소년들과 상호작용하는 과정에서 비행을 저지르게 된다고 생각합니다. 즉, 범죄를 마치 일반적인 다른 행동들과 같이 학습하는 것이죠. 비행을 학습하는 것은 사회화와 다를 바가 없습니다. 비행 또한 친밀한 집단 속에서 사람들 간의 의사소통 과정을 통해 일어나게 된다는 말입니다. 이때 단순히 비행 또는 범죄의 기술만 습득하는 것이 아니라, 비행의 동기, 범죄에 대한 우호적인 태도를 학습하게 되는 것입니다.

〈보기〉

ㄱ. 대마 합법화로 인해 2017~2020년 미국 고등학생 대마 흡연자의 수가 2배 수준으로 급증했다는 조사 결과는 A의 입장을 강화한다.
ㄴ. 억울한 누명을 쓰고 수감된 철현이가 감옥에서 악명 높은 범죄자와 친분을 쌓고 출소하여 강력 범죄를 저질렀다는 사례는 B의 입장을 강화한다.
ㄷ. 비행을 저지르는 친구들과도 친하게 지내는 영민이를 상담해 본 결과 비행을 저지르지도 않고 부모님과의 사이도 아주 좋았다는 사례는 A와 B의 입장을 모두 강화한다.

① ㄱ
② ㄱ, ㄴ
③ ㄴ, ㄷ
④ ㄱ, ㄴ, ㄷ

[10~11] 다음 글을 읽고 물음에 답하시오.

진화고고학에서는 인간의 삶은 자연환경에 더욱 잘 적응하기 위한 선택이라고 보는 진화론에 초점을 맞추어 과거를 설명한다. 서기 1세기부터 약 1천 년 동안 어느 한 지역에서 출토된 조리용 토기들의 두께와 토기에 탄화된 채로 남아 있던 식재료에 사용된 곡물의 전분 함량을 조사한 결과, 후대로 갈수록 토기 두께가 상당히 얇아지고 곡물의 전분 함량은 증가한다는 사실을 발견했다. 진화고고학은 이렇게 토기 두께가 얇아진 이유를 전분이 좀 더 많은 씨앗의 출현이라는 외부 환경의 변화에 적응하였기 때문이라고 설명한다.

한편, 두께가 얇은 토기가 사용된 의미를 파악하기 위해서는 토기 두께의 변화를 초래한 원인을 ㉠찾는 것도 중요하지만 두께가 얇아진 토기가 장기간 사용된 이유에도 주목할 필요가 있다. 예컨대 전분 함량이 높은 곡물을 아기들의 이유식으로 이용한다면 여성들의 수유기가 단축됨에 따라 출산율을 ㉡높이는 데 도움이 되었을 것이라고 볼 수도 있다. 이러한 시각에서 본다면 두께가 얇은 토기가 오랫동안 사용된 원인을 자연 환경에 잘 적응하기 위한 선택이 아니라 이유식을 만들기 위한 인간의 능동적 선택에서 찾는 생태학적 이론에 입각한 설명도 가능하다. 생태학적 설명은 진화론적 관점에 근거하지만 인간의 이성적 사유 능력에 따른 선택 과정에 좀 더 ㉢주목한 것이다.

진화고고학과는 달리 유물의 의미를 해석할 때 기능적 요인보다는 개개의 유물이 사용된 맥락을 찾는 것이 더 중요하다고 보고, 그 유물을 사용한 사람의 사회적 위치와 기호 변화 등 사회문화적 요인으로 유물의 의미를 설명하려는 관점도 있다.

이처럼 고고학에서는 발굴을 통해 유물 자료가 빠르게 축적되고, 주변 과학의 발달에 힘입어 새로운 측정 방법이 개발됨에 따라 다양한 해석이 제시된다. 따라서 특정한 이론에 ㉣집착하는 것보다는 새로운 자료와 방법을 적극적으로 이용하여 다양한 해석을 하고자 하는 열린 자세가 필요하다.

10

윗글에 대해 평가한 내용으로 가장 적절한 것은?

① 토기 두께의 변화 시점 이후 인구수가 증가되었다는 증거가 발견되면 생태학적 관점은 약화될 것이다.

② 전분 함량이 높은 씨앗은 오래 가열해야 하고 두께가 얇은 토기는 열전도가 빠르다는 사실이 밝혀지면 진화고고학의 관점은 약화될 것이다.

③ 토기 두께가 얇아진 시기가 전분 함량이 높은 음식이 보편화된 시기보다 앞선다는 연구 결과가 발표되면 진화고고학의 관점은 강화될 것이다.

④ 집단 간의 교류로 두께가 얇은 새로운 토기가 유입되고 사람들이 이를 선호하였다는 후대 기록이 발견되면 사회문화적 관점은 강화될 것이다.

11

㉠~㉣과 바꿔 쓸 수 있는 유사한 표현으로 적절하지 않은 것은?

① ㉠: 탐색하는

② ㉡: 고양하는

③ ㉢: 눈여겨본

④ ㉣: 매달리는

[12~13] 다음 글을 읽고 물음에 답하시오.

> 경제 위기란 경기 침체 과정이 빠르게 진행되는 현상을 말한다. 경제 위기는 수요 감소, 실업률 증가 등의 문제를 야기한다. 이러한 경제 위기를 해결하기 위해 경제학자들은 다양한 방안을 제시한다.
>
> A집단은 시장 메커니즘의 자율성과 효율성을 강조하면서 경제 위기가 발생했을 때 정부의 개입이 불필요하다고 말한다. 경제 주체인 정부, 기업, 그리고 가계가 수요와 공급의 원리에 따라 자연스럽게 균형을 이룰 수 있다는 것이다. ⊙그들은 정부의 의도적 개입이 오히려 경제 주체의 경제 활동을 제약하고 전반적인 생산성을 저하할 수 있다고 본다.
>
> 반면 B집단은 ⓒ그들과 달리 대공황과 같은 경제 위기에 대응하기 위해서 정부의 중앙 집권적 개입이 필수적이라고 주장한다. 다시 말해 경제 상황이 좋지 않을 때는 정부가 재정 지출 증가나 금리 인하와 같은 정책을 통해 경기를 활성화하고 실업률을 감소시켜야 한다는 것이다. ⓒ그들은 이러한 적극적인 경제 개입을 통하여 각 경제 주체들의 균형을 유지할 수 있다고 본다.
>
> 한편 C집단은 경제 위기에서 기업의 역할을 중요시한다. 기업이 혁신적인 아이디어와 기술 개발을 통해 생산성과 효율성을 제고한다면 경제 성장이 이루어질 수 있다고 본다. ⓔ그들은 유수의 기업들이 실리콘 밸리에서 정보 기술 및 반도체 혁신을 통해 수많은 일자리와 매출을 창출한 것을 예로 든다. 결론적으로 기업의 혁신 추구를 통한 성장이 경제 위기를 타파할 수 있을 것으로 본다.

12
윗글에 대해 평가한 내용으로 가장 적절한 것은?

① 정부가 금리 인하 정책을 시행해도 경기 침체가 지속된다면, B집단의 주장은 강화된다.

② 공공 일자리 창출과 같은 정부의 개입에도 실업률이 증가한다면, A집단의 주장은 약화된다.

③ 정부의 중앙 집권적 개입으로 인해 각 경제 주체들의 불균형이 야기된다면, B집단의 주장은 강화된다.

④ 기업이 혁신 기술을 개발하는 과정에서 들어가는 비용이 기술을 개발한 이후 산출되는 이익보다 많다는 조사 결과가 발표되면, C집단의 주장은 약화된다.

13
문맥상 ⊙~ⓔ 중 지시 대상이 같은 것만으로 묶인 것은?

① ⊙, ⓒ

② ⓒ, ⓒ

③ ⊙, ⓒ, ⓔ

④ ⊙, ⓒ, ⓔ

14

⊙을 평가한 내용으로 적절한 것만을 〈보기〉에서 모두 고르면?

> ⊙ 결정적 시기 가설은 1967년 출간된 에릭 레넨버그의 저서를 통해 대중들에게 알려졌다. 이 가설의 요지는 언어 습득을 하기 위한 결정적 시기가 있으며 그 시기를 놓칠 경우에 언어를 습득하는 것이 매우 어렵다는 것이다. 결정적 시기 가설에 따르면, 사춘기가 시작되는 13~15세 이전에는 생활 속에서 언어에 노출됨으로써 자동적으로 언어를 배울 수 있다. 따라서 아이들은 사춘기가 시작되기 전에 언어를 접해야 한다. 만약 그렇지 못할 경우 언어를 배우는 것에 상당한 노력이 필요하고, 유창하게 발음하는 것도 어렵다.
>
> 이 가설을 지지하는 사례는 '야생 아동 연구'이다. 야생 아동이란 야생에서 홀로 생활했거나 동물에 의해 키워진 아이를 말한다. 이들은 어렸을 때부터 언어 습득이 가능한 환경에서 생활하지 못했고, 발견된 이후 연구자들의 노력에도 언어를 제대로 구사하는 데 실패했다. 이러한 연구는 특정 시기가 지나면 언어 습득이 성공적으로 이루어지는 것이 어렵다는 것을 보여준다.

〈보기〉

ㄱ. 성인이 된 이후에 처음 접하는 언어를 어렵지 않게 습득하는 사람이 대다수라면 ⊙이 약화된다.
ㄴ. '야생 아동 연구'의 대상자들이 어렸을 때부터 부모와 함께 자란 사실이 밝혀진다면 ⊙이 강화된다.
ㄷ. 사춘기 이전에 언어를 접한 사람이 사춘기 이후에 언어를 접한 사람보다 유창하게 발음한다는 연구 결과가 발표된다면 ⊙이 강화된다.

① ㄴ   ② ㄷ
③ ㄱ, ㄷ   ④ ㄱ, ㄴ, ㄷ

15

2016 PSAT 5급

다음 글의 논증에 대한 비판으로 적절하지 않은 것은?

> 진화론자들은 지구상에서 생명의 탄생이 30억 년 전에 시작됐다고 추정한다. 5억 년 전 캄브리아기 생명폭발 이후 다양한 생물종이 출현했다. 인간 종이 지구상에 출현한 것은 길게는 100만 년 전이고 짧게는 10만 년 전이다. 현재 약 180만 종의 생물종이 보고되어 있다. 멸종된 것을 포함해서 5억 년 전 이후 지구상에 출현한 생물종은 1억 종에 이른다. 5억 년을 100년 단위로 자르면 500만 개의 단위로 나눌 수 있다. 이것은 새로운 생물종이 평균적으로 100년 단위마다 약 20종이 출현한다는 것을 의미한다. 하지만 지난 100년간 생물학자들은 지구상에서 새롭게 출현한 종을 찾아내지 못했다. 이는 한 종에서 분화를 통해 다른 종이 발생한다는 진화론이 거짓이라는 것을 함축한다.

① 100년마다 20종이 출현한다는 것은 다만 평균일 뿐이다. 현재의 신생종 출현 빈도는 그보다 훨씬 적을 수 있지만 언젠가 신생종이 훨씬 많이 발생하는 시기가 올 수 있다.

② 5억 년 전 이후부터 지구상에 출현한 생물종이 1,000만 종 이하일 수 있다. 그러면 100년 내에 새로 출현하는 종의 수는 2종 정도이므로 신생종을 발견하기 어려울 수 있다.

③ 생물학자는 새로 발견한 종이 신생종인지 아니면 오래전부터 존재했던 종인지 판단하기 어렵다. 따라서 신생종의 출현이나 부재로 진화론을 검증하려는 시도는 성공할 수 없다.

④ 30억 년 전에 생물이 출현한 이후 5차례의 대멸종이 일어났으나 대멸종은 매번 규모가 달랐다. 21세기 현재, 알려진 종 중 사라지는 수가 크게 늘고 있어 우리는 인간에 의해 유발된 대멸종의 시대를 맞이하는 것으로 볼 수 있다.

⑤ 생물학자들이 발견한 몇몇 종은 지난 100년 내에 출현한 종이라고 판단할 이유가 있다. DNA의 구성에 따라 계통수를 그렸을 때 본줄기보다는 곁가지 쪽에 배치될수록 늦게 출현한 종임을 알 수 있기 때문이다.

정답 및 해설 p.83

제2편

논리

1장

명제

01 명제 추론하기 ① 명제의 기호화

☐ 유형 소개

· '명제 추론하기'는 2025년부터 공무원 9급 시험에 새롭게 출제될 예정인 신유형 문제이다.
· 2025년 9급 출제기조 전환 예시문제에서 '명제 추론하기'는 주어진 명제를 바탕으로 도출되는 결론, 또는 결론 도출에 필요한 전제를 묻는 방식으로 출제되었다.
· '명제 추론하기' 문제는 독해 문제에 비해 짧은 길이의 지문이 제시된다. 명제의 종류와 명제 간의 관계를 이해하고 있으면 문제 풀이 시간을 줄일 수 있다.

☐ 출제 경향

· 명제에 대한 기초적인 논리 이론을 적용하는 문제로, 난도가 높지 않은 편이다.
· 명제의 핵심어를 기호화하여 명제 간 연결 관계를 빠르게 파악하는 문제가 출제되고 있다.

☐ 유형 필수 이론

1 명제의 이해

명제란 그 내용이 참인지 거짓인지를 명확하게 판별할 수 있는 문장이다.

영수는 공부를 잘한다.	참과 거짓의 명확한 기준이 없어 참인지 거짓인지 판단할 수 없으므로 명제가 아니다.
영수는 공무원이다.	영수가 실제로 공무원이라면 참인 명제이고 영수가 공무원이 아니라면 거짓인 명제이다.

2 명제의 종류

1. 정언 명제: 어떤 대상 또는 상황에 대하여 조건을 붙이고 않고 단언적으로 말하는 명제

구분		기호화	표준 명제
전칭 명제	전칭 긍정 명제	∀A→B (* ∀는 생략 가능)	모든 A는 B이다.
	전칭 부정 명제	∀A→~B (* ∀는 생략 가능)	모든 A는 B가 아니다. / 어떤 A도 B가 아니다.
특칭 명제	특칭 긍정 명제	∃A∧B (* ∃는 생략 가능)	어떤 A는 B이다.
	특칭 부정 명제	∃A∧~B (* ∃는 생략 가능)	어떤 A는 B가 아니다.

2. 복합 명제: 논리 연결사(if, and, or 등)로 명제와 명제를 연결한 명제

구분		기호화	표준 명제
if	가언 명제	P → Q	P이면 Q이다. / 만일 P라면 Q이다.
	가언 명제의 후건 부정	P → ~Q	P이면 Q가 아니다. / 만일 P라면 Q가 아니다.
and	연언 명제	P ∧ Q	P 그리고 Q이다. / P이면서 Q이다.
	연언 명제의 부정	~(P ∧ Q) = ~P ∨ ~Q	P이면서 Q인 것은 없다. / P가 아니거나 Q가 아니다.
or	선언 명제	P ∨ Q	P이거나 Q이다.
	선언 명제의 부정	~(P ∨ Q) = ~P ∧ ~Q	P이거나 Q인 것은 없다. / P가 아니면서 Q도 아니다.

3 명제의 역·이·대우

1. 역·이·대우의 개념: '→'로 기호화할 수 있는 명제를 부정하거나 전건(앞 부분)과 후건(뒷 부분)의 위치를 바꿀 때의 관계를 의미한다.

· **역**: 원래 명제에서 전건과 후건의 위치를 바꾼 명제로, 원 명제가 참이더라도 그 역은 반드시 참이 아니다.

· **이**: 원래 명제를 부정한 명제로, 원 명제가 참이더라도 그 이는 반드시 참이 아니다.

· **대우**: 원래 명제에서 전건과 후건의 위치를 바꾸고 원 명제를 부정한 명제이다. 원 명제가 참이라면 그 대우는 반드시 참이 되며, 원 명제가 거짓이라면 그 대우도 반드시 거짓이 된다.

2. 역·이·대우의 도식화

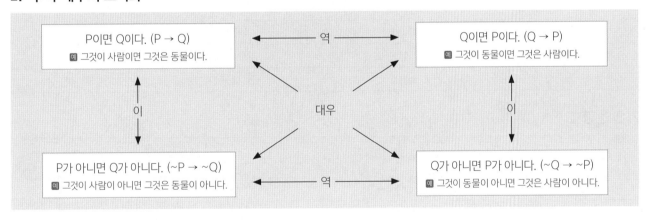

3. 충분조건과 필요조건 관계

충분조건	· 가언 명제가 'P이면 Q이다(P → Q)'가 성립할 때, P를 충분조건이라고 한다. · P라는 조건이 Q가 참이 되기 위해 충분한 조건이라는 의미이다. 예 직사각형이면 사각형이다.(*직사각형은 사각형이 되기에 충분한 조건임)
필요조건	· 가언 명제가 'P이면 Q이다(P → Q)'가 성립할 때 Q를 필요조건이라고 한다. · Q라는 결론이 P가 참이 되기 위해 필요한 조건이라는 의미이다. 예 직사각형이면 사각형이다.(*사각형은 직사각형이 되기 위해 필요한 조건임)
필요충분조건	· 'P이면 Q이면서 Q이면 P이다{(P → Q) ∧ (Q → P)}'와 같이 두 명제에서 충분조건과 필요조건이 동시에 성립하는 관계이다. ('P ↔ Q'로 표기하기도 함) 예 물이면 수소 2개와 산소 1개로 이루어져 있다. = 무엇이 수소 2개와 산소 1개로 이루어져 있으면 물이다.(*물 = 수소 2+산소 1)

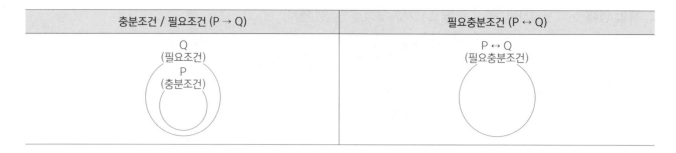

충분조건 / 필요조건 (P → Q)	필요충분조건 (P ↔ Q)
Q (필요조건) P (충분조건)	P ↔ Q (필요충분조건)

※ 아래 예문들은 모두 'P이면 Q이다. (P → Q)'의 의미를 갖는다.

- P이기 위해서 Q이어야만 한다.
- Q가 아니면 P가 아니다.
- P는 Q이기 위한 충분조건이다.

- Q이어야만 P이다.
- Q일 경우에만 P이다.
- Q는 P이기 위한 필요조건이다.

- Q일 때에만 P이다.
- 오직 Q이면 P이다.
- P이면서 Q가 아닌 것은 없다.

4 복합 명제의 진리표

1. 가언 명제: P → Q일 때, P가 참이고 Q가 거짓인 경우에만 명제가 거짓이 된다.

P	Q	P → Q (예 (*약속) 네가 시험에 합격하면 선물을 줄 것이다.)
참 (예 시험에 합격함)	참 (예 선물을 줌)	참 (예 시험에 합격했고 선물을 주었다.)
참 (예 시험에 합격함)	거짓 (예 선물을 주지 않음)	거짓 (예 시험에 합격했고 선물을 주지 않았다.)
거짓 (예 시험에 합격하지 않음)	참 (예 선물을 줌)	참 (예 시험에 합격하지 않았고 선물을 주었다.)
거짓 (예 시험에 합격하지 않음)	거짓 (예 선물을 주지 않음)	참 (예 시험에 합격하지 않았고 선물을 주지 않았다.)

2. 연언 명제: P ∧ Q일 때, P와 Q 중 하나만 거짓이더라도 명제가 거짓이 된다.

P	Q	P ∧ Q (예 나는 학교에 가서 수업을 들을 것이다.)
참 (예 학교에 감)	참 (예 수업을 들음)	참 (예 학교에 갔고 수업을 들었다.)
참 (예 학교에 감)	거짓 (예 수업을 듣지 않음)	거짓 (예 학교에 갔고 수업을 듣지 않았다.)
거짓 (예 학교에 가지 않음)	참 (예 수업을 들음)	거짓 (예 학교에 가지 않았고 수업을 들었다.)
거짓 (예 학교에 가지 않음)	거짓 (예 수업을 듣지 않음)	거짓 (예 학교에 가지 않았고 수업을 듣지 않았다.)

3. 선언 명제: P ∨ Q일 때, P와 Q가 모두 거짓일 때만 명제가 거짓이 된다.

P	Q	P ∨ Q (예 오늘은 비가 오거나 눈이 올 것이다.)
참 (예 비가 옴)	참 (예 눈이 옴)	참 (예 비가 오고 눈이 왔다.)
참 (예 비가 옴)	거짓 (예 눈이 오지 않음)	참 (예 비가 오고 눈이 오지 않았다.)
거짓 (예 비가 오지 않음)	참 (예 눈이 옴)	참 (예 비가 오지 않고 눈이 왔다.)
거짓 (예 비가 오지 않음)	거짓 (예 눈이 오지 않음)	거짓 (예 비가 오지 않고 눈이 오지 않았다.)

■ 단계별 문제 풀이 전략

STEP 1 제시된 명제를 기호화한다.
· 제시된 명제의 핵심어를 찾는다.
· 명제 사이의 관계가 잘 드러나도록 화살표(→), 물결(~), O/X 등을 이용하여 기호화한다.

STEP 2 명제 간 연결 관계를 파악한다.
· 동일한 대상, 범주, 항목에 주목하여 명제 간 연결 관계를 파악한다.
· 명제 간 연결 관계를 확인하기 위해 대우를 활용하는 경우도 빈번하므로 제시된 명제들의 대우도 함께 확인한다.

■ 전략 적용하기

다음 진술이 모두 참일 때 반드시 참인 것은?   9급 출제기조 전환 예시문제

○ 오 주무관이 회의에 참석하면, 박 주무관도 참석한다.   오 → 박

○ 박 주무관이 회의에 참석하면, 홍 주무관도 참석한다.   박 → 홍

○ 홍 주무관이 회의에 참석하지 않으면, 공 주무관도 참석하지 않는다. ~홍 → ~공

① 공 주무관이 회의에 참석하면, 박 주무관도 참석한다.

② 오 주무관이 회의에 참석하면, 홍 주무관은 참석하지 않는다.

③ 박 주무관이 회의에 참석하지 않으면, 공 주무관은 참석한다.

✓④ 홍 주무관이 회의에 참석하지 않으면, 오 주무관도 참석하지 않는다.

STEP 1

제시된 명제를 기호화한다.
· 제시된 명제를 기호화(성씨만 기재):
  – 명제(1): 오 → 박
  – 명제(2): 박 → 홍
  – 명제(3): ~홍 → ~공

STEP 2

명제 간 연결 관계를 파악한다.
· 주어진 명제의 대우를 확인:
  – 명제(1) 대우: ~박 → ~오
  – 명제(2) 대우: ~홍 → ~박
  – 명제(3) 대우: 공 → 홍

→ ④ 명제(1)의 대우와 명제(2)의 대우에 의하면 '~홍 → ~박 → ~오'이므로 반드시 참인 것은 ④이다.

 오답 분석
① 공 주무관과 박 주무관의 관계성은 확인할 수 없으므로 ①의 진술이 참인지는 알 수 없다. 참고로, 제시된 두 번째 명제(박 → 홍)의 역이 참인 경우(홍 → 박), (3)에 따라 '공 → 홍 → 박'이 참이 되어 공 주무관과 박 주무관의 관계성을 알 수 있다. 하지만 두 번째 명제의 역이 참인지는 알 수 없다.

② 제시된 첫 번째, 두 번째 명제에 따라, 오 주무관이 회의에 참석할 경우 박 주무관과 홍 주무관도 참석함(오 → 박 → 홍)을 알 수 있다.

③ 박 주무관과 공 주무관의 관계성은 확인할 수 없으므로 ③의 진술이 참인지는 알 수 없다.

유형 공략 문제

01

다음 명제가 모두 참일 때 항상 옳은 것은?

> ○ 가벼운 운동을 하는 모든 사람은 숙면을 취한다.
> ○ 숙면을 취하는 모든 사람은 불면증이 없다.
> ○ 활기가 있는 모든 사람은 가벼운 운동을 한다.

① 활기가 있는 모든 사람은 숙면을 취하지 않는다.
② 불면증이 있는 모든 사람은 가벼운 운동을 한다.
③ 가벼운 운동을 하는 모든 사람은 불면증이 없다.
④ 활기가 있는 모든 사람은 불면증이 있다.

02

다음 진술이 모두 참일 때 반드시 참인 것은?

> ○ 식물을 좋아하는 사람은 개를 좋아하지 않는다.
> ○ 개를 좋아하지 않는 사람은 고양이를 좋아한다.
> ○ 고양이를 좋아하지 않는 사람은 열대어를 좋아하지
>   않는다.

① 열대어를 좋아하는 사람은 개를 좋아한다.
② 개를 좋아하는 사람은 고양이를 좋아하지 않는다.
③ 고양이를 좋아하지 않는 사람은 식물을 좋아하지 않는다.
④ 열대어를 좋아하지 않는 사람은 식물을 좋아하지 않는다.

03

다음 진술이 모두 참일 때 반드시 참인 것은?

> ○ 전 대표 또는 홍 부장이 식사를 하면, 민 차장도 식사
>   를 한다.
> ○ 최 과장이 식사를 하지 않으면, 민 차장도 식사를 하지
>   않는다.
> ○ 전 대표는 식사를 한다.

① 홍 부장은 식사를 한다.
② 최 과장과 민 차장 모두 식사를 한다.
③ 홍 부장이 식사를 하면, 최 과장이 식사를 하지 않는다.
④ 최 과장이 식사를 하면, 민 차장이 식사를 하지 않는다.

04

다음 글의 밑줄 친 결론을 이끌어내기 위해 추가해야 할 전제는?

> □□ 국가에서 인플레이션이 발생하면 ○○ 은행은 보유한 채권을 매각한다. ○○ 은행은 보유한 채권을 매각하지 않거나 금리를 인상할 예정이다. 만약 ○○ 은행이 금리를 인상한다면 □□ 국가의 통화량은 감소한다. 따라서 □□ 국가의 통화량은 결국 감소할 것이다.

① ○○ 은행은 금리를 인상하지 않는다.
② □□ 국가에서 인플레이션이 발생한다.
③ ○○ 은행은 보유한 채권을 매각하지 않는다.
④ ○○ 은행이 금리를 인상하면 ○○ 은행은 보유한 채권을 매각한다.

05

다음 명제가 모두 참일 때 항상 옳은 것은?

> ○ 반지를 낀 모든 사람은 부자이다.
> ○ 결혼을 한 모든 사람은 반지를 낀다.
> ○ 돈을 벌지 않는 모든 사람은 부자가 아니다.

① 결혼을 한 모든 사람은 돈을 번다.

② 반지를 낀 모든 사람은 돈을 벌지 않는다.

③ 모든 부자는 반지를 낀다.

④ 돈을 벌지 않는 모든 사람은 반지를 낀다.

06

다음 글의 내용이 참일 때, 반드시 참인 것만을 〈보기〉에서 모두 고르면?

> 자율을 추구하는 사람은 협력을 하지 않는다. 또한 개방적인 성격을 가진 사람들이 협력을 한다. 하지만 협력을 하는 사람들은 전문적인 업무를 맡지 않는다. 한편 자율을 추구하지 않는 사람은 타인들을 신뢰하지 않고, 동시에 개방적인 성격을 가지고 있다. 반면 자율을 추구하는 사람들은 타인을 신뢰한다.

> ───── 〈보기〉 ─────
> ㄱ. 자율을 추구하는 사람은 전문적인 업무를 맡는다.
> ㄴ. 자율을 추구하는 사람은 개방적인 성격을 가지고 있지 않다.
> ㄷ. 개방적인 성격을 가진 사람들은 전문적인 업무를 맡지 않는다.

① ㄱ

② ㄴ

③ ㄴ, ㄷ

④ ㄱ, ㄴ, ㄷ

07

다음 진술이 모두 참일 때 항상 참인 것은?

> ○ 갑이 A 교육을 수강한다면 B 교육을 수강하지 않는다.
> ○ 갑이 B 교육을 수강하지 않는다면 C 교육을 수강한다.
> ○ 갑이 C 교육을 수강하지 않는다면 D 교육을 수강하지 않는다.

① 갑이 A 교육을 수강하지 않는다면 B 교육을 수강한다.

② 갑이 B 교육을 수강한다면 C 교육을 수강하지 않는다.

③ 갑이 C 교육을 수강하지 않는다면 A 교육을 수강하지 않는다.

④ 갑이 D 교육을 수강하지 않는다면 C 교육을 수강하지 않는다.

08

(가)와 (나)를 전제로 할 때 빈칸에 들어갈 결론으로 가장 적절한 것은?

> (가) 아침에 목욕하면서 저녁에 목욕하지 않는 사람이 있다.
> (나) 점심에 목욕하는 사람 중에서 저녁에 목욕하지 않는 사람은 없다.
> 따라서 [   ].

① 점심에 목욕하는 사람은 모두 아침에 목욕하지 않는 사람이다

② 아침에 목욕하는 사람 중 일부는 점심에 목욕하지 않는 사람이다

③ 아침에 목욕하면서 저녁에 목욕하는 사람은 모두 점심에 목욕하는 사람이다

④ 저녁에 목욕하면서 아침에 목욕하지 않는 사람은 모두 점심에 목욕하는 사람이 아니다

정답 및 해설 p.95

☐ 유형 소개

· '명제 추론하기'는 2025년부터 공무원 9급 시험에 새롭게 출제될 예정인 신유형 문제이다.
· 2025년 9급 출제기조 전환 예시문제에서 '명제 추론하기'는 주어진 명제를 바탕으로 도출되는 결론, 또는 결론 도출에 필요한 전제를 묻는 방식으로 출제되었다.
· '명제 추론하기' 문제는 독해 문제에 비해 짧은 길이의 지문이 제시된다. 명제의 종류와 명제 간의 관계에 대한 이해를 바탕으로 빠르게 문제를 해결하여 독해 문제 풀이 시간을 확보할 필요가 있다.

☐ 출제 경향

· '모든'의 의미를 가진 명제와 '일부'의 의미를 가진 명제를 구분하여 파악해야 하는 문제가 출제된다.
· 명제의 핵심어를 기준으로 집합 관계를 이해하고 해결해야 문제가 출제되고 있다.

☐ 유형 필수 이론

① 명제의 벤다이어그램

명제는 '모든'의 의미를 가진 명제와 '어떤'의 의미를 가진 명제로 구분할 수 있고, 같은 의미를 가진 명제는 다양한 문장으로 나타낼 수 있으며 다음과 같이 벤다이어그램으로 나타낼 수 있다.

1. '모든'의 의미를 가진 명제

모든 A는 B이다 (= A는 모두 B이다)	A 중에 B가 아닌 것은 없다	A 중에 B인 것은 없다

2. '어떤'의 의미를 가진 명제

어떤 A는 B이다 (= 어떤 B는 A이다)	어떤 A는 B가 아니다	B 중에 A가 있다
A B	A B	B A 또는 A B
A이면서 B인 것이 있다 (= B이면서 A인 것이 있다)	어떤 B는 A가 아니다	A 중에 B가 있다
A B	A B	A B 또는 A B

② 명제의 타당성 검증

제시된 명제가 '모든' 또는 '어떤' 중 어떤 의미를 갖는지 파악하고, 명제 사이의 관계가 잘 드러나도록 벤다이어그램으로 나타내 명제의 타당성을 파악할 수 있다.

1. 모든 전제가 참일 때 항상 참이 되는 결론은 타당한 결론이다.

예 모든 두부는 콩으로 만든다. 모든 콩은 단백질이 풍부하다.

결론	타당성 검증
모든 두부는 단백질이 풍부하다. (○)	단백질 콩 두부 ⇒ 모든 두부는 단백질이 풍부하므로 타당한 결론이다.

2. 반례가 한 가지라도 존재한다면 타당하지 않은 결론이다.

결론	타당성 검증
단백질이 풍부한 모든 것은 두부이다. (×)	단백질 콩 두부 ⇒ 단백질이 풍부한 것 중에서 두부가 아닌 것이 있으므로 타당하지 않은 결론이다.

3. 다른 형태의 벤다이어그램으로 그릴 때에도 반례가 없는지 확인한다.

의미가 동일하더라도 다양한 형태의 벤다이어그램으로 나타낼 수 있다.

결론	타당성 검증
단백질이 풍부한 모든 것은 두부이다. (○)	단백질 = 두부 = 콩 ⇒ 다음과 같이 나타내면 '단백질이 풍부한 것 중에 두부가 아닌 것이 있을 수도 있다'라는 반례를 찾을 수 없다.

☐ 단계별 문제 풀이 전략

STEP 1 제시된 명제를 벤다이어그램으로 나타낸다.
- 제시된 명제가 '모든' 또는 '일부' 중 어떤 의미를 갖는지 파악한다.
- 명제 사이의 관계가 잘 드러나도록 벤다이어그램으로 나타낸다.

STEP 2 명제의 타당성을 파악한다.
- 모든 전제가 참일 때 항상 참이 되는 결론은 타당한 결론이다.
- 반례가 한 가지라도 존재한다면 타당하지 않은 결론이다.
- 자신이 그린 벤다이어그램으로 반례를 찾을 수 없다면, 다른 형태의 벤다이어그램으로 그릴 때에도 반례가 없는지 확인해야 한다. 의미가 동일하더라도 다양한 형태의 벤다이어그램으로 나타낼 수 있기 때문이다.

■ 전략 적용하기

다음 글의 밑줄 친 결론을 이끌어 내기 위해 추가해야 할 것은?

9급 출제기조 전환 예시문제

> 문학을 좋아하는 사람은 ⓜ두 자연의 아름다움을 좋아하는 사람이다. 자연의
> 　　A　　　　　　　　　　　　　　　　　　　　B
> 아름다움을 좋아하는 ⓐ떤 사람은 예술을 좋아하는 사람이다. 따라서 예술을 좋
> 　B'　　　　　　　　　　　　　　　　C　　　　　　　　　　　　C'
> 아하는 어떤 사람은 문학을 좋아하는 사람이다.
> 　　　　　　　　　　A

☑ 자연의 아름다움을 좋아하는 사람은 모두 문학을 좋아하는 사람이다.

② 문학을 좋아하는 어떤 사람은 자연의 아름다움을 좋아하는 사람이다.

③ 예술을 좋아하는 어떤 사람은 자연의 아름다움을 좋아하는 사람이다.

④ 예술을 좋아하지만 문학을 좋아하지 않는 사람은 모두 자연의 아름다움을 좋아하
　는 사람이다.

STEP 1

제시된 명제를 벤다이어그램으로 나타낸다.

· 명제 사이의 관계가 잘 드러나도록 벤다이
어그램으로 나타냄

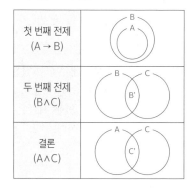

첫 번째 전제 (A → B)	
두 번째 전제 (B∧C)	
결론 (A∧C)	

STEP 2

명제의 타당성을 파악한다.

첫 번째 전제는 'A → B'이다. 두 번째 전제는
'B∧C'이므로 결론 'A∧C'를 이끌어 내려면,
'A ↔ B'라는 조건이 필요하다.

→ ① 'B → A'가 추가되면 첫 번째 전제
'A → B'에 의해 'A ↔ B'가 되고, 두 번째
전제 'B∧C'에 의해 'A∧C'를 이끌어 낼
수 있다.

 ② 첫 번째 전제에서 이미 문학을 좋아하는 사람은 모두 자연의 아름다움을 좋아한다고 제시하였으므로 ②는 적절하지 않다.

③ 두 번째 전제와 동등한 의미를 가지므로 ③은 적절하지 않다.

④ 아래 벤다이어그램과 같이 예술을 좋아하는 사람 중 문학을 좋아하는 사람이 한 명도 없을 수 있으므로 ④는 적절하지 않다.

유형 공략 문제

01

9급 출제기조 전환 예시문제

(가)와 (나)를 전제로 할 때 빈칸에 들어갈 결론으로 가장 적절한 것은?

> (가) 노인복지 문제에 관심이 있는 사람 중 일부는 일자리 문제에 관심이 있는 사람이 아니다.
> (나) 공직에 관심이 있는 사람은 모두 일자리 문제에 관심이 있는 사람이다.
> 따라서 [   ].

① 노인복지 문제에 관심이 있는 사람 중 일부는 공직에 관심이 있는 사람이 아니다

② 공직에 관심이 있는 사람 중 일부는 노인복지 문제에 관심이 있는 사람이 아니다

③ 공직에 관심이 있는 사람은 모두 노인복지 문제에 관심이 있는 사람이 아니다

④ 일자리 문제에 관심이 있지만 노인복지 문제에 관심이 없는 사람은 모두 공직에 관심이 있는 사람이 아니다

02

다음 글의 밑줄 친 결론을 이끌어내기 위해 추가해야 할 것은?

> 도서관에 가는 사람은 모두 책을 좋아한다.
> 책을 좋아하는 어떤 사람은 공부를 잘한다.
> 따라서 <u>공부를 잘하는 어떤 사람은 도서관에 간다.</u>

① 도서관에 가는 어떤 사람은 책을 좋아한다.

② 책을 좋아하는 모든 사람은 도서관에 간다.

③ 공부를 잘하는 어떤 사람은 책을 좋아한다.

④ 공부를 잘하는 모든 사람은 책을 좋아한다.

03

다음 진술이 모두 참일 때 반드시 옳은 것은?

> • 등산을 좋아하는 모든 사람은 운동화를 가지고 있다.
> • 등산을 좋아하는 어떤 사람은 등산복을 가지고 있다.

① 운동화와 등산복을 모두 가지고 있는 사람은 없다.

② 등산을 좋아하는 모든 사람은 등산복을 가지고 있다.

③ 운동화를 가지고 있는 모든 사람은 등산복을 가지고 있다.

④ 등산복을 가지고 있는 어떤 사람은 운동화를 가지고 있다.

04

다음 결론이 반드시 참이 되게 하는 전제는?

> • 전제 1: 모든 성악가는 한 가지 이상의 악기를 연주할 줄 안다.
> • 전제 2: [   ]
> • 결론: 모든 지휘자는 한 가지 이상의 악기를 연주할 줄 안다.

① 모든 성악가는 지휘자이다.

② 어떤 지휘자는 성악가가 아니다.

③ 성악가이면서 지휘자인 사람은 없다.

④ 성악가가 아닌 모든 사람은 지휘자가 아니다.

05

다음 명제가 모두 참일 때 항상 참인 진술은?

> • 인내력이 강한 모든 사람은 공감 능력을 가지고 있다.
> • 공감 능력을 가진 사람 중에 다정한 사람이 있다.
> • 이기적인 사람은 모두 공감 능력을 가지고 있지 않다.

① 이기적인 사람은 모두 인내력이 강하지 않다.

② 인내력이 강한 사람 중에 다정한 사람이 있다.

③ 다정한 사람은 모두 이기적이지 않은 사람이다.

④ 공감 능력을 가지고 있지 않은 모든 사람은 이기적인 사람이다.

06

(가)와 (나)를 전제로 할 때 빈칸에 들어갈 결론으로 가장 적절한 것은?

> (가) 부동산 투자에 관심이 있는 모든 사람은 적금 상품에 관심이 있다.
> (나) 주식 투자에 관심이 있는 사람 중 일부는 적금 상품에 관심이 있는 사람이 아니다.
> 따라서 _____.

① 주식 투자에 관심이 있는 사람 중 일부는 부동산 투자에 관심이 있는 사람이 아니다

② 부동산 투자에 관심이 있는 사람 중 일부는 주식 투자에 관심이 있는 사람이 아니다

③ 부동산 투자에 관심이 있는 사람은 모두 주식 투자에 관심이 있는 사람이 아니다

④ 적금 상품에 관심이 있지만 주식 투자에 관심이 없는 사람은 모두 부동산 투자에 관심이 있는 사람이 아니다

07

다음 결론이 반드시 참이 되게 하는 전제는?

> **전제:** 생산 업무를 담당하는 어떤 사람은 회계 업무도 담당한다.
> **결론:** 생산 업무를 담당하는 사람 중에 인사 업무도 담당하는 사람이 있다.

① 회계 업무를 담당하는 모든 사람은 인사 업무를 담당한다.

② 회계 업무를 담당하는 모든 사람은 인사 업무를 담당하지 않는다.

③ 인사 업무를 담당하는 사람 중에 회계 업무도 담당하는 사람이 있다.

④ 회계 업무를 담당하지 않는 사람 중에 인사 업무를 담당하는 사람이 있다.

정답 및 해설 p.97

2장

논증

01 논증의 종류 파악하기

■ 유형 소개

· '논증의 종류 파악하기' 유형은 연역적 논증, 귀납적 논증 등이 사용된 글을 제시하고 어떤 논증 방식이 사용된 것인지를 묻는 유형이다.

· 주어진 명제를 확인하고, 명제들 간의 관계를 이해하여 글의 논리가 어떻게 전개되는지를 파악하는 문제가 이 유형에 속한다.

■ 출제 경향

· 주요 직렬(국가직·지방직)에서는 2017년 이후 논증의 종류 파악하기 문제가 출제되지 않고 있으나, 최근 명제 및 논증 영역이 강화되면서 다시 출제될 가능성이 있다.

· 논증(추론)의 방식은 정의, 인과, 예시, 비교, 대조 등의 논지 전개 방식을 가진 글과 함께 출제되기도 한다.

■ 유형 필수 이론

① 논증의 이해

논증이란 정당한 근거나 일반적인 원리를 바탕으로 진리를 증명하는 것으로, 하나의 결론을 하나 이상의 전제가 뒷받침하는 형식이 일반적이다. 어떤 명제를 근거로 다른 명제를 도출할 때, 근거가 되는 명제를 '전제'라고 하고 도출된 결과로서의 명제를 '결론'이라고 한다.

② 논증의 종류

1. 연역적 논증

(1) 연역적 논증의 개념과 특징

① 연역(演繹, deduction)이란 일반적인 사실이나 원리에서 개별적이고 구체적인 사실이나 현상을 이끌어 내는 것을 의미한다.

② 주로 삼단 논법(전제 1 – 전제 2 – 결론)의 형식을 취한다.

③ 논리적 필연성을 중시하는 추론 방법으로, 논리적 형식이 타당하면 추론 과정 속에서는 모순이 발생하지 않는다. 따라서 전제가 참이면 결론도 참이 된다.

④ 논리적 형식이 타당하더라도 전제가 거짓이면 결론도 거짓이 된다.

⑤ 연역 추론을 통해서는 새로운 사실을 발견할 수 없으며, 전제 속에 포함된 진리를 재확인할 수 있을 뿐이다.

(2) 연역적 논증의 종류

① 전건 긍정: 가언 명제가 참일 때, 전건이 참이면 후건도 참이 된다.

표준 명제	예문
[전제 1] P이면 Q이다. (P → Q) [전제 2] P다. (P) [결론] 따라서 Q이다. (Q)	[전제 1] 사람이면 포유동물이다. [전제 2] 그것은 사람이다. [결론] 따라서 그것은 포유동물이다.

② 후건 부정: 가언 명제가 참일 때, 후건이 참이 아니면 전건도 참이 아니게 된다.

표준 명제	예문
[전제 1] P이면 Q이다. (P → Q) [전제 2] Q가 아니다. (~Q) [결론] 따라서 P가 아니다. (~P)	[전제 1] 사람이면 포유동물이다. [전제 2] 그것은 포유동물이 아니다. [결론] 따라서 그것은 사람이 아니다.

③ 정언 삼단 논법: 정언 명제를 통해 결론을 도출하는 방법이다.

표준 명제	예문
[전제 1] A는 B이다. [전제 2] C는 A이다. [결론] 따라서 C는 B이다.	[전제 1] 모든 사람은 죽는다. [전제 2] 소크라테스는 사람이다. [결론] 따라서 소크라테스는 죽는다.

④ 가언 삼단 논법: 가언 명제를 통해 결론을 도출하는 방법으로, 연쇄적인 인과 관계로 구성되어 있다.

표준 명제	예문
[전제 1] P이면 Q이다. (P → Q) [전제 2] Q이면 R이다. (Q → R) [결론] 따라서 P이면 R이다. (P → R)	[전제 1] 비가 오면 배가 운행하지 않는다. [전제 2] 배가 운행하지 않으면 섬에 들어갈 수 없다. [결론] 따라서 비가 오면 섬에 들어갈 수 없다.

⑤ 선언 삼단 논법: 선언 명제를 통해 결론을 도출하는 방법으로, 배제를 통해 나머지 하나를 확증하거나 긍정하는 형식으로 구성되어 있다.

표준 명제	예문
[전제 1] P 또는 Q이다. (P ∨ Q) [전제 2] P가 아니다. (~P) [결론] 따라서 Q이다. (Q)	[전제 1] 오늘은 비가 오거나 화창하다. [전제 2] 오늘은 비가 오지 않는다. [결론] 따라서 오늘은 화창하다.

2. 귀납적 논증

(1) 귀납적 논증의 개념과 특징

① 귀납(歸納, induction)은 개별적이고 특수한 사실이나 현상들을 점검하고, 사례들의 공통점을 바탕으로 일반적인 결론을 이끌어 내는 것을 의미한다.

② 연역 추론과 달리 새로운 사실을 알 수 있으나, 논리적 필연성이 보장되지는 않는다.

③ 부분적이고 특수한 사례에서 얻어진 결론을 전체에 적용시키는 '귀납적 비약'을 전제로 한다.

④ 귀납 추론을 통해 얻은 결론은 일정한 개연성을 지닌 일반적 명제 또는 가설일 뿐이며, 예외가 있을 경우 결론은 거짓이 된다.

(2) 귀납적 논증의 종류

① 귀납 추론: 부분적이고 특수한 사례의 공통점을 바탕으로 결론을 도출하는 방법이다.

> 예 **[사례 1]** 지구는 둥글고 행성이다.
> **[사례 2]** 목성은 둥글고 행성이다.
> **[사례 3]** 토성은 둥글고 행성이다.
> **[결론]** 따라서 모든 행성은 둥글다.
>
> ▶ 행성이 둥근 사례를 종합하여 '모든 행성은 둥글다'라는 새로운 지식을 도출하였다.

② 유비 추리: 두 대상 간의 유사성을 바탕으로 다른 속성도 유사할 것이라는 결론을 도출하는 방법이다.

> 예 **[전제]** 대기, 물, 공기가 존재하는 지구는 생명체가 존재한다.
> **[결론]** 따라서 대기, 물, 공기의 흔적이 존재하는 화성도 생명체가 존재했을 것이다.
>
> ▶ 지구와 화성의 환경이 유사한 것에 근거하여, 지구와 마찬가지로 화성에도 생명체가 존재했을 것이라고 결론을 내리고 있다.

3. 변증법적 논증

(1) 변증법적 논증의 개념과 특징

특정 사물이나 대상의 발전 단계에서 기존 요소와 새로운 요소가 갈등하고, 그 갈등을 해결하는 과정에서 더 나은 상태를 이끌어 내는 것을 의미한다.

(2) 변증법적 논증의 종류

① 정반합(正反合): 기존의 고정된 요소인 정(正)의 긍정적 요소를 계승하고 대립되는 요소인 반(反)의 부정적 요소를 버려 새로이 발전된 상태인 결론 합(合)을 도출하는 방법이다.

> **[정(正)]** 운동은 건강에 좋다.
> **[반(反)]** 하지만 체질에 맞지 않는 운동은 건강을 해칠 수도 있다.
> **[합(合)]** 따라서 건강을 증진시키려면 체질을 고려하여 운동을 해야 한다.

☐ 단계별 문제 풀이 전략

STEP 1 제시문이나 선택지에 제시된 명제를 파악한다.
- 글의 구조와 논증의 방식을 이해하기 위해 주어진 명제가 무엇인지 확인해야 한다.
- 명제 간의 같거나 유사한 의미가 있는지 파악하고, 각 명제들이 전제나 사례 혹은 결론에 해당하는지 확인한다.

STEP 2 명제 간의 관계를 파악한다.
- 일반적인 사실이나 원리에서 개별적이고 구체적인 사실이나 현상을 이끌어 내는지 확인한다. (연역 추론)
- 부분적이고 특수한 사례의 공통점을 바탕으로 결론을 도출하고 있는지 확인한다. (귀납 추론)

■ 전략 적용하기

다음 글과 논증 방식이 가장 가까운 것은?

2017 국가직 7급(10월)

> 기존의 틀을 벗어나려면 새로운 가치가 필요하다. 운동선수가 뜀틀을 넘으려면 도약대가 있어야 하듯, 낡은 사고, 인습, 그리고 변화에 저항하는 틀을 뛰어넘기 위해서는 믿고 따를 분명한 디딤판이 필요하다. 또한, 기존의 틀을 벗어나려면 운동선수가 뜀틀을 향해 달려가는 것처럼 변화하고자 하는 의지도 필요하다. 도전하려는 의지가 수반될 때에 뜀틀 너머의 새로운 사회를 만날 수 있다.

① 미국 헌법은 미국 시민의 투표권을 보장한다. 미국 여성은 미국 시민이다. 그러므로 미국 헌법은 미국 여성의 투표권을 보장한다.

② 나는 유해한 모든 일을 피하려고 한다. 전자파가 유해하다는 것은 널리 알려진 사실이다. 전자레인지는 전자파를 방출하는 대표적인 기기이다. 따라서 나는 전자레인지 사용을 자제하려고 한다.

 ③ 전선을 통한 전기의 흐름은 도관을 통한 물의 흐름과 유사하다. 지름이 큰 도관은 지름이 작은 도관에 비해 많은 양의 물을 전달할 수 있다. 따라서 큰 지름의 전선은 작은 지름의 전선보다 많은 양의 전기를 전달할 수 있을 것이다.

④ 주말이면 동네에서 크고 작은 문화 행사를 한다. 박물관에는 다양한 문화재들이 항상 전시되어 있으며, 대학로의 소극장이나 예술의 전당 같은 문화 공간에서는 다양한 공연이 열리고 있다. 문화는 우리 생활 구석구석에 스며들어 있다.

오답
분석 ① '연역 추론'의 논증 방식을 사용하였다.
- 미국 헌법은 미국 시민의 투표권을 보장한다. (대전제)
- 미국 여성은 미국 시민이다. (소전제)
- 그러므로 미국 헌법은 미국 여성의 투표권을 보장한다. (결론)

② '연역 추론'의 논증 방식을 사용하였다.
- 나는 유해한 모든 일을 피하려고 한다. (전제1)
- 전자파가 유해하다는 것은 널리 알려진 사실이다. (전제2)
- 전자레인지는 전자파를 방출하는 대표적인 기기이다. (전제3)
- 따라서 나는 전자레인지 사용을 자제하려고 한다. (결론)

④ 동네의 박물관, 소극장, 예술의 전당과 같은 곳에서 크고 작은 문화 행사가 열렸던 경험을 통해 '문화는 우리 생활 구석구석에 스며들어 있다'라는 결론을 내린 것으로 보아 '귀납 추론'의 논증 방식을 사용하였다.

제시문에 제시된 명제를 파악한다.

- 제시문에 드러난 주요 명제를 정리함:
  - 명제1: 기존의 틀(낡은 사고, 인습, 변화에 저항)을 벗어나려면 새로운 가치(디딤판)가 필요하다.
  - 명제2: 운동선수가 뜀틀을 넘으려면 도약대가 있어야 한다.

명제 간의 관계를 파악한다.

- 명제1~2의 관계 파악: 기존의 틀을 벗어나는 것과 운동 선수가 뜀틀을 넘는 것의 유사성에 근거하여 기존의 틀을 벗어나려면 새로운 가치가 필요하다는 결론을 이끌어 냈다.(유비 추리)

→ ③ 전선을 통한 전기의 흐름과 도관을 통한 물의 흐름의 유사성에 근거하여 큰 지름의 전선이 작은 지름의 전선보다 많은 양의 전기를 전달할 수 있을 것이라는 결론을 이끌어 냈다.(유비 추리)

유형 공략 문제

01
다음 글에서 나타난 추론 방법은?

쿠바에서는 도시 농업이 활성화되면서 식량 자급률이 높아졌고, 환경오염도 크게 줄어들었다. 독일의 클라인 가르텐은 도시민들의 건강과 휴양을 위한 공간으로도 활용되어 도시 농업의 성공을 이루었다. 프랑스의 빌랑드리 캐슬은 거대한 성의 정원 전체를 텃밭으로 바꾸었는데, 이곳에서 수확되는 수십 종의 농산물은 인근 레스토랑과 가게로 공급된다. 이와 같은 성공 사례를 통해 우리는 도시 농업이 이루어질 경우 유통비용 절감, 공해 발생 억제 등의 효과를 확인할 수 있다.

따라서 정부는 도시 농업을 성공한 다른 나라의 사례를 표본으로 삼아 관련법을 제정하고 제도를 마련해야 할 것이다. 또한 시민들은 이러한 도시 농업이 이루어질 수 있도록 보다 많은 관심을 기울이고 정부의 정책에 협조해야 할 것이다.

① 연역적 추론
② 귀납적 추론
③ 변증법적 추론
④ 유비 추론

02
2015 국가직 9급

다음 글과 같은 방식으로 논리를 전개한 것은?

진리가 사상의 체계에 있어 제일의 덕이듯이 정의는 사회적 제도에 있어 제일의 덕이다. 하나의 이론은 그것이 아무리 멋지고 간명한 것이라 하더라도 만약 참되지 않다면 거부되거나 수정되어야 한다. 이와 마찬가지로 법과 제도는 그것이 아무리 효율적으로 잘 정비되어 있다고 하더라도 만약 정의롭지 않다면 개혁되거나 폐기되어야 한다.

① 의지의 자유가 없는 사람에게는 책임을 물을 수 없다. 그런데 인간에게는 책임을 물을 수 있다. 그러므로 인간의 의지는 자유롭다고 보아야 한다.

② 여자는 생각하는 것이 남자와 다른 데가 있다. 남자는 미래를 생각하지만 여자는 현재의 상태를 더 소중하게 여긴다. 남자가 모험, 사업, 성 문제를 중심으로 생각한다면 여자는 가정, 사랑, 안정성에 비중을 두어 생각한다.

③ 우리 강아지는 배를 문질러 주면 등을 바닥에 대고 누워 버려. 그리고 정말 기분 좋은 듯한 표정을 짓지. 그런데 내 친구 강아지도 그렇더라고. 아마 모든 강아지가 그런 속성을 가지고 있는 것 같아.

④ 인생은 여행과 같다. 간혹 험난한 길을 만나기도 하고, 예상치 않은 일을 당하기도 한다. 우연히 누군가를 만나고 그들과 관계를 맺기도 한다. 여행을 끝내고 집으로 돌아왔을 때 편안함을 느끼는 것처럼 생을 끝내고 죽음을 맞이할 때 우리는 더없이 편안해질 것이다.

03

〈보기〉의 논리와 같은 방식이 사용된 문장은?

―――――〈보기〉―――――

내가 당신에게서 넥타이를 빌렸을 때, 그때 내가 당신 물건을 어떻게 다뤘었소? 소중하게 다루었소. 빌렸던 것이니까 소중하게 아꼈다가 되돌려 드렸지요. 이처럼 내가 이 세상에서 그대를 빌리는 동안에 아끼고 사랑하고 그랬다가 언젠가 이별의 시간이 되면 소중하게 되돌려 줄 것이오.

① 공부는 등산과는 다른 것이다. 공부는 머리로 하는 행위이고 등산은 몸으로 하는 행위이기 때문이다.

② '원숭이 엉덩이는 빨개, 빨가면 사과'라는 노랫말은 원숭이와 사과의 유사한 점을 바탕으로 한 것이다.

③ 우리말을 제대로 세우지 않고 영어를 들여오는 일은 우리 토종 물고기를 돌보지 않은 채 외래종 물고기를 들여온 우(憂)를 또다시 범하는 것이다.

④ 오늘날 고리타분한 전통에만 집착하는 것은 현대 문명의 편리하고 신속한 생활을 무시하는 것이나 마찬가지이다.

04

다음 글과 논증 방식이 가장 가까운 것은?

약품 A는 쥐의 스트레스 감소에 도움이 된다. 쥐는 사람과 유전적으로 80% 이상 유사하고, 허파로 호흡한다는 점에서도 사람과 유사하다. 또한, 쥐와 사람은 모두 포유류이다. 따라서 약품 A는 사람의 스트레스 감소에도 도움이 될 것이다.

① 모든 조류는 하늘을 날 수 있다. 타조는 조류이다. 그러므로 타조는 하늘을 날 수 있다.

② 오늘 점심 메뉴는 짜장면이거나 짬뽕이다. 오늘 점심 메뉴는 짜장면이 아니다. 따라서 오늘 점심 메뉴는 짬뽕이다.

③ 책을 좋아하고, 사람들과 대화하는 것을 좋아하고, 토론을 좋아하는 소크라테스는 똑똑하다. 플라톤도 책을 좋아하고, 사람들과 대화하는 것을 좋아하고, 토론도 좋아하므로 똑똑할 것이다.

④ 우리 진돗개는 사람만 보면 입을 벌리고 웃는다. 순이네 진돗개도 사람만 보면 입을 벌리고 웃는다. 철이네 진돗개도 그렇다. 따라서 모든 진돗개는 사람만 보면 입을 벌리고 웃을 것이다.

정답 및 해설 p.100

02 | 논증의 오류 파악하기

☐ 유형 소개

· '논증의 오류 파악하기' 유형은 제시문에 나타난 오류가 무엇인지 파악하고, 이와 동일한 오류를 가진 글을 찾게 하는 유형이다.
· 서로 다른 오류를 가진 글이지만 문형 또는 문장 구조를 유사하게 제시하여 오답 선택을 유도하는 문제가 출제되기도 한다. 따라서 논증 오류의 종류에 대해 숙지하고 다양한 문제에 적용해 보며 오류를 파악하는 연습이 필요하다.

☐ 출제 경향

· 주요 직렬(국가직·지방직)에서는 2018년 이후 논증의 오류 파악하기 문제가 출제되지 않고 있으나, 최근 명제 및 논증 영역이 강화되면서 다시 출제될 가능성이 있다.
· 공무원 국어 시험에서는 자료적, 심리적, 언어적 오류를 범한 경우의 문제가 출제되었으며, 높은 난도의 문제가 출제되지는 않았다.

☐ 유형 필수 이론

1 형식적 오류

연역적 논증에서 타당하지 않은 형식을 지닌 논증을 사용하여 발생하게 되는 오류이다.

전건 부정의 오류	참인 명제의 전건을 부정하여 후건의 부정을 결론으로 도출하는 오류이다. 예 비행기를 타면 멀리 갈 수 있다. 영서는 비행기를 타지 않았다. 따라서 영서는 멀리 가지 않았을 것이다. ▶ 영서가 비행기 외의 것을 타고 멀리 갔을 가능성이 있으므로 타당하지 않은 논증이다.
후건 긍정의 오류	참인 명제의 후건을 긍정하여 전건의 긍정을 결론으로 도출하는 오류이다. 예 비행기를 타면 멀리 갈 수 있다. 영서는 멀리 갔다. 따라서 영서는 비행기를 탔을 것이다. ▶ 영서가 비행기 외의 것을 타고 멀리 갔을 가능성이 있으므로 타당하지 않은 논증이다.
선언지 긍정의 오류	선언 명제로 제시된 두 명제 중 하나를 긍정하여 다른 하나의 부정을 결론으로 도출하는 오류이다. 예 성재는 강아지나 고양이를 키운다. 성재는 강아지를 키운다. 따라서 성재는 고양이를 키우지 않는다. ▶ 성재가 강아지와 고양이를 모두 키울 가능성이 있으므로 타당하지 않은 논증이다.

2 자료적 오류

주장의 전제나 논거가 되는 자료를 잘못 판단하였음에도 불구하고 이로부터 결론을 이끌어 내어 범하게 되는 오류, 또는 원래 적합하지 않은 전제임을 알면서도 논거로 삼음으로써 발생하게 되는 오류이다.

성급한 일반화의 오류	제한되거나 불충분한 자료, 또는 대표성이 결여된 사례 등을 근거로 삼아 성급하게 일반화함으로써 발생하는 오류이다. 예 알코올은 간암 발병의 원인이다. 그러므로 술을 마시는 사람은 모두 간암에 걸려 죽을 것이다.
흑백논리의 오류	어떤 주장에 대한 선택지가 두 가지밖에 없다고 생각하거나 다른 가능성이 허용됨에도 불구하고 그를 인정하지 않음으로써 발생하는 오류이다. 예 당신이 도덕적으로 좋은 사람이 아니라면 당신은 나쁜 사람이다.

원인 오판의 오류 (인과 혼동의 오류)	어떤 사건의 인과를 혼동하거나, 단순한 선후 관계를 원인과 결과의 관계로 혼동함으로써 발생하는 오류이다. 예 오늘 회사에 늦은 것은 출근길에 까마귀를 보았기 때문이다.
무지에의 호소	반증된 적이 없으므로 어떤 주장을 받아들여야 한다고 말하거나, 증명된 적이 없으므로 어떤 결론이 옳지 않다고 주장하는 오류이다. 예 아직 그 병을 치료할 수 있는 방법을 찾지 못했으니 그 병은 치료할 수 없는 병이다.
원칙 혼동의 오류 (우연의 오류)	일반적인 원칙을 특수한 경우에도 그대로 적용하여 발생하는 것이다. 예 우리는 누구나 표현의 자유를 가지고 있다. 따라서 교사도 교단에서 정치적 견해를 마음껏 표현할 권리를 가진다.
의도 확대의 오류	의도하지 않은 결과에 대해 본래부터 의도가 있었다고 판단하여 생기는 오류이다. 예 그는 정말 책을 많이 산다. 그는 출판사의 이익에 관심이 있는 것이 틀림없다.

복합 질문의 오류	둘 이상의 질문이 포함된 하나의 문장을 통해 긍정이나 부정의 답변을 요구하는 오류이다. 어떤 식으로 대답하든, 대답하는 사람이 수긍할 수 없거나 수긍하고 싶지 않은 점을 수긍하도록 하는 질문 때문에 발생한다.
	예 A: 회사에서 횡령한 자금을 모두 도박으로 탕진한 것이 사실입니까?
	    B: 아니오.
	    A: 그렇다면 회사 자금을 횡령한 사실은 인정하시는 거군요.
	▶ '당신은 회사의 자금을 횡령했습니까?'와 '돈을 도박으로 탕진했습니까?'의 두 질문을 내포하는 질문을 함으로써, 어떤 대답을 하든 회사 자금을 횡령했다는 사실을 수긍하게 만들고 있다.

분할의 오류	분할의 오류는 부분이나 원소가 전체 또는 집합과 같은 성질을 가지고 있다고 추론하는 것이다. 예 독일인은 원리 원칙을 잘 지키기로 유명하다. 따라서 그 독일 사람도 질서를 잘 지킬 것임에 틀림없어.
합성의 오류	합성의 오류는 부분이나 원소의 성질을 전체의 속성으로 보는 오류이다. 즉, 각각의 경우는 참이지만 결합한 전체는 거짓인 것을 참으로 주장함으로써 일어나는 오류이다. 예 야구 올스타팀은 국내 다른 어떤 야구팀과 경기해도 이길 것이다. 각 포지션별로 최고의 선수가 모여 있기 때문이다.
순환논증의 오류 (선결문제 요구의 오류)	결론에서 주장한 내용을 다시 근거로 제시하는 오류이다. 이는 문제가 되는 것을 증명하지 않고 사용하여 발생한다. 예 이곳에 있는 사람들은 모두 선하다. 왜냐하면 이곳에는 선하지 않은 사람들이 없기 때문이다.

③ 심리적 오류

주장에 대한 논리적 근거를 제시하지 않고, 심리적인 면에 호소하여 상대를 설득하려고 할 때 발생하는 오류이다.

동정(연민)에의 호소	상대방의 동정심이나 연민에 호소하여 자신의 주장을 받아들이게 하는 오류이다. 예 우리 단체에 기부하는 것은 결코 우리의 이익을 위한 일이 아닙니다. 바로 우리보다 궁핍한 사람들을 돕기 위한 것입니다.
부적합한 권위에의 호소	논점과 직접적인 상관관계가 없는 권위자의 견해를 근거로 하여, 자신의 주장을 받아들이도록 하는 오류이다. 예 그 학자는 중요한 발표를 앞두고 늘 와인을 마시곤 해. 우리도 중요한 일을 하기 전에 꼭 와인을 마시자. 그러면 긴장이 풀릴 거야.
원천 봉쇄의 오류 (우물에 독을 넣는 오류)	반론의 가능성이 있는 요소를 원천적으로 비난하거나 봉쇄하여, 반론의 제기 자체를 불가능하게 하는 오류이다. 예 저의 말은 무엇보다 진실에 근거한 것입니다. 저의 말에 반대하시는 분들은 진실을 외면하는 것입니다.
대중(여론)에의 호소	타당한 근거 없이 대중의 감정 또는 군중 심리에 호소하거나, 여러 사람이 동의한다는 점을 앞세워 자신의 주장에 동조하도록 하는 오류이다. 예 이 영화는 작품성이 뛰어나. 왜냐하면 1,000만 관객을 동원했거든.
정황에의 호소	상대방이 처한 상황이나 사정을 근거로 하여, 상대의 주장과 논지를 비판하는 오류이다. 예 ·공자의 사상은 무가치하다. 왜냐하면 공자는 죽었기 때문이다. ·그 사람은 밤 10시 이후 학원 수업 불가 정책에 반대할 게 틀림없어. 그는 학원 강사고, 그 법안이 통과되면 자기 수입이 줄어들 테니까.
역공격의 오류 (피장파장의 오류)	자신이 받는 비판이 상대방에게도 적용될 수 있음을 근거로 들어, 비판받는 상황을 모면하고자 하는 오류이다. 예 ·제 행위에 문제가 있다고들 지적하시지만, 여러분들 중에 저만큼이라도 법을 지키며 사신 분이 계시는지 의문입니다. ·왜 내 운전 솜씨 가지고 그래? 그러는 당신은 얼마나 잘하는데?

4 언어적 오류

언어를 잘못 이해하거나 사용한 데서 발생하는 오류이다.

애매어의 오류	둘 이상의 의미로 사용될 수 있는 단어를, 의미를 명백히 파악하지 않고 혼동하여 사용함으로써 생기는 오류이다. 예 ·그는 국회도서관 가까이에 산다. 그러니 그는 책을 가까이 하는 사람이다. 그러므로 그는 박학다식한 사람일 것이다. (가까이) ·목사님께서는 모든 인간은 죄인이라고 하셨다. 죄인은 감옥에 가야 한다. 그러므로 모든 인간은 감옥에 가야 한다. (죄인)
은밀한 재정의의 오류	용어가 가지는 사전적 의미에 자의적(恣意的)인 의미를 덧붙임으로써 생기는 오류이다. 예 ·그 아이 덤비는 거 봤어? 미치지 않고서야 어떻게 그래. 정신이 나간 게 틀림없어. 빨리 정신 병원에 보내야 해. ·그는 그녀의 이별 통보를 듣고 넋이 나갔다. 그는 죽은 것이다.
범주의 오류	서로 다른 범주에 속하는 개념을 같은 범주의 것으로 혼동하여 사용하는 데서 생기는 오류이다. 예 ·저는 과학자가 되기보다는 훌륭한 물리학자가 되고 싶습니다. ·운동장이랑 강의실은 다 둘러봤는데, 그럼 학교는 어디 있어?

🔲 단계별 문제 풀이 전략

STEP 1 지문이나 선택지에 주장(결론)과 근거(전제)를 구분해 표시한다.

· 논증은 정당한 근거나 일반적인 원리를 바탕으로 결론을 도출해 내는 것이므로 이 둘을 구분해야 한다.

· 연역 추론, 귀납 추론, 유비 추론이 쓰인 것은 아닌지 확인하며 문장을 분석한다.

STEP 2 주장(결론)과 근거(전제)의 연관성 및 타당성을 확인한다.

· 연역적 논증에서 타당하지 않은 형식을 지닌 논증을 사용하지는 않았는지 확인한다.

· 주장의 전제나 논거가 되는 자료를 잘못 판단하였음에도 불구하고 이로부터 결론을 이끌어 내고 있지는 않은지 확인한다.

· 주장에 대한 논리적 근거를 제시하지 않고, 심리적인 면에 호소하여 상대를 설득하고 있지는 않은지 확인한다.

· 언어를 잘못 이해하거나 사용하여 오류가 발생하지는 않았는지 확인한다.

■ 전략 적용하기

⊙ ~ ㉣의 예를 추가할 때 가장 적절한 것은?

2018 국가직 9급

> 논리학에서 비형식적 오류 유형에는 우연의 오류, 애매어의 오류, 결합의 오류, 분해의 오류 등이 있다.
>
> 우선 ⊙ 우연의 오류란 거의 대부분의 경우에 적용되는 일반적인 원리나 규칙을 우연적인 상황으로 인해 생긴 예외적인 특수한 경우에까지도 무차별적으로 적용할 때 생기는 오류이다. 그 예로 "인간은 이성적인 동물이다. 중증 정신 질환자는 인간이다. 그러므로 중증 정신 질환자는 이성적인 동물이다."를 들 수 있다. ⓛ 애매어의 오류는 동일한 한 단어가 한 논증에서 맥락마다 서로 다른 의미를 지니는 것으로 사용될 때 생기는 오류를 말한다. "김 씨는 성격이 직선적이다. 직선적인 모든 것들은 길이를 지닌다. 고로 김 씨의 성격은 길이를 지닌다."가 그 예이다. 한편 각각의 원소들이 개별적으로 어떤 성질을 지니고 있다는 내용의 전제로부터 그 원소들을 결합한 집합 전체도 역시 그 성질을 지니고 있다는 결론을 도출하는 경우가 ⓒ 결합의 오류이고, 반대로 집합이 어떤 성질을 지니고 있다는 내용의 전제로부터 그 집합의 각각의 원소들 역시 개별적으로 그 성질을 지니고 있다는 결론을 도출하는 경우가 ㉣ 분해의 오류이다. 전자의 예로는 "그 연극단 단원들 하나하나가 다 훌륭하다. 고로 그 연극단은 훌륭하다."를, 후자의 예로는 "그 연극단은 일류급이다. 박 씨는 그 연극단 일원이다. 그러므로 박 씨는 일류급이다."를 들 수 있다.

① ⊙ - 모든 사람은 죽는다. 소크라테스는 사람이다. 그러므로 소크라테스는 죽는다.
　　　대전제　　　　　　소전제　　　　　　　　결론

☑② ⓛ - 부패하기 쉬운 것들은 냉동 보관해야 한다. 세상은 부패하기 쉽다. 고로 세상
　　　　　　　　　　　　의미가 다름
은 냉동 보관해야 한다.

③ ⓒ - 미국 아이스하키 선수단이 이번 올림픽에서 금메달을 차지했다. 그러므로 미
　　　　　　　　　　　　　　　집합
국 선수 각자는 세계 최고 기량을 갖고 있다.
　　개별 원소

④ ㉣ - 그 학생의 논술 시험 답안은 탁월하다. 그의 답안에 있는 문장 하나하나가 탁
　　　　　　　　　　　집합　　　　　　　　개별 원소
월하기 때문이다.

 오답
분석

① 연역법에 따라 적절하게 논리를 전개하였으므로 어떤 오류의 예시에도 해당하지 않는다.
　· 모든 사람은 죽는다 (대전제)
　· 소크라테스는 사람이다 (소전제)
　· 그러므로 소크라테스는 죽는다 (결론)

③ 집합인 '미국 아이스하키 선수단'의 기량이 뛰어나다는 전제를 통해 개별 원소인 '미국 (아이스하키) 선수 각자'의 실력이 뛰어나다는 결론을 도출하였으므로 ㉣ '분해의 오류'의 예에 해당한다.

④ 개별 원소인 '답안에 있는 문장 하나하나'가 탁월하다는 전제를 통해 집합인 '논술 시험 답안'이 탁월하다는 결론을 도출하였으므로 ⓒ '결합의 오류'의 예에 해당한다.

STEP 1

지문이나 선택지에 주장(결론)과 근거(전제)를 구분해 표시한다.

① – 대전제: 모든 사람은 죽는다.
　– 소전제: 소크라테스는 사람이다.
　– 결론: 소크라테스는 죽는다.
　→ 타당한 연역 논증임. 오류에 해당하지 않음
② – 전제1: 부패하기 쉬운 것들은 냉동 보관해야 한다.
　– 전제2: 세상은 부패하기 쉽다.
　– 결론: 세상은 냉동 보관해야 한다.
③ – 전제: 미국 아이스하키 선수단이 이번 올림픽에서 금메달을 차지했다.
　– 결론: 미국 선수 각자는 세계 최고 기량을 갖고 있다.
④ – 전제: 그의 답안에 있는 문장 하나하나가 탁월하기 때문이다.
　– 결론: 그 학생의 논술 시험 답안은 탁월하다.

STEP 2

주장(결론)과 근거(전제)의 연관성 및 타당성을 확인한다.

② 전제1과 전제2에서 '부패하다'의 의미가 다르게 쓰였으므로 연관성이 없으며, 타당하지 않음 (ⓛ 애매어의 오류)

→ ② 전제1의 '부패하다'는 '단백질이나 지방 등의 유기물이 미생물의 작용에 의하여 분해되다'이고, 전제2의 '부패하다'는 '정치, 사상, 의식 등이 타락하다'의 뜻으로 쓰였다. 이처럼 두 전제에 쓰인 '부패하다'의 의미가 다른데도 결론에서 '세상은 냉동 보관해야 한다'라고 진술하였으므로 ②는 '애매어의 오류'의 예로 적절하다.

01

2015 서울시 7급

다음 중 〈보기〉에서 보이는 오류의 유형과 같은 오류가 있는 것은?

――――― 〈보기〉 ―――――

"그놈은 나쁜 놈이니 사형을 당해야 해. 사형을 당하는 걸 보면 나쁜 놈이야."

① 분열은 화합으로 극복할 수 있다. 그러므로 우리는 분열을 치유하기 위해 모두가 하나 되는 사회를 만들어야 한다.

② 국민의 67%가 사형 제도에 찬성했다. 그러므로 사형 제도는 정당하다.

③ 하나를 보면 열을 안다고, 국어 성적이 좋은 걸 보니 혜림이는 공부를 잘하는 학생이구나.

④ 이번 학생 회장 선거에서 나를 뽑지 않은 것으로 보아 너는 나를 아주 싫어하는구나.

02

2018 서울시 9급(3월)

〈보기〉와 같은 유형의 논리적 오류에 해당하는 것은?

――――― 〈보기〉 ―――――

네가 내게 한 약속을 지키지 않은 것은 곧 나를 사랑하지 않는다는 증거야.

① 항상 보면 이등병들이 말썽이더라.

② 내 부탁을 거절하다니, 넌 나를 싫어하는구나.

③ 김 씨는 참말만 하는 사람이다. 왜냐하면 그는 거짓말을 하지 않는 사람이기 때문이다.

④ 거짓말을 하는 것은 죄악이다. 그러므로 의사가 환자에게 거짓말을 하는 것은 당연히 죄악이다.

03

밑줄 친 '시민 A씨'가 범한 오류의 유형이 가장 유사한 것은?

시민 A씨는 최근 들어 10대들이 강력 범죄에 연관되어 있다는 뉴스를 연달아 보았다고 하면서 '우리나라의 10대들은 모두 타락하였다'라고 주장하였다. 그러나 사실 강력 범죄의 가해자 비율을 조사한 결과 가해자 중 미성년자는 극소수였으며, 같은 범죄일 경우에도 가해자가 미성년자일 때 사건이 방송이 노출되는 경우가 많은 것으로 나타났다.

① 요즘 인터넷에 후기가 굉장히 많은 걸 보니, 이 라면은 분명히 맛있을 거야.

② 우리 그 사람을 회장으로 뽑아 주자. 들어보니 사정이 참 딱해. 이전에 선거에 출마했지만 여러 차례 떨어졌다고 하더라고.

③ 전체 인원 중 60% 사람들이 정책에 대해 찬성하였다. 따라서 나머지 40%의 사람들은 이 정책을 시행하는 것에 반대할 것이다.

④ 작년에는 A 나라로 여행을 다녀왔고, 올해에는 B 나라로 여행을 다녀왔는데 모두 즐거웠다. 따라서 국내 여행보다는 해외여행을 가는 편이 현명하다.

04

2017 서울시 9급

다음 예문과 같은 유형의 논리적 오류가 나타난 것은?

> 이 식당은 요즘 SNS에서 굉장히 뜨고 있어. 그러니 엄청 맛있을 거야.

① 이 식당 음식을 꼭 먹어보도록 해. 만나는 사람들마다 이 집이야기를 하는 걸 보니 맛이 괜찮은가 봐.

② 누구도 이 식당이 맛없다고 말한 사람은 없어. 그러니까 엄청 맛있는 집이란 소리지.

③ 여기는 유명한 개그맨이 맛있다고 한 식당이니까 당연히 맛있겠지. 그러니까 꼭 여기서 먹어야 해.

④ 이번에는 이 식당에서 밥을 먹자. 내가 얼마나 여기서 먹어보고 싶었는지 몰라. 꼭 한번 오게 되기를 간절하게 바랐어.

05

다음 중 〈보기〉에서 보이는 오류의 유형과 같은 오류가 있는 것은?

> ───── 〈보기〉 ─────
> "저번 주에 들어온 신입 사원과 이번 주에 들어온 신입 사원이 모두 능력이 좋던데, 우리 회사에 들어오는 모든 신입 사원은 능력이 좋은 것 같아."

① 떡볶이는 맵다. 따라서 떡볶이에 들어가는 모든 재료는 매울 것이다.

② 내가 좋아하는 배우가 이 제품은 별로라고 했으니까 다른 것을 사야 해.

③ 이번에도 택배가 기한 내에 오지 않았다. 택배 기사님이 날 싫어하시는 게 틀림없다.

④ 몇몇 인도인들이 밥을 손으로 먹는 것을 보았으므로 모든 인도인들은 밥을 손으로 먹을 것이다.

06

다음 중 〈보기〉에서 보이는 오류의 유형과 같은 오류가 있는 것은?

> ───── 〈보기〉 ─────
> "공부를 열심히 하면 이번 시험에서 만점을 받을 수 있다. 그런데 나는 공부를 열심히 하지 않았다. 나는 이번 시험에서 만점을 받지 못할 것이다."

① 일요일에는 택배가 배송되지 않는다. 오늘은 월요일이다. 그러므로 오늘 택배가 배송될 것이다.

② 내가 본 모든 운동선수는 체력이 좋았으므로 전 세계에 있는 모든 운동선수는 체력이 좋을 것이다.

③ 강아지는 기분이 좋으면 침을 흘린다. 명수네 강아지가 침을 흘렸다. 따라서 명수네 강아지는 기분이 좋을 것이다.

④ 혜림이는 딸기 우유나 초코 우유를 좋아한다. 혜림이는 딸기 우유를 좋아한다. 따라서 혜림이는 초코 우유를 좋아하지 않을 것이다.

정답 및 해설 p.101

MEMO

해커스공무원

국어
기본서 1권 | 독해+논리

개정 11판 3쇄 발행 2024년 11월 4일

개정 11판 1쇄 발행 2024년 5월 7일

지은이	해커스 공무원시험연구소
펴낸곳	해커스패스
펴낸이	해커스공무원 출판팀
주소	서울특별시 강남구 강남대로 428 해커스공무원
고객센터	1588-4055
교재 관련 문의	gosi@hackerspass.com
	해커스공무원 사이트(gosi.Hackers.com) 교재 Q&A 게시판
	카카오톡 플러스 친구 [해커스공무원 노량진캠퍼스]
학원 강의 및 동영상강의	gosi.Hackers.com
ISBN	1권: 979-11-6999-999-1 (14710)
	세트: 979-11-6999-998-4 (14710)
Serial Number	11-03-01

공무원 교육 1위,
해커스공무원 gosi.Hackers.com

해커스공무원

· '회독'의 방법과 공부습관을 제시하는 **해커스 회독증강 콘텐츠**(교재 내 할인쿠폰 수록)

· 꾸준히 암기해야 하는 한자를 모아 정리한 **최다 빈출 한자 200**

· 필수 어휘와 사자성어를 편리하게 학습할 수 있는 **해커스 매일국어 어플**

· 해커스 스타강사의 **공무원 국어 무료 특강**

· **해커스공무원 학원 및 인강**(교재 내 인강 할인쿠폰 수록)

해커스공무원

국어
기본서 1권 | 독해+논리

약점 보완 해설집

해커스공무원

국어
기본서 1권 | 독해+논리

약점 보완 해설집

🏛️ 해커스공무원

1장 사실적 독해

01 주제 및 중심 내용 파악하기   p.36

01 ③	02 ②	03 ②	04 ③	05 ④
06 ④	07 ②	08 ④	09 ④	10 ③
11 ②	12 ②			

01
다음 글의 주제로 가장 적절한 것은?

> 예전에 혐오는 대중에게 관심을 끄는 말이 아니었지만,
> 요즘에는 익숙하게 듣는 말이 되었다. 이는 과거에 혐오가 존
> 재하지 않았다는 말이 아니다. 단지 최근 몇 년 사이에 이 문
> 제가 폭발하듯 가시화되었다는 뜻이다. 혐오 현상은 외계에
> 서 뚝 떨어진 괴물이 만들어 낸 것이 아니라, 거기엔 자체의
> 역사와 사회적 배경이 반드시 선행한다.
>
> 이 문제를 바라볼 때 주의 사항이 있다. 혐오나 증오라는
> 특정 감정에 집착해선 안 된다는 것이다. 혐오가 주제인데 거
> 기에 집중하지 말라니, 얼핏 이율배반처럼 들리지만 이는 매
> 우 중요한 포인트다. 왜 혐오가 나쁘냐고 물어보면 많은 사람
> 들은 이렇게 답한다. "나쁜 감정이니까 나쁘다.", "약자와 소
> 수자를 차별하게 만드니까 나쁘다." 이 대답들은 분명 선량
> 한 마음에서 나온 것이다. 하지만 문제의 성격을 오인하게
> 만들수 있다. 혐오나 증오라는 감정에 집중할수록 우린 '달
> 을 가리키는 손가락만 바라보는' 잘못을 범하기 쉬워진다.
>
> 인과 관계를 혼동하면 곤란하다. 우리가 문제시하고 있는
> 각종 혐오는 자연 발생한 게 아니라 사회적으로 형성된 감정
> 이다. 사회 문제의 기원이나 원인이 아니라, 발현이며 결과
> 다. 더 정확히 말하자면 혐오는 증상이다. 증상을 관찰하는
> 일은 중요하지만 거기에만 매몰되면 곤란하다. 우리는 혐오
> 나 증오 그 자체를 사회악으로 지목해 도덕적으로 지탄하는
> 데서 그치지 말아야 한다.

① 혐오 현상에는 인과 관계가 존재하지 않는다.

② 혐오 현상은 선량한 마음으로 바라보아야 한다.

③ 혐오 현상을 만들어 내는 근본 원인을 찾아야 한다.

④ 혐오라는 감정에 집중할수록 사회 문제는 잘 보인다.

해설 ③ 지문은 '혐오 현상'이 사회적·역사적 배경에서 비롯된 문제의
증상이며, 이 증상을 단순히 감정의 결과로 본다면 사회 문제
의 원인을 보지 못하고 매몰될 수 있다고 주장하고 있다. 따라
서 글의 주제로 가장 적절한 것은 ③이다.

오답 분석 ① 1문단과 3문단을 통해 혐오는 역사적, 사회적 배경이 선행되
어 사회적으로 형성된 결과임을 알 수 있으므로 인과 관계를
확인할 수 있다. 따라서 주제로 적절하지 않다.

② 혐오라는 감정 자체를 부정적으로 바라보는 것은 사람들의
선량한 마음에서 비롯되지만 문제의 성격을 오인하게 만든
다는 2문단의 내용과 반대되므로 주제로 적절하지 않다.

④ 혐오라는 감정에 집중할수록 달(사회 문제)이 아닌 달을 가
리키는 손가락(혐오 감정)만 바라보는 잘못을 범하게 된다는
2문단의 내용과 반대되므로 주제로 적절하지 않다.

02
다음 글의 결론으로 가장 적절한 것은?

> 인공지능(AI)은 비즈니스 패러다임을 획기적으로 바꾸고
> 있다. 인공지능은 생물학 분야에도 광범위하게 영향을 미칠
> 것이며, 애완동물이 인공지능(AI)으로 대체될 수도 있을 것
> 이다. 인공지능(AI)은 스스로 수학도 풀고 글도 쓰고 바둑을
> 두며 사람을 이길 수도 있다. 어느 영화에서처럼 실제로 인간
> 관계를 대신할 수도 있다. 인공지능(AI)은 배우면서 성장할
> 수도 있다. 인공지능(AI)이 사람보다 똑똑해질 수 있을지도
> 모른다.
>
> 인공지능(AI)이 사람보다 똑똑해질 수 있는지는 차치하고,
> 인공지능(AI)이 사람을 게으르게 만들 수도 있지 않을까?
> 이 게으름은 우리의 건강과 행복, 그리고 일상생활의 패턴을
> 바꿔 놓을 수도 있다.

인공지능(AI)이 앱을 통해 좀 더 편리한 삶을 제공하여 사람의 뇌를 어떻게 바꾸는지를 일상에서 보여 주는 대표적 사례가 바로 GPS다. 불과 몇 년 전만 해도 지도를 보고 스스로 거리를 가늠하고 도착 시간을 계산했던 운전자들은 이 내비게이션의 등장으로 어디에서 어떻게 가라는 기계 속 음성에 전적으로 의존하기 시작했다. 예전의 방식으로도 충분히 잘 찾아가던 길에서조차 습관적으로 내비게이션을 켠다. <u>이것이 없으면 자주 다니던 길도 제대로 찾지 못하고 멀쩡한 어른도</u>
<small>기계에 의존해 인간의 두뇌가 게을러진 것을 보여주는 사례</small>
<u>길을 잃는다.</u>

이와 같이 기계에 의존해서 인간이 살아가는 사례는 오늘날 우리의 두뇌가 게을러진 것을 보여 주는 여러 사례 가운데 하나일 뿐이다. <mark>삶을 더 편하게 해 준다며 지름길을 제시</mark>
<small>선택지 ②의 근거</small>
<mark>하는 도구들이 도리어 우리의 기억력과 창조력을 퇴보시키고 있다.</mark> 인간을 태만하고 나태하게 만들어 뇌의 가장 뛰어난 영역인 상상력을 활용하지 않도록 만드는 것이다.

① 인간의 인공지능(AI)에 대한 독립성은 지속적으로 증가하게 될 것이다.

☑ 인공지능(AI)으로 인해 인간의 두뇌가 게을러지는 부작용이 발생하게 될 것이다.

③ 인공지능(AI)은 인간을 능가하는 사고력을 가질 것이다.

④ 인공지능(AI)은 궁극적으로 상상력을 가지게 될 것이다.
➡ 지문에서 확인 ×

해설 ② 지문은 인공지능의 발달이 가져오는 삶의 편리함으로 인해 오히려 인간의 두뇌가 게을러질 수도 있다는 문제를 제기하고 있다. 따라서 글의 결론으로 가장 적절한 것은 ②이다.

오답 분석 ① 인공지능에 대한 인간의 독립성이 지속적으로 증가하게 될 것이라는 내용은 지문의 내용과 상반되므로 적절하지 않다.

③ 1문단에서 인공지능이 인간보다 똑똑해질 수도 있다고 말한다. 그러나 이는 지문의 일부분에 해당하는 내용이므로 결론으로 적절하지 않다.

④ 지문을 통해 알 수 없는 내용이다.

03
〈보기〉에서 말하고자 하는 바로 가장 적절한 것은?

〈보기〉

기존의 대부분의 일제 시기 근대화 문제에 관한 연구는 다양한 입장 차이에도 불구하고 대단히 대립적인 두 가지 주장으로 정리될 수 있다. 즉 일제가 조선을 지배하지 않았다면 조
<small>선택지 ③의 근거</small>
선에서는 근대적 변혁이 제대로 이루어지지 않았을 것이라는 주장과, 일제의 조선 지배는 한국근대화를 압살하였기 때문
<small>선택지 ①의 근거</small>
에 결국 근대는 해방 이후부터 시작될 수밖에 없었다는 주장이 그것이다. 두 주장 모두 일제의 조선 지배에도 불구하고 조선인들이 주체적으로 대응했던 역사가 탈락되어 있다. 일제 시기의 역사가 한국 역사의 일부가 되기 위해서는 민족
<small>선택지 ②의 근거 - 글쓴이의 주장</small>
해방 운동 같은 적극적인 항일 운동뿐만 아니라, 지배의 억
<small>선택지 ④의 근거</small>
압 속에서도 치열하게 삶을 영위해 가면서 자기 발전을 도모해 나간 조선인의 역사도 정당하게 평가되지 않으면 안 된다.

① 일제의 조선 지배는 한국에게서 근대화의 기회를 빼앗았다.

☑ 일제의 지배에 주체적으로 대응한 조선인의 역사도 정당하게 평가되어야 한다.

③ 일제가 조선을 지배하지 않았다면 조선에서는 근대화가 이루어지지 않았을 것이다.

④ 조선인들은 일제하에서도 적극적인 항일 운동으로 역사에 주체적으로 대응해 나갔다.

해설 ② 〈보기〉는 일제 시기 근대화에 대한 두 가지 주장 모두 일제의 조선 지배에 주체적으로 대응한 조선인의 역사가 빠져 있다는 문제점을 제기하고, 일제의 지배의 억압에 주체적으로 대응한 조선인의 역사를 정당하게 평가해야 함을 주장하고 있다. 따라서 답은 ②이다.

오답 분석 ①③④ 〈보기〉의 부분적인 내용으로, 글 전체 내용을 포괄하지 못하므로 적절하지 않다.

04

다음 글의 주장으로 가장 적절한 것은?

우리에게 친숙한 동물들의 사소한 행동을 살펴보면 그들이 자신의 환경을 개조한다는 것을 알 수 있다. **가장 단순한 생명체는 먹이가 그들에게 헤엄쳐 오게 만들고, 고등 동물은** 〔선택지 ②의 근거 - 근거 (1)〕 **먹이를 구하기 위해 땅을 파거나 포획 대상을 추적하기도 한다.** 이처럼 동물들은 자신의 목적을 위해 행동함으로써 환경을 변형시킨다. 이러한 생존 방식을 흔히 환경에 적응하는 것으로 설명한다. 그러나 이러한 설명은 **생명체들이 그들의 환경 개변(改變)에 능동적으로 행동한다는 중요한 사실을 놓치고 있다.** 〔선택지 ③의 근거 - 주장〕

가장 고등한 동물인 인간도 다른 생명체와 마찬가지로 생 〔선택지 ①의 근거〕 **존이나 적응을 넘어서 환경에 대해 적극성을 보인다.** 이는 인간의 세 가지 충동—사는 것, 잘 사는 것, 더 잘 사는 것—으 〔선택지 ④의 근거 - 근거 (2)〕 로 인하여 가능하다. 잘 살기 위한 노력은 순응적이기보다는 능동적인 모습으로 나타나게 된다. 인간도 생명체이다. 더 잘 살기 위해서는 환경에 순응할 수만은 없다.

① 인간은 환경에 적응해 왔다.

② 삶의 기술은 생존을 위한 것이다.

③ 생명체는 환경을 능동적으로 변형한다. ☑

④ 인간은 잘 사는 것을 삶의 목표로 한다.

〔해설〕 ③ 지문은 동물들이 자신의 목적을 위해 행동함으로써 환경을 변형시킨다는 사례와 인간의 세 가지 충동을 근거로 들어 모든 생명체는 환경을 능동적으로 변형시킨다고 주장한다. 따라서 글의 주장으로 가장 적절한 것은 ③이다.

〔오답분석〕 ① 2문단 1~2번째 줄을 통해 인간은 환경에 적응하는 것을 넘어 환경에 대해 적극성을 보인다는 사실을 알 수 있다.

② 1문단 2~5번째 줄을 통해 동물들이 생존을 위해 다양한 삶의 기술을 활용하고 있음을 알 수 있다. 그러나 이는 생명체가 환경 개변에 능동적으로 행동한다는 주장을 뒷받침하기 위한 사례일 뿐이므로 지문의 주장으로는 보기 어렵다.

④ 2문단 2~4번째 줄을 통해 '잘 사는 것'은 인간의 세 가지 충동 중 하나임을 알 수 있으나, 잘 사는 것을 삶의 목표로 한다는 내용은 지문을 통해 확인할 수 없는 내용이다.

05

다음 글의 주장으로 가장 적절한 것은?

예술 작품의 복제 기술이 좋아지고 있음에도 불구하고 원본을 보러 가는 이유는 무엇인가? 예술 작품의 특성상 원본 고유의 예술적 속성을 복제본에서는 느낄 수 없다고 생각하는 경향이 강하기 때문이다. 사진은 원본인지 복제본인지 중요하지 않지만, 회화는 붓 자국 하나하나가 중요하기 때문에 **복제본이 원본을 대체할 수 없다고 생각하는 사람들이 많다.** 〔선택지 ④의 근거(1)〕

그러나 이러한 생각은 잘못이다. 회화와 달리 사진의 경우, 보통은 '그 작품'이라고 지칭되는 사례들이 여러 개 있을 수 있다. **20세기 위대한 사진작가 빌 브란트가 마음만 먹었다** 〔선택지 ④의 근거 (2) - 예를 들어 1문단의 내용을 반박함〕 **면, 런던에 전시한 인화본의 조도를 더 낮추는 방식으로 다른 곳에 전시한 것과 다른 예술적 속성을 갖게 할 수 있었을 것이다.** 이것은 사진의 경우, 작가가 재현적 특질을 선택하고 〔선택지 ③의 근거〕 변형할 수 있는 방법이 다양함을 의미한다.

① 복제본의 예술적 가치는 원본을 뛰어넘을 수 없다.

② 복제 기술 덕분에 예술의 매체적 특성이 비슷해졌다.

③ 복제본의 재현적 특질을 변형하는 방법은 제한적이다.

④ 복제본도 원본과는 다른 별개의 예술적 특성을 담보할 수 있다. ☑

〔해설〕 ④ 1문단에서는 복제본이 원본을 대체할 수 없다는 일반적인 인식을 설명하고, 2문단에서는 빌 브란트의 사진 작품을 예로 들며 일반적인 인식에 대해 반박하고 있다. 복제본일지라도 다양한 방식으로 원본과 다른 예술적 속성을 갖게 할 수 있다고 설명하고 있으므로, 글의 주장으로 가장 적절한 것은 ④이다.

〔오답분석〕 ① 복제본과 원본의 예술적 가치를 비교하는 부분은 지문에서 찾아볼 수 없다.

② 지문을 통해 알 수 없는 내용이다.

③ 2문단 끝에서 1~2번째 줄을 통해 복제본의 재현적 특질을 변형하는 방법이 다양함을 알 수 있다.

06

다음 글의 제목으로 가장 적절한 것은?

계몽주의 사상가들은 명백히 모순되는 두 개의 견해를 취했다. 그들은 인간의 위치를 자연계 안에서 해명하려고 애썼다. 역사의 법칙이란 것을 자연의 법칙과 동일한 것으로 여겼다. 다른 한편, 그들은 진보를 믿었다. 그렇다면 그들이 자연을 진보하는 것으로, 다시 말해 끊임없이 어떤 목적을 향해서 전진하는 것으로 받아들인 데에는 어떤 근거가 있었던가? 헤겔은 역사는 진보하는 것이고 자연은 진보하지 않는 것이
선택지 ④의 근거 – 견해 (1)
라고 뚜렷이 구분했다. 반면, 다윈은 진화와 진보를 동일한
선택지 ④의 근거 – 견해 (2)
것으로 주장함으로써 모든 혼란을 정리한 듯했다. 자연도 역사와 마찬가지로 진보하는 것으로 본 것이다. 그러나 이것은 진화의 원천인 생물학적인 유전(biological inheritance)을 역사에서의 진보의 원천인 사회적인 획득(social acquisition)과 혼동함으로써 훨씬 더 심각한 오해에 이를 수 있는 길을 열어 놓았다. 오늘날 그 둘이 분명히 구별된다는 것은 익히 알려진 것이다.

① 자연의 진보에 대한 증거
② 인간 유전의 사회적 의미
③ 역사의 법칙과 자연의 법칙
☑ 진보와 진화에 관한 견해들

해설 ④ 지문은 진보와 진화에 관한 계몽주의 사상가들의 모순되는 견해에 대해 설명하고 있다. 헤겔은 역사는 진보하는 것이고 자연은 진보하지 않는다는 견해인 반면, 다윈은 진화와 진보를 동일한 것으로 보아 자연도 역사와 마찬가지로 진보한다는 견해를 밝히고 있다. 따라서 지문은 진화와 진보에 대한 헤겔과 다윈의 견해를 제시하고 있으므로 제목으로 가장 적절한 것은 ④이다.

07

다음 발화에 나타난 주장으로 가장 적절한 것은?

신어(新語)에 대해 말할 때, 보통 유행어나 비속어, 은어와
선택지 ①의 근거
같은 한정된 대상을 떠올리는 경우가 많습니다. 그런데 신어 연구의 대상은 특정한 범주의 언어, 소수 집단의 언어에 한정되지 않습니다. 어려운 전문 용어는 의사소통의 효율성이나
선택지 ④의 근거
교육적 목적을 위해 순화된 신어로 대체할 필요가 있는데, 특히, 상당수의 전문 용어는 신어에 대한 정책적인 고려가 필
선택지 ③의 근거
요해 보입니다. 예를 들어 '좌창(痤瘡)'이라는 의학 용어를 대체한 '여드름'은 일상생활뿐만 아니라 전문 분야에서도 신어로 자리를 잡았습니다. 이와 같은 신어는 전문 용어의 순화에도 일정한 역할을 하고 있습니다. 이는 신어 연구가 단지 새
선택지 ②의 근거 – 주장
로운 어휘와 몇 가지 주제를 나열하는 연구를 넘어서 한국어 조어론 전반에 대한 연구로 확장되어야 하는 이유이기도 합니다. 이러한 신어의 영역은 대중이 생산하는 '자연 발생적 신어'의 영역과 더불어 '인위적인 신어'의 영역으로 논의되어야 합니다.

① 신어에서 비속어나 은어가 빠져야 한다.
☑ 신어는 연구 대상과 영역을 확장해야 한다.
③ 자연 발생적인 신어에 대한 정책적 고려가 필요하다.
④ 신어는 의사소통의 효율성을 위해 그 범주를 특정해야 한다.

해설 ② 필자는 신어 연구의 대상이 조어론 전반으로, 신어 연구의 영역은 '자연 발생적 신어'와 더불어 '인위적인 신어'까지 확대되어야 한다고 주장한다.

오답분석 ① 1~2번째 줄을 통해 비속어와 은어가 신어에 포함됨을 알 수 있다. 또한 필자는 글을 통해 신어의 연구 대상과 영역을 확장해야 한다고 주장하므로 ①은 필자의 주장으로 적절하지 않다.
③ 6~7번째 줄을 통해 필자가 정책적인 고려가 필요하다고 말한 신어의 영역은 '전문 용어'임을 알 수 있다.
④ 4~5번째 줄에서 필자는 의사소통의 효율성을 위해 어려운 전문 용어를 순화된 신어로 대체해야 한다고 밝힐 뿐, 신어의 범주를 특정해야 한다고 주장하지 않는다.

08

다음 글의 제목으로 가장 적절한 것은?

> 사회가 발달하면서 <u>화법과 작문의 윤리</u>에 대한 관심과 요구가 점점 커지고 있다. 화법과 작문의 윤리를 잘 지키지 않으면 사회적 의사소통의 바탕이 되는 상호 신뢰가 깨질 수 있으므로 이를 준수하기 위해 노력해야 한다. **➡ 화법과 작문의 윤리를 지키는 것의 중요성**
>
> 먼저 청자나 독자를 존중하고 배려하는 자세를 갖추어야 한다. 말을 하거나 글을 쓸 때에는 상대방의 인격을 모욕하거나 상대방에게 상처를 주는 언어 표현을 사용하지 않아야 한다. <u>상대방을 존중하고 배려하는 표현을 사용함</u>으로써 화 **화법과 작문의 윤리를 지키기 위한 방안 (1)** 법과 작문의 윤리를 지킬 수 있다.
>
> 다음으로, <u>다른 사람의 글이나 아이디어 등을 표절하거나</u> **화법과 작문의 윤리를 지키기 위한 방안 (2)** <u>도용하지 않아야 한다.</u> 다른 사람의 글이나 아이디어 등을 인용할 때에는 저작자의 허락을 얻거나 인용의 출처를 명시해야 하며, 내용의 과장·축소·왜곡 없이 정확하게 인용해야 한다. 또한 출처를 명시하더라도 과도하게 인용하지 않아야 한다. 과도한 인용은 출처 명시와는 무관하게 화법과 작문의 윤리를 어기는 것이기 때문이다.
>
> 화법과 작문의 윤리를 준수한다면 화자나 필자는 청자나 독자로부터 더욱 큰 신뢰를 얻을 수 있다. 그러므로 <u>화자나</u> **결론 - 글쓴이의 주장** <u>필자는 화법과 작문의 윤리를 잘 인식하고 있어야 하며, 말을 하거나 글을 쓸 때 이를 준수하는 태도를 가져야 한다.</u>

① 화법과 작문의 절차
② 화법과 작문의 목적
③ 화법과 작문의 기능
☑ 화법과 작문의 윤리

해설 ④ 지문은 화법과 작문의 윤리를 지키는 것의 중요성과 이를 지키기 위한 방안을 제시하고 있다. 따라서 지문의 내용을 포괄하는 제목으로 가장 적절한 것은 ④ '화법과 작문의 윤리'이다.

09

다음 글에서 결론적으로 주장하는 바로 가장 적절한 것은?

> <u>사회 관계망 서비스(SNS)</u>는 개인의 알 권리를 충족하거나 **선택지 ①의 근거 - SNS의 순기능** 사회적 정의 실현을 위해 생각과 정보를 공유할 수 있도록 돕는다는 면에서 긍정적인 가치를 인정받는다. 그러나 도덕적 응징이라는 미명하에 개인의 신상 정보를 무차별적으로 공개하는 범법 행위가 확산되면서 심각한 사회 문제가 일고 있는 것이 사실이다. 법적 처벌이 어렵다면 도덕적으로 응징해서라도 죄를 물어야 한다는 누리꾼들의 요구가, '모욕죄'나 '사이버 명예 훼손죄' 등으로 처벌될 수 있는 범죄 행위 수준의 과도한 행동으로 이어지는 경우를 우려해야 하는 상황인 것이다.
>
> 특히 <u>사회적 비난이 집중된 사건의 경우, 공익을 위한다는</u> **문제** <u>생각으로 사건의 사실 여부를 제대로 확인하지도 않은 채 개인 신상 정보부터 무분별하게 유출하는 행위가 끊이지 않고 있어 문제의 심각성이 커지고 있다.</u> 그로 인해 개인의 사생활 침해와 인격 훼손은 물론, 개인 정보가 범죄에 악용되는 부작용이 발생하고 있다.) 따라서 <u>사회 관계망서비스를 이용하여</u> **선택지 ④의 근거 - 글쓴이의 주장(해결책)** <u>정보를 공유할 때에는, 개인의 사생활을 침해하거나 인격을 훼손하는 정보를 유출하는 것은 아닌지 각별한 주의를 기울일 필요가 있다.</u>

① 정보 공유를 통해 사회 정의를 실현할 수 있다.

② 정보 유출로 공공의 이익이 훼손되는 경우는 없다. ┐
                                                              ├ **➡ 지문에서**
③ 공유된 정보는 사실 관계를 확인할 수 있어야 한다. ┘ **확인 ×**

☑ 정보 공유 과정에서 개인의 인권이 침해당해서는 안 된다.

해설 ④ 지문은 1문단에서 사회 관계망 서비스의 긍정적인 가치를 언급함과 동시에 무차별적인 개인 신상 정보 유출로 인해 사회 문제가 확산되고 있는 상황을 제시하고 그 심각성과 부작용을 2문단에서 설명하였다. 이어서 사회 관계망 서비스를 이용해 공유하는 정보가 개인의 사생활을 침해하거나 인격을 훼손하는 것은 아닐지 주의해야 함을 당부하고 있다. 따라서 지문에서 결론적으로 주장하는 바로 가장 적절한 것은 ④이다.

오답 분석 ① 1문단 1~3번째 줄을 통해 정보 공유로 사회 정의를 실현할 수 있음을 알 수 있으나 이는 사회 관계망 서비스의 긍정적인 측면으로 제시된 내용일 뿐 지문의 결론에 해당하지 않는다.

②③ 지문을 통해 확인할 수 없는 내용이다.

10

보기의 (가)에서 밑줄 친 ㉠~㉣ 중 (나)가 뒷받침하는 이론으로 가장 옳은 것은?

〈보기〉

(가) 초상화에서 좌안·우안을 골라 그리는 데 대한 일반적인 이론은 대략 세 가지가 있습니다. 하나는 ㉠ 사람의 표정은 왼쪽 얼굴에 더 잘 나타난다는 이론이며, 다른 하나는 ㉡ 그림을 그리는 것은 우뇌인데 시야의 왼쪽에 맺힌 상(像)이 우뇌로 들어오기 때문에 왼쪽이 더 잘 그려진다는 이론입니다. 마지막 하나는, ㉢ 대부분의 화가는 오른손으로 그림을 그리며 오른손잡이는 왼쪽부터 그림을 그려나가는 것이 편하다는 주장입니다. 하지만, 실제로 한국의 초상화 작품들을 살펴보면 ㉣ 좌안·우안이 시대에 따라 어떤 경향성을 띠는 것으로 보입니다. 이를테면, 비록 원본은 아니지만 고려 말 염제신의 초상화나 조선 초 이천우의 초상화들은 대체로 우안이며, 신숙주의 초상화 이후 조선시대의 초상화들은 거의가 좌안입니다.

(나) 화가가 사람의 얼굴을 그릴 때에는 보통 눈·코·입의 윤곽이 중요하므로 이를 먼저 그리게 된다. 좌안을 그리면 왼쪽에 이목구비가 몰려 있어 이들을 그리고 난 후 자연스럽게 오른쪽으로 이동하면서 왼쪽 뺨·귀·머리, 오른쪽 윤곽 순으로 그려나간다. **이렇게 하면 손의 움직임도 편할 뿐 아니라 그리는 도중 목탄이나 물감이 손에 묻을 확률도 줄어든다.**
_{좌안을 그리는 것의 편리함(㉢)}

① ㉠　　② ㉡　　❸ ㉢　　④ ㉣

해설 ③ (나)는 화가가 사람의 얼굴을 그릴 때 좌안을 먼저 그리면 손의 움직임도 편하고 목탄이나 물감이 손에 묻지 않는다는 내용을 설명하고 있다. 이는 대부분의 화가가 오른손잡이이므로 왼쪽부터 그림을 그려나가야 편하다는 ㉢의 이론을 뒷받침하므로 답은 ③이다.

11

다음 글의 주제로 가장 적절한 것은?

신화는 인간에 대한 근원적 진실을 보여 줄 수 있는 매개체이다. 탈마법화를 추구하며 이성을 중요시하는 현대인의 입장에서는 신화가 허무맹랑한 창작물로 보일 수 있다. 그러나 옛날부터 현재에 이르기까지 신화는 사람들에게 영향을 미치고 있다. 현대에 와서도 사람들이 신화를 찾아보는 이유는, **신화를 통해 현재를 비판할 수 있고, 더 나은 방향으로 발전**
_{선택지 ②의 근거}
할 수 있기 때문이다. 예를 들어 그리스 로마 신화에 등장하
_{신화를 현대의 관점으로 이해하는 사례}
는 메두사 이야기는 현대 페미니즘 논쟁과 연결 지어 생각해 볼 수 있으며, 현대 심리학에서는 오이디푸스 이야기가 등장하곤 한다. 즉 신화는 과거에 머물러 있는 것이 아니라, 시간의 흐름에 따라 끊임없이 확대 및 재생산되고 있는 것이다.

① 신화 속 인물을 현대의 관점으로 이해할 필요가 있다.

❷ 신화는 현대 사회를 더 좋은 방향으로 나아가게 할 수 있다.

③ 신화의 비이성적 요소는 현대인들의 반감을 불러일으킬 수 있다.

④ 현대인은 신화를 통해 인간의 근원에 대한 궁금증을 해결할 수 있다.

해설 ② 필자는 신화가 현대의 관점에서 허무맹랑하게 보일 수 있음에도 현대인들이 신화를 찾아보는 이유는 신화를 통해 사회가 좀 더 나은 방향으로 발전할 수 때문이라고 말하고 있다. 따라서 글의 주제로 가장 적절한 것은 ②이다.

오답 분석 ① 신화 속 인물을 현대의 관점에서 이해하는 사례를 제시하고 있으나, 이는 신화가 현대 사회를 발전시킬 수 있다는 주장을 뒷받침하는 것일 뿐이므로 글의 주제로 적절하지 않다.

③ 이성을 중시하는 현대인의 관점에서 신화가 비이성적인 이야기로 보일 수 있음을 말하고 있으나, 현대인들이 신화에 반감을 가진다는 내용은 알 수 없다.

④ 신화를 통해 인간에 대한 근원적 진실을 알 수 있다는 내용은 확인할 수 있으나, 이는 부분적인 내용일 뿐이므로 글의 주제로 적절하지 않다.

12

다음 글의 제목으로 가장 적절한 것은?

> 철학자도 사회의 구성원 일부에 지나지 않으며 철학적 사
> 선택지 ②의 근거 (1)
> 고도 그러한 구성원에 의해 생산된 사회 현상의 일부에 지나
> 지 않는다. 이런 점에서 철학자는 사회를 초월할 수 없고 철
> 학은 사회를 떠날 수 없다. 즉 철학적 규범으로 제시하는 명
> 선택지 ①의 근거
> 제 자체도 구체적 사회 제도 혹은 신념들의 추상적 표현으로
> 볼 수 있다. 그러면서도 모든 인간에게는 반성적 능력이 있고
> 반성을 통해 주어진 여건을 어느 정도까지 극복할 수 있다.
> 철학자란 남달리 반성적 인간이며 철학이란 남들보다 각별
> 히 철저한 반성적 사고에 의해 이루어진 지적 생산물에 지나
> 지 않는다. 그러므로 철학적 사고는 한 사회에 존재하는 이
> 선택지 ②의 근거 (2)
> 념과 관습에 대한 가장 대표적 반성과 비판의 기능을 한다.
> 이런 점에서 볼 때 사회적 신념 또는 제도는 '넓은 뜻'으로서
> 선택지 ③의 근거
> 의 철학적 사고에 의해 결정된 것으로 볼 수 있다. 언뜻 보아
> 논리적으로 모순되지만 철학은 그가 존재하는 사회에 내재적
> (immanent)인 동시에 초월적(transcendent)이다.

① 철학적 규범의 의미

☑ 철학과 사회의 관계

③ 사회 제도의 발생 원인

④ 철학이 생산한 지적 생산물 ➡ 지문에서 확인 ✕

해설 ② 전반부에서는 철학자는 사회 구성원이며 철학(철학적 사고)
은 사회 현상에 해당하므로 사회를 초월할 수 없음을 설명하
고, 후반부에서는 사회의 이념과 관습을 반성하거나 비판하
는 철학의 기능을 말하고 있다. 따라서 이러한 지문의 내용을
아우르는 제목으로 적절한 것은 ② '철학과 사회의 관계'이
다.

오답 분석 ① 5~6번째 줄을 통해 철학적 규범이란 사회 제도나 사회 신념
의 추상적인 표현임을 알 수 있으나, 이는 지문의 일부 내용
일 뿐 제목으로는 적절하지 않다.

③ 끝에서 3~4번째 줄을 통해 철학적 사고를 통해 사회적 제도
가 결정된다는 점을 알 수 있으나, 이는 지문의 일부 내용일
뿐 제목으로는 적절하지 않다.

④ 지문을 통해 알 수 없는 내용이다.

---

02 세부 내용 파악하기				p.44

01 ③	02 ②	03 ③	04 ①	05 ②
06 ④	07 ②	08 ③	09 ②	10 ④
11 ③	12 ③	13 ④	14 ②	15 ④
16 ④				

[01~02] 다음 글을 읽고 물음에 답하시오.

> 한국 신화에 보이는 신과 인간의 관계는 다른 나라의 신화
> 와 ㉠ 견주어 볼 때 흥미롭다. 한국 신화에서 신은 인간과의
> 선택지 ③의 근거 (1)
> 결합을 통해 결핍을 해소함으로써 완전한 존재가 되고, 인간
> 은 신과의 결합을 통해 혼자 할 수 없었던 존재론적 상승을
> 이룬다.
>
> 한국 건국신화에서 주인공인 신은 지상에 내려와 왕이 되
> 선택지 ②의 근거
> 고자 한다. 천상적 존재가 지상적 존재가 되기를 ㉡ 바라는
> 것인데, 인간들의 왕이 된 신은 인간 여성과의 결합을 통해
> 선택지 ③의 근거 (2)
> 자식을 낳음으로써 결핍을 메운다. 무속신화에서는 인간이
> 었던 주인공이 신과의 결합을 통해 신적 존재로 ㉢ 거듭나게
> 됨으로써 존재론적으로 상승하게 된다. 이처럼 한국 신화에
> 선택지 ④의 근거 (1)
> 서 신과 인간은 서로의 존재를 필요로 한다는 점에서 상호
> 의존적이고 호혜적이다.
>
> 다른 나라의 신화들은 신과 인간의 관계가 한국 신화와 달
> 선택지 ①의 근거
> 리 위계적이고 종속적이다. 히브리 신화에서 피조물인 인간
> 은 자신을 창조한 유일신에 대해 원초적 부채감을 지니고 있
> 으며, 신이 지상의 모든 일을 관장한다는 점에서 언제나 인
> 간의 우위에 있다. 이러한 양상은 북유럽이나 바빌로니아 등
> 에 ㉣ 퍼져 있는 신체 화생 신화에도 유사하게 나타난다.
> 신체 화생 신화는 신이 죽음을 맞게 된 후 그 신체가 해체되
> 선택지 ④의 근거 (2)
> 면서 인간 세계가 만들어지게 된다는 것인데, 신의 희생 덕
> 분에 인간 세계가 만들어질 수 있었다는 점에서 인간은 신에
> 게 철저히 종속되어 있다.

01

⊙~㉣과 바꿔 쓸 수 있는 유사한 표현으로 적절하지 않은 것은?

① ⊙: 비교해 ② ㉡: 희망하는

☑ ㉢: 복귀하게 ④ ㉣: 분포되어

해설 ③ ㉢ '거듭나게'는 지금까지의 방식이나 태도를 버리고 새롭게 시작한다는 뜻이나, '복귀하게'는 되돌아간다는 의미의 단어이므로 바꿔 쓰기에 적절하지 않다.

· 복귀(復歸)하다: 본디의 자리나 상태로 되돌아가다.

오답 분석 ① · 견주다: 둘 이상의 사물을 질(質)이나 양(量) 따위에서 어떠한 차이가 있는지 알기 위하여 서로 대어 보다.

· 비교(比較)하다: 둘 이상의 사물을 견주어 서로 간의 유사점, 차이점, 일반 법칙 따위를 고찰하다.

② · 바라다: 생각이나 바람대로 어떤 일이나 상태가 이루어지거나 그렇게 되었으면 하고 생각하다.

· 희망(希望)하다: 어떤 일을 이루거나 하기를 바라다.

④ · 퍼지다: 어떤 물질이나 현상 따위가 넓은 범위에 미치다.

· 분포(分布)되다: 일정한 범위에 흩어져 퍼져 있다.

02

윗글을 이해한 내용으로 적절하지 않은 것은?

① 히브리 신화에서 신과 인간의 관계는 위계적이다.

☑ 한국 무속신화에서 신은 인간을 위해 지상에 내려와 왕이 된다.

③ 한국 건국신화에서 신은 인간과의 결합을 통해 완전한 존재가 된다.

④ 한국 신화에 보이는 신과 인간의 관계는 신체 화생 신화에 보이는 신과 인간의 관계와 다르다.

해설 ② 2문단에서 신과 인간의 관계를 설명하기 위해 '한국 건국신화'와 '한국 무속신화'에 대한 예를 제시하고 있다. 이때 '한국 무속신화'의 예로 제시된 내용에 신이 지상에 내려와 왕이 된다는 설명은 없으므로 ②의 이해는 적절하지 않다. 참고로, '한국 건국신화'에서 신이 지상에 내려와 왕이 되고자 하는 것은 천상적 존재가 지상적 존재가 되기를 바라기 때문이다.

오답 분석 ① 3문단 1~5번째 줄에서 다른 나라의 신화들은 신과 인간의 관계가 '위계적, 종속적'이라고 설명한다. 또한 히브리 신화에서 인간은 자신을 창조한 유일신에 대해 원초적 부채감을 지니고 있으며, 신이 지상의 모든 일을 관장한다는 점에서 언제나 인간의 우위에 있다고 제시하므로 ①의 이해는 적절하다.

③ 1문단에서 한국 신화의 신은 인간과의 결합을 통해 결핍을 해소함으로써 완전한 존재가 된다고 설명하고 있으며, 2문단에서는 '한국 건국신화'에서 지상에 내려온 신이 인간 여성과의 결합을 통해 결핍을 메운다고 설명하고 있다. 이를 바탕으로 할 때, '한국 건국신화'에서 신은 인간과의 결합으로 완전한 존재가 된다고 이해할 수 있다.

---

④ 2문단 마지막 문장에서 '한국 신화'의 신과 인간은 서로의 존재를 필요로 하는 상호의존적이고 호혜적인 관계라고 설명한다. 반면 3문단 마지막 문장에서 '신체 화생 신화'는 신의 희생으로 인간 세계가 만들어졌으므로 인간은 신에게 철저히 종속되어 있다고 설명한다. 두 신화에서 보이는 신과 인간의 관계는 다르므로 ④의 이해는 적절하다.

· 호혜적(互惠的): 서로 특별한 혜택을 주고받는 것

03

다음 글을 이해한 내용으로 적절하지 않은 것은?

> 사람의 '지각과 생각'은 항상 어떤 맥락, 관점 혹은 어떤 평 _{선택지 ①④의 근거} 가 기준이나 가정하에서 일어난다. 이러한 맥락, 관점, 평가 기준, 가정을 프레임이라고 한다. _{중심 화제} 지각과 생각은 인간의 모든 정신 활동을 뜻한다. 따라서 우리의 모든 정신 활동은 진공 상태에서 일어나는 것이 아니라, 어떤 맥락이나 가정하에서 일어난다. 한마디로 우리가 프레임이라는 안경을 쓰고 세상 _{선택지 ②의 근거 - 프레임으로 인한 편향성} 을 보고 있음을 의미한다. 간혹 어떤 사람이 자신은 어떤 프레임의 지배도 받지 않고 세상을 있는 그대로, 객관적으로 본다고 주장한다면, 그 주장은 진실이 아닐 것이다.

① 인간의 정신 활동은 프레임 없이 일어나지 않는다.

② 프레임은 인간이 세상을 바라볼 때 어떤 편향성을 가지게 한다.

☑ 인간의 지각과 사고를 확장하는 과정에서 프레임은 극복해야 할 대상이다. ➡ 지문에서 확인 ×

④ 프레임은 인간의 정신 활동에 영향을 미치는 어떤 맥락이나 평가 기준이다.

해설 ③ 지문은 인간의 정신 활동이 프레임의 지배를 받으므로 세상을 객관적으로 보기 어렵다는 이야기를 하고 있다. 인간의 지각과 사고를 확장하는 과정에서 프레임을 극복해야 한다는 ③의 설명은 지문에서 확인할 수 없다.

오답 분석 ① ④ 지문 1~3번째 줄에서 사람의 '지각과 생각(인간의 모든 정신 활동)'은 항상 '어떤 맥락, 관점, 평가 기준, 가정(프레임)'에 의해 일어난다고 설명한다. 이는 인간의 정신 활동이 프레임 없이 일어나지 않으며, 프레임이 인간의 정신 활동에 영향을 미치는 어떤 맥락이나 평가 기준임을 의미한다. 따라서 ①과 ④는 지문을 이해한 설명으로 적절하다.

② 끝에서 3~4번째 줄에서 우리가 프레임이라는 안경을 쓰고 세상을 보고 있다고 설명한다. 이는 인간이 세상을 바라볼 때 프레임으로 인해 어떤 편향성을 가지게 된다는 의미이다.

04

다음 글을 이해한 내용으로 가장 적절한 것은?

전 세계를 대표하는 항공기인 보잉과 에어버스의 중요한 차이점은 자동조종시스템의 활용 정도에 있다. 보잉의 경우, 조종사가 대개 항공기를 조종간으로 직접 통제한다. 조종간은 비행기의 날개와 물리적으로 연결되어 있어서 어떤 상황에서도 조종사가 조작한 대로 반응한다. 이와 다르게 에어버스는 조종간 대신 사이드스틱을 설치하여 컴퓨터가 조종사의 행동을 제한하거나 조종에 개입할 수 있게 설계되었다. 보잉에서는 조종사가 항공기를 통제할 수 있는 전권을 가지지만 에어버스에서는 컴퓨터가 조종사의 조작을 감시하고 제한한다.

(선택지 ③의 근거)

보잉과 에어버스의 이러한 차이는 기계를 다루는 인간을 바라보는 관점이 서로 다른 데서 비롯된다. 보잉사를 창립한 윌리엄 보잉의 철학은 "비행기를 통제하는 최종 권한은 언제나 조종사에게 있다."이다. 시스템은 불안정하고 완벽하지 않기 때문에 컴퓨터가 조종사의 판단보다 우선시될 수 없다는 것이다. 반면 에어버스의 아버지라고 불리는 베테유는 "인간은 실수할 수 있는 존재"라고 전제한다. 베테유는 이런 자신의 신념을 토대로 에어버스를 설계함으로써 조종사의 모든 조작을 컴퓨터가 모니터링하고 제한하게 만든 것이다.

(선택지 ①의 근거 — 보잉: 시스템의 불완전성 고려 / 시스템 - 시스템의 불완전성 고려 / 에어버스 - 인간의 실수 가능성 고려)

✔ 보잉은 시스템의 불완전성을, 에어버스는 인간의 실수 가능성을 고려하여 설계되었다.

② 베테유는 인간이 실수할 수 있는 존재라고 보지만 윌리엄 보잉은 그렇지 않다고 본다. ✕

③ 에어버스의 조종사는 항공기 운항에서 자동조종시스템을 통제하고 조작한다. (보잉)

④ 보잉의 조종사는 자동조종시스템을 사용하지 않고 항공기를 조종한다. ✕

해설 ① 지문은 보잉과 에어버스의 자동조종시스템 활용 정도에 대한 차이를 설명하고 있다. 보잉은 '시스템은 불안정하고 완벽하지 않다'라는 관점을 가지며 조종사가 대개 항공기를 조종간으로 직접 통제한다. 반면 에어버스는 '인간은 실수할 수 있는 존재'라고 전제하며 조종사의 모든 조작을 컴퓨터가 모니터링하고 제한하게 하였다. 따라서 지문의 내용을 이해한 것으로 가장 적절한 것은 ①이다.

오답 분석
② 2문단 끝에서 3~4번째 줄에 따르면 에어버스의 베테유가 인간을 실수할 수 있는 존재로 보는 것은 맞지만, 윌리엄 보잉이 그렇지 않다고 보는지는 지문에서 확인할 수 없다. 지문에서 윌리엄 보잉은 '인간이 실수할 수 있는 존재'라는 사실 자체를 부정하는 것이 아니라, 시스템은 불안정하고 완벽하지 않기 때문에 컴퓨터가 조종사의 판단보다 우선시될 수 없다는 입장일 뿐이다.

③ 1문단 끝에서 4~6번째 줄에 따르면 에어버스는 항공기 운항 시 컴퓨터(자동조종시스템)가 조종사의 조작을 감시하고 제한한다. 따라서 에어버스의 조종사가 자동조종시스템을 통제하고 조작한다는 ③의 설명은 적절하지 않다.

④ 1문단에서 보잉의 조종사가 대개 항공기를 조종간으로 직접 통제하며 이에 대한 전권을 가진다는 것은 알 수 있으나, 보잉의 조종사가 자동조종시스템을 사용하지 않고 항공기를 조종한다는 ④의 설명은 지문에서 확인할 수 없다.

05

다음 글의 내용과 부합하지 않는 것은?

과학 혁명 이전 아리스토텔레스 철학은 로마 가톨릭교의 정통 교리와 결합되어 있었기 때문에 오랜 시간 동안 지배적인 영향력을 발휘하였다. 천문 분야 또한 예외는 아니었다. 아리스토텔레스의 세계관을 따라 우주의 중심은 지구이며, 모든 천체는 원운동을 하면서 지구의 주위를 공전한다는 천동설이 정설로 자리 잡고 있었다. 프톨레마이오스가 천체들의 공전 궤도를 관찰하던 도중, 행성들이 주기적으로 종전의 운동과는 반대 방향으로 움직인다는 관찰 결과를 얻었을 때도 그는 이를 행성의 역행 운동을 허용하지 않는 천동설로 설명하고자 하였다. 그래서 지구를 중심으로 공전하는 원 궤도에 중심을 두고 있는 원, 즉 주전원(周轉圓)을 따라 공전 궤도를 그리면서 행성들이 운동한다고 주장하였다.

(선택지 ①③의 근거 / 선택지 ②의 근거)

과학과 아리스토텔레스 철학의 결별은 서서히 일어났다. 그 과정에서 일어난 가장 중요한 사건은 1543년 코페르니쿠스가 행성들의 운동 이론에 관한 책을 발간한 일이다. 코페르니쿠스는 천체의 중심에 지구 대신 태양을 놓고 지구가 태양의 주위를 공전한다고 주장하였다. 태양을 우주의 중심에 둔 코페르니쿠스의 지동설은 행성들의 운동에 대해 프톨레마이오스보다 수학적으로 단순하게 설명하였다.

(선택지 ③의 근거 / 선택지 ④의 근거)

① 과학 혁명 이전 시기에는 천동설이 정설로 받아들여졌다.

☑ 프톨레마이오스의 주전원은 지동설을 지지하고자 만든 개념이다.

③ 천동설과 지동설은 우주의 중심을 어디에 두느냐에 따라 구분된다.

④ 행성의 공전에 대한 프톨레마이오스의 설명은 코페르니쿠스의 설명보다 수학적으로 복잡하였다.

[해설] ② 1문단 내용에 따르면 프톨레마이오스가 행성들이 주기적으로 종전의 운동과는 반대 방향으로 움직인다는 관찰 결과를 얻었음에도, 그는 이를 행성의 역행 운동을 허용하지 않는 '천동설'로 설명하며 주전원을 따라 공전 궤도를 그리면서 행성들이 운동한다고 주장하였다. 따라서 프톨레마이오스의 주전원이 '지동설'을 지지하고자 만든 개념이라는 ②의 설명은 지문의 내용과 부합하지 않는다.

[오답분석] ① 1문단 내용에 따르면 과학 혁명 이전 아리스토텔레스 철학이 지배적인 영향력을 발휘하였고, 천문 분야에서도 아리스토텔레스의 세계관을 따라 우주의 중심은 지구이며, 모든 천체는 원운동을 하면서 지구의 주위를 공전한다는 천동설이 정설로 자리 잡았다고 한다.

③ 1문단 4~6번째 줄 내용에 따르면 천동설은 우주의 중심이 지구이며, 모든 천체가 원운동을 하면서 지구의 주위를 공전한다고 설명한다. 반면 2문단 끝에서 3~4번째 줄을 통해 지동설은 천체의 중심이 태양이며, 지구가 태양의 주위를 공전한다는 입장임을 알 수 있다. 즉 천동설과 지동설은 우주의 중심을 지구와 태양 중 어디에 두느냐에 따라 구분된다.

④ 2문단 마지막 문장에서 코페르니쿠스의 지동설은 행성들의 운동에 대해 프톨레마이오스보다 수학적으로 단순하게 설명하였다고 말한다. 이는 행성의 공전에 대한 프톨레마이오스의 설명이 코페르니쿠스 설명보다 수학적으로 복잡했음을 의미한다.

06
다음 글을 이해한 내용으로 가장 적절한 것은?

루카치는 그리스 세계를 신과 인간의 결합 정도를 가리키
[선택지 ③의 근거]
는 '총체성' 개념을 기준으로 세 시대로 구분하였다. 첫 번째
[선택지 ④의 근거 (1)]
시대에서 후대로 갈수록 총체성의 정도는 낮아진다. 첫째는
총체성이 완전히 구현되어 있는 '서사시의 시대'이다. 호메로
스의 『일리아드』와 『오디세이아』에서는 신과 인간의 세계가
[선택지 ④의 근거 (2)]
하나로 얽혀 있다. 인간들이 그리스와 트로이 두 패로 나뉘어
전쟁을 벌일 때 신들도 인간의 모습을 하고 두 패로 나뉘어
전쟁에 참여했다. 둘째는 '비극의 시대'이다. 소포클레스나 에
우리피데스의 비극에서는 총체성이 흔들려 신과 인간의 세
[선택지 ④의 근거 (3)]
계가 분리된다. 하지만 두 세계가 완전히 분리되지는 않고 신
탁이라는 약한 통로로 이어져 있다. 비극에서 신은 인간의
행위에 직접 개입하지 않고 신탁을 통해서 자신의 뜻을 그저
전달하는 존재로 바뀐다. 셋째는 플라톤으로 대표되는 '철학
의 시대'이다. 이 시대는 이미 계몽된 세계여서 신탁 같은 것
[선택지 ①의 근거]
은 신뢰할 수 없게 되었다. 신과 인간의 세계가 완전히 분리
[선택지 ②의 근거]
됨으로써 신의 세계는 인격적 성격을 상실하여 '이데아'라는
추상성의 세계로 바뀐다. 신의 세계와 인간의 세계는 그 사
이에 어떤 통로도 존재할 수 없는, 절대적으로 분리된 세계가
되었다.

① 계몽사상은 ~~서사시~~의 시대에서 철학의 시대로의 전환을 이끌었다.
　비극

② 플라톤의 이데아는 신탁이 사라진 시대의 ~~비극의~~ 세계를 표현한다.
　　추상성의

③ 루카치는 각기 다른 기준에 따라 그리스 세계를 세 시대로 구분하였다.
　　　　　　　×

☑ 에우리피데스의 비극에 비해 『오디세이아』에서는 신과 인간의 결합 정도가 높다.

[해설] ④ 지문은 신과 인간의 결합 정도를 가리키는 총체성을 기준으로 그리스 세계를 '서사시의 시대 → 비극의 시대 → 철학의 시대'와 같이 구분할 수 있으며, 후대로 갈수록 총체성이 낮아진다고 하였다. 에우리피데스의 비극은 '비극의 시대'에 해당하고, 오디세이아는 '비극의 시대'보다 앞선 '서사시의 시대'에 해당하므로, 에우리피데스의 비극에 비해 오디세이아에서 신과 인간의 결합 정도가 더 높다는 ④의 설명은 지문을 이해한 내용으로 적절하다.

오답 분석 ① 끝에서 5~6번째 줄에 따르면 '철학의 시대'는 이미 계몽된 세계여서 신탁 같은 것을 신뢰할 수 없게 되었다. 이를 통해 계몽사상은 '서사시의 시대'가 아닌 '비극의 시대'에서 '철학의 시대'로의 전환을 이끌었다는 것을 알 수 있다.

② 끝에서 3~5번째 줄에 따르면 '철학의 시대'에 신과 인간의 세계가 완전히 분리되면서 신의 세계는 인격적 성격을 상실하여 '이데아'라는 추상성의 세계로 바뀐다고 한다. 따라서 플라톤의 이데아는 신탁이 사라진 시대의 비극적 세계가 아닌 추상적인 신의 세계를 표현한 것임을 알 수 있다.

③ 1~2번째 줄에 따르면 루카치는 총체성을 기준으로 그리스 세계를 세 시대로 구분하였다. 따라서 각기 다른 기준에 따라 그리스 세계를 구분했다는 ③의 설명은 지문을 이해한 내용으로 적절하지 않다.

07
다음 글의 내용과 부합하지 않는 것은?

> 몽유록(夢遊錄)은 '꿈에서 놀다 온 기록'이라는 뜻으로, 어떤 인물이 꿈에서 과거의 역사적 인물을 만나 특정 사건에 대한 견해를 듣고 현실로 돌아온다는 특징이 있다. 이때 **꿈을** _{선택지 ①의 근거} **꾼 인물인 몽유자의 역할에 따라 몽유록을 참여자형과 방관자형으로 구분할 수 있다.** 참여자형에서는 몽유자가 꿈에서 만난 인물들의 모임에 초대를 받고 토론과 시연에 직접 참여한다. 방관자형에서는 몽유자가 인물들의 모임을 엿볼 뿐 직접 그 모임에 참여하지는 않는다. 16~17세기에 창작되었던 몽유록에는 참여자형이 많다. **참여자형에서는 몽유자와 꿈속** _{선택지 ④의 근거} **인물들이 동질적인 이념을 공유하고 현실의 고통스러운 문제에 대해 의견을 나누며 비판적 목소리를 낸다.** 그러나 주로 **17세기 이후에 창작된 방관자형에서는 몽유자가 꿈속 인물** _{선택지 ②의 근거} **들과 함께 현실을 비판하는 것이 아니라 구경꾼의 위치에 서** 있다. **이 시기의 몽유록이 통속적이고 허구적인 성격으로 변** _{선택지 ③의 근거} 모하는 것은 몽유자의 역할 변화와 무관하지 않다.

① 몽유자가 꿈속 인물들의 모임에 직접 참여하는지, 참여하지 않는지에 따라 몽유록의 유형을 나눌 수 있다.

✓② 17세기보다 나중 시기의 몽유록에서는 <u>몽유자가 현실을 비판</u>_×<u>하는 경향이 강하게 나타난다.</u>

③ 몽유자가 모임의 구경꾼 역할을 하는 몽유록은 통속적이고 허구적인 성격이 강하다.

④ 몽유자가 꿈속 인물들과 함께 현실을 비판하는 몽유록은 참여자형에 해당한다.

해설 ② 끝에서 2~4번째 줄에 따르면 17세기 이후에 창작된 몽유록은 '방관자형'이며, 몽유자가 꿈속 인물들과 함께 현실을 비판하는 것이 아니라 구경꾼의 위치에 서 있는다고 한다. 몽유자가 현실을 비판하는 경향이 강하게 나타나는 것은 16~17세기에 창작된 '참여자형' 몽유록이다.

오답 분석 ① 3~8번째 줄에서 몽유록은 몽유자의 역할(꿈에서 만난 인물들의 모임에 직접 참여하는지의 여부)에 따라 '참여자형'과 '방관자형'으로 구분할 수 있다고 설명한다.

③ 몽유자가 모임의 구경꾼 역할을 하는 몽유록은 '방관자형'이다. 지문 마지막 문장에서 '방관자형' 몽유록이 통속적이고 허구적인 성격으로 변모했다고 설명한 것으로 보아 ③의 설명은 지문의 내용과 부합한다.

④ 끝에서 5~7번째 줄에서 '참여자형'은 몽유자와 꿈속 인물들이 동질적인 이념을 공유하고 현실의 고통스러운 문제에 대해 의견을 나누며 비판적 목소리를 낸다고 설명한다. 따라서 ④의 설명은 지문의 내용과 부합한다.

08
다음 글을 이해한 내용으로 적절한 것은?

> **디지털 트윈**은 현실 세계와 똑같은 가상의 세계이다. 최근 _{중심 화제} 주목받고 있는 메타버스와 개념은 유사하지만 활용 목적의 측면에서 구별된다. 메타버스는 가상 세계와 현실 세계가 융 _{선택지 ④의 근거} 합된 플랫폼으로 이용자들에게 새로운 경제·사회·문화적 경험을 제공하는 데 목적을 둔다. 반면 디지털 트윈은 현실 세계에 존재하는 사물, 공간, 환경, 공정 등을 컴퓨터상에 디지털 데이터 모델로 표현하여 똑같이 복제하고 실시간으로 서로 반응할 수 있도록 한다. 그래서 **디지털 트윈의 이용자는** _{선택지 ③의 근거 (1)} **가상 세계에서의 시뮬레이션을 통해 미래 상황을 예측할 수 있게 된다.** 디지털 트윈에 대한 수요가 증가하면서 관련 시장도 확대되고 있으며, 국내외의 글로벌 기업들은 여러 산업 분야에서 **디지털 트윈을 도입하여 사전에 위험 요소를 제거하** _{선택지 ③의 근거 (2)} 고 수익 모델의 효율성을 높이고 있다. 디지털 트윈이 이렇게 주목받는 이유는 안정성과 경제성 때문인데 현실 세계를 그대로 옮겨 놓은 **가상 세계에 데이터를 전송, 취합, 분석, 이** _{선택지 ②의 근거 - 안정성과 경제성이 높은 디지털 트윈} **해, 실행하는 과정은 실제 실험보다 매우 빠르고 정밀하며 안전할 뿐 아니라 비용도 적게 든다.**

① 디지털 트윈을 활용함에 따라 글로벌 기업들의 고용률이 향상되었다. ➡ 지문에서 확인 ✕

② 디지털 트윈의 데이터 모델은 현실 세계의 각종 실험 모델보다 <u>경제성이 낮다.</u>
  ✕

☑ 디지털 트윈에서의 시뮬레이션으로 현실 세계의 위험 요소를 찾아내고 방지할 수 있다.

④ <s>디지털 트윈</s>은 현실 세계의 이용자에게 새로운 문화적 경험을
  메타버스는
  제공하는 데 목적이 있다.

해설 ③ 지문에서 디지털 트윈의 이용자는 가상 세계에서의 시뮬레이션을 통해 미래 상황을 예측할 수 있게 되고, 글로벌 기업들은 디지털 트윈을 도입하여 사전에 위험 요소를 제거해 수익 모델의 효율성을 높이고 있다고 말한다. 따라서 디지털 트윈에서의 시뮬레이션으로 현실 세계의 위험 요소를 찾아내고 방지할 수 있다는 ③의 설명은 지문을 이해한 내용으로 적절하다.

오답 분석 ① 디지털 트윈을 활용함에 따라 글로벌 기업들의 고용률이 향상되었다는 내용은 지문에서 확인할 수 없다.

② 마지막 문장에 따르면 디지털 트윈이 이렇게 주목받는 이유는 안정성과 경제성이 높기 때문이다. 따라서 디지털 트윈의 데이터 모델이 현실 세계의 다른 실험 모델보다 경제성이 낮다는 ②의 설명은 적절하지 않다.

④ 3~5번째 줄에서 확인할 수 있듯이, 가상 세계와 현실 세계가 융합된 플랫폼으로 이용자들에게 새로운 경제·사회·문화적 경험을 제공하는 데 목적을 두는 것은 '메타버스'이므로 ④의 설명은 적절하지 않다.

09

다음 글을 이해한 내용으로 적절하지 않은 것은?

고소설의 유통 방식은 '구연에 의한 유통'과 '문헌에 의한 유통'으로 나눌 수 있다. <u>구연에 의한 유통</u>은 구연자가 소설
  선택지 ①의 근거
을 사람들에게 읽어주는 방식으로, 글을 모르는 사람들과 글을 읽을 수 있지만 남이 읽어 주는 것을 선호하는 이들을 대상으로 이루어졌다. 구연자는 '전기수'로 불렸으며, 소설 구연을 통해 돈을 벌던 전문적 직업인이었다. 하지만 이 방식
                                    ┌ 구연에 의한 유통
은 문헌에 의한 유통에 비해 시간과 공간의 제약이 많아서   선택지 ③의 근거
유통 범위를 넓히는 데 뚜렷한 한계가 있었다.

<u>문헌에 의한 유통</u>은 차람, 구매, 상업적 대여로 나눌 수 있다. 차람은 소설을 소유하고 있는 사람에게 직접 빌려서 보
   선택지 ②의 근거
는 것으로, 알고 지내던 개인들 사이에서 이루어졌다. 구매는 서적 중개인에게 돈을 지불하고 책을 사는 것인데, 책값이 상당히 비쌌기 때문에 소설을 구매할 수 있는 사람은 그리 많지 않았다. 상업적 대여는 세책가에 돈을 지불하고 일정 기간 동안 소설을 빌려 보는 것이다. 세책가에서는 소설을 구매하
                              선택지 ④의 근거
는 것보다 훨씬 적은 비용으로 빌려 볼 수 있었기 때문에 경제적으로 넉넉하지 않은 사람도 소설을 쉽게 접할 수 있었다. 이로 인해 조선 후기 사회에서 세책가가 성행하게 되었다.

① 전기수는 글을 모르는 사람들에게 소설을 구연하였다.

☑ 차람은 알고 지내던 사람에게 <u>대가를 지불하고</u> 책을 빌려 보
                              알 수 없음
는 방식이다.

③ 문헌에 의한 유통은 구연에 의한 유통에 비해 시간과 공간의 제약이 적었다.

④ 조선 후기에 세책가가 성행한 원인은 소설을 구매하는 비용보다 세책가에서 빌리는 비용이 적다는 데 있다.

해설 ② 2문단 2~3번째 줄에서 '차람'은 소설을 소유하고 있는 사람에게 직접 빌려서 보는 것으로, 알고 지내던 개인들 사이에서 이루어졌다고 설명한다. 이때 책을 빌리기 위해 대가를 지불하였다는 내용은 지문에서 확인할 수 없으므로, ②의 설명은 적절하지 않다.

오답 분석 ① 1문단 2~5번째 줄에서 구연에 의한 유통 방식에 대해 설명하고 있다. 이때 '전기수'로 불리는 구연자는 글을 모르는 사람들과 남이 읽어 주는 것을 선호하는 이들을 대상으로 소설을 구연하였다고 한다. 따라서 ①은 지문을 이해한 내용으로 적절하다.

③ 1문단 마지막 문장에서 구연에 의한 유통 방식은 문헌에 의한 유통에 비해 시간과 공간의 제약이 많았다고 설명한다. 이는 곧 문헌에 의한 유통이 구연에 의한 유통에 비해 시간과 공간의 제약이 적었다는 것을 의미하므로, ③은 지문을 이해한 내용으로 적절하다.

④ 2문단 끝에서 1~4번째 줄에 조선 후기에 세책가가 성행하게 된 이유가 제시된다. 세책가에서는 소설을 구매하는 것보다 훨씬 적은 비용으로 책을 빌려 볼 수 있어, 경제적으로 넉넉지 않은 사람도 소설을 쉽게 접할 수 있었기 때문이다. 따라서 ④는 지문을 이해한 내용으로 적절하다.

10

다음 글에 대한 이해로 적절하지 않은 것은?

> 국가정보자원관리원과 ○○시는 빅데이터 기반의 맞춤형 복지 서비스 분석 사업을 수행했다. 국가정보자원관리원은 <u>자체 확보한 공공 데이터와 ○○시로부터 받은 복지 사업 관</u>
선택지 ①의 근거
빅데이터 활용
<u>련 데이터를 활용</u>하여 '복지 공감 지도'를 제작하고, 복지 기관 접근성 분석을 통해 <u>취약 지역 지원 방안을 제시했다.</u>
복지 사각지대를 줄이는 방안 마련
>
> 복지 공감 지도는 공간 분석 시스템을 활용하여 ○○시에 소재한 복지 기관들의 다양한 지원 항목과 이를 필요로 하는 복지 대상자, 독거노인, 장애인 등의 수급자 현황을 한눈에 확인할 수 있도록 구현한 것이다. 이 지도를 활용하면 복지 혜택이 필요한 지역과 수급자를 빨리 찾아낼 수 있으며, 생필품 지원이나 방문 상담 등 복지 기관의 맞춤형 대응이 가능하고, 최적의 복지 기관 설립 위치를 선정할 수 있다.
>
> 이 사업을 통해 ○○시는 그동안 <u>복지 기관으로부터 도보</u>
선택지 ②의 근거
<u>로 약 15분 내 위치한 수급자에게 복지 혜택이 집중되고 있</u>는 것도 확인했다. 이에 교통이나 건강 등의 문제로 <u>복지 기관 방문이 어려운 수급자를 위해 맞춤형 복지 서비스가 절실</u>
선택지 ③의 근거
복지 기관 접근성 분석 결과 = 복지 셔틀버스 노선 증설의 근거
<u>하게 필요한 상황임을 발견</u>하고, 복지 셔틀버스 노선을 4개 증설할 계획을 수립했다.

① 빅데이터를 활용하여 복지 사각지대를 줄이는 방안을 마련할 수 있다.

② 복지 기관과 수급자 거주지 사이의 거리는 복지 혜택의 정도에 영향을 준다.

③ 복지 기관 접근성 분석 결과는 복지 셔틀버스 노선 증설의 근거가 된다.

✓ 복지 공감 지도로 복지 혜택에 대한 수급자들의 개별 만족도를 파악할 수 있다. ➜ 지문에서 확인 ✕

해설 ④ 지문에서 확인할 수 없는 내용이다.

오답 분석
① 1문단을 통해서 빅데이터를 기반으로 '복지 공감 지도'가 제작되었음을 알 수 있다. 또한 '복지 공감 지도를 활용한 복지 기관 접근성 분석을 통해 복지 사각지대를 줄이는 방안(취약 지역 지원 방안)'을 마련했으므로 글에 대한 이해로 적절하다.

② 3문단 1~3번째 줄을 통해 복지 기관과 수급자 거주지 사이의 거리가 복지 혜택의 정도에 영향을 미침을 알 수 있으므로 ②는 글에 대한 이해로 적절하다.

③ 3문단을 통해 복지 기관 접근성을 분석하여 복지 기관 방문이 어려운 수급자에 대한 맞춤형 복지 서비스의 필요성을 제시하였고 이에 근거하여 셔틀버스 노선을 4개 증설할 계획을 세웠음을 알 수 있으므로 ③은 글에 대한 이해로 적절하다.

11

다음 글에 대한 이해로 적절하지 않은 것은?

> <u>연출자가 자신의 저작권을 침해당했다고 주장하기 위해서</u>
선택지 ②의 근거
는 우선 그가 유효한 저작권을 소유하고 있어야 한다. 즉 저작권 보호 가능성이 있는 창작물이 필요하다. 다음으로 <u>창작</u>
선택지 ①의 근거
<u>적인 표현을 도용당했는지 밝혀야 하는데, 이것이 쉽지 않다.</u> 왜냐하면 연출자가 주관적으로 창작성이 있다고 느끼는 부분일지라도 객관적인 시각에서는 이미 공연 예술 무대에서 흔히 사용되는 표현 기법일 수 있고, 저작권법상 보호 대상이 아닌 아이디어의 요소와 보호 가능한 요소인 표현이 얽혀 있는 경우가 있기 때문이다. 쉬운 예로 셰익스피어를 보자. 그의 명작 중에 선대에 있었던 작품에 의거하지 않고 탄생한 작품이 있는가. 대부분의 연출자는 선행 예술가로부터 영향을 받아 창작에 임하는 것이 너무도 당연하고 자연스럽다. (따라서) <u>무대 연출 작업 중에서 독보적인 창작을 걸러 내서</u>
선택지 ③의 근거
<u>배타적인 권한인 저작권을 부여하는 것은 매우 흔치 않은 경우이고, 후발 창작을 방해하는 요소로 작용할 수도 있다.</u>
>
> 저작권법은 창작자에게 개인적인 인센티브를 제공하여 (1)<u>창</u>
선택지 ④의 근거 - 저작권법의 목표 두 가지
<u>작을 장려함과 동시에 (2)일반 공중이 저작물을 원활하게 이용할 수 있도록 해야 하는 두 가지 가치의 균형을 이루는 것</u>이 목표다.

① 무대 연출의 창작적인 표현의 도용 여부를 밝히기는 쉽지 않다.

② 저작권 침해를 당했다고 주장하려면 유효한 저작권을 소유하고 있어야 한다.

☑ 독보적인 무대 연출 작업에 저작권을 부여한다고 해서 <u>후발 창작에 방해가 되는 않는다.</u>
　　　　　　　　　　　　　　×

④ 저작권법의 목표는 창작자의 창작을 장려하고 일반 공중의 저작물 이용을 원활하게 하는 것이다.

해설 ③ 지문 끝에서 5~7번째 줄을 통해 무대 연출 작업 속의 독보적인 창작을 걸러 내 저작권을 부여하면 후발 창작에 방해가 될 수 있음을 알 수 있으므로 적절하지 않다.

오답분석 ① 지문 3~4번째 줄을 통해 창작적인 표현을 도용당했는지를 밝히는 것이 쉽지 않다는 것을 알 수 있다.

② 지문 1~2번째 줄을 통해 연출자가 자신의 저작권을 침해당했다고 주장하기 위해서는 유효한 저작권을 소유하고 있어야 한다는 것을 알 수 있다.

④ 지문 끝에서 1~4번째 줄을 통해 저작권법은 창작자의 창작을 장려함과 동시에 일반 공중이 저작물을 원활하게 이용할 수 있도록 하는 것이 목표임을 알 수 있다.

12
다음 글의 내용과 부합하는 것은?

> 사적인 필요가 사적 건축을 낳는다면, 공적인 필요는 다수를 위한 공공 건축을 낳는다. 공공 건축은 정부나 지방 자치 단체가 주도하면서 사적 자본이 생산해 낼 수 없는 공간을 생산해 내어야 한다. 이곳은 자본의 논리에서 소외된 영역을 보살피는 공적인 영역이다. 따라서 공공 건축은 국민의 삶의
> 　　　　　　　　　　　선택지 ①의 근거
> 질을 한 단계 높이는 데 기여할 수 있어야 한다. 그리고 특정 개인의 취향이 반영된 것이 아니라 보다 큰 다수가 누릴 수
> 선택지 ②④의 근거
> 있는 것을 배려하는 보편성을 갖추어야 한다. 그러면서도 사적 건축으로는 하기 어려운 지역의 정체성과 문화적 전통도
> 　　　　　　　　　　　선택지 ③의 근거
> 보존해야 한다. 이렇게 공공 건축은 공적인 소통의 장이 되어야 하는 것이다.

① ~~공공~~ 건축은 국민의 삶의 질을 높이는 역할을 해야 한다.
　사적

② ~~공공~~ 건축은 국민 다수의 보편적인 취향을 반영해야 한다.
　사적

☑ 공공 건축은 지역의 정체성을 반영한 소통의 장이 되어야 한다.

④ 공공 건축은 <u>사적 자본을 활용</u>하여 <u>다수가 누릴 수 있는 공간</u>
　　　　　　　　　　×　　　　　　　보편성
을 만들어야 한다.

해설 ③ 지문 끝에서 1~3번째 줄에 따르면, 공공 건축은 지역의 정체성과 문화적 전통을 보존함으로써 공적인 소통의 장이 되어야 한다. 따라서 공공 건축이 지역의 정체성을 반영한 소통의 장이 되어야 한다는 ③의 설명은 지문의 내용과 부합한다.

오답분석 ① 5~6번째 줄에 따르면 국민의 삶의 질을 높이는 것은 공공 건축의 역할이다. 따라서 ①의 설명은 지문의 내용과 부합하지 않는다.

② 끝에서 4~6번째 줄에 따르면 개인의 취향이 반영되기보다 다수가 누릴 수 있도록 보편성을 갖추어야 하는 것은 공공 건축이다. 따라서 ②의 설명은 지문의 내용과 부합하지 않는다.

④ 2~4번째 줄과 끝에서 4~6번째 줄에 따르면 공공 건축은 다수를 위한 것으로, 사적 자본이 생산해 낼 수 없는 공간을 생산해 내어야 한다. ④의 '다수가 누릴 수 있는 공간'은 공공 건축에 대한 설명이 맞지만, 공공 건축이 사적 자본을 활용한다는 설명은 지문의 내용과 부합하지 않는다.

13
다음 글을 이해한 내용으로 적절하지 않은 것은?

> 우리나라는 다른 나라에 비해 채식주의자의 비율이 낮은
> 　　　　　　　　　　선택지 ②의 근거
> 편이다. 하지만 최근 건강을 중요시하는 사회적 분위기에 따
> 　　　　　　　　　　　선택지 ④의 근거
> 라 고혈압, 암과 같은 질병의 원인으로 여겨지는 육식을 삼가
> 　　　　　　선택지 ①③의 근거
> 고 식단을 채식 위주로 바꾸는 사람들이 늘어나고 있다. 이
> 　　　　　　선택지 ②④의 근거
> 와 관련하여 채식주의자들은 채식이 꿩 먹고 알 먹기이므로
> 더 많은 사람들이 채식에 동참해야 한다고 주장한다. 왜냐하
> 면 육류 소비를 줄이면 축산업에서 발생하는 많은 양의 온
> 　　　　　선택지 ①③의 근거
> 실가스를 감소시킬 수 있고, 목초지의 사막화를 막는 데에도
> 효과적이기 때문이다.

① 육식은 고혈압이나 암과 같은 질병의 원인이며, 온실가스 배출과 사막화를 유발하기도 한다.

② 다른 나라에 비해 우리나라 채식주의자 비율은 비교적 낮지만 최근 점차 늘어나는 추세이다.

③ 채식은 개인의 신체적 건강에 도움이 될 뿐만 아니라 환경오염을 줄이는 데에도 효과적이다.

☑ <u>최근 건강을 중요시하는 사회적 분위기</u>는 <u>많은 사람들이 채식</u>
　　　　　　　　원인　　　　　　　　　　　결과
에 동참하면서 발생하기 시작했다.

해설 ④ 많은 사람들이 채식에 동참하게 되면서 건강을 중요시하는 사회적 분위기가 발생한 것이 아니라 오히려 그 반대이다. 지문 2~4번째 줄에서는 최근 건강을 중요시하는 사회적 분위기에 따라 육식을 삼가고 채식 위주로 식단을 바꾸는 사람들이 늘어난다고 설명한다.

오답 분석 ① 지문 3~4번째 줄에서 '육식'이 고혈압, 암과 같은 질병의 원인으로 여겨진다고 설명하고 있다. 또한 마지막 문장에서 육류 소비를 줄이면 축산업에서 발생하는 많은 양의 온실가스를 감소시킬 수 있고, 목초지의 사막화를 막는 데에도 효과적이라고 설명하는 것으로 보아 육식이 온실가스 배출과 사막화를 유발함을 알 수 있다.

② 지문 1~4번째 줄에서 우리나라는 다른 나라에 비해 채식주의자의 비율이 낮은 편이나 최근 건강을 중요시하는 사회적 분위기에 따라 식단을 채식 위주로 바꾸는 사람들이 늘어나고 있다고 설명한다.

③ 지문 3~4번째 줄의 고혈압이나 암과 같은 질병의 원인인 육식을 삼가고 채식을 한다는 것은 채식이 개인의 신체적 건강에 도움이 되는 것을 의미한다. 또한 마지막 문장의 육류 소비를 줄이면 많은 양의 온실가스를 감소시킬 수 있고 목초지의 사막화를 방지할 수 있다는 설명은 채식을 통해 환경오염을 줄일 수 있다는 것을 의미한다.

[14~15] 다음 글을 읽고 물음에 답하시오.

전통적 의미에서 영화적 재현과 만화적 재현의 큰 차이점 중 하나는 움직임의 유무일 것이다. 영화는 사진에 결여되었던 사물의 운동, 즉 시간을 재현한 예술 장르이다. 반면 만화는 공간이라는 차원만을 알고 있다. 정지된 그림이 의도된 순서에 따라 공간적으로 나열된 것이 만화이기 때문이다. 만일 <u>만화에도 시간이 존재한다면</u> ㉠ <u>그것은</u> 읽기의 과정에서 독자에 의해 사후에 생성된 것이다. <u>독자는 정지된 이미지에서</u>
　　　　　　　　　　　　　　선택지 ④의 근거
<u>상상을 통해 움직임을 끌어낸다.</u> 그리고 인물이나 물체의 주변에 그어져 속도감을 암시하는 효과선은 독자의 상상을 더욱 부추긴다.

<u>만화는 물리적 시간의 부재를 공간의 유연함으로 극복한</u>
　　선택지 ①의 근거 (1)
다. 영화 화면의 테두리인 프레임과 달리, <u>만화의 칸은 그 크기와 모양이 다양</u>하다. 또한 만화에는 한 칸 내부에 그림뿐 아니라, 말풍선과 인물의 심리나 작중 상황을 드러내는 언어적·비언어적 정보를 모두 담을 수 있는 자유로움이 있다. 그리고 ㉡ <u>그것이 독자의 읽기 시간에 변화를 주게 된다.</u> 하지
　　　　공간의 유연함　　선택지 ①의 근거 (2)

만 <u>영화에서는 이미지를 영사하는 속도가 일정하여 감상의</u>
　　선택지 ②의 근거 (1)
<u>속도가 강제된다.</u>

영화와 만화는 그 <u>이미지의 성격</u>에서도 대조적이다. 영화
　　　　　　　　차이점 (2)
가 촬영된 이미지라면 만화는 수작업으로 만들어진 이미지이다. 빛이 렌즈를 통과하여 필름에 착상되는 <u>사진적 원리에 따른 영화의 이미지 생산 과정은 기술적으로 자동화</u>되어 있
　　선택지 ②의 근거 (2)
다. 그렇기에 ㉢ 여기서 감독의 체취를 발견하기란 쉽지 않다. 그에 비해 만화는 수작업의 과정에서 자연스럽게 세계에 대한 작가의 개인적인 해석을 드러내게 된다. ㉣ 이것은 그림의 스타일과 터치 등으로 나타난다. 그래서 만화 이미지는 '서명된 이미지'이다.

촬영된 이미지와 수작업에 따른 이미지는 <u>영화와 만화가 현실과 맺는 관계</u>를 다르게 규정한다. 영화는 실제 대상과 이
　차이점 (3)
미지가 인과 관계로 맺어져 있어 본질적으로 사물에 대한 사실적인 기록이 된다. 이 기록의 과정에는 촬영장의 상황이나 촬영 여건과 같은 제약이 따른다. <u>그러나 최근에는 촬영된</u>
　　　　　　　　　　　　　　　　선택지 ③의 근거
<u>이미지들을 컴퓨터상에서 합성하거나 그래픽 이미지를 활용하는 디지털 특수 효과의 도움을 받는 사례가 늘고 있는</u> 데, ㉤ 이것을 통해 만화에서와 마찬가지로 실재하지 않는 대상이나 장소도 만들어 낼 수 있게 되었다.

만화의 경우는 구상을 실행으로 옮기는 단계가 현실을 매개로 하지 않는다. 따라서 <u>만화 이미지는 그 제작 단계가 작가의 통제에 포섭되어 있는 이미지</u>이다. ㉥ 이 점은 만화적 상상력의 동력으로 작용한다. 현실과 직접적으로 대면하지 않기에 작가의 상상력에 이끌려 만화적 현실로 향할 수 있는 것이다.

14

윗글을 이해한 내용으로 적절하지 않은 것은?

① 만화는 공간의 유연함을 통해 만화를 읽는 시간에 변화를 준다.

✓② 영화의 이미지는 사진적 원리에 따라 생성되므로 감상 시간이 유동적이다.

③ 영화는 디지털 특수 효과를 통해 촬영 여건 등의 물리적 제약을 극복하기도 한다.

④ 만화를 보는 독자는 속도감을 암시하는 효과선을 보고 사물의 움직임을 상상한다.

해설 ② 3문단 3~4번째 줄에서 영화의 이미지가 사진적 원리에 따라 생성된다고 설명한다. 그러나 2문단 끝에서 1~2번째 줄에서 설명한 것처럼 영화에서는 이미지를 영사하는 속도가 일정하여 감상 속도가 강제되므로 영화 감상 시간이 유동적이라는 ②의 내용은 적절하지 않다.

오답 분석 ① 2문단에서 만화는 다양한 크기와 모양의 칸을 가지며, 여기에 그림뿐 아니라 언어적·비언어적 정보를 담을 수 있으므로 '공간의 유연함'이 있다고 설명한다. 2문단 끝에서 3번째 줄에서 이러한 공간의 유연함이 독자의 읽기 시간에 변화를 주게 된다고 하므로 ①의 내용은 적절하다.

③ 4문단 끝에서 2~5번째 줄에서 확인할 수 있다. 영화는 촬영장의 상황이나 여건 등의 물리적 제약을 받는데 최근에는 디지털 특수 효과의 도움을 받아 실재하지 않는 대상이나 장소를 만들어 내는 것을 알 수 있다.

④ 1문단 끝에서 1~4번째 줄에서 확인할 수 있다. 독자는 정지된 이미지에서 상상을 통해 움직임을 끌어내는데, 속도감을 암시하는 효과선은 독자의 상상을 더욱 부추긴다는 것을 알 수 있다.

15

문맥상 ㉠~㉤과 관련 있는 대상이 같은 것으로만 묶인 것은?

① ㉠, ㉢, ㉤

② ㉡, ㉣, ㉤

③ ㉠, ㉡, ㉢, ㉤

✓④ ㉠, ㉡, ㉣, ㉤

해설 ④ ㉠, ㉡, ㉣, ㉤은 만화와 관련 있는 것이고, ㉢, ㉤은 영화와 관련 있는 것이다. 따라서 관련 있는 대상이 같은 것으로만 묶인 것은 ④이다.

· ㉠: 만화에서도 시간이 존재하는 것

· ㉡: 만화에서 공간의 유연함

· ㉣: 만화에 드러나는 세계에 대한 작가의 개인적인 해석

· ㉤: 구상을 실행으로 옮기는 단계가 현실을 매개로 하지 않기에 작가의 통제에 포섭되어 있는 만화의 이미지

오답 분석 · ㉢: 사진적 원리에 따라 기술적으로 자동화되어 생산된 영화의 이미지

· ㉤: 영화에서 촬영장 상황이나 여건과 같은 제약을 해결하기 위해 사용하는 디지털 특수 효과

16

다음 글의 내용과 부합하지 않는 것은?

> 프랑스어로 '새로운 물결'이란 의미를 가지는 누벨바그는 1950년대 후반 프랑스 영화계에 일어난 새로운 경향을 말한다. 제2차 세계대전 이후 프랑스 영화계는 보수적인 기득권 _{선택지 ④의 근거 (1)} 층이 주름잡고 있었는데, 기성 감독들은 오랫동안 관습적인 형태의 영화만을 제작하며 타성에 젖어 있는 경우가 많았다.
>
> 이에 대해 신인 감독들은 카이에 드 시네마라는 영화 평론지를 중심으로 보수적이고 발전이 없는 기성 영화를 신랄하게 비판하며 혁신을 주장하였다. 특히 누벨바그를 이끈 대표 _{선택지 ②의 근거 (1)} 적인 감독 프랑소와 트뤼포는 기존의 안이한 영화 관습에 대항하고자 감독 개인의 개성을 반영한 작가주의 영화를 추구했다. 이렇듯 누벨바그를 이끈 감독들은 우주의 부조리함을 _{선택지 ④의 근거 (2)} 담은 실존주의 철학에 깊은 영향을 받아 비약적인 장면의 전 _{선택지 ③의 근거 (1)} 개나 즉흥 연출과 같은 새로운 연출 방식을 시도했다.
>
> 한편 누벨바그는 1959년과 1962년에 사이에 정점을 찍었 _{선택지 ①의 근거} 는데, 당시 사회·경제적 요소가 큰 원동력이 되었기 때문이었다. 영화 검열의 약화와 정부의 제작비 사전 지원 정책으로 신인 감독의 영화나 기존의 문법을 거부하는 영화가 쉽게 제작될 수 있었고, 영화 촬영 기술의 발전으로 누벨바그 영화의 감독들이 선호한 자연광과 사실적인 음향을 담을 수 있었다.
>
> 이와 같이 누벨바그는 침체되었던 프랑스 영화계에 새로운 _{선택지 ②의 근거 (2)} 반향을 끌어낼 수 있었으며, 프랑스를 넘어 전 세계 영화계 _{선택지 ③의 근거 (2)} 에도 영향을 미쳤다. 그뿐만 아니라 영화사에서도 고전 영화와 현대 영화를 가르는 중요한 분기점 역할을 했다는 데에 의의가 있다.

① 프랑스 영화 검열의 약화와 정부의 제작비 사전 지원 정책으로 인해 누벨바그는 발전하여 정점을 찍었다.

② 작가주의 영화를 추구한 영화감독들로 인해 침체되었던 프랑스 영화계에 새로운 반향을 끌어낼 수 있었다.
　　　프랑소와 트뤼포 등

③ 누벨바그를 이끈 영화감독들은 새로운 연출 방식을 시도하였으며 이는 전 세계 영화계에도 영향을 미쳤다.

☑ 제2차 세계대전 이후 영화감독들은 실존주의 철학에 영향을 받아 기성 영화의 형식을 유지하고자 노력하였다.
　　　　　　　　　　　　　　　　　×

해설 ④ 1문단 마지막 문장에서 제2차 세계대전 이후 프랑스 영화계를 주름잡고 있던 기득권층은 기성 감독들이며, 그들은 오랫동안 관습적 형태의 영화만을 제작한다고 하였다. 반면 2문단 마지막 문장에서 누벨바그를 이끈 감독들은 실존주의 철학에 깊은 영향을 받아 새로운 연출 방식을 시도하였다고 설명한다. 따라서 제2차 세계대전 이후 영화감독들이 실존주의 철학에 영향을 받아 기성 영화의 형식을 유지하고자 노력했다는 ④의 설명은 글의 내용과 부합하지 않는다.

오답분석 ① 3문단 내용에 따르면, 영화 검열의 약화와 정부의 제작비 사전 지원 정책과 같은 당시 프랑스의 사회·경제적 요소가 큰 원동력이 되어 1959년과 1962년에 사이에 누벨바그가 정점을 찍은 것이므로 ①의 설명은 글의 내용과 부합한다.

② 2문단 3~6번째 줄을 통해 작가주의 영화를 추구한 감독인 프랑소와 트뤼포는 누벨바그를 이끈 대표적인 감독임을 알 수 있으며, 4문단 1~2번째 줄에서 누벨바그는 침체되었던 프랑스 영화계에 새로운 반향을 끌어낼 수 있었다고 설명한다. 따라서 작가주의 영화를 추구한 누벨바그 영화감독들로 인해 프랑스 영화계에 새로운 반향을 끌어낼 수 있었다는 ②의 설명은 글의 내용과 부합한다.

③ 2문단 끝에서 1~3번째 줄을 통해 누벨바그를 이끈 감독들은 실존주의 철학에 깊은 영향을 받아 새로운 연출 방식을 시도하였음을 알 수 있으며, 4문단 1~3번째 줄에서는 누벨바그가 프랑스를 넘어 전 세계 영화계에도 영향을 미쳤다고 설명하였다. 따라서 ③의 설명은 글의 내용과 부합한다.

03 관점과 태도 파악하기

01 ①	02 ②	03 ③	04 ③	05 ②
06 ①	07 ④	08 ①	09 ④	10 ④
11 ②	12 ④	13 ②		

01
글쓴이의 견해에 부합하는 것은?

　　문화란 공동체의 구성원들이 공유하는 생각과 행동 양식의 총체라고 할 수 있다. 문화를 연구하는 사람들의 주된 관심사는 특정 생각과 행동 양식이 하나의 공동체 안에서 전파되는 기제이다.

　　이에 대한 견해 중 하나는 문화를 생각의 전염이라는 각도에서 바라보는 것이다. 예컨대, 리처드 도킨스는 밈(meme)이라는 개념을 통해 생각의 전염 과정을 설명하고자 했다. 그에 따르면 문화는 복수의 밈으로 이루어져 있는데, 유전자에 저장된 생명체의 주요 정보가 번식을 통해 복제되어 개체군 내에서 확산되듯이, 밈 역시 유전자와 마찬가지로 공동체 내
　　　　　　　　　　　　　　　　　　선택지 ③의 근거
에서 복제를 통해 확산된다.

　　그러나 문화 전파의 기제를 설명하는 이론으로는 밈 이론
　　　　선택지 ①의 근거
보다 의사소통 이론이 더 적절해 보인다. 일례로, 요크셔 지역에 내려오는 독특한 푸딩 요리법은 누군가가 푸딩 만드는 것을 지켜본 후 그것을 그대로 따라 하는 방식으로 전파되었다기보다는 요크셔푸딩 요리법에 대한 부모와 친척, 친구들의 설명을 통해 입에서 입으로 전파되고 공유되었을 가능성이 크다.

　　생명체의 경우와 달리 문화는 완벽하게 동일한 형태로 전파되지 않는다. 전파된 문화와 그것을 수용한 결과는 큰 틀에서는 비슷하더라도 세부적으로는 다를 수밖에 없다. 다시 말해 요크셔 지방의 푸딩 요리법은 다른 지방의 푸딩 요리법과 변별되는 특색을 지니는 동시에 요크셔 지방 내부에서도 가정이나 개인에 따라 약간씩의 차이를 보인다. 이는 푸딩 요리법의 수신자가 발신자가 전해 준 정보에다 자신의 생각을 덧
　　　　　　선택지 ②의 근거 (1)
붙였기 때문인데, 복제의 관점에서 문화의 전파를 설명하는
　　　　　　　　　　　　선택지 ④의 근거
이론으로는 이와 같은 현상을 설명하기 어렵다. 반면, 의사소
　　　요크셔 지방 요리법이 다른 현상

18　공무원시험전문 해커스공무원 gosi.Hackers.com

통 이론으로는 설명 가능하다. 이에 따르면 사람들은 자신이
_{선택지 ②의 근거 (2)}
들은 이야기를 남에게 전달할때 들은 이야기에다 자신의 생
각을 더해서 그 이야기를 전달하기 때문이다.

☑ 문화의 전파 기제는 밈 이론보다는 의사소통 이론으로 설명하
는 것이 적절하다.

② 의사소통 이론에 따르면 문화의 <u>수용 과정</u>에는 수용 주체의
<u>주관이 개입하지 않는다.</u>
　　　×

③ ~~의사소~~통 이론에 따르면 특정 공동체의 문화는 다른 공동체로
_밈
복제를 통해 전파될 수 있다.

④ 요크셔푸딩 요리법이 요크셔 지방의 가정이나 개인에 따라 세
부적인 차이를 보이는 현상은 <u>밈 이론에 의해 설명할 수 있다.</u>
　　　　　　　　　　　　　　　　　　×

해설 ① 3문단 1~2번째 줄에서 문화 전파의 기제를 설명하는 이론으
로 밈 이론보다 의사소통 이론이 더 적절함을 언급하고 있으
므로 글쓴이의 견해에 부합한다.

오답분석 ② 4문단을 통해 의사소통 이론은 문화를 수용할 때 사람들의
생각이 덧붙는다고 보는 이론임을 알 수 있으므로 ②는 글쓴
이의 견해와 부합하지 않는다.

③ 2문단 끝에서 1~2번째 줄을 통해 공동체 문화가 복제를 통
해 전파된다고 보는 것은 의사소통 이론이 아닌 밈 이론임을
알 수 있으므로 글쓴이의 견해와 부합하지 않는다.

④ 4문단 끝에서 4~5번째 줄에서 요크셔푸딩 요리법이 요크셔
지방 내에서도 차이를 보이는 현상은 복제의 관점에서 문화
의 전파를 설명하는 밈 이론으로 설명하기 어렵다고 하였으
므로 글쓴이의 견해와 부합하지 않는다.

02

다음 글을 읽고 필자의 서술태도와 가장 거리가 먼 것을 고르
시오.

> 겨울철에 빙판이 만들어지면 노인들의 낙상 사고가 잦아진
> 다. 대부분의 노인들은 (근육 감소로 인한 순발력 저하)로
> _{선택지 ①의 근거 - 논리적　　　원인　　　↓}
> (방어기제가 제대로 작동하지 않는다). (그런 사고를 당하면
> _{결과　　　　　　　　　　　　　　원인　↓}
> 운동이 부족해져) 그나마 남아 있던 (근육이 퇴화하고 노화
> _{결과}
> 가 빨라진다). 건강수명은 대부분 거기서 끝이다. 참으로 무
> 서운 일이다. 그런데도 불구하고 노년층에게 적극적으로 근
> _{선택지 ③의 근거 - 비판적}
> 력운동을 처방하지 않는다. 우리의 주변을 둘러보라. 요양병
> 원이 상당히 많이 늘어났다. 앞으로도 부가가치가 매우 높은
> 산업이라고 한다. 안타까운 일이다.
> _{선택지 ④의 근거 - 동정적}

① 논리적　　　　　　　　　　☑ 회고적 ➡ 지문에서 확인 ×

③ 비판적　　　　　　　　　　④ 동정적

해설 ② 필자는 노인들에게 근력 운동을 처방하지 않는 것과 요양병원
의 수가 늘어난 것이 사회적 문제가 아닌 부가가치가 높은 산
업으로 평가되고 있는 상황에 대해 안타까움을 드러내고 있을
뿐이다. 지문에서 회고적 태도가 나타나는 부분은 확인할 수
없으므로 ②는 필자의 서술 태도와 거리가 멀다.

　　　· 회고: 옛 자취를 돌이켜 생각함

오답분석 ① 필자는 겨울철에 노인들이 낙상 사고를 당하는 이유를 '근육
감소 → 순발력 저하 → 방어 기제가 제대로 작동하지 않음'
과 같이 인과적으로 설명하고 있다. 또한 낙상 사고를 당한
노인들이 건강수명을 잃게 되는 이유 역시 '사고로 인한 운동
부족 → 근육 퇴화 및 노화 촉진'과 같이 인과적으로 설명하
고 있다. 따라서 필자는 '논리적' 서술 태도를 갖추고 있음을
알 수 있다.

　　　· 논리적: 1. 논리에 맞는 것 2. 사고나 추리에 능한 것

③ 필자는 노년층에게 적극적으로 근력 운동을 처방하지 않는
것에 대해 '비판적' 태도를 드러내고 있다.

　　　· 비판적: 현상이나 사물의 옳고 그름을 판단하여 밝히거나
　　　　잘못된 점을 지적하는 것

④ '안타까운 일이다'라며 노년층에 대한 '동정적' 태도를 갖추
고 있음을 알 수 있다.

　　　· 동정적: 남의 어려운 처지를 안타깝게 여기는 것

03

글쓴이의 견해에 부합하지 않는 것은?

> 사물 인터넷(IoT, Internet of Things)의 정의로 '수십억 개의 사물이 서로 연결되는 것'이라고 설명하는 것은 그리 유용하지 않다. 사물 인터넷이 무엇인지 이해하기 위해서는 '사물'에서 출발하기보다는 '인터넷'에서 출발하는 것이 좋다. 인터넷이 전 세계의 컴퓨터를 서로 소통하도록 만든다는 생각이 실현된 것이라면, 사물 인터넷은 이제 전 세계의 사물들을 '컴퓨터로 만들어' 서로 소통하도록 만든다는 생각을 실현하는 것이다. 컴퓨터는 본래 전원이 있고 칩이 있고, 이것이 통신 장치와 프로토콜을 갖게 되어 연결된 것이다. 그렇다면 이제는 전원이 있었던 전자 기기나 기계 등은 그 자체로, 전원이 없었던 일반 사물들은 새롭게 센서와 배터리, 통신 모듈이 부착되면서 컴퓨터가 되고 이렇게 컴퓨터가 된 사물들이 그들 간에 또는 인간의 스마트 기기와 네트워크로 연결되는 것이다.
> 현재의 인터넷과 사물 인터넷의 차이를, 혹자는 사람이 개입되는 것은 사물 인터넷이 아니라고 이야기하면서 엄격한 M2M(Machine to Machine)이라는 개념에 근거해 설명한다. 또 혹자는 사물 인터넷이 실현되려면 사람만큼 사물이 판단할 수 있어야 한다고 주장하면서 사물의 지능성을 중요시하는 경우도 있는데, 두 가지 모두 그릇된 것이다. 사물 인터넷을 제대로 이해하려면 기존 인터넷과의 차이점에 주목하기보다는 오히려 공통점을 인식하는 것이 더 중요하다. 컴퓨터를 서로 연결하는 수준에서 출발한 것이 기존의 인터넷이라면, 이제는 사물 각각이 컴퓨터가 되고, 그 사물들이 사람과 손쉽게 닿는 스마트폰, 스마트 워치 등과 서로 소통하는 것이다.

① 사물 인터넷의 개념을 파악하기 위해서는 기존 인터넷과의 공통점을 이해하는 것이 필요하다.

② 센서와 배터리, 통신 모듈 등을 갖춘 사물들이 네트워크로 연결되어 사물 인터넷으로 기능한다.

③ 사물 인터넷은 사람 수준의 지능을 가진 사물들이 네트워크상에서 인간의 개입 없이 서로 소통하는 것으로 정의된다.

④ 사물 인터넷은 컴퓨터가 아니었던 사물도 네트워크로 연결될 수 있다는 점에서 기존의 인터넷과 다르다.

[해설] ③ 글쓴이는 사람이 개입되는 것은 사물 인터넷이 아니라는 의견과 사물의 지능성을 중요시하는 생각이 모두 그릇되었다고 말한다. 따라서 ③은 글쓴이의 견해에 부합하지 않는 내용이다.

[오답분석] ① 2문단 끝에서 5~7번째 줄을 통해 알 수 있다.
② 1문단 끝에서 1~5번째 줄을 통해 알 수 있다.
④ 2문단 끝에서 1~3번째 줄을 통해 알 수 있다.

04

다음 글쓴이의 입장에 부합하는 것은?

> 효(孝)가 개인과 가족, 곧 일차적인 인간관계에서 일어나는 행위를 규정한 것이라면, 충(忠)은 가족이 아닌 사람들과의 관계, 곧 이차적인 인간관계에서 일어나는 사회적 행위를 규정한 것이었다. 그런데 언제부터인가 우리는 효를 순응적 가치관을 주입하는 봉건 가부장제 사회의 유습이라고 오해하는가 하면, 충과 효를 동일시하는 오류를 저지르는 경향이 많아졌다. 다음을 보자.
> "부모에게 효도하고 형제를 사랑하는 사람은 윗사람의 명령을 거역하는 경우가 드물다. 또 윗사람의 명령을 어기지 않는 사람은 난동을 일으키는 경우도 드물다. 군자는 근본에 힘쓴다. 근본이 확립되면 도가 생기기 때문이다. 효도와 우애는 인(仁)의 근본이다."
> 위 구절에 담긴 입장을 기준으로 보면 효는 윗사람에 대한 절대 복종으로 연결된다. 곧 종족 윤리의 기본이 되는 연장자에 대한 예우는 물론이고 신분 사회의 엄격한 상하 관계까지 포괄적으로 인정하는 것이다. 하지만 이 구절만을 근거로 효를 복종의 윤리라고 보는 것은 성급한 판단이다. 왜냐하면 원래부터 효란 가족 윤리 또는 종족 윤리로서 사회 윤리였던 충보다 우선시되었을 뿐만 아니라, 유교의 기본 입장은 설사 부모의 명령이라 하더라도 옳고 그름을 가리지 않는 맹목적인 복종은 그 자체가 불효라고 보았기 때문이다.
> 유교에서는 부모와 자식의 관계가 자연에 의해서 결정된다고 한다. 이 때문에 부모와 자식의 관계는 인위적으로 끊을 수 없다고 본다. 이에 비해 임금과 신하의 관계는 공동의 목표를 위한 관계로서 의리에 의해서 맺어진 관계로 본다. 의리가 맞지 않는다면 언제라도 끊을 수 있다고 생각하는 것이다.

① 효는 <u>봉건 가부장제 사회에서 비롯한</u> 일차적 인간관계이다.
　　　　　　　　　　　　　×

② 효는 부모와 자식 간의 관계이므로 <u>조건 없는 신뢰에 기초한</u>
　　　　　　　　　　　　　　　　　　　　　　　　×
덕목이다.

☑ 윗사람에 대한 복종을 절대시하지 않는 것이 유교적 윤리의
한 바탕이다.

④ <u>충의 도리를 다함으로써 효의 도리에 도달</u>할 수 있다는 것이
　　　　　　　　　　×
인의 이치.

해설 ③ 3문단 끝에서 1~3번째 줄과 4문단 끝에서 1~3번째 줄을 통
해 유교적 윤리의 한 바탕이 윗사람(부모, 임금)에 대한 복종
을 절대시하지 않는 것이었음을 알 수 있다. 따라서 글쓴이의
입장에 부합하는 것은 ③이다.

오답
분석 ① 1문단 끝에서 3~4번째 줄을 통해 효가 봉건 가부장제 사회
의 유습이라는 것은 오해임을 알 수 있다. 따라서 효가 봉건
가부장제 사회에서 비롯된 일차적 인간관계라는 내용은 글
쓴이의 입장에 부합하지 않는다.

② 3문단 끝에서 1~2번째 줄을 통해 맹목적인 복종은 그 자체
가 불효라고 하였으므로 효가 조건 없는 신뢰에 기초한 덕목
이라는 내용은 글쓴이의 입장에 부합하지 않는다.

④ 3문단 끝에서 3~4번째 줄을 통해 효는 가족 윤리로서 사회
윤리였던 충보다 우선시되었음을 알 수 있으므로 충의 도리
를 다함으로써 효의 도리에 도달할 수 있다는 것이 인의 이치
라는 내용은 글쓴이의 입장에 부합하지 않는다.

05
밑줄 친 부분의 이유에 대한 필자의 견해로 볼 수 없는 것은?

> 관리가 본디부터 간악한 것이 아니다. 그들을 간악하게 만
> 드는 것은 법이다. 간악함이 생기는 이유는 이루 다 열거할 수
> 없다. 대체로 직책은 하찮은데도 재주가 넘치면 간악하게 되
> 며, 지위는 낮은데도 아는 것이 많으면 간악하게 되며, <u>노력을
> 조금 들였는데도 효과가 신속하면 간악하게 되며, 자신은 한</u>
> 선택지 ①의 근거
> <u>자리에 오랫동안 있는데 자신을 감독하는 사람이 자주 교체
> 되면 간악하게 되며,</u> 자신을 감독하는 사람의 행동이 또한 정
> 도에서 나오지 않으면 간악하게 되며, <u>아래에 자신의 무리는
> 많은데 윗사람이 외롭고 어리석으면 간악하게 되며,</u> 자신을
> 선택지 ④의 근거
> 미워하는 사람이 자신보다 약하여 두려워하면서 잘못을 밝
> 히지 않으면 간악하게 되며, 자신이 꺼리는 사람이 같이 죄를
> 범하였는데도 서로 버티면서 죄를 밝히지 않으면 간악하게
> 되며, 형벌에 원칙이 없고 염치가 확립되지 않으면 간악하게
> 된다. …… <u>간악함이 일어나기 쉬운 것</u>이 대체로 이러하다.

---

① 노력은 적게 들이고 성과를 빨리 얻는다.

☑ 자신이 범한 과오를 감추고 남의 잘못을 드러낸다.
　➡ 지문에서 확인 ×

③ 자신은 같은 자리에 있으나 감독자가 자주 교체된다.

④ 자신의 세력이 밑에서 강한 반면 상부는 외롭고 우매하다.

해설 ② 끝에서 3~4번째 줄을 통해 필자는 꺼려하는 사람과 같이 죄
를 지었는데도 서로 죄를 밝히지 않았을 때 간악함이 일어나
기 쉽다고 주장함을 알 수 있다. 그러나 ②의 설명은 지문을
통해 확인할 수 없으므로 필자의 견해로 볼 수 없다.

오답
분석 ① 4~5번째 줄을 통해 확인할 수 있다.

③ 5~7번째 줄을 통해 확인할 수 있다.

④ 끝에서 6~7번째 줄을 통해 확인할 수 있다.

06
다음 중 아래 글에 나타난 저자의 의도를 가장 적절하게 설명
한 것은?

> 인공지능은 컴퓨터 프로그램을 활용해 인간과 비슷한 인지
> 적 능력을 구현한 기술을 말한다. 인공지능은 기본적으로 보
> 고 듣고 읽고 말하는 능력을 갖춤으로써 인간과 대화할 수
> 있을 뿐만 아니라 지적 판단이 필요한 상황에서 합리적 결정
> 을 내릴 수 있다. <u>인공지능이 인간의 말을 알아듣고 명령을</u>
> 선택지 ①의 근거 – 인공지능에 대한 긍정적·부정적 관점 제시
> <u>실행하는 똑똑한 기계가 되는 것은 반길 일인가, 아니면 주
> 인과 노예의 관계를 역전시키는 재앙이라고 경계해야 할 일
> 인가?</u>

☑ 쟁점 제기　　　　　　　② 정서적 공감

③ 논리적 설득　　　　　　④ 배경 설명

해설 ① 지문의 1~2번째 줄에는 인공지능에 대한 정의가 제시되어 있
고, 2~4번째 줄에는 인간과의 상호 작용을 할 수 있고 지적
판단이 필요한 상황에서 합리적 결정을 내릴 수 있다는 인공
지능의 특징이 제시되어 있다. 이어서 끝에서 1~4번째 줄에
서는 앞에서 설명한 인공지능의 특징을 바탕으로 인공지능이
똑똑한 기계가 되는 것에 대한 긍정의 관점과 부정의 관점을
동시에 제기하고 있다. 따라서 저자의 의도는 인공지능에 대
한 쟁점을 제기하는 것임을 알 수 있다.

　· 쟁점: 서로 다투는 중심이 되는 점

07

다음 글에 대한 이해로 적절하지 않은 것은?

> (가) 유전자 변형 농작물에 대한 서로 다른 입장이 있다. 하나는 실질적 동등성을 주장하는 입장이고 다른 하나는 사전 예방 원칙을 주장하는 입장이다.
>
> (나) ㉠실질적 동등성의 입장에서는 유전자 재조합 방식*으로 만들어진 농작물이 기존의 품종 개량 방식인 육종으로 만들어진 농작물과 같다고 본다. 육종은 생물의 암수를 교잡하는 방식으로 품종을 개량하는 것인데, 유전자 재조합은 육종을 단기간에 실시한 것에 불과하다는 것이다. 따라서 육종 농작물이 안전하기 때문에 육종을 단기간에 실시한 유전자 변형 농작물도 안전하며, 그것의 재배와 유통에도 문제가 없다는 것이 그들의 주장이다.
>
> (다) ㉡사전 예방 원칙의 입장에서는 유전자 변형 농작물은 유전자 재조합이라는 신기술로 만들어진 완전히 새로운 농작물로 육종 농작물과는 엄연히 다르다고 본다. 육종은 오랜 기간 동안 동종 또는 유사 종 사이의 교배를 통해 이루어지는 데 반해, 유전자 변형은 아주 짧은 기간에 종의 경계를 넘어 유전자를 직접 조작하는 방식으로 이루어지기 때문에 서로 다르다는 것이다. 그리고 안전성에 대한 과학적 증명도 아직 제대로 이루어지지 못했기 때문에 안전성이 증명될 때까지 유전자 변형 농작물의 재배와 유통이 금지되어야 한다고 주장한다.
>
> (라) 유전자 변형 농작물이 인류의 식량 문제를 해결해 줄 수도 있다. 그렇지만 그것의 안전성에 대한 의문이 완전히 해소된 것은 아니다. 따라서 유전자 변형 농작물에 대해 관심을 가지고 보다 현실적인 대비책을 고민해야 한다.
>
> * 유전자 재조합 방식: 미세 조작으로 종이나 속이 다른 생물의 유전자를 한 생물에 집어넣어 활동하게 하는 기술.

① ㉠과 ㉡은 유전자 변형 농작물의 성격을 두고 상반된 주장을 하고 있군.

② ㉠과 ㉡은 모두 유전자 변형 농작물의 유통을 위해서는 안전성이 확보되어야 한다고 보는군.

③ ㉠은 유전자 변형 농작물과 육종 농작물이 모두 안전하다고 생각하는군.

✔④ ㉡은 육종 농작물과 유전자 변형 농작물에 유전자 재조합 방식이 적용된다고 주장하고 있군.

해설 ④ (다)의 1~3번째 줄을 통해 ㉡은 유전자 변형 농작물에 유전자 재조합 방식이 적용되었기 때문에 육종 농작물과 다르다고 본다는 것을 알 수 있다. 따라서 ㉡이 육종 농작물에 유전자 재조합 방식이 적용된다고 주장한다는 ④의 이해는 적절하지 않다.

오답분석 ① (나)를 통해 ㉠은 유전자 재조합 방식으로 만들어진 농작물이 육종과 같은 성격이라고 주장하고 있음을 알 수 있다. 또한 (다)를 통해 ㉡은 유전자 재조합 방식으로 만들어진 농작물이 육종과 완전히 다른 성격이라고 주장함을 알 수 있다. 이를 통해 ㉠과 ㉡은 유전자 변형 농작물의 성격을 두고 상반된 주장을 하고 있음을 알 수 있다.

② (나)의 끝에서 1~3번째 줄을 통해 ㉠은 유전자 변형 농작물이 안전하기 때문에 유통해도 문제가 없다고 주장함을 알 수 있고, (다)의 끝에서 1~2번째 줄을 통해 ㉡은 유전자 변형 농작물의 안전성이 증명될 때까지 유전자 변형 농작물의 유통이 금지되어야 한다고 주장함을 알 수 있다. 이를 통해 ㉠과 ㉡은 모두 유전자 변형 농작물의 유통에는 기본적으로 안정성이 확보되어야 한다고 본다는 것을 알 수 있다.

③ (나)의 끝에서 2~3번째 줄을 통해 ㉠은 육종 농작물이 안전하기 때문에 유전자 변형 농작물도 안전하다고 주장함을 알 수 있다. 이를 통해 ㉠은 유전자 변형 농작물과 육종 농작물이 모두 안전하다고 생각한다는 것을 알 수 있다.

08

⊙과 ⓒ에 대한 글쓴이의 견해로 적절하지 않은 것은?

> '대중예술'이라는 용어는 다소 모호하게 사용된다. 이 용어는 19세기부터 쓰였고, 오늘날에는 대중매체 예술뿐 아니라 서민들이 향유하는 예술에도 적용된다. 이 용어의 사용과 관련하여 제기되는 비판과 의문은, 예술이란 용어 자체가 이미 고유한 미적 가치를 함축하고 있기 때문에 대중예술이라는 개념은 본질적으로 모순이며 범주상의 오류라는 것이다. 이 같은 논쟁은 고급 예술과 대중예술 사이의 위계적 이분법 아래에 예술 대 엔터테인먼트라는 대립이 존재함을 알려 준다.
>
> 대중예술과 마찬가지로 엔터테인먼트는 고급 문화와 대비하여 저급한 것으로 널리 규정되어 왔다. 결과적으로 엔터테인먼트와 대중예술에 관한 이론은 대개 두 입장 사이에 놓인다. ⊙첫 번째 입장은 엔터테인먼트가 고급 문화를 차용해서 타락시키는 것이라고 주장하면서, 엔터테인먼트를 고급 <small>선택지 ②의 근거 - 고급 문화의 우월성</small> 문화에 전적으로 의존하고, 종속되며 그것에서 파생되는 것 <small>선택지 ①의 근거 - 고급 문화와 엔터테인먼트의 위계성</small> 으로 간주한다. ⓒ두 번째 입장은 엔터테인먼트를 고급 문화 <small>선택지 ④의 근거 - 엔터테인먼트의 독자성</small> 와 동떨어진 영역, 즉 고급 문화에 도전함으로써 대립적인 태도를 유지하면서 엔터테인먼트 자체의 자율적 규칙, 가치, 원리와 미적 기준을 갖고 있는 것으로 규정한다.
>
> 첫 번째 입장은 다양한 가치를 이상적인 진리 안에 종속시킴으로써, 예술의 형식과 즐거움의 미적 가치에 대한 어떠한 상대적 자율성도 인정하지 않는다. 두 번째 입장은 대중예술에 대한 극단적 자율성을 주장하는 것으로서, 고급 예술이 대중예술에 대하여 휘두르고 있는 오래된 헤게모니의 흔적을 제대로 평가하지 않을 뿐 아니라 고급 예술과 대중예술 사이의 관계를 설명하지 못한다. <small>선택지 ③의 근거</small>

☑ ① ⊙은 고급 문화와 엔터테인먼트 사이의 위계성을 설명하지 못한다.

② ⊙은 대중예술과 엔터테인먼트에 비해 고급 예술과 고급 문화의 우월성을 강조한다.

③ ⓒ은 고급 예술과 대중예술 사이의 관계성을 설명하지 못한다.

④ ⓒ은 고급 예술과 고급 문화에 대해 대중예술과 엔터테인먼트의 독자성을 강조한다.

해설 ① 2문단 5~7번째 줄에서 ⊙은 엔터테인먼트가 고급 문화에 의존하고 종속되며, 엔터테인먼트가 고급 문화에서 파생된 것으로 본다고 설명한다. 이는 고급 문화와 엔터테인먼트 사이에 위계가 있다고 보는 입장이므로 ①의 설명은 글쓴이의 견해로 적절하지 않다.

오답 분석 ② 2문단 4~7번째 줄 내용에 따르면 ⊙은 엔터테인먼트가 고급 문화를 차용하여 타락시킨다고 주장하면서 엔터테인먼트를 고급 문화의 하위 개념으로 간주하고 있다. 따라서 ⊙이 대중예술과 엔터테인먼트에 비해 고급 예술과 고급 문화의 우월성을 강조한다는 ②의 설명은 글쓴이의 견해로 적절하다.

③ 3문단 끝에서 1~2번째 줄을 통해 확인할 수 있다.

④ 2문단 끝에서 1~4번째 줄 내용에 따르면 ⓒ은 엔터테인먼트가 고급 문화와 동떨어진 영역이며, 자체적으로 규칙, 가치, 원리, 미적 기준을 갖고 있다고 한다. 따라서 ⓒ이 대중예술과 엔터테인먼트의 독자성을 강조한다는 ④의 설명은 글쓴이의 견해로 적절하다.

09

다음 글에 나타난 필자의 견해로 볼 수 없는 것은?

> 서양에서 주인공을 '히어로(hero)', 즉 '영웅'이라고 부른 것 <small>선택지 ①의 근거</small> 은 고대 서사시나 희곡의 소재가 되던 주인공들이 초인간적인 능력을 가진 인물들이었기 때문이다. 신화적 세계관 속에서 영웅들은 신과 밀접한 관계를 맺거나 신의 후손이기도 하였다.
>
> 신화와 달리 문학 작품은 인물의 행위를 단일한 것으로 통일시킨다. 영웅들의 초인간적이고 신적인 행위는 차차 문학 <small>선택지 ②의 근거</small> 작품의 구조에 제한되어 훨씬 인간화되었다. 문학 작품의 통일된 구조에 적합하지 않은 것은 대폭 수정되거나 제거되는 수밖에 없었다.
>
> 아리스토텔레스는 비극이 '보통보다 우수한 인물'을 모방 <small>선택지 ③의 근거</small> 한다고 하였는데, 이는 문학의 인물이 신화의 영웅이 아닌 보통의 인간임을 지적한 것이다. 극의 주인공은 작품의 통일성을 기하는 데 기여하는 중심적인 인물이면 된다고 한 것으로 볼 수 있다.
>
> 낭만주의 및 역사주의 비평가들은 작중 인물을 실제 인물 <small>선택지 ④의 근거</small> 인 양 따로 떼어 내어, 그의 개인적인 역사를 재구성해 보려고도 하였다. 그들은 영웅이라는 표현 대신 '성격(인물, character)'이라는 개념을 즐겨 썼는데, 이 용어는 지금도 비평계에서 애용되고 있다.

① 영웅이라는 말은 고대의 예술적 조건과 자연스럽게 관련된다.

② 신화의 영웅은 문학 작품에 와서 점차 인간화되었다.

③ 아리스토텔레스가 말한 '보통보다 우수한 인물'은 신화적 영웅과 다르다.

☑ 역사주의 비평가들은 작중 인물을 역사적 영웅으로 재평가하려고 했다.

[해설] ④ 4문단의 내용을 통해 역사주의 비평가들은 작중 인물의 개인적인 역사를 재구성하려고 하였을 뿐, 역사적 영웅으로 재평가하였는지는 알 수 없다.

[오답분석] ① 1문단의 1~3번째 줄을 통해 영웅이라는 말은 고대 서사시나 희곡의 주인공과 연관이 있으므로 고대의 예술적 조건과 관련된다는 것을 알 수 있다.
② 2문단의 2~3번째 줄을 통해 확인할 수 있다.
③ 3문단의 1~3번째 줄을 통해 확인할 수 있다.

10

다음 글에서 '칸트'의 견해로 볼 수 없는 것은?

칸트는 계몽이란 인간이 자신의 과오로 인한 미성년 상태로부터 벗어나는 것이라고 했다. 이때 '미성년 상태'는 타인의 지도 없이는 스스로의 이성을 사용할 수 없는 상태를 뜻하며, 이를 벗어나는 데 필요한 것은 용기를 내어 스스로의 이성을 사용하려고 하는 것이다.
<선택지 ③의 근거>

칸트에 의하면 계몽은 두 가지 양상으로 이루어진다. 하나는 개인적 계몽으로 각자 스스로 미성년 상태를 벗어나서 이성 능력을 발휘하는 것이다. 하지만 모든 사람이 개인적 계몽을 이룰 수 있는 것은 아니다. 미성년 상태는 편하다. 이 상태
<선택지 ①의 근거>
의 개인은 스스로 생각하고 판단함으로써 저지를지 모르는 실수의 위험을 과장해서 생각한다. 한 개인이 실수의 두려움으로 인해 미성년 상태에 머무르기를 선택하면 편안함에 대한 유혹과 실수에 대한 공포심을 극복하며 스스로를 계몽하기는 힘들다.

대중 일반의 계몽은 이보다는 쉽게 이루어질 수 있다. 어느 시대에나 개인적 계몽에 성공한 독립적인 정신의 사상가들이 있기 마련이고, 이들은 편안함에 안주하며 두려움의 방패 뒤에 도피하려는 사람들의 의식을 일깨워 자각의 계기를 제

공해 줄 수 있다. 개인적 계몽에 성공한 이들에게 자신의 생각을 표현하고 발표하는 자유가 주어진다면 계몽 정신은 자
<선택지 ④의 근거>
연스레 널리 전파될 것이고 사람들은 독립에의 공포심에서 벗어나 스스로 생각하는 성년 단계로 진입하게 될 것이다.

칸트는 대중 일반의 계몽을 위해 필요한 이성의 사용을 이
<선택지 ②의 근거>
성의 공적 사용이라 일컫는다. 이성의 사용은 사적 사용과 공적 사용으로 구분된다. 이성의 사적 사용은 각자가 개인이나 소규모 공동체의 이익을 위해 이성을 사용하는 것을 말한다. 그러나 한 개인이 몸담고 있는 공동체의 범위를 벗어나 세계 시민의 한 사람으로서 그리고 학자로서 글을 통해 자신의 생각을 대중에게 전달하게 되면 그는 이성을 공적으로 사용하는 것이 된다.

① 개인적 계몽을 모든 사람이 이룰 수 있는 것은 아니다.

② 대중 일반의 계몽을 위한 이성의 사용을 이성의 공적 사용이라 불렀다.

③ 미성년 상태에서 벗어나기 위해서는 스스로의 이성을 사용하려고 해야 한다.

☑ 개인적 계몽을 이룬 이들에게 자유가 주어진다면 독립에 대한 공포심에 빠지게 된다. ✕

[해설] ④ 3문단 끝에서 1~4번째 줄을 통해 칸트는 개인적 계몽을 이룬 이들에게 자유가 주어진다면 독립에 대한 공포심에서 벗어날 수 있다고 보았음을 알 수 있다. 따라서 답은 ④이다.

[오답분석] ① 2문단의 3~4번째 줄을 통해 확인할 수 있다.
② 4문단의 1~2번째 줄을 통해 확인할 수 있다.
③ 1문단의 4~5번째 줄을 통해 확인할 수 있다.

11

〈보기〉의 비판 대상으로 가장 옳지 않은 것은?

〈보기〉

　　그는 가상의 대화에서 스스로 채식주의의 대변인이 되어 다양한 육식 옹호론자들의 위선과 논리적 허구성을 논박함   ← 선택지 ②의 근거 (1)
으로써 육식의 폐해를 신랄하게 비판하고 채식 위주로의 식습관 개혁을 역설한다. 그러면서 육식을 반대하기 위한 형식 논리에 빠지지 않도록 신문 기사를 비롯한 다양한 사실적 논거들을 제시함으로써 설득력을 확보한다.

　　우리나라에서는 아직까지 채식주의는 특정 종교에 국한되거나 지나치게 염결한 사람들의 기벽 정도에 치부되고 있다. 한 예로 장거리 비행기를 탈 때 채식주의 기내식을 요구하는   ← 선택지 ②의 근거 (2)
한국인은 극히 드물다.

① 육류 위주의 식습관

✓② 채식주의 기내식 요구자

③ 육식 옹호론자들의 위선

④ 채식주의를 기벽으로 치부하는 사회

> **해설** ② 〈보기〉의 비판 대상으로 가장 옳지 않은 것은 ② '채식주의 기내식 요구자'이다. 필자는 육식을 옹호하는 사람들의 위선과 허구성을 비판하고 채식 위주의 식습관으로 개선할 것을 주장하고 있으므로, 채식주의 기내식을 요구하는 사람은 비판의 대상이 아님을 알 수 있다.

12

필자의 견해로 볼 수 없는 것은?

　　우리는 우리가 생각한 것을 말로 나타낸다. 또 다른 사람의   ← 선택지 ②의 근거 (1) – '생각'을 나타내는 매개체인 '말'
말을 듣고, 그 사람이 무슨 생각을 가지고 있는가를 짐작한다. 그러므로 생각과 말은 서로 떨어질 수 없는 깊은 관계를   ← 선택지 ③의 근거 – 말과 생각의 관계
가지고 있다.

　　그러면 말과 생각이 얼마만큼 깊은 관계를 가지고 있을까?   ← 중심 화제
이 문제를 놓고 사람들은 오랫동안 여러 가지 생각을 하였다. 그 가운데 가장 두드러진 것이 두 가지 있다. 그 하나는 [1]말과 생각이 서로 꼭 달라붙은 쌍둥이인데 한 놈은 생각이 되어 속에 감추어져 있고 다른 한 놈은 말이 되어 사람 귀에 들리는 것이라는 생각이다. 다른 하나는 [2]생각이 큰 그릇이고 말은 생각 속에 들어가는 작은 그릇이어서 생각에는 말 이외에도 다른 것이 더 있다는 생각이다.

　　이 두 가지 생각 가운데서 앞의 것은 조금만 깊이 생각해 보면 틀렸다는 것을 즉시 깨달을 수 있다. 우리가 생각한 것은 거의 대부분 말로 나타낼 수 있지만, 누구든지 가슴 속에   ← 선택지 ②의 근거 (2)
응어리진 어떤 생각이 분명히 있기는 한데 그것을 어떻게 말로 표현해야 할지 애태운 경험을 가지고 있을 것이다. 이것 한 가지만 보더라도 말과 생각이 서로 안팎을 이루는 쌍둥이가 아님은 쉽게 판명된다.

　　인간의 생각이라는 것은 매우 넓고 큰 것이며 말이란 결국 생각의 일부분을 주워 담는 작은 그릇에 지나지 않는다. 그러나 아무리 인간의 생각이 말보다 범위가 넓고 큰 것이라고 하   ← 선택지 ①의 근거 – '말'보다 '생각'의 범위가 큼
여도 그것을 가능한 한 말로 바꾸어 놓지 않으면 그 생각의 위대함이나 오묘함이 다른 사람에게 전달되지 않기 때문에 생각이 형님이요, 말이 동생이라고 할지라도 생각은 동생의 신세를 지지 않을 수가 없게 되어 있다. 그러니 말을 통하지   ← 선택지 ④의 근거
않고는 생각을 전달할 수가 없는 것이다.

① 말은 생각보다 범위가 좁다.

② 말은 생각을 나타내는 매개체이다.

③ 말과 생각은 불가분의 관계에 놓여 있다.

✓④ 말을 통하지 않고도 얼마든지 생각을 전달할 수 ~~있다~~ 없다.

④ 지문의 마지막 문장에서 필자는 '말을 통하지 않고는 생각을 전달할 수가 없는 것이다'라고 하였으므로 ④는 필자의 견해로 볼 수 없다.

① 4문단의 3번째 줄에서 확인할 수 있다.
② 지문의 첫 문장과 3문단의 2~3번째 줄에서 확인할 수 있다.
③ 1문단의 마지막 문장에서 확인할 수 있다.

13
㉠과 ㉡에 대한 글쓴이의 견해로 적절하지 않은 것은?

1901년에 태어난 ㉠ 월트 디즈니, 그리고 40년 뒤인 1941년에 태어난 ㉡ 미야자키 하야오. 두 사람은 닮았으면서도 다른 점이 많은 서양과 동양의 대표적인 애니메이션 감독이다. 두 사람은 모두 어린 시절 전쟁을 경험했다. 그리고 애니메이션을 발견했고, 이를 평생의 업으로 삼았다.

그러나 두 사람이 걸어온 길은 확연히 달랐다. 월트 디즈니는 처음부터 자신의 회사를 설립해 비즈니스를 시작했고, 미야자키 하야오는 애니메이션 회사에 입사해 제작의 첫 단계부터 기초를 쌓아 갔다. 월트 디즈니가 공격적인 방식으로 애니메이션의 새로운 분야를 개발했다면, 미야자키 하야오는 자신이 가장 잘할 수 있는 작품 제작에만 매달렸다. 작품에서 보여 주고자 하는 내용도 달랐다. 똑같은 모험담이라고 하더라도 월트 디즈니는 늘 가족의 가치에 주목했고, 여기에 엔터테인먼트를 도입했다. 반면 미야자키 하야오는 인물의 성장, 자연의 치유와 같은 가치에 주목했다.

월트 디즈니는 애니메이터라기보다는 사업가이자 혁신가다. 그는 결정적인 순간에 이전의 것을 답습하기보다는 혁신을 선택했다. 또한 가장 최적화된 사업 방식을 고민했고, 그 결과 월트 디즈니는 세계적인 복합 미디어 그룹이 되었다. 미야자키 하야오는 사업가이기보다는 애니메이터이자 크리에이터였다. 애니메이션 제작의 하부 구조에서부터 천천히 올라온 그의 끈기와 노력은 대단한 것이었고, 작품에 대한 그의 창조력과 영감은 놀라웠다. 그 결과 일본 애니메이션은 디즈니를 넘어서는 새로운 미학을 완성할 수 있었다.

① ㉡은 ㉠을 능가하는 새로운 미학을 창조했다.
② ㉠은 전쟁으로 인한 상처를 가족의 사랑으로 극복하고자 했다.
③ ㉠은 혁신적인 사업 방식을 통해 세계적으로 성공한 사업가이다.
④ ㉡은 사업적 이익을 추구하기보다 자신만의 작품 세계를 구축하는 것을 중요시했다.

② 1문단 4번째 줄과 2문단 끝에서 3번째 줄을 통해 ㉠ '월트 디즈니'가 전쟁을 겪었으며 가족의 가치를 중시했음을 알 수 있다. 그러나 가족의 사랑으로 전쟁의 상처를 치유하고자 했다는 내용은 확인할 수 없으므로 ②는 글쓴이의 견해로 적절하지 않다.

① 3문단 끝에서 1~2번째 줄에서 ㉡ '미야자키 하야오'는 ㉠ '월트 디즈니'를 넘어서는 새로운 미학을 완성했음을 알 수 있다. 따라서 ㉡ '미야자키 하야오'가 ㉠ '월트 디즈니'를 능가하는 새로운 미학을 창조했다는 내용은 글쓴이의 견해로 적절하다.
③ 3문단 1~4번째 줄에서 ㉠ '월트 디즈니'는 혁신과 최적의 사업 방식을 바탕으로 회사를 세계적인 복합 미디어 그룹으로 거듭나게 했음을 알 수 있다. 따라서 ㉠ '월트 디즈니'가 세계적으로 성공한 사업가라는 내용은 글쓴이의 견해로 적절하다.
④ 2문단 5~6번째 줄과 3문단 5~6번째 줄을 통해 ㉡ '미야자키 하야오'는 사업가이기보다 애니메이터이자 크리에이터였으며, 자신이 가장 잘할 수 있는 작품 제작에만 매달렸음을 알 수 있다. 따라서 ㉡ '미야자키 하야오'가 이익을 추구하기보다는 자신만의 작품 세계를 구축하는 것을 중요시했다는 내용은 글쓴이의 견해로 적절하다.

01 ③	02 ④	03 ③	04 ②	05 ④
06 ①	07 ③	08 ④	09 ②	10 ⑤
11 ③	12 ①			

01

다음 글에 대한 설명으로 적절하지 않은 것은?

(가) 20세기 들어서 생태학자들은 지속성 농약이 자연 생태계에 어떤 악영향을 미치는지를 밝힐 수 있었다. 예컨대 제2차 세계대전 이후 전 세계에서 해충 구제용으로 널리 사용됨으로써 농업 생산량 향상에 커다란 기여를 한 디디티(DDT)는 유기 염소계 살충제의 대명사이다.

(나) 그렇지만 (이 유기 염소계 살충제는 물에 잘 녹지 않고 자연에서 햇빛에 의한 광분해나 미생물에 의한 생물학적 분해가 거의 이루어지지 않는다. 그래서 디디티는 토양이나 물속의 퇴적물 속에 수십 년간 축적된다. 게다가 디디티는 지방에는 잘 녹아서 먹이사슬을 거치는 동안 지방 함량이 높은 동물 체내에 그 농도가 높아진다.) 이렇듯 (많은 양의 유기 염소계 살충제를 체내에 축적하게 된 맹금류는 물질대사에 장애를 일으켜서 껍질이 매우 얇은 알을 낳기 때문에, 포란 중 대부분의 알이 깨져 버려 멸종의 길을 걷게 된다.)

(다) 디디티는 쉽게 분해되지 않기 때문에 한번 뿌려진 디디티는 물과 공기, 생물체 등을 매개로 세계 전역으로 퍼질 수 있다. 그래서 디디티에 한 번도 노출된 적이 없는 알래스카 지방의 에스키모 산모의 젖에서도 디디티가 검출되었고, 남극 지방의 펭귄 몸속에서도 디디티가 발견되었다. 이러한 생물 농축과 잔존성의 특성이 밝혀짐으로써 미국에서는 1972년부터 디디티 생산이 전면 중단되었고, 1980년대에 이르러서는 유기 염소계 농약의 사용이 대부분 금지되었다.

(라) 이와 같이 디디티의 생물 농축 현상에서처럼 생태학자들은 한 생물 종에 미치는 오염의 영향이 오랫동안 누적되면 전체 생태계를 훼손시킬 수 있다는 사실을 발견하

였다. 그래서인지 최근 우리나라에서도 사소한 환경오염 행위가 장차 어떠한 재앙을 몰고 올 수 있는지에 대한 연구가 활발히 이루어지고 있다.

① (가)는 중심 화제를 소개하고, 핵심어를 제시함으로써 전개될 내용을 암시하고 있다.

② (나)는 디디티가 끼칠 생태계의 영향을 인과 분석의 방법으로 설명하고 있다.

③ (다)는 디디티의 악영향을 제시하고, 그것의 사용 금지를 주장하고 있다.

④ (라)는 환경오염에 대한 경각심을 암시적으로 드러내고 있다.

해설 ③ (다)는 '디디티는 쉽게 분해되지 않기 때문에 한번 뿌려진 디디티는 물과 공기, 생물체 등을 매개로 세계 전역으로 퍼질 수 있다'를 통해 디디티의 악영향을 제시하고 있지만, 디디티의 사용 금지를 주장하고 있지는 않다. 따라서 글에 대한 설명으로 적절하지 않은 것은 ③이다.

오답분석 ① (가)는 중심 화제인 '지속성 농약'을 소개하고, 핵심어 '디디티(DDT)'를 제시함으로써 앞으로 '지속성 농약'이 자연 생태계에 끼치는 악영향에 대한 내용을 전개할 것을 암시하고 있다.

② (나)는 디디티가 물에 잘 녹지 않고 광분해나 생물학적 분해가 거의 이루어지지 않지만 지방에는 잘 녹아서(원인) 많은 양의 유기 염소계 살충제를 체내에 축적하게 된 맹금류가 멸종하게 됨(결과)을 인과 분석의 방법으로 설명하고 있다.

④ (라)는 '사소한 환경오염 행위가 장차 어떠한 재앙을 몰고 올 수 있는지에 대한 연구가 활발히 이루어지고 있다'를 통해 환경오염에 대한 경각심을 암시적으로 드러내고 있다.

02

다음 글의 논지 전개 방식으로 적절한 것은?

군산이 일본으로 쌀을 이출하는 전형적인 식민 도시였다면, 금강과 만경강 하구 사이에서 군산을 에워싸고 있는 옥구는 그 쌀을 생산하는 대표적인 식민 농촌이었다. 1903년 미야자키 농장을 시작으로 1910년 강점 이전에 이미 10개의 일본인 농장이 세워졌으며, 1930년 무렵에는 15~16개로 늘어났다. 1908년 한국인 지주들도 조선 최초의 수리조합인 옥구 서부 수리 조합을 세우긴 했지만 일본인의 기세를 꺾지 못했다. 1930년 무렵 일본인은 전라북도 경지의 대략 1/4을 차지하였으며, 평야 지역인 옥구는 절반 이상이 일본인 땅이었다. 쌀을 군산으로 보내기 편한 철도 부근의 지역에서는 일본

인 지주의 비중이 더 높았을 것이다. '이리부터 군산에 이르는 철도 연선의 만경강 쪽 평야는 90%가 일본인이 경영한다.'는 말이 허풍만은 아닐 거다. 일본인이 좋은 땅 다 차지하고 조선인은 '산비탈 흙구덩이'에 몰려 사는 처지라는 푸념 또한 과언이 아닐 거다.

① 인과적 연결을 통해 대상을 논증하고 있다.

② 반어적 수사를 동원하여 대상을 비판하고 있다.

③ 풍자와 해학을 동원하여 대상을 희화화하고 있다.

☑ 구체적인 사실과 정보를 중심으로 대상을 설명하고 있다.

해설 ④ 지문은 구체적인 시기와 수치를 중심으로 일제 강점기의 대표적 식민 농촌이었던 '옥구'에 대해 설명하고 있다. 따라서 지문의 논지 전개 방식으로 적절한 것은 ④이다.

오답 분석 ① ③은 지문과 관련 없는 설명이다.

② 일본에 대한 필자의 비판 의식을 엿볼 수 있으나, 반어적 수사는 활용하지 않았다.

03

다음 글의 글쓰기 전략으로 볼 수 없는 것은?

고전파 음악은 어떤 음악인가? 서양 음악의 뿌리는 종교
선택지 ④의 근거
음악에서 비롯되었다. 바로크 시대까지는 음악이 종교에 예속되어 있었으며, 음악가들 또한 종교에 예속되어 있었다. 고전파는 이렇게 종교에 예속되었던 음악을, 음악을 위한 음악으로 정립하려는 예술 운동에서 출발하였다. 따라서 종래의 신을 위한 음악에서 탈피해 형식과 내용의 일체화를 꾀하고
선택지 ③의 근거 - 고전파 음악의 특징 (1)
균형 잡힌 절대 음악을 추구하였다. 즉 '신'보다는 '사람'을 위한 음악, '음악'을 위한 음악을 이루어 나가겠다는 굳은 결의를 보여 준 것이다.

또한 고전파 음악은 음악적 형식과 내용의 완숙을 이룬 음
고전파 음악의 특징 (2)
악이기도 하다. 『이 시기에는 하이든, 모차르트, 베토벤 등 음
선택지 ②의 근거 - 고전파 음악의 음악가
악의 역사에서 가장 위대한 작곡가들이 배출되기도 하였다.』이때에는 성악이 아닌 기악만으로도 음악이 가능하게 되었으며, 교향곡의 기본을 이루는 소나타 형식이 완성되었다. 특히 옛 그리스나 로마 때처럼 보다 정돈된 형식을 가진 음악을 해 보자고 주장하였기에 '옛것에서 배우자는 의미의 고전'과

'청정하고 우아하며 흐림 없음, 최고의 예술적 경지에 다다름으로서의 고전'을 모두 지향하게 되었다.

이렇듯 역사적으로 고전파 음악은 종교의 영역에서 음악
선택지 ①의 근거 - 고전파 음악의 음악사적 의의
자체의 영역을 확보하였으며 최고 수준의 음악적 내용과 형식을 수립하였다. 고전파 음악이 서양 전통 음악 전체를 대표하게 된 것은 고전파 음악이 이룩한 역사적인 성과에서 비롯된 것일지도 모른다. 따라서 고전 음악의 개념을 이해하기 위해서는 고전파 음악의 성격과 특질에 대한 이해가 선행되어야 할 것이다.

① 고전파 음악이 지닌 음악사적 의의를 밝힌다.

② 고전파 음악의 음악가를 예시하여 이해를 돕는다.

☑ 고전파 음악의 특징이 형식과 내용의 ~~분리~~ 에 있음을 강조한다.
일체화

④ 질문을 통해 화제를 제시함으로써 호기심을 유발한다.

해설 ③ 1문단 끝에서 3~5번째 줄을 통해 고전파 음악의 특징이 형식과 내용의 분리에 있는 것이 아니라, 형식과 내용의 일체화에 있음을 알 수 있다.

오답 분석 ① 3문단 1~3번째 줄에서 고전파 음악이 지닌 음악사적 의의를 밝히고 있다.

② 2문단 2~3번째 줄에서 고전파 음악의 음악가를 예시하여 이해를 돕고 있다.

④ 1문단 1번째 줄에서 질문을 통해 화제를 제시함으로써 호기심을 유발하고 있다.

04

다음 글에 대한 설명으로 가장 적절한 것은?

빅데이터는 그 규모가 매우 큰 데이터를 말하는데, 이는 단순히 데이터의 양이 매우 많다는 것뿐 아니라 데이터의 복잡성이 매우 높다는 의미도 내포되어 있다. 데이터의 복잡성이 높다는 말은 데이터의 구성 항목이 많고 그 항목들의 연결고리가 함께 수록되어 있다는 것을 의미한다. 데이터의 복잡성이 높으면 다양한 파생 정보를 끌어낼 수 있다. 데이터로부
선택지 ②의 근거 - 빅데이터의 특성
터 정보를 추출할 때에는, 구성 항목을 독립적으로 이용하기도 하고, 두 개 이상의 항목들의 연관성을 이용하기도 한다. 일반적으로 구성 항목이 많은 데이터는 한 번에 얻기 어렵다. 이런 경우에는, 따로 수집되었지만 연결고리가 있는 여

러 종류의 데이터들을 연결하여 사용한다.

　가령 『한 집단의 구성원의 몸무게와 키의 데이터가 있다 선택지 ②의 근거 – 사례 제시
면, 각 항목에 대한 구성원의 평균 몸무게, 평균 키 등의 정
보뿐만 아니라 몸무게와 키의 관계를 이용해 평균 비만도 같
은 파생 정보도 얻을 수 있다. 이때는 반드시 몸무게와 키의
값이 동일인의 것이어야 하는 연결 고리가 있어야 한다. 여기
에다 구성원들의 교통 카드 이용 데이터를 따로 얻을 수 있다
면, 이것을 교통 카드의 사용자 정보를 이용해 사용자의 몸무
게와 키의 데이터를 연결할 수 있다. 이렇게 연결된 데이터 세
트를 통해 비만도와 대중교통의 이용 빈도 간의 파생 정보를
추출할 수 있다.』 연결할 수 있는 데이터가 많을수록 얻을 수
있는 파생 정보도 늘어난다.

① 빅데이터에 대한 다양한 견해를 나열하고 있다.
☑ 빅데이터의 특성을 사례를 들어 설명하고 있다.
③ 빅데이터의 동작 원리를 이론적으로 증명하고 있다.
④ 빅데이터의 장단점을 유형별로 구분하여 평가하고 있다.

해설 ② 1문단에서는 빅데이터의 특성(데이터의 복잡성이 높으면 다
양한 파생 정보를 끌어낼 수 있음, 구성 항목들의 연관성을 이
용하여 데이터로부터 정보를 추출함)에 대해 설명하고 있다.
그리고 2문단에서는 이러한 빅데이터의 특성을 설명하기 위
해 '한 집단 구성원의 몸무게와 키, 교통 카드 이용 데이터를
연결해 추출할 수 있는 파생 정보'를 사례로 제시하고 있다.
따라서 지문에 대한 설명으로 적절한 것은 ②이다.

오답 분석 ① 빅데이터에 대한 다양한 견해는 지문을 통해 확인할 수 없다.
③ 2문단에서 빅데이터로부터 정보를 추출하는 방식에 대해 설
명하고 있으나, 빅데이터의 동작 원리를 이론적으로 증명하
는 내용은 지문을 통해 확인할 수 없다.
④ 빅데이터의 장점과 단점을 유형별로 구분해 평가하는 내용은
지문을 통해 확인할 수 없다.

05

다음 글의 전개 방식에 대한 설명으로 가장 적절하지 않은 것
은?

　20세기의 두드러진 특징 중 하나는 세계 모든 나라에서 학
교라 불리는 교육 기관들이 엄청나게 빠른 속도로 성장했으
며, 각국의 학생들이 교육을 받기 위해 학교로 몰려들었다는
것이다. 『예를 들어 한국의 대학생 수는 1945년 약 8000명이 선택지 ③의 근거
었지만, 2010년 약 350만 명으로 증가했다.』 무엇이 학교를 선택지 ①의 근거
이토록 팽창하게 만들었을까? 학교 팽창의 원인은 학습 욕 선택지 ②의 근거
구 차원, 경제적 차원, 정치적 차원, 사회적 차원에서 설명될
수 있다.

　먼저 학습 욕구 차원에서, 인간은 지적·인격적 성장을 위한
학습 욕구를 지니고 있다. 그리고 부모들은 자식의 지적·인격
적 성장을 바라는 마음이 있다. 특히 한국인은 배움에 높은
가치를 부여하기 때문에, 한국 사회에서는 부모가 자식에게
최선의 배움의 기회를 제공하는 것이 부모가 자식에게 해주
어야 할 의무로 인식되는 경향이 있다. 이러한 학습에 대한
욕구가 학교를 팽창하게 만드는 요인 중 하나인 것이다. 학습 욕구 차원의 요인

　다음으로 경제적 차원에서 학교를 산업 사회가 성장하는
데 있어서 필수적인 인력 양성 기관의 역할을 담당하였다. 전
통적인 농경 사회에서는 특별한 기능이나 기술의 훈련이 필
요하지 않았지만, 산업 사회에서는 훈련 받은 인재가 필요하
였다. 이러한 산업 사회의 과제를 해결하기 위한 기관이 학교
였다. 산업 수준이 더욱 고도화됨에 따라 학교 교육의 기간
도 장기화된다. 경제 규모의 확대와 산업 기술 수준의 향상 경제적 차원의 요인
은 학교를 팽창하게 만드는 요인 중 하나인 것이다.

　다음으로 정치적 차원에서 학교는 국민 통합을 이룰 수 있
는 장치였다. 통일 국가에서는 언어, 역사의식, 가치관, 국가
이념 등을 모든 국가 구성원들에게 가르쳐야 했다. 그리고 국
민 통합 교육은 사교육에 맡겨둘 수 없었다. 이러한 맥락에서
학교에서의 의무 교육 제도는 국민 통합 교육을 위한 국가적
필요에 의해 시작된 것으로 볼 수 있다. 국민 통합의 필요는 정치적 차원의 요인
학교를 팽창하게 만드는 요인 중 하나인 것이다.

　마지막으로 사회적 차원에서 학교의 팽창은 현대 사회가
학력 사회로 변화된 데에 기인한다. 신분 제도가 무너진 뒤

그자리를 채운 학력 제도에서, 학력은 각자의 능력을 판단하는 잣대로 활용되었다. 막스 베버는 그의 저서 《경제와 사회》에서 사회적으로 대접 받고 높은 관직에 오르기 위해서 과거에는 명문가의 족보가 필요했지만, 오늘날에는 학력 증명이 있어야 한다고 주장했다. 나아가 그는 높은 학력을 가진 사람은 사회 경제적으로 높은 지위를 독점할 수 있다고 기술한 바 있다. <u>현대 사회의 학력 사회로의 변모는 학교가 팽창</u>
사회적 차원의 요인
<u>하게 되는 요인</u> 중 하나인 것이다.

① 의문문을 활용하여 독자의 궁금증을 유발하고 있다.

② 특정 현상의 원인을 다양한 차원에서 병렬적으로 제시하고 있다.

③ 특정 현상을 대략적인 수치 자료를 예로 제시하며 설명하고 있다.

④ 특정 현상의 ~~역사적 의의~~를 제시하며 ~~현대 사회가 나아가야 할 방향~~을 제시하고 있다.

해설 ④ 지문은 학교 팽창 현상과 그 원인에 대해 설명할 뿐 학교 팽창 현상의 역사적 의의나 현대 사회가 나아가야 할 방향은 제시하지 않았으므로 ④의 설명은 적절하지 않다.

오답 분석 ① 1문단의 '무엇이 학교를 이토록 팽창하게 만들었을까?'라는 부분에서 의문문을 활용하여 독자의 궁금증을 유발하였으므로 ①의 설명은 적절하다.
② 지문은 '학교 팽창 현상'의 원인을 '학습 욕구 차원', '경제적 차원', '정치적 차원', '사회적 차원'의 네 가지 차원에서 병렬적으로 제시하고 있다.
③ 1문단에서 한국의 대학생 수를 구체적인 수치 자료로 제시하며 학교 팽창에 대해 설명하였으므로 ③의 설명은 적절하다.

06
다음 글을 읽은 독자의 반응으로 적절한 것은?

(인문학은 세상에 대한 종합적이고 비판적인 해석과 시각
인문학의 성격
을 제공한다. 인문학이 해석하는 세상은 지금 우리가 살고 있는 세상이다.) (현대 사회는 사회의 복잡성이 비교할 수 없을
현대 사회의 특징
정도로 증가함에 따라 위험과 불확실성이 커졌으며, 다양한 정보 통신 기술이 정보와 지식의 생산, 유통, 소비를 혁신적으로 바꾸면서 사람들 사이의 새로운 상호의존 관계를 만들어 낸다는 점에서 과거와는 다른 차별성을 지니고 있다. 이것은 현대 사회가 불확실하고 복잡하며 매일매일 바쁘게 돌아가는 세상이 되었다는 것, 나아가 지구 구석구석에 존재하는 타인과의 상호 관계가 내 삶에 예기치 못한 영향을 미치는 세상이 되었다는 것을 의미한다.) 이러한 세상을 살아가는
선택지 ①의 근거
데에 인문학은 실질적인 지침을 제공해야 한다.

① 현대 사회에서 인문학이 담당해야 할 역할에 대해 말하고 있어.

② 현대 사회의 문제점을 부각시키면서 바람직한 해결 방안을 제시하고 있어.

③ 과거와 현대 사회의 모습을 구체적으로 대조하면서 현대 사회의 특징을 드러내고 있어.

④ 사회의 복잡성으로 인해 타인과의 소통에 장애가 생긴다는 점을 현대 사회의 주요한 특징으로 말하고 있어.

해설 ① 필자는 인문학의 성격을 밝히고(1~2번째 문장) 현대 사회의 특징을 설명한 뒤(3~4번째 문장), 글의 마지막 문장에서 현대 사회를 살아가는 데에 인문학이 실질적인 지침을 제공해야 함을 주장하고 있다. 즉 지문에서는 현대 사회에서의 인문학의 역할을 강조하고 있으므로, 독자의 반응으로 가장 적절한 것은 ①이다.

오답 분석 ② 현대 사회의 문제점보다는 특징이 부각되고 있으며, 이에 대한 해결 방안은 나타나지 않는다.
③ 과거 사회의 모습이 드러나지 않으므로, 과거와 현대 사회의 모습을 대조하는 것 역시 나타나지 않는다.
④ 타인과의 소통에 장애가 생긴다는 내용은 언급되지 않았다.

07

〈보기〉 글의 서술 방식으로 가장 옳은 것은?

─────〈보기〉─────

　이러한 음악의 한배를 있게 한 실제적 기준은 호흡이었다. 즉, 숨을 들이쉬고 내쉼이 한배의 틀이 된 것이었다. 이를 기준으로 해서 이루어진 방법을 선인들은 양식척(量息尺)이라고 불렀다. '숨을 헤아리는 자(尺)'라는 의미로 명명된 이 방법은 우리 음악에서 한배와 이에 근거한 박절을 있게 한 이론적 근거가 되었다. 시계가 없었던 당시에 선인들은 건강한 사람의 맥박의 6회 뜀을 한 호흡(一息)으로 계산하여 1박은 그 반인 3맥박으로 하였다. 그러니까 한 호흡을 2박으로 하여 박자와 한배의 기준으로 삼았던 것이다. 서양인들은 우리와 달리 음악적 시간을 심장의 고동에서 구하여 이를 기준으로 하였다. 즉, 맥박을 기준으로 하여 템포를 정하였다. 건강한 성인은 보통 1분에 70회 전후로 맥박이 뛴다고 한다. 이에 의해 그들은 맥박 1회를 1박의 기준으로 하였고, 1분간에 70박 정도 연주하는 속도를 그들 템포의 기본으로 하였다. 그래서 1분간 울리는 심장 박동에 해당하는 빠르기가 바로 '느린 걸음걸이의 빠르기'인 안단테로 이들의 기준적 빠르기 말이 되었다.

① 주장을 먼저 제시한 뒤 다양한 실례를 들어 타당성을 증명하고 있다.

② 서로 대립되는 두 견해를 제시하고 검토한 뒤 제3의 견해를 도출하고 있다.

☑ 대상의 특성을 분석한 뒤 대조하여 대상의 특징을 제시하고 있다.

④ 구체적인 사례를 먼저 제시한 뒤 통념을 반박하여 해결책을 모색하고 있다.

해설　③ 지문은 우리 음악에서 호흡을 기준으로 음악적 시간을 나타내는 '양식척'의 특성을 분석한 후, 서양 음악에서 맥박을 기준으로 음악적 시간을 나타냄을 대조하여 설명하고 있다. 이를 통해 우리의 음악적 시간의 특징과 서양의 음악적 시간의 특징을 제시하고 있으므로 답은 ③이다.

오답분석　① ② ④ 지문에 나타난 서술 방식과 관련이 없는 서술 방식이다.

08

다음 글의 전개 방식에 대한 설명으로 적절한 것은?

　유럽의 18~19세기는 혁신적 지성의 열기로 가득 찬 시대였다. 혁신적 지성은 정치적, 경제적, 사회적 여건의 성숙과 더불어 서양 근대 사회의 확립에 주도적 역할을 하였다. 수많은 개혁 사상과 혁명 사상의 제공자는 물론이요, 실천 면에서도 개혁가와 혁명가는 지성인 출신이었다. 그들은 새로운 미래를 제시하고, 그것을 뒷받침할 이데올로기를 마련하고, 그것을 실현할 구체적인 방안을 제시하는 동시에, 현실의 모순을 과감하게 비판하고 몸소 실천에 뛰어들기도 하였다.

선택지 ④의 근거 - 18~19세기의 지성

　하지만 20세기에 이르러 사태는 달라지기 시작하였다. 근대 사회 성립에 주도적 역할을 담당했던 혁신적 지성은 그 혁신적 성격과 개혁적 정열을 점차로 상실하고, 직업적이고 기술적인 지성으로 변모하였다. 이는 근대 사회가 완성되고 성숙함에 따른 당연한 귀결일지도 모르며, 오늘날 고도로 발달한 서구 사회에 직업적이고 기술적인 지성이 필요 불가결하기도 하다. 그러나 지성이 고도로 발달한 사회에서 직업적이고 전문적인 지식과 기술을 제공하는 것으로 만족할 것인가의 문제는 다시 한번 생각해 봄직하다.

선택지 ④의 근거 -20세기의 지성

　만일 서구 사회가 현재에 안주하고 현상 유지를 계속할 수가 있다면 문제는 다르다. 그러나 그것은 사회의 전면적인 침체를 가지고 올 것이며, 그것은 또한 불길한 몰락의 징조일지도 모른다.

　현재의 모순과 문제를 파헤치고 이를 개혁하여 새로운 미래로 나아가는 구체적 방안을 모색하는 임무는 누가 져야 할 것인가? 그것은 역시 지성의 임무이다. 지성은 거의 영구불변의 기능이라고 할 수 있는 문화 창조의 기능을 가져야 한다. 현대의 지성은 전문 지식과 기술을 제공하는 데 그치지 말고, 현실을 비판하며 실현 가능한 구체적 방안을 모색하여 새로운 미래를 제시하는 혁신적 성격을 상실해서는 안 될 것이다.

선택지 ④의 근거 - 현대 사회에서 지성이 나아가야 할 방향 제시

① 자신의 주장을 밝히고 이와 상반된 견해를 반박하고 있다.

② 서로 대립된 견해를 제시하고 자신의 입장을 밝히고 있다.

③ 용어에 대한 개념 정의를 밝히며 자신의 주장을 펼치고 있다.

☑ 시대적 변천 양상을 살피면서 바람직한 방향을 제시하고 있다.

해설 ④ 지문은 중심 화제인 '지성'의 역할에 대한 시대적 변천 양상을 살펴보고, 현대 사회에서 지성이 나아가야 할 방향을 제시하고 있다. 따라서 글의 전개 방식에 대한 설명으로 옳은 것은 ④이다.
  · 1문단: 혁신적인 역할을 수행한 18~19세기의 지성
  · 2문단: 직업적이고 기술적인 역할을 수행한 20세기의 지성
  · 3문단: 지성의 변화를 촉구하는 배경 및 이유
  · 4문단: 창조적, 비판적, 혁신적 역할을 수행해야 할 현대의 지성

오답 분석
① 지문에서 필자의 견해와 상반된 견해가 드러난 부분은 찾을 수 없다.
② 시대별로 지성이 수행했던 역할에 대한 내용은 과거부터 현재까지의 양상에 대해 분석한 것일 뿐, 상호 대립되는 견해로 보기 어렵다.
③ 지문에서 용어에 대한 개념적인 차이를 드러내며 주장을 전개한 부분은 찾아볼 수 없다.

09
다음 글의 글쓰기 방식에 대한 설명으로 적절한 것은?

> 미국 해양 대기 관리청(NOAA)도 2005년, "그린란드 빙상이 과거에 볼 수 없었던 속도로 녹고 있다."라고 보도했다. 나사(NASA)의 로버트 빈드샤들러 연구원은 "남극 빙하가 지금 속도로 녹으면 4000년 후에는 서남극이 사라지고 세계 해수면은 엄청나게 상승할 것"이라고 발표했다.
> 선택지 ②의 근거 (1)
> 선택지 ③의 근거
> 반대되는 견해
>
> 하지만 반론도 있어서, 유럽 우주 기구(ESA)는 "그린란드 빙상은 증감을 되풀이하고 있고 그린란드 중앙부 빙량은 오히려 증가하고 있다."고 발표했다. 또한 세계 해수면의 상승을 경고했던 빈드샤들러 연구원도 훗날 자신의 발표가 남극 중 한정된 영역에서 얻은 자료로 전 영역에 경향성을 적용한 데 따른 잘못된 예측이라고 인정하였다.
> 선택지 ②의 근거 (2)
> 선택지 ④의 근거

① ~~전문 용어의 정의를 제시~~하여 독자의 이해를 돕고 있다.

☑ 서로 반대가 되는 견해를 소개하여 글의 공정성을 확보하고 있다.

③ 전문가의 의견을 인용하여 ~~특정 이론의 발달 과정을 밝히고~~ 있다.

④ 인과적 연결을 통해 기존의 가설을 부정하고 ~~새로운 논점을~~ 제시하였다.

해설 ② 1문단에서는 그린란드와 남극 빙하가 빠르게 녹고 있다는 견해를 소개하지만 2문단에서는 이와 반대되는 견해를 다루고 있다. 이러한 글쓰기 방식을 통해 어느 한쪽의 의견에만 치우치지 않는 글의 공정성을 확보하고 있으므로 답은 ②이다.

오답 분석
① 전문 용어의 정의를 제시한 부분은 나타나지 않는다.
③ 환경 문제와 관련된 전문 기관과 전문가의 의견을 인용하였으나, 이를 통해 특정 이론의 발달 과정을 설명하지는 않는다.
④ 2문단에서 로버트 빈드샤들러 연구원은 자신이 발표했던 가설은 한정된 영역에서 얻은 자료를 전 영역에 적용한 것이므로 자신의 가설이 잘못된 예측이라고 인정하였다. 따라서 인과적 연결을 통해 기존의 가설을 부정한 것은 맞지만, 새로운 논점을 제시한 부분은 찾을 수 없다.

10

다음 글의 전개 방식에 대한 설명으로 적절한 것은?

> 부여의 정월 영고, 고구려의 10월 동맹, 동예의 10월 무천 등은 모두 하늘에 제사를 지내고, 나라 안 사람들이 모두 모여서 음주가무를 하였던 일종의 공동 의례였다. 이것은 상고 시대 부족들의 종교·예술 생활이 담겨 있는 제정일치의 표현이라고 볼 수 있다. 제천행사는 힘든 농사일과 휴식의 관계 속에서 형성된 농경사회의 풍속이다. 씨뿌리기가 끝나는 5월과 추수가 끝난 10월에 각각 하늘에 제사를 지냈는데, 이때는 온 나라 사람이 춤추고 노래 부르며 즐겼다. 농사일로 쌓인 심신의 피로를 풀며 모든 사람들이 마음껏 즐겼던 일종의 공동체적 축제이자 동시에 풍년을 기원하고 추수를 감사하는 의식이었던 것이다.
>
> 이러한 고대의 축제는 국가적 공의(公儀)와 민간인들의 마을굿으로 나뉘어 전해 내려오게 되었다. 이것은 사졸들의 위령제였던 신라의 '팔관회'를 거쳐 고려조에서는 일종의 추수감사제 성격의 공동체 신앙으로 10월에 개최된 팔관회와, 새해 농사의 풍년을 기원하는 성격으로 정월 보름에 향촌 사회를 중심으로 향촌 구성원을 결속시켰던 연등회라는 두 개의 형식으로 구분되어서 전해 내려오게 되었다. 팔관회는 지배 계층의 결속을 강화하는 역할을 하였고, 연등회는 농경의례적인 성격의 종교집단행사였다고 볼 수 있다. 오늘날의 한가위 추석도 이런 제천의식에서 그 유래를 찾을 수 있다.
>
> 조선조에서는 연등회나 팔관회가 사라지고 중국의 영향을 받아 산대잡극이 성행했다. 즉 광대줄타기, 곡예, 재담, 음악 등이 연주되었다. 즉 공연자와 관람자가 분명히 구분되었고, 직접 연행을 벌이는 사람들의 사회적 지위는 그들을 관람하는 사람들보다 낮은 것으로 평가되었다. 그러나 민간 차원에서는 마을굿이나 두레가 축제적 고유 성격을 유지하였다. 즉 도당굿, 별신굿, 단오굿, 동제 등이 지역민을 묶어주는 역할을 하였다는 것이다.

① 두 개념의 장단점을 비교하여 서술하고 있다.

② 시대별로 비판을 제시하며 대안을 서술하고 있다.

③ 다양한 사례를 제시하여 ~~개념을 정당화하고 있다.~~

④ 두 개의 이론을 제시하고 새로운 이론을 도출하고 있다.

☑ 시대별로 중심 화제의 성격 변화를 서술하고 있다.

> **해설** ⑤ 지문은 중심 화제인 '축제'의 성격 변화를 시대의 흐름에 따라 서술하고 있다.
> · 1문단: 고대 축제의 성격 (부여의 영고, 고구려의 동맹, 동예의 무천 등)
> · 2문단: 신라, 고려 시대 축제의 성격 (팔관회, 연등회)
> · 3문단: 조선 시대 축제의 성격 (산대잡극, 마을굿, 두레)

> **오답 분석** ① ② ④ 지문을 통해 확인할 수 없는 서술 방식이다.
> ③ 지문에서 다양한 축제의 사례를 제시한 것은 맞지만, 이러한 사례를 통해 어떠한 개념을 정당화하고 있지는 않다.

11

다음 글의 글쓰기 방식에 대한 설명으로 적절한 것은?

> 딸꾹질의 빈도는 나이와 반비례한다. 아이들이 어른보다 훨씬 많이 한다. 임신 8주부터 시작하는 딸꾹질은 실제로 태아가 숨쉬기 운동보다도 더 빈번하게 하는 행동이다. 그 유명한 발 달린 물고기 틱타알릭(Tiktaalik)을 발견한 시카고 대학교의 고생물학자 닐슈빈은 그의 저서 『내 안의 물고기』에 선택지 ③의 근거
> 서 딸꾹질은 그 옛날 우리가 물으로 올라오기 전 올챙이로 살던 시절에 빠끔거리며 하던 아가미 호흡의 연장이라고 설명한다. 딸꾹질도 분명 진화 과정에서 어느 순간 필요에 의해 생겨난 현상일 텐데, 지금은 점잖은 자리에서 우리를 민망하게 만드는 것 외에는 별다른 기능이 없어 보여 여전히 풀기 어려운 진화의 수수께끼로 남아 있다.

① 상반된 현상을 제시하여 통념을 반박하고 있다.

② 비교와 대조를 통해 현상의 원인을 밝히고 있다.

☑ 학자의 견해를 근거로 들어 설명의 신뢰성을 높이고 있다.

④ 개인적인 경험을 바탕으로 독자의 공감을 이끌어 내고 있다.

> **해설** ③ 5~8번째 줄에서 고생물학자 닐슈빈의 견해를 제시하며 사람의 딸꾹질이 진화의 과정에서 생겼다는 설명의 신뢰성을 높이고 있다.

> **오답 분석** ① ② ④ 지문에서 찾아 볼 수 없는 글쓰기 방식이다.

12

〈보기〉에 대한 설명으로 가장 옳은 것은?

〈보기〉

화랑도(花郎道)란, 신라 때의 청소년들이 자신의 마음과
선택지 ①의 근거
몸을 닦고 목숨을 바쳐 나라를 지키려는 우리 고유의 정신적

흐름을 말한다. 그리고 이를 실천하기 위하여 조직된 단체를

화랑도(花郎徒)라 한다. 그 사회의 중심인물이 되기 위하여

마음과 몸을 단련하고, 올바른 사회생활의 규범을 익히며, 나

라가 어려운 시기에 처할 때 싸움터에서 목숨을 바치려는 기

풍은 고구려나 백제에도 있었지만, 특히 신라에서 가장 활발

하였다.

– 변태섭, '화랑도' 중에서

☑ 용어 정의를 통해 독자의 이해를 돕고 있다.

② 자신의 체험담을 제시하여 독자의 이해를 돕고 있다.

③ 반론을 위한 전제를 제시하여 독자의 이해를 돕고 있다.

④ 통계적 사실이나 사례 제시를 통해 독자의 이해를 돕고 있다.

해설 ① 지문 1~4번째 줄에서 '화랑도(花郎道)'와 '화랑도(花郎徒)'
라는 용어의 정의를 서술하여 독자들이 이를 이해할 수 있게
끔 하고 있으므로 답은 ①이다.

오답 ② ③ ④는 모두 지문과 관련이 없는 설명이다.
분석

---

01 ②	02 ④	03 ①	04 ④	05 ①
06 ②	07 ②	08 ③	09 ②	10 ②
11 ①	12 ②	13 ③	14 ③	15 ④
16 ③				

01

다음 대화를 분석한 내용으로 가장 적절한 것은?

갑: 고대 노예제 사회나 중세 봉건 사회는 타고난 신분에 따

라 사회적 지위가 결정되는 계급사회였지만, 현대 사회는

계급사회가 아니라고 많이들 말해. 그런데 과연 그런지

의문이야.

을: 현대 사회는 고대나 중세만큼은 아니지만 귀속지위가 성
선택지 ②의 근거 - 을의 주장
취지위를 결정하는 면이 없다고 할 수 없어. 빈부 격차에

따라 계급이 나뉘고 그에 따른 불평등이 엄연히 존재하

잖아. '금수저', '흙수저'라는 유행어에서 볼 수 있듯 빈부

격차가 대물림되면서 개인의 계급이 결정되고 있어.

병: 현대 사회가 빈부 격차로 인해 계급이 나누어지는 것처럼

보인다고 해서 계급사회라고 단정할 수는 없어. 계급사회

라고 말하려면 계급 체계 자체가 인간의 생활을 전적으로

규정할 수 있어야 하는데, 오늘날 각종 문화나 생활 방식
근거(전제)
전체를 특정한 계급 논리만으로는 설명할 수 없어. 따라

서 현대 사회를 계급사회로 보기는 어려워.
선택지 ③④의 근거 - 병의 주장
갑: 현대 사회의 문화가 다양하다는 것은 맞아. 하지만 인간

생활의 근간은 결국 경제 활동이고, 경제적 계급 논리로
근거(전제)
현대 사회의 문화를 충분히 설명하고 규정할 수 있어. 또

한 현대 사회에서 인간의 사회적 지위는 부모의 경제력과
선택지 ②③의 근거 - 갑의 주장
직결되기 때문에 계급사회라고 말할 수 있어.

① 갑은 ~~을~~의 주장 중 일부는 수용하고 일부는 반박한다.
    병

☑ 을의 주장은 갑의 주장과 대립하지 않는다.

③ 갑과 병은 상이한 전제에서 ~~동일한~~ 결론을 도출하고 있다.
    서로 다른

④ 병의 주장은 갑의 주장과는 대립하지 ~~않지만~~ 을의 주장과는
                  갑의 주장과도 대립
대립한다.

해설 ② 갑은 인간의 사회적 지위가 부모의 경제력과 직결되기 때문에 현대 사회를 계급사회라고 말한다. 또한 을은 현대 사회에서 귀속지위가 성취지위를 결정하는 면이 있으며, 빈부 격차가 대물림되면서 개인의 계급이 결정되고 있다고 한다. 따라서 갑과 을의 주장은 유사하므로 ②는 적절하다.

오답 분석 ① 갑이 일부는 수용하고 일부는 반박하는 것은 을의 주장이 아니라 병의 주장이다. 따라서 ①은 적절하지 않다.

③ 병은 각종 문화나 생활 방식 전체를 특정한 계급 논리만으로 설명할 수 없다고 보고, 갑은 경제적 계급 논리로 현대 사회의 문화를 설명할 수 있다고 본다는 점에서 둘은 상이한 전제를 가진다. 또한 병은 현대 사회를 계급사회로 보기는 어렵다고 하는 반면 갑은 현대 사회를 계급사회라고 말할 수 있다고 하므로 둘은 서로 다른 결론을 도출하고 있다. 따라서 ③은 적절하지 않다.

④ 갑은 현대 사회를 계급사회라고 말할 수 있다고 한다. 또한 을은 현대 사회에서 귀속지위가 성취지위를 결정하는 면이 있고, 빈부 격차가 대물림되면서 개인의 계급이 결정되고 있다고 한다. 반면 병은 현대 사회를 계급사회로 보기는 어렵다고 한다. 따라서 갑과 을의 주장이 유사하고, 병의 주장은 이들의 주장과 대립하므로 ④는 적절하지 않다.

02
진행자의 말하기 방식에 대한 설명으로 적절하지 않은 것은?

> 진행자: 우리 시에서도 다음 달부터 시내 도심부에서의 제한 속도를 조정하기로 했습니다. 이와 관련하여, 강□□ 교수님 모시고 말씀 듣겠습니다. 교수님, 안녕하세요?
>
> 강 교수: 네, 안녕하세요?
>
> 진행자: 바뀌는 제도의 내용을 좀 더 구체적으로 설명해 주시죠.
>
> 강 교수: 네, <u>시내 도심부 간선도로에서의 제한 속도를 기존의 70km/h에서 60km/h로 낮추는 정책</u>입니다.
> 화제
>
> 진행자: 시의회에서 이 정책 도입에 중요한 역할을 하신 것으로 아는데, 어떤 효과를 얻을 것이라고 주장하셨나요?
>
> 강 교수: <u>차량 간 교통사고 발생 가능성을 줄이고 보행자 안전을 확보할 수 있다고 했습니다.</u>
> 정책 도입의 효과

> 진행자: 그런데 일각에서는 그런 효과는 미미하고 오히려 <u>교통체증을 유발하여 대기오염이 심화될 것이라며 이 정책에 반대</u>합니다. 이에 대해 말씀해 주시겠어요?
> 선택지 ③의 근거
>
> 강 교수: 그렇지 않습니다. ○○시가 작년에 7개 구간을 대상으로 이 제도를 시험 적용해 보니, <u>차가 막히는 시간은 2분 정도밖에 증가하지 않았습니다. 그런데 중상 이상의 인명 사고는 26.2% 감소했습니다. 또 이산화질소와 미세먼지 같은 오염물질도 각각 28%, 21%가량 오히려 감소한다는 연구 결과</u>가 있습니다.
> 통계 수치 제시
>
> 진행자: 아, <u>그러니까 속도를 10km/h 낮출 때 2분 정도 늦어지는 것이라면 인명 사고의 예방과 오염물질의 감소를 위해 충분히 감수할 만한 시간이라는 말씀이시군요.</u>
> 선택지 ①의 근거
>
> 강 교수: 네, 맞습니다.
>
> 진행자: <u>교통사고를 줄이고 보행자 안전을 확보할 수 있다는 점, 교통체증 유발은 미미할 것이라는 점, 오염물질 배출이 감소할 것이라는 점에서 이번의 제한 속도 조정 정책은 훌륭한 정책이라는 것이군요. 맞습니까?</u>
> 선택지 ②의 근거
>
> 강 교수: 네, 그렇게 정리할 수 있겠습니다.

① 상대방이 통계 수치를 제시한 의도를 자기 나름대로 풀어 설명한다.

② 상대방의 견해를 요약하며 자신이 이해한 바가 맞는지를 확인한다.

③ 상대방의 주장에 대한 이견을 소개하고 그에 대한 의견을 요청한다.

☑ 상대방이 설명한 내용을 뒷받침할 수 있는 자신의 경험을 예시한다. ➡ 지문에서 확인할 수 없음

해설 ④ 지문에서 진행자가 자신의 경험을 예시한 부분은 찾을 수 없으므로 ④는 적절하지 않다.

오답 분석 ① 강 교수는 네 번째 발화에서 차가 막히는 시간과 중상 이상의 인명 사고 감소율, 오염물질 감소율에 관련된 연구 결과를 제시한다. 진행자는 다음 발화에서 "속도를 10km/h 낮출 때 2분 정도 늦어지는 것이라면 인명 사고의 예방과 오염물질의 감소를 위해 충분히 감수할 만한 시간이라는 말씀이시군요."라며 강 교수가 이러한 통계 수치를 제시한 의도를 풀어서 설명한다. 따라서 ①은 적절하다.

② 진행자는 마지막 발화에서 "교통사고를 줄이고 보행자 안전을 확보할 수 있다는 점, 교통체증 유발은 미미할 것이라는 점, 오염물질 배출이 감소할 것이라는 점에서 이번의 제한 속도 조정 정책은 훌륭한 정책이라는 것이군요. 맞습니까?"라고 말한다. 상대방의 견해를 요약하며 자신이 이해한 바가 맞는지를 확인하고 있으므로 ②는 적절하다.

③ 진행자는 네 번째 발화에서 "그런데 일각에서는 그런 효과는 미미하고 오히려 교통체증을 유발하여 대기오염이 심화될 것이라며 이 정책에 반대합니다. 이에 대해 말씀해 주시겠어요?"라고 말한다. 상대방의 주장에 대한 이견을 소개하고 그에 대한 의견을 요청하고 있으므로 ③은 적절하다.

03
다음 대화에 나타난 말하기 방식을 설명한 것으로 적절하지 않은 것은?

> 백 팀장: 이번 워크숍 장면을 사내 게시판에 올리는 게 좋겠
> _{선택지 ①의 근거}
> 어요. 워크숍 내용을 공유하면 좋을 것 같아서요.
>
> 고 대리: 전 반대합니다. 사내 게시판에 영상을 공개하는 것
> _{선택지 ②의 근거}
> 은 부담스러워요. 타 부서와 비교될 것 같기도 하고
> 요.
>
> 임 대리: 저도 팀장님 말씀대로 정보를 공유한다는 취지는
> _{선택지 ③의 근거}
> 좋다고 생각해요. 다만 다른 팀원들의 동의도 구해
> 야 할 것 같고, 여러 면에서 우려되긴 하네요. 팀원들
>
> 의견을 먼저 들어 보고, 잘된 것만 시범적으로 한두
> _{선택지 ④의 근거}
> 개 올리는 것이 어떨까요?

☑ 백 팀장은 ~~팀원들에 대한 유대감을 드러내는 표현~~을 사용하며 ~~자신의 바람을 전달~~하고 있다.

② 고 대리는 백 팀장의 제안에 반대하는 이유를 명시적으로 밝히며 백 팀장의 요청을 거절하고 있다.

③ 임 대리는 발언 초반에 백 팀장 발언의 취지에 공감하여 백 팀장의 체면을 세워 주고 있다.

④ 임 대리는 대화 참여자의 의견을 묻는 의문문을 사용하여 자신의 의견을 간접적으로 드러내고 있다.

해설 ① 백 팀장이 사내 게시판에 워크숍 영상을 공유하는 것을 제안하며 자신의 바람을 전달한 것은 맞지만, 팀원들에 대한 유대감을 드러내는 표현은 사용하지 않았으므로 ①의 설명은 적절하지 않다.

오답 분석 ② 고 대리는 사내 게시판에 영상을 공개하는 것이 부담스럽고, 타 부서와 비교될 것 같다는 점을 반대 이유로 제시하며 백 팀장의 요청을 거절하고 있다.

③ 임 대리는 발언 초반에 '정보 공유'의 취지는 좋다고 공감함으로써, 백 팀장의 체면을 세워주고 있다.

④ 임 대리의 발언 마지막 문장은 대화 참여자의 의견을 묻는 의문문이다. 이를 통해 임 대리는 워크숍 장면 사내 게시판 공유에 대해 팀원들의 의견도 듣고 한두 개를 시범적으로 올려 보자며 자신의 의견을 간접적으로 드러내고 있다.

04
㉠~㉣의 말하기 방식을 설명한 내용으로 가장 적절한 것은?

> 박 주무관: 기획 중인 주민자치센터 프로그램 운영 방식을 봤
> _{화제}
> 는데요. ㉠ 프로그램 수가 더 필요하다고 생각해요.
>
> 허 주무관: 사실 저도 기획안을 검토하면서 프로그램 수가 적
> 절한지 고민 중이었어요.
>
> 박 주무관: 주민자치센터 프로그램은 주민분들의 호응도가
> 중요하니, ㉡ 어르신들이 참여할 수 있는 프로그
> 램을 추가하는 것이 어떨까요?
>
> 허 주무관: 우리 동에는 어르신들이 많이 거주하시니, ㉢ 그
> 것도 좋은 생각이네요. 하지만 현재 프로그램도
> 대부분 어르신께 초점이 맞춰져 있어서요, 젊은
> 세대가 참여할 수 있는 프로그램을 추가하는 건 어
> 떨까요?
>
> 박 주무관: 네. ㉣ 한쪽으로 치중되지 않게 다양한 프로그램
> _{선택지 ④의 근거}
> 을 추가로 개발하는 편이 좋겠네요.

① ㉠: 자신의 의견을 ~~우회적으로~~ 드러내고 있다.
_{직접적으로}

② ㉡: 대화의 주제를 ~~바꾸기 위해~~ 질문하고 있다.
_{바꾸지 않음}

③ ㉢: 상대의 의견을 검증하기 위해 ~~근거를 요구~~하고 있다.
_{자신의 의견 제시}

☑ ㉣: 상대의 의견을 수용하며 합의를 이끌어 내고 있다.
→ 젊은 세대를 위한 프로그램을 추가하자는 상대의 의견 수용

해설 ④ ㉣: 박 주무관은 2번째 발화에서 어르신이 참여할 수 있는 주민자치센터 프로그램을 추가하자고 의견을 내고 있다. 하지만 박 주무관은 마지막 발화에서 젊은 세대를 위한 프로그램을 추가하자는 허 주무관의 의견을 수용하며, 의견을 일치시키고 있다.

오답
분석 ① ㉠: 박 주무관은 허 주무관에게 프로그램 수를 더 늘려야 한다고 직접적으로 의견을 드러내고 있으므로 적절하지 않다.

② ㉡: 박 주무관은 주민자치센터 프로그램에 대한 의견을 질문의 형식으로 제시하고 있으며, 대화에서 주제가 바뀌는 발화는 없으므로 적절하지 않다.

③ ㉢: 허 주무관은 상대방의 의견에 대해 동의한 후, 질문의 형식을 사용하여 자신의 의견을 제시하고 있다. 하지만 상대의 의견을 검증하기 위해 근거를 요구하는 발화는 없으므로 적절하지 않다. 참고로 상대방의 의견에 동의함으로써 의견 차이를 최소화하고 자신의 의견과 상대방의 의견의 일치점을 극대화하는 것을 '동의의 격률'이라고 한다.

오답
분석 ② ㉡은 설명회를 어떻게 준비해야 효과적으로 전달할 수 있을지에 대해 자신의 고민을 이야기하듯이 간접적으로 묻는 표현이다. 이와 같은 간접 발화는 직접 발화에 비해 듣는 이의 부담감을 덜어 주며, 문장의 길이는 공손함에 비례하는 경향이 있다.

③ ㉢은 청중의 특성 중 무엇을 조사해야 할지에 대해 직접 질문한 것으로, 반대 의사를 표현한 것이 아니며 우회적으로 드러낸 표현에 해당하지 않는다.

④ ㉣은 청중의 특성 중 무엇을 조사해야 할지에 대해 묻는 최 주무관의 질문에 대한 답변이다. 이때 상대(최 주무관)도 자신(김 주무관)의 의견에 동의하는지 확인하기 위해 의문문 형식을 사용했을 뿐, 상대의 의견을 반박하는 것은 아니다.

05

㉠~㉣의 말하기 방식을 설명한 내용으로 가장 적절한 것은?

> 김 주무관: AI에 대한 국민 이해도를 높이기 위해 설명회를 개최할 필요가 있다고 생각해요.
>
> 최 주무관: ㉠ 저도 요즘 그 필요성을 절감하고 있어요.
> 선택지 ①의 근거
>
> 김 주무관: ㉡ 그런데 어떻게 준비해야 효과적으로 전달할 수 있을지 고민이에요.
>
> 최 주무관: 설명회에 참여할 청중 분석이 먼저 되어야겠지요.
>
> 김 주무관: 청중이 주로 어떤 분야에 관심이 있는지 알면 준비할 때 유용하겠네요.
>
> 최 주무관: ㉢ 그럼 청중의 관심 분야를 파악하려면 청중의 특성 중에서 어떤 것들을 조사하면 좋을까요?
>
> 김 주무관: ㉣ 나이, 성별, 직업 등을 조사할까요?

✅ ㉠: 상대의 의견에 대해 공감을 표현하고 있다.

② ㉡: 정중한 표현을 사용하여 ~~직접 질문~~하고 있다.
   간접적으로 묻고 있음

③ ㉢: 자신의 ~~반대 의사~~를 ~~우회적~~으로 드러내고 있다.
   청중의 특성 중 어떤 것을 조사할지 질문

④ ㉣: 의문문을 통해 상대의 ~~의견을 반박~~하고 있다.
   자신의 의견에 동의하는지 확인

해설 ① ㉠은 'AI에 대한 국민 이해도를 높이기 위한 설명회'를 개최할 필요성이 있다는 김 주무관의 의견에 최 주무관 또한 그 필요성을 절감하고 있다고 답함으로써 상대(김 주무관)의 의견에 공감을 표현한 것이다.

06

다음 대화를 분석한 내용으로 적절하지 않은 것은?

> 은지: 최근 국민 건강 문제와 관련해 '설탕세' 부과 여부가 논
> 선택지 ①의 근거 – 화제 제시
> 란인데, 나는 설탕세를 부과해야 한다고 생각해. 그러면 당 함유 식품의 소비가 감소하게 되고, 비만이나 당뇨병 등의 질병이 예방되니까 국민 건강 증진에 도움이 되기 때문이야.
>
> 운용: 설탕세를 부과하면 당 소비가 감소한다고 믿을 만한 근
> 선택지 ②의 근거
> 거가 있니?
>
> 은지: 세계보건기구 보고서를 보면 당이 포함된 음료에 설탕
> 선택지 ③의 근거
> 세를 부과하면 이에 비례해 소비가 감소한다고 나와 있어.
>
> 재윤: 그건 나도 알아. ~~그런데~~ 설탕세 부과가 질병을 예방한다는 것은 타당하지 않아. 여러 연구 결과를 보면 당 섭
> 선택지 ④의 근거
> 취와 질병 발생은 유의미한 상관관계가 없어.

① 은지는 첫 번째 발언에서 화제를 제시하고 있다.

✅ 운용은 은지의 주장에 ~~반대~~하고 있다.
   근거를 묻고 있을 뿐임

③ 은지는 두 번째 발언에서 자신의 주장에 대한 근거를 제시하고 있다.

④ 재윤은 은지가 제시한 주장의 근거를 부정하고 있다.

해설 ② 운용은 은지의 주장에 대한 근거가 있는지 물어보았을 뿐, 은지의 주장에 반대하는 것은 아니다. 운용이 은지의 주장에 반대하는지는 제시된 대화 내용을 통해 확인할 수 없다.

③ 은지는 두 번째 발언에서 설탕세를 부과하면 당 소비가 감소한다는 자신의 의견을 뒷받침하기 위해 '세계보건기구 보고서'의 내용을 근거로 제시하고 있다.

④ 은지는 설탕세를 부과해야 한다는 주장의 근거로 당 소비가 감소하여 질병이 예방되고 국민 건강 증진에 도움이 된다는 것을 제시하고 있다. 그러나 재윤은 당 섭취와 질병 발생에 유의미한 상관관계가 없다는 연구 결과를 언급하며, 은지가 제시한 주장의 근거를 부정하고 있다.

07

다음 발표에 대한 설명으로 가장 적절한 것은?

1학년 학생 여러분, 반갑습니다. 저는 교내 안전 동아리 '안전 지킴이' 대표 2학년 윤지수입니다. 우리 동아리에서 기획한 안전 캠페인 활동의 일환으로 오늘은 우리 **학교 학생들에게 가장 자주 발생하는 교통사고 사례와 예방법**을 안내하고
선택지 ③의 근거 – 화제 제시
자 합니다.

작년 한 해 우리 학교 학생들을 대상으로 조사한 교통사고
선택지 ②의 근거
피해 통계에 따르면, 보행 중 자동차와 충돌하거나 자동차를 피하다가 다친 사례가 제일 많았습니다. 이러한 사고를 당한 **학생들 절대다수가 사고 당시에 스마트폰을 보고 있었습니**
선택지 ①의 근거 (1) – 원인 진단
다.

요즘 길을 걸으면서 스마트폰을 보는 학생들이 많은데, 이렇게 되면 주변 상황을 제대로 살피기가 어려워 돌발 상황이 벌어졌을 때 반응 속도가 늦어져서 위험합니다. 따라서 **보행 중 교통사고를 예방하기 위해서는 보행 중에는 스마트폰을**
선택지 ①의 근거 (2) – 해결책 제시
보지 말아야 합니다.

---

① ~~다양한~~ 원인을 진단하여 해결책을 구체적으로 제시하고 있다.

☑ 실제 조사 내용을 근거로 제시하여 화자의 신뢰도를 높이고 있다.

③ 도입부에 ~~사례를 제시~~하여 관심을 끈 후에 화제를 제시하고 있다.

④ 청자의 상황과 요구를 고려하여 청자가 관심 있는 정보를 제공하고 있다. ➡ 지문에서 확인할 수 없음

해설 ② 2문단에서 발표자는 학교 학생들을 대상으로 조사한 '교통사고 피해 통계'를 근거로 제시하여 신뢰도를 높이고 있다.

· 원인: 사고를 당한 학생들의 절대다수가 사고 당시 스마트폰을 보고 있었기 때문임

· 해결책: 보행 중에는 스마트폰을 보지 말아야 함

③ 발표자는 도입부에서 '우리 학교 학생들에게 가장 자주 발생하는 교통사고 사례와 예방법'에 대해 안내하겠다고 직접 밝히고 있으나, 사례를 제시하여 관심을 끄는 내용은 확인할 수 없다.

④ 청자의 상황과 요구를 고려하여 청자가 관심 있는 정보를 제공하는 부분은 확인할 수 없다.

08

다음 대화에서 나타난 '지민'의 의사소통 방식으로 가장 적절한 것은?

정수: 지난번에 너랑 같이 들었던 면접 전략 강의가 정말 유익했어.

지민: 그랬어? 나도 그랬는데.

정수: 특히 아이스크림 회사의 면접 내용이 도움이 많이 됐어.

지민: 맞아. 그중에서도 두괄식으로 답변하라는 첫 번째 내용이 정말 인상적이더라. 핵심 내용을 먼저 말하는 전략이 면접에서 그렇게 효과적일 줄 몰랐어.

정수: 어! 그래? 나는 두 번째 내용이 훨씬 더 인상적이었는데.

지민: **그랬구나. 하긴 아이스크림 매출 증가에 관한 통계 자**
선택지 ③의 근거
료를 인용해서 답변한 전략도 설득력이 있었어. 하지만 초두 효과의 효용성도 크지 않을까 해.

정수: 그렇긴 해.

---

① 자신의 면접 경험을 예로 들어 상대방을 설득하고 있다.
➡ 지문에서 확인할 수 없음

② 상대방의 ~~입장을 옹호~~하며 상대방의 ~~의견을 반박~~하고 있다.
견해를 존중하여 의견을 제시할 뿐임

☑ 상대방의 견해를 존중하면서 자신의 의견을 제시하고 있다.

④ 상대방과의 갈등 해소를 위해 자신의 감정을 표현하고 있다.
➡ 지문에서 확인할 수 없음

해설 ③ '지민'의 세 번째 발화에서 상대방인 '정수'의 의견에 동의하면서 자신의 의견을 제시함을 확인할 수 있으므로 ③은 적절하다. 참고로 '지민'은 다른 사람과의 의견 차이를 최소화하는 '동의의 격률'을 지켰다.

오답 분석 ① ④ 대화에서 찾아볼 수 없다.

② 상대방의 이견에 대해서 자신의 견해를 제시할 뿐 상대방의 약점을 공략하여 상대방의 이견을 반박하지 않는다.

09

다음 대화에 대한 설명으로 가장 적절한 것은?

> A: 예은 씨. 오늘 회의 내용을 팀원들에게 공유해 주시면 좋겠네요.
>
> B: 네. 알겠습니다. 팀장님, 오늘 회의 내용을 요약 정리해서 메일로 공유하면 되겠지요?
>
> A: (고개를 끄덕이며) 맞습니다.
> 선택지 ②의 근거 (1)
>
> B: 네. 그럼 회의 내용은 개조식으로 요약하고, 팀장님을 포
> 선택지 ①의 근거
> 함해서 전체 팀원에게 메일로 보내도록 하겠습니다.
>
> A: 예은 씨. 그런데 개조식으로 회의 내용을 요약하는 방식에는 문제가 있지 않을까요?
>
> B: (고개를 끄덕이며) 그렇겠네요. 개조식으로 요약할 경우
> 선택지 ②의 근거 (2)   선택지 ③④의 근거
> 회의 내용이 과도하게 생략되어 이해가 어려울 수 있겠네요.

① ~~A는 B에게~~ 내용 요약 방식을 제안하고 있다.
B는 A에게

☑ A와 B는 대화 중에 공감의 표지를 드러내며 상대방의 말을 듣고 있다.

③ B는 회의 내용 요약 방식에 대한 A의 문제 제기에 대해 자신이 ~~다른 입장~~임을 드러내고 있다.
같은 입장

④ ~~A는~~ 개조식 요약 방식이 회의 내용을 과도하게 생략하여 이해에 어려움을 줄 수 있다고 명시하고 있다.
B는

[해설] ② A의 2번째 발화와 B의 3번째 발화를 통해 A와 B 모두 언어적·비언어적 표현을 사용하여 공감의 표지를 드러내고 있음을 알 수 있다.

[오답분석] ① B의 2번째 발화를 통해 A가 아닌 B가 내용 요약 방식을 제안하였음을 확인할 수 있다.

③ B의 3번째 발화를 통해 B가 A의 회의 내용 요약 방식에 대한 문제 제기에 동의하고 있음을 확인할 수 있다.

④ B의 3번째 발화를 통해 A가 아니라 B가 말한 내용임을 확인할 수 있다.

10

다음 연설에 대한 설명으로 가장 적절한 것은?

> 올림픽 헌장은 "올림픽의 목적은 인류의 조화로운 발전과
> 선택지 ②의 근거
> 인간 존엄성의 수호를 위해, 평화로운 사회를 만들기 위해 스포츠 경기를 하는 것이다."라고 말합니다. 이것이 올림픽 정신이며, 스포츠의 가능성과 힘을 보여 주는 것이라고 저는 굳게 믿습니다. 열 살 때 남북 선수단이 올림픽 경기장에 동시 입장하는 것을 보고 처음으로 스포츠의 힘을 느꼈습니다. 오늘 저는 유엔 총회의 '올림픽 휴전 결의안' 초안 승인을 통해 그때 목격했던 스포츠의 힘을 다시 한번 볼 수 있기를 바랍니다.

① ~~반대되는 사례를 제시~~하여 주장을 부각하고 있다.

☑ 권위 있는 자료를 인용하여 설득력을 높이고 있다.

③ ~~설의적 표현을 사용~~하여 공감대를 형성하고 있다.

④ ~~연설자의 공신력을 강조~~하여 신뢰도를 높이고 있다.

[해설] ② '올림픽 휴전 결의안' 초안 승인을 위해 권위 있는 자료(올림픽 헌장)의 내용을 인용하여 설득력을 높이고 있다.

[오답분석] ①③④ 반대되는 사례를 제시하거나 설의적 표현을 사용하거나 연설자의 공신력을 강조하는 것은 지문에서 확인할 수 없다.

11

다음 대화에 대한 설명으로 가장 적절한 것은?

> 민서: 정국이 말이야. 우리한테는 말도 안 해 주고 자기 혼자 공모전에 신청했더라.
>
> 채연: 글쎄, 왜 그랬을까?
>
> 민서: 그러게 말이야. 정말 기분 나빠.
>
> 채연: 정국이도 나름대로 사정이 있었을 거야.
> 선택지 ②의 근거
>
> 민서: 사정은 무슨 사정? 자기 혼자 튀어 보고 싶은 거겠지.
> 선택지 ③의 근거 (1)
>
> 채연: 내가 지난 학기에 과제를 함께 해 봐서 아는데, 그럴 애
> 선택지 ①의 근거
> 가 아니야. 민서야, 정국이에 대해 다시 한번 생각해 보는 건 어때?
>
> 민서: 너 자꾸 이럴 거야? 도대체 왜 정국이 편만 드는 거야.
> 선택지 ③의 근거 (2)

☑ 채연은 자신의 경험을 예로 들며 민서를 설득하고 있다.

② 채연은 ~~민서의 의견을 수용~~하며 (원만한 갈등 해소를 유도)하고 있다.

③ 민서는 ~~정국이의 상황과 감정을 고려하며~~ 대화의 ~~타협점을 찾~~고 있다.

④ 민서는 채연의 답변에서 모순점을 찾아내며 논리적으로 비판하고 있다. ➡ 지문에서 확인할 수 없음

해설 ① 채연은 지난 학기에 정국이와 과제를 함께 했던 경험을 예로 들어 정국이에 대해 다시 한번 생각해 볼 것을 권유하며 민서를 설득하고 있다.

오답분석 ② 채연은 민서에게 정국이에게도 나름대로 사정이 있었을 것이라고 말하며, 원만한 갈등 해소를 유도하고 있다. 다만 제시된 대화에서 채연이 민서의 의견을 수용하는 내용은 드러나지 않는다.

③ 민서의 세 번째 발화 '사정은 무슨 사정? 자기 혼자 튀어 보고 싶은 거겠지'라는 내용을 통해, 민서가 정국이의 상황이나 감정을 고려하지 않는 것을 알 수 있다. 또한 정국이에 대해 다시 한번 생각해 보라는 채연의 권유에도 민서는 수긍하지 않는 태도를 보임으로써, 대화의 타협점을 찾으려는 시도도 드러나지 않는다.

④ 제시된 대화에서 민서가 채연의 답변에서 모순점을 찾아내며 논리적으로 비판하는 내용은 드러나지 않는다.

12
다음 토의에 대한 설명으로 적절하지 않은 것은?

사회자: 오늘의 토의 주제는 '통일 시대의 남북한 언어가 나
선택지 ①의 근거
아갈 길'입니다. 먼저 최○○ 교수님께서 '남북한 언
선택지 ②의 근거 (1)
어 차이와 의사소통'이라는 제목으로 발표해 주시겠
습니다.

최 교수: 남한과 북한의 말은 비슷하지만 다른 점이 있습니다.
남한과 북한의 어휘 차이가 대표적입니다. 남한과
선택지 ③의 근거 (1)
북한의 어휘 차이를 분석한 결과, ···(중략)··· 앞으로
도 남북한 언어 차이에 대한 연구가 지속되어야 합
니다.

사회자: 이로써 최 교수님의 발표를 마치겠습니다. 다음은 정
○○ 박사님의 '남북한 언어의 동질성 회복 방안'에
선택지 ②의 근거 (2)
대한 발표가 있겠습니다.

정 박사: 앞으로 통일을 대비해 남북한 언어의 다른 점을 줄
선택지 ③의 근거 (2)
여 나가는 노력이 필요합니다. 실제로도 남한과 북
한의 학자들로 구성된 '겨레말 큰사전 편찬위원회'
에서는 남북한 공통의 사전인 『겨레말큰사전』을 만
들며 서로의 차이를 이해하고 받아들이기 위한 노
력을 하고 있습니다. ···(중략)···

사회자: 그러면 질의응답이 있겠습니다. 시간상 간략하게 질
선택지 ②의 근거 (3)
문해 주시기 바랍니다.

청중 A: 두 분의 말씀 잘 들었습니다. 남북한 언어의 차이와
선택지 ④의 근거
이를 극복하는 방안을 말씀하셨는데요. 그렇다면
통일 시대에 대비한 언어 정책에는 무엇이 있을까
요?

① 학술적인 주제에 대해 발표 형식으로 진행되고 있다.

☑ 사회자는 발표자 간의 ~~의견을 조정~~하여 ~~의사결정을 유도~~하고 있다. ➡ 발표 순서를 안내할 뿐임

③ 발표자는 주제에 대한 자신의 견해를 밝혀 청중에게 정보를 제공하고 있다.

④ 청중 A는 발표자의 발표 내용을 확인하고 주제와 관련된 질문을 하고 있다.

해설 ② 사회자는 토의 주제와 발표자를 소개하고 발표 순서 및 질의응답 시간을 안내할 뿐, 발표자 간의 이견을 조정하여 의사결정을 유도하고 있지는 않다.

오답분석 ① '통일 시대의 남북한 언어가 나아갈 길'이라는 학술적인 주제에 대해 최 교수와 정 박사가 각각 자신의 의견을 발표하고 있다.

③ 발표자인 최 교수와 정 박사는 토의 주제에 대한 각자의 견해를 밝힘으로써 청중에게 정보를 전달하고 있다.

④ 발표자에게 '통일 시대에 대비한 언어 정책에는 무엇이 있는지'를 묻는 것으로 보아 청중 A는 발표를 들은 후 주제와 관련된 질문을 하고 있다.

13

㉠~㉣은 '공손하게 말하기'에 대한 설명이다. ㉠~㉣을 적용한 B의 대답으로 적절하지 않은 것은?

> ㉠ 자신을 상대방에게 낮추어 겸손하게 말해야 한다.
>
> ㉡ 상대방의 처지를 고려하여 상대방이 부담을 갖지 않도록 말해야 한다.
>
> ㉢ 상대방이 관용을 베풀 수 있도록 **문제를 자신의 탓으로 돌려 말해야 한다.**
> 선택지 ③의 근거
>
> ㉣ 상대방의 의견에서 동의하는 부분을 찾아 인정해 준 다음에 자신의 의견을 말해야 한다.

① ㉠ ┌ A: "이번에 제출한 디자인 시안 정말 멋있었어."
　　　└ B: "아닙니다. 아직도 여러모로 부족한 부분이 많습니다."

② ㉡ ┌ A: "미안해요. 생각보다 길이 많이 막혀서 늦었어요."
　　　└ B: "괜찮아요. 쇼핑하면서 기다리니 시간 가는 줄 몰랐어요."

☑ ㉢ ┌ A: "혹시 내가 설명한 내용이 이해 가니?"
　　　└ B: "네 목소리가 작아서 내용이 잘 안 들렸는데 다시 한번
　　　　　 문제를 상대의 탓으로 돌림
　　　　　 크게 말해 줄래?"

④ ㉣ ┌ A: "가윈아, 경희 생일 선물로 귀걸이를 사주는 것은 어때?"
　　　└ B: "그거 좋은 생각이네. 하지만 경희의 취향을 우리가 잘
　　　　　 모르니까 귀걸이 대신 책을 선물하는 게 어떨까?"

해설 ③ ㉢은 공손성의 원리 중 '관용의 격률'에 대한 설명이다. ③에서 B는 상대인 A의 목소리가 작아서 내용이 잘 안 들렸다고 말하며 문제를 상대방의 탓으로 돌리고 있으므로 ㉢에 해당하지 않는다.

오답분석 ① ㉠은 공손성의 원리 중 '겸양의 격률'에 대한 설명이다. ①의 B는 자신을 칭찬하는 A에게 자신이 여러모로 부족한 부분이 많다고 말하며 자신을 낮추어 겸손하게 대답하고 있으므로 ㉠에 해당한다.

② ㉡은 공손성의 원리 중 '요령의 격률'에 대한 설명이다. ②의 B는 약속 시간에 늦은 A에게 쇼핑을 하며 기다리니 시간 가는 줄 몰랐다고 말하며 상대방의 부담을 덜어주고 있으므로 ㉡에 해당한다.

④ ㉣은 공손성의 원리 중 '동의의 격률'에 대한 설명이다. ④의 B는 경희의 생일 선물을 제안하는 A의 의견에 먼저 동의한 후 자신의 생각을 말하고 있으므로 ㉣에 해당한다.

이것도 알면 합격

요령의 격률	상대방에게 부담이 되는 표현을 최소화하며, 이익이 되는 표현을 최대화함
관용의 격률	화자에게 혜택을 주는 표현을 최소화하며, 화자에게 부담을 주는 표현을 최대화함
찬동의 격률	상대방을 비난하는 표현을 최소화하며, 칭찬하는 표현을 최대화함
겸양의 격률	화자를 칭찬하는 표현을 최소화하고 겸손한 표현을 최대화함
동의의 격률	상대방 의견에 비동의하는 표현은 최소화하고, 상대방 의견에 동의하는 표현은 최대화함

14

다음 대화에 대한 설명으로 적절한 것은?

> A: 지난번 제안서 프레젠테이션을 마친 후 "검토하고 연락드리겠습니다."라고 답변을 받았는데 아직 별다른 연락이 없어서 고민이에요.
>
> B: 어떤 연락을 기다리신다는 거예요?
>
> A: **해당 사업에 관하여 제 제안서를 승낙했다는 답변이잖아요.** 그런데 후속 사업 진행을 위해 지금쯤 연락이 와야 할
> 선택지 ①의 근거
> 텐데 싶어서요.
>
> B: 글쎄요. **보통 그런 상황에서는 완곡하게 거절하는 의사표현이라 볼 수 있어요.** 그리고 해당 고객이 제안서 내용은
> 선택지 ①③의 근거
> 정리가 잘되었지만, 요즘 같은 코로나 시기에는 이전과 동일한 사업적 효과가 있을지 궁금하다고 말한 것을 보면 알 수 있죠.
>
> A: 네, 기억납니다. 하지만 **궁금하다고 말한 것이지 사업을 수용하지 않는다는 것은 아니지 않나요?** 답변을 할 때도
> 선택지 ②의 근거　　　　　　　　　　　　　　　　　　　 선택지 ④의 근거
> 굉장히 표정도 좋고 박수도 쳤는데 말이죠. 목소리도 부드러웠고요.

① A와 ~~B~~는 고객의 답변에 대해 제안서 승낙이라는 의미로 동일하게 이해한다. ➡ B는 완곡한 거절이라고 이해함

② A는 동일한 사업적 효과가 있을지 궁금하다는 표현을 제안한 사업에 대한 ~~부정적 평가~~라고 판단한다. ➡ 부정적 평가로 판단하지 않음

☑ B는 고객이 제안서에 의문을 제기한 내용을 근거로 고객의 답변에 대해 판단한다.

④ A는 비언어적 표현을 바탕으로 하여 고객의 답변을 제안서에 대한 ~~확고한 거절~~로 해석한다. ➔ 승낙한 것으로 해석함

③ B는 고객이 제안서를 보고 코로나 시기에도 이전과 동일한 사업적 효과가 있을지 의문을 제기한 것을 근거로, 고객이 완곡하게 거절 의사를 표현하였다고 판단한다.

오답 분석 ① '검토하고 연락드리겠습니다'라는 고객의 답변에 대해 A는 제안서를 승낙한 것이라고 이해한 반면에 B는 완곡하게 거절한 것으로 이해하고 있다.

② A가 마지막 발화에서 '궁금하다고 말한 것이지 사업을 수용하지 않는다는 것은 아니지 않나요'라고 반문한 것으로 보아, A는 고객의 의문을 부정적 평가로 판단하지 않는다.

④ A는 고객의 비언어적 표현(표정, 박수, 목소리)을 언급하며, 고객이 제안서를 승낙한 것으로 해석하고 있다.

① 질문을 던져 ~~화제를 전환~~하는 사람이 있다. ➔ 자신의 의견을 제시함

② 대화 중 화제와 관련이 없는 이야기를 하는 사람이 있다. ➔ 지문에서 확인할 수 없음

③ 다른 사람의 의견에 동화되어 의견이 바뀌는 사람이 있다. ➔ 지문에서 확인할 수 없음

☑ 화제에 대한 사례를 제시함으로써 개념을 정의하는 사람이 있다.

④ 은영은 첫 번째 발화에서 화제인 '인문학'의 사례를 제시하며 개념을 정의하고 있다.

오답 분석 ① 민경은 대호의 말에 반박하면서 다른 사람의 의사를 물음과 동시에 자신의 의견을 말할 뿐, 화제를 전환하고 있지는 않다. 과학자들이 연구를 위해 글을 읽는 것에 대해 언급하며 대화의 화제를 전환하는 사람은 대호이다.

② ③ 화제와 관련이 없는 이야기를 하거나, 다른 사람의 의견에 동화되어 의견이 바뀌는 사람은 없다.

15
다음 대화를 분석한 내용으로 가장 적절한 것은?

> 은영: 인문학은 사람들의 삶과 생각이 담긴 기록들을 찾아
> <small>선택지 ④의 근거</small>
> 읽고 정리해서 인간을 이해하려는 학문이야. 예를 들자면, 선인들의 행적을 구체적으로 기록한 글이나 허구적인 인물의 삶을 그려낸 글, 또 인생의 구체적인 장면들과 거리가 먼 추상적인 원리들을 담은 글도 있지.
>
> 대호: 그러니까 인간이 남긴 모든 기록들이 인문학의 연구 자료가 될 수 있는 거구나. 과학자들도 연구를 위해 많은
> <small>새로운 화제 제시</small>
> 글을 읽어야 하는데, 이 또한 인문학적인 연구라고 볼 수 있을 거야.
>
> 민경: 글쎄, 과학자로서의 글 읽기란 자신들의 연구를 위한
> <small>선택지 ①의 근거</small>
> 수단이지 않을까? 앞선 사람들의 연구를 단시간에 배우기도 하고, 최신의 연구 성과를 흡수하기도 하잖아.
>
> 은영: 맞아. 만약 아인슈타인의 이론을 물리 현상에 적용하기 위해 그의 글을 읽는다면 과학자로서의 글 읽기가 될 테지만, 누군가 아인슈타인이 어떤 생각을 했는지 알고 싶어서 그가 쓴 수필과 논문들까지 모두 읽고 정리한다면 아마도 그는 과학자를 연구하는 인문학자일 거야.
>
> 대호: 결국 사람들이 남긴 온갖 기록 속에서 인간이란 어떤 존재인가, 인간으로서 살 만한 삶이란 어떤 것인가에 대한 통찰을 끌어내는 것, 이것이 인문학이구나.

16
다음 대화를 분석한 내용으로 적절하지 않은 것은?

> 갑: 올해 출시한 '우와 교통카드'의 판매율이 우리 지역에서 저조하네요. 사람들이 많이 구매하지 않는 이유가 뭘까
> <small>선택지 ①의 근거</small>
> 요?
>
> 을: 저는 가격이 너무 비싸다고 생각해요. '우와 교통카드'의 판매가가 80,000원인데, 기존 교통카드에 비해 저렴하다고 느껴지지 않아요.
>
> 병: 저는 카드 이름의 영향도 있다고 생각해요. 아이디어 공모전을 열어서 카드 이름 변경에 대한 시민들의 의견을 받아 보면 좋겠어요.
>
> 갑: 교통카드 이름을 바꾸는 것도 고려해 봐야겠네요. 그런데 만약 가격을 인하해야 한다면 어느 정도 금액이 적당할까요?
>
> 을: 제가 준비한 자료를 보세요. 우리 지역 시민들의 한 달 평
> <small>선택지 ②의 근거</small>
> 균 교통비가 70,000원이라는 조사 결과가 있어요. '우와 교통카드'의 가격은 이 금액보다 낮아야 한다고 생각해요. 60,000원으로 낮추는 게 좋겠어요.
>
> 병: 수익성 측면의 문제도 어느 정도 생각할 필요가 있어요.
> <small>선택지 ④의 근거</small>
> 너무 낮은 가격을 설정하게 되면 예산이 부족할 우려가 있으니 65,000원이 괜찮겠어요.

① 질문을 통해 토의 주제를 제시하는 사람이 있다.

② 미리 준비한 자료를 이용하여 자신의 주장을 강화하는 사람이 있다.

☑ 상대의 의도를 파악한 후 자신의 감정을 직접적으로 드러내는 사람이 있다. ➡ 지문에서 확인할 수 없음

④ 다른 사람이 제시한 의견에 대해 다른 측면에서 접근하여 자신의 의견을 전달하는 사람이 있다.

해설 ③ 지문에서 상대의 의도를 파악한 후 자신의 감정을 직접적으로 드러내는 사람은 찾을 수 없으므로 ③은 적절하지 않다.

오답분석 ① 갑은 첫 번째 발화에서 '사람들이 많이 구매하지 않는 이유가 뭘까요?'라며 질문을 통해 교통카드의 판매율이 저조한 이유를 토의 주제로 제시하고 있으므로 ①은 적절하다.

② 을은 첫 번째 발화에서 교통카드의 가격이 비싸다고 얘기하고, 두 번째 발화에서 지역 시민들의 한 달 평균 교통비가 70,000원이라는 조사 결과를 바탕으로 가격 인하를 주장하고 있다. 미리 준비한 자료를 이용하여 자신의 주장을 강화한 사람은 을이므로 ②는 적절하다.

④ 병은 두 번째 발화에서 을이 제시한 의견에 대해 '수익성 측면의 문제도 어느 정도 생각할 필요가 있어요.'라며 다른 측면에서 접근하여 교통카드 가격 인하에 대한 자신의 의견을 제시하고 있으므로 ④는 적절하다.

01 ②	02 ①	03 ④	04 ②	05 ①
06 ④	07 ②	08 ④	09 ④	10 ③
11 ①	12 ③	13 ③		

01

다음 글에서 (가)~(다)의 순서를 자연스럽게 배열한 것은?

빅데이터가 부각된다는 것은 기업들이 빅데이터의 가치를 받아들이기 시작했다는 뜻이다. 여기에는 기업들이 데이터를 바라보는 시각이 변한 측면도 있다. **화제 제시**

(가) 기업들은 고객이 판촉 활동에 어떻게 반응하고 평소에 어떻게 행동하며 사물에 대해 어떤 태도를 보이는지 알기 위해 많은 돈을 투자해 마케팅 조사를 해 왔다. ➡ (가): 빅데이터의 가치를 받아들이기 전의 상황

(나) 그런 상황에서 기업들은 SNS나 스마트폰 등 새로운 데이터 소스로부터 그러한 궁금증과 답답함을 해결할 수 있다는 것을 알게 되었다. 페이스북에 올리는 광고에 친구가 '좋아요'를 한 것에서 기업들은 궁금증과 답답함을 해결할 수 있다. ➡ (나): 빅데이터의 가치를 받아들인 후의 상황

(다) 그런데 기업들의 그런 노력이 효과가 있는 경우도 있었으나 아쉬운 점도 많았다. 쉬운 예로, 『기업들은 많은 광고비를 쓰지만 그 돈이 구체적으로 어느 부분에서 효과를 내는지는 알지 못했다.』 ➡ (다): 빅데이터의 가치를 받아들이기 전의 상황에 대한 구체적 사례

결국 데이터가 있는 곳에서 기업들은 점점 더 고객의 취향에 집중할 수 있게 되었으며, 이에 따라 기업들은 소셜미디어의 빅데이터를 중요한 경영 수단으로 수용하기 시작한 것이다.

① (가) - (나) - (다)   ☑ (가) - (다) - (나)

③ (나) - (가) - (다)   ④ (다) - (나) - (가)

해설 ② (가) - (다) - (나)의 순서가 가장 자연스럽다.

순서	순서 판단의 단서와 근거
(가)	첫 문단의 내용에 이어서 빅데이터의 가치가 부각되기 전, 기업의 마케팅 상황에 대해 설명함
(다)	지시 표현 '그런 노력': (가)에서 기업이 많은 돈을 투자해 마케팅 조사를 해 온 노력을 의미함
(나)	지시 표현 '그런 상황': (나)에서 기업들이 쓴 광고비가 어느 부분에서 효과를 내는지 알지 못하는 상황을 의미함

02

(가)~(다)를 맥락에 따라 가장 자연스럽게 배열한 것은?

> 독서는 아이들의 전반적인 뇌 발달에 큰 영향을 미친다.
>
> (가) 그에 따르면 뇌의 전두엽은 상상력을 관장하는데, 책을 읽으면 상상력이 자극되어 전두엽을 많이 사용하게 된다.
> *(나)의 A교수*
>
> (나) A 교수는 책을 읽을 때와 읽지 않을 때의 뇌 변화를 연구해서 세계적인 명성을 얻었다.
> *'독서'와 '뇌 발달'의 관계에 대한 연구 - 첫 문장의 내용과 연결됨*
>
> (다) 이처럼 책을 많이 읽으면 전두엽이 훈련되어 전반적인 뇌 발달의 가능성이 높아지는데, 그 결과는 교육 현장에서 실증된 바 있다.
>
> 독서를 많이 한 아이는 학교에서 더 좋은 성적을 낼 뿐 아니라 언어 능력도 발달한다는 사실이 밝혀진 것이다.
> *교육 현장에서 실증된 연구 결과*

① (나) - (가) - (다) ② (나) - (다) - (가)
③ (다) - (가) - (나) ④ (다) - (나) - (가)

해설 ① 맥락에 따라 가장 자연스럽게 배열한 것은 ① '(나) - (가) - (다)'이다.

순서	순서 판단의 단서와 근거
(나)	첫 문장 내용에 이어, 글의 중심 화제인 '독서와 뇌 발달'의 관계에 대한 연구를 소개함
(가)	지시 표현 '그에 따르면': (나)에서 말한 'A 교수'의 연구 내용을 의미함
(다)	· 지시 표현 '이처럼': (가)의 독서를 하면 전두엽을 많이 사용하게 되는 것을 가리킴 · 지시 표현 '그 결과': 마지막 문장에 '그 결과'에 대한 내용이 드러남

03

(가)~(다)를 맥락에 따라 가장 자연스럽게 배열한 것은?

> 우리는 숨을 무의식적으로 쉬며, 숨 쉴 때마다 매번 대뇌의 명령을 받지 않는다.
>
> (가) 그곳에서 시작하는 말초 신경들은 그 화학적 정보를 뇌간으로 전달하며, 뇌간의 신경 세포들은 이것을 분석한 후 손발을 척척 맞추어 숨을 내쉬거나 들이쉬도록 가로막이나 가슴뼈 사이의 근육들에게 명령한다.
> *(나)의 '화학적 수용체'*
>
> (나) 그것들은 우리 몸의 대사 상태에 따라 변화하는 혈액의 이산화탄소, 산소, 수소 이온 농도와 같은 정보를 경동맥 근처에 있는 화학적 수용체에 전해 준다.
> *(다)의 '신경 세포들'*
>
> (다) 이런 자율적 숨쉬기 기능은 뇌간(brainstem, 뇌의 가장 아랫부분을 지칭)에 위치한 몇몇 신경 세포들이 담당한다.
> *키워드*
>
> 즉 뇌간은 이런 몸의 화학 정보를 일일이 대뇌에 보고하지 않고 '자율적으로' 일을 하는 것이다.

① (나) - (가) - (다) ② (나) - (다) - (가)
③ (다) - (가) - (나) ④ (다) - (나) - (가)

해설 ④ (다) - (나) - (가)의 순서가 가장 자연스럽다.

순서	순서 판단의 단서와 근거
(다)	키워드 '자율적 숨쉬기': 첫 문장에서 말한 '숨을 대뇌의 명령 없이 무의식적으로 쉬는 것'을 가리킴
(나)	지시 표현 '그것들은': (다)에서 말한 '신경 세포들'을 가리킴
(가)	· 지시어 '그곳': (나)에서 말한 '화학적 수용체'를 가리킴 · 지시 표현 '그 화학적 정보': (나)에서 말한 '우리 몸의 대사 상태에 따라 변화하는 혈액의 이산화탄소, 산소, 수소 이온 농도와 같은 정보'를 가리킴

04

다음 글의 (가)와 (나)에 들어갈 적절한 말을 순서대로 바르게 짝지은 것은?

비즈니스 화법에서는 상사에게 보고할 때 결론부터 말하라고 한다. 이것도 맞는 말이다. 그렇지 않아도 바쁜데 주저리주저리 이야기를 길게 늘어놓으면 짜증이 난다. (가) 현실은 인간관계의 미묘한 심리가 복잡하게 얽혀 있는 비즈니스 사회다. 때로는 일부러 결론을 뒤로 미뤄 상대의 관심을 끌게 만들어야 할 때도 있다. 예를 들어, 회사에서의 라이벌 동료와의 관계처럼 자기와 상대의 힘의 균형이 미묘할 때이다.

당신과 상사, 당신과 부하라는 상하관계가 분명한 경우는 대응이 항상 사무적이 된다. 사무적인 관계에서는 쓸데없는 시간과 노력을 들이지 않아도 된다. (나) 같은 사내의 인간관계라도 라이벌 동료가 되면 일을 원활하게 해나가는 것만이 능사는 아니다. 권력 관계에서의 차이가 없는 만큼 미묘한 줄다리기가 필요하다. 이렇게 권력관계가 미묘한 상대와의 대화에서 탁월한 최면 효과를 발휘하는 것이 '클라이맥스 법'이다. 비즈니스 현장에서뿐만 아니라 미묘한 줄다리기를 요하는 연애 관계에서도 초기에는 클라이맥스 법이 그 위력을 발휘한다.

① 그러므로 – 그러므로

② 하지만 – 하지만

③ 하지만 – 그러므로

④ 그러므로 – 하지만

해설 ② (가)와 (나)에 들어갈 접속어는 순서대로 '하지만 – 하지만'이므로 답은 ②이다.

· (가): (가)의 앞에는 비즈니스 화법에서 상사에게 보고할 때는 결론부터 말해야 한다는 내용이 제시되어 있으나, (가)의 뒤에는 자기와 상대의 힘의 균형이 미묘할 때는 오히려 결론을 뒤로 미뤄야 한다는 상반된 내용이 제시되어 있다. 따라서 (가)에는 역접의 접속어 '하지만'이 들어가는 것이 적절하다.

· (나): (나)의 앞에는 상하관계가 분명한 사무적인 관계에서는 쓸데없는 시간과 노력을 들이지 않아도 된다는 내용이 제시되어 있으나, (나)의 뒤에는 사내의 인간관계라도 라이벌 동료와는 미묘한 줄다리기가 필요하다는 상반된 내용이 제시되어 있다. 따라서 (나)에는 역접의 접속어 '하지만'이 들어가는 것이 적절하다.

05

다음 중 (가)~(다)를 문맥에 맞는 순서대로 나열한 것은?

최근 수십 년간 세계 각국의 정부들은 공격적인 환경보호 조치들을 취해왔다. 대기오염과 수질오염, 살충제와 독성 화학물질의 확산, 동식물의 멸종 위기 등을 우려한 각국의 정부들은 인간의 건강을 증진하고 인간 활동이 야생 및 원시 지역에서 만들어 낸 해로운 결과를 줄이기 위해 상당한 자원을 투자해왔다.

(가) 그러나 이러한 규제 노력 가운데는 막대한 비용을 헛되이 낭비한 것들도 상당수에 달하며, 그중 일부는 해결하고자 했던 문제를 오히려 악화시키기도 했다.

(나) 이 중 많은 조치들이 커다란 성과를 거두었다. 이를테면 대기오염을 줄이려는 노력으로 수십만 명의 조기 사망과 수백만 가지의 질병을 예방할 수 있었다.

(다) 예를 들어,『새로운 대기 오염원을 공격적으로 통제할 경우, 기존의 오래된 오염원의 수명이 길어져서 적어도 단기적으로는 대기오염을 가중시킬 수 있다.』

① (나) → (가) → (다)

② (나) → (다) → (가)

③ (다) → (가) → (나)

④ (다) → (나) → (가)

해설 ① (나) → (가) → (다)의 순서가 가장 자연스럽다.

순서	순서 판단의 단서와 근거
(나)	키워드 '조치': 앞 문단에서 언급한 세계 각국의 정부들이 취한 환경보호 조치들이 커다란 성과를 거두고 있음을 설명함
(가)	접속어 '그러나': 환경보호 조치의 성과를 언급한 (나)와 상반되는 내용이 이어짐
(다)	접속 표현 '예를 들어': (가)에서 언급한 '문제점'에 대한 예를 (다)에서 제시함

06

다음 문장이 들어가기에 가장 적절한 곳을 ㉠~㉣에서 고르면?

> 신분에 따라 문체를 고착화하는 것을 인정하지 않았던 것이다.
> ➡ 앞의 내용을 재진술함

> 　유럽이 교회로부터 정신적으로 해방된 것은 그리스와 로마의 고대 작가들에 대한 재발견을 통해서였다. 　㉠　 그 이후 고대 작가들의 문체는 귀족 중심의 유럽 문화에서 모범으로 여겨졌다. 　㉡　 이러한 상황은 대략 1770년대에 시작되는 낭만주의에서부터 변화하기 시작했다. 　㉢　 이 낭만주의 시기에 평등과 민주주의를 꿈꿨던 신흥 시민 계급은 문학에서 운문과 영웅적 운명을 귀족에게만 전속시키고 하층민에게는 산문과 우스꽝스러운 상황을 배정하는 전통 시학을 거부했다. 　㉣　 고전 문학은 더 이상 문학의 규범이 아니었으며, 문학을 현실의 모방으로 인식하는 태도도 포기되었다.

① ㉠　　　② ㉡　　　③ ㉢　　　☑ ㉣

> **해설** ④ 제시된 문장은 생략된 주어가 신분에 따라 문체를 고착화하는 것을 인정하지 않았다고 재진술하는 문장이므로 앞선 문장에는 이와 같은 내용이 나와야 함을 알 수 있다. 이때 ㉣ 앞에는 낭만주의 시기의 신흥 시민 계급이 신분에 따라 문학을 배정하는 전통 시학을 거부했다는 내용이 제시되어 있으므로 제시된 문장은 ㉣ 뒤에 들어가는 것이 적절하다.

07

다음 글의 '동기화 단계 조직'에 따라 (가)~(마)를 배열한 것으로 가장 적절한 것은?

> 　설득하는 말하기의 메시지를 조직하는 방법으로 '동기화 단계 조직'이 있다. 이 방법의 세부 단계는 다음과 같다.
> 1단계: 주제에 대한 청자의 주의나 관심을 환기한다.
> 2단계: 특정 문제를 청자와 관련지어 설명함으로써 청자의 요구나 기대를 자극한다.
> 3단계: 해결 방안을 제시하여 청자의 이해와 만족을 유도한다.
> 4단계: 해결 방안이 청자에게 어떤 도움이 되는지 구체화한다.
> 5단계: 구체적인 행동의 내용과 방법을 제시하여 특정 행동을 요구한다.

주제

> (가) 지난주 제 친구는 일을 마친 후 자전거를 타고 집으로 돌아오다가 사고를 당해 머리를 다쳤습니다. ➡ 사례 언급해 주의, 관심 환기
>
> (나) 여러분이 자전거를 탈 때 헬멧을 착용하면 머리를 보호할 수 있습니다. ➡ 해결 방안
>
> (다) 아마 여러분도 가끔 자전거를 타는 경우가 있을 것입니다. 그런데 매년 2천여 명이 자전거를 타다가 머리를 다쳐 고생한다고 합니다. ➡ 청자의 요구, 기대 자극
> 청자 / 특정 문제
>
> (라) 만약 자전거를 타는 모든 사람이 헬멧을 착용한다면 자전거 사고를 당해도 뇌 손상을 비롯한 신체 피해를 75% 줄일 수 있습니다. 또 자전거 타기가 주는 즐거움과 편리함을 안전하게 누릴 수 있습니다. ➡ 청자의 이익 구체화
>
> (마) 자전거를 탈 때는 안전을 위해서 반드시 헬멧을 착용하시기 바랍니다. ➡ 구체적 방법 제시 및 행동 요구

① (가) - (나) - (다) - (라) - (마)

☑ (가) - (다) - (나) - (라) - (마)

③ (가) - (다) - (라) - (나) - (마)

④ (가) - (라) - (다) - (나) - (마)

> **해설** ② '동기화 단계 조직'에 따른 배열은 (가) - (다) - (나) - (라) - (마)이므로 ②가 가장 적절하다.
> · (가): 친구가 자전거 사고로 머리를 다친 사건을 언급하며 설득하기 위한 주제에 대한 청자의 주의나 관심을 환기하고 있으므로 '동기화 단계 조직'의 1단계에 해당한다.
> · (다): '자전거 사고 시 머리 부상'이라는 문제를 청자인 '여러분'과 관련지어 설명함으로써 청자의 요구를 자극하고 있으므로 '동기화 단계 조직' 2단계에 해당한다.
> · (나): 자전거 사고로 머리 다친 문제에 대해 '헬멧 착용'이라는 해결 방안을 제시함으로써 청자의 이해와 만족을 유도하고 있으므로 '동기화 단계 조직' 3단계에 해당한다.
> · (라): '헬멧 착용'이라는 해결 방안이 신체 피해를 75% 줄일 수 있다는 수치를 제시함으로써 문제에 대한 해결 방안이 청자에게 어떤 도움이 되는지 구체화하고 있으므로 '동기화 단계 조직' 4단계에 해당한다.
> · (마): 자전거를 탈 때는 반드시 헬멧을 착용하라고 특정 행동을 요구하고 있으므로 '동기화 단계 조직' 5단계에 해당한다.

08

다음 글의 전개 순서로 가장 자연스러운 것은?

> (가) 이 기관을 잘 수리하여 정련하면 그 작동도 원활하게 될 것이요, 수리하지 아니하여 노둔해지면 그 작동도 막혀 버릴 것이니 이런 기관을 다스리지 아니하고야 어찌 그 사회를 고취하여 발달케 하리오. ➡ '말과 글'의 중요성 (1)
>
> (나) 이러므로 말과 글은 한 사회가 조직되는 근본이요, 사회 경영의 목표와 지향을 발표하여 그 인민을 통합시키고 작동하게 하는 기관과 같다. ➡ '말과 글'의 역할
> 키워드
>
> (다) 말과 글이 없으면 어찌 그 뜻을 서로 통할 수 있으며, 그 뜻을 서로 통하지 못하면 어찌 그 인민들이 서로 이어져 번듯한 사회의 모습을 갖출 수 있으리오. (마)와 연계되는 내용 ➡ 사회를 갖추기 위해 필요한 '말과 글'
>
> (라) 그뿐 아니라 그 기관은 점점 녹슬고 상하여 필경은 쓸 수 없는 지경에 이를 것이니 그 사회가 어찌 유지될 수 있으리오. 반드시 패망을 면하지 못할지라. ➡ '말과 글'의 중요성 (2)
>
> (마) 사회는 여러 사람이 그 뜻을 서로 통하고 그 힘을 서로 이어서 개인의 생활을 경영하고 보존하는 데에 서로 의지하는 인연의 한 단체라. ➡ '사회'의 정의
> 화제 제시
>
> – 주시경, '대한국어문법 발문' 중에서

① (마) – (가) – (다) – (나) – (라)

② (마) – (가) – (라) – (다) – (나)

③ (마) – (다) – (가) – (라) – (나)

✔ (마) – (다) – (나) – (가) – (라)

해설 ④ (마) – (다) – (나) – (가) – (라)의 순서가 가장 자연스럽다.

순서	순서 판단의 단서와 근거
(마)	접속어나 지시어로 시작하지 않으면서 글의 중심 화제인 '사회'를 정의함
(다)	(마)의 내용에 이어 사회를 갖추기 위해 필요한 요소로 '말과 글'을 제시함
(나)	키워드 '말과 글': (다)에서 제시한 '말과 글'의 역할을 설명함
(가)	지시 표현 '이 기관': (나)에서 설명한 '기관(말과 글)'에 해당함
(라)	접속 표현 '그뿐 아니라': (가)에서 설명한 '기관'을 수리하지 않을 때 일어나는 결과에 대해 덧붙여 설명함

09

다음 글의 전개 순서로 가장 자연스러운 것은?

> (가) 과거에는 고통만을 안겨 주었던 지정학적 조건이 이제는 희망의 조건이 되고 있습니다. 이제 한반도는 사람과 물자가 모여드는 동북아 물류와 금융, 비즈니스의 중심지가 될 것입니다. 우리가 주도해서 평화와 번영의 동북아 시대를 열어 나가야 합니다.
> 경제 강국으로서 미래 우리나라의 모습
>
> (나) 100년 전 우리는 수난과 비극의 역사를 겪었습니다. 해양으로 나가려는 세력과 대륙으로 진출하려는 세력이 한반도를 가운데 놓고 싸움을 벌였습니다. 마침내 우리는 국권을 상실하는 아픔을 감수해야 했습니다.
> 화제 제시
>
> (다) 지금은 무력이 아니라 경제력이 국력을 좌우하는 시대입니다. 우리나라는 전쟁의 폐허를 극복하고 세계적인 경제 강국을 건설하고 있습니다. 우수한 인력과 세계 선두권의 정보화 기반을 갖추고 있습니다. 바다와 하늘과 땅을 연결하는 물류 기반도 손색이 없습니다.
> 키워드
>
> (라) 그 아픔은 분단으로 이어져서 오늘에 이르고 있습니다. 그 과정에서는 정의가 패배하고 기회주의가 득세하는 불행한 역사를 겪었습니다. 그러나 이제 우리에게도 새로운 희망의 시대가 열리고 있습니다. 세계의 변방으로 머물러 있던 동북아시아가 북미·유럽 지역과 함께 세계 경제의 3대 축으로 떠오르고 있습니다.

① (가) – (나) – (다) – (라)

② (가) – (라) – (나) – (다)

③ (나) – (가) – (라) – (다)

✔ (나) – (라) – (다) – (가)

순서	순서 판단의 단서와 근거
(나)	지시 표현이나 접속어로 시작하지 않으면서 지정학적 조건으로 인해 아픔을 겪었던 우리 민족의 역사를 제시함
(라)	지시 표현 '그 아픔': (나)의 '국권을 상실하는 아픔'을 가리킴
(다)	키워드 '경제력': (라)의 내용을 이어받아 오늘날은 경제력이 중요하며 우리나라가 경제 강국으로 거듭나고 있음을 제시함
(가)	(다)에 이어서 우리나라가 주도해야 할 긍정적인 미래에 대해 언급하며 글을 마무리함

10
다음 글의 전개 순서로 가장 자연스러운 것은?

(가) 젊은이들 가운데 약삭빠르고 방탕하여 어딘가에 얽매이는 것을 싫어하는 자들이 이 말을 듣고 제 세상 만난 듯 기뻐하여 앉고 서고 움직이는 예절을 마음에 내키는 대로 한다.
겉모습을 단정하게 하지 않음

(나) 성인께서도 사람을 가르치실 때 먼저 겉모습부터 단정히 해야만 바야흐로 자신의 마음을 안정시킬 수 있다고 하시었다. 세상에 비스듬히 눕고 기대서서 멋대로 말하고 멋대로 보면서 주경존심(主敬存心)*할 수 있는 사람은 없다.
→ 필자의 주장: 겉모습을 단정히 하는 것의 중요성

(다) 근래 어떤 자가 반관(反觀)*으로 이름을 떨쳐 겉모습을 단정하게 꾸미는 것을 가식이요, 허위라고 한다.
화제 제시   비판적 관점

(라) 나도 예전에 이 병에 깊이 걸렸던 터라 늙어서까지 예절을 익히지 못했으니 비록 후회해도 고치기가 어렵다.

(마) 지난번 너를 보니 옷깃을 가지런히 하여 똑바로 앉는 것을 즐기지 않아 장중하고 엄숙한 기색을 조금도 볼 수 없었는데, 이는 내 병통이 한 바퀴 돌아 네가 된 것이다.
키워드
- 정약용, '두 아들에게 부침'

* 주경존심(主敬存心): 공경하는 마음을 간직함.
* 반관(反觀): 남들이 하는 대로 보지 않고 거꾸로 보거나 반대로 생각하는 것.

① 가 - 나 - 다 - 라 - 마
② 나 - 라 - 마 - 다 - 가
③ 다 - 가 - 라 - 마 - 나
④ 마 - 라 - 가 - 나 - 다

순서	순서 판단의 단서와 근거
(다)	글의 중심 화제인 '겉모습을 단정히 하는 것'에 대한 비판적 관점을 제시함으로써 흥미를 유발함
(가)	지시 표현 '이 말': (다)의 '어떤 자'가 한 말을 가리킴
(라)	지시 표현 '이 병': (가)의 젊은이들처럼 예절을 익히지 않고 마음에 내키는 대로 행동하는 것을 가리킴
(마)	키워드 '내 병통': (라)에서 필자가 예전에 예절을 익히지 못했던 것을 가리켜 '이 병'에 걸렸다고 표현하였는데, 필자의 아들도 겉모습이 단정하지 않은 것을 보고 (라)에 이어서 '내 병통'이 한 바퀴 돌아 네가 되었다고 표현함
(나)	필자가 아들에게 궁극적으로 전달하고자 하는 바를 정리하여 결론으로 제시함

11
(가)~(라)에 들어갈 말로 가장 적절한 것은?

정철, 윤선도, 황진이, 이황, 이조년 그리고 무명씨. 우리말로 시조나 가사를 썼던 이들이다. 황진이는 말할 것도 없고 무명씨도 대부분 양반이 아니었겠지만 정철, 윤선도, 이황은 양반 중에 양반이었다. (가) 그들이 우리말로 작품을 썼던 걸 보면 양반들도 한글 쓰는 것을 즐겨 했다는 것을 부정할 수는 없다. (나) 허균이나 김만중은 한글로 소설까지 쓰지 않았던가. (다) 이들이 특별한 취향을 가진 소수의 양반이었다면 이야기는 달라진다. 우리말로 된 문학 작품을 만들겠다는 생각을 가진 특별한 양반들을 제외하고 대다수 양반들은 한문을 썼기 때문에 한글을 모를 수도 있었기 때문이다. 실학자 박지원이 당시 양반 사회를 풍자한 작품 『호질』은 한문으로 쓰여 있다. (라) 한 가지 분명한 것은 양반 대부분이 한글을 이해하지 못하는 상황이었다면 정철도 이황도 윤선도도 한글로 작품을 쓰지는 않았을 것이란 사실이다.

화제 전환의 접속어 / 화제 전환
내용을 덧붙이는 접속어 / (나)의 앞 내용에 덧붙이는 내용
역접의 접속어
(다)의 앞 내용과 상반되는 내용
역접의 접속어
(라)의 앞 내용과 상반되는 내용

	(가)	(나)	(다)	(라)
✓①	그런데	게다가	그렇지만	그러나
②	그런데	그리고	그래서	또는
③	그리고	그러나	하지만	즉
④	그래서	더구나	따라서	하지만

해설 ① (가)~(라)에 들어갈 접속어는 순서대로 '그런데 – 게다가 – 그렇지만 – 그러나'이므로 답은 ①이다.

· (가): (가)의 앞에는 우리말로 시조나 가사를 썼던 작가들 중 정철, 윤선도, 이황은 양반이었다는 내용이 제시되고, (가)의 뒤에서 양반들도 한글을 즐겨 사용했음을 부정할 수 없다는 내용이 나온다. 따라서 (가)에는 화제를 다른 방향으로 전환할 때 쓰는 접속어 '그런데'가 들어가는 것이 적절하다.

· (나): (나)의 앞에는 양반들도 한글을 사용하여 작품을 썼다는 내용이 제시되고, (나) 뒤에는 허균이나 김만중은 한글로 소설까지 썼다는 내용이 나온다. 따라서 (나)에는 앞에서 언급한 사실에 또 다른 내용을 덧붙일 때 사용하는 접속어 '게다가, 더구나' 또는 앞뒤의 내용을 병렬적으로 이어 주는 접속어 '그리고'가 들어가는 것이 적절하다.

· (다): (다)의 앞에는 양반들이 한글을 쓰는 것을 즐겨했다는 내용이 제시되고, (다)의 뒤에는 소수의 양반들을 제외한 대다수 양반들은 한문을 사용했다는 상반된 내용이 나온다. 따라서 (다)에는 역접의 접속어 '그렇지만, 하지만'이 들어가는 것이 적절하다.

· (라): (라)의 앞에는 대다수 양반들이 한글을 몰랐을 가능성에 대한 내용이 제시되고, (라)의 뒤에는 정철, 이황, 윤선도를 언급하며 대부분의 양반들이 한글을 이해했을 것이라는 상반된 내용을 설명하고 있다. 따라서 (라)에는 역접의 접속어 '그러나, 하지만'이 들어가는 것이 적절하다.

12

⊙~⑩의 전개 순서로 가장 자연스러운 것은?

> 폭설, 즉 대설이란 많은 눈이 시간적, 공간적으로 집중되어 내리는 현상을 말한다.
>
> ⊙ 그런데 눈은 한 시간 안에 5 cm 이상 쌓일 수 있어 순식간에 도심 교통을 마비시키는 위력을 가지고 있다.
> 대설이 사회에 미치는 영향 (1)
>
> ⓛ 또한 경보는 24시간 신적설이 20 cm 이상 예상될 때이다.
> 대설 경보의 기준
>
> ⓒ 다만, 산지는 24시간 신적설이 30 cm 이상 예상될 때 발령된다.
> 대설 경보의 예외적 상황
>
> ⓔ 이때 대설의 기준으로 주의보는 24시간 새로 쌓인 눈이 5 cm 이상이 예상될 때이다.
> 대설 주의보의 기준
>
> ⑩ 이뿐만 아니라 운송, 유통, 관광, 보험을 비롯한 서비스 업종과 사회 전반에 영향을 미친다.
> 대설이 사회에 미치는 영향 (2)

① ⊙ - ⑩ - ⓛ - ⓒ - ⓔ

② ⊙ - ⓔ - ⑩ - ⓒ - ⓛ

✓③ ⓔ - ⓛ - ⓒ - ⊙ - ⑩

④ ⓔ - ⊙ - ⑩ - ⓒ - ⓛ

해설 ③ ⓔ - ⓛ - ⓒ - ⊙ - ⑩의 순서가 가장 자연스럽다.

순서	순서 판단의 단서와 근거
ⓔ	앞서 설명한 '대설'의 개념에 더하여 '대설 주의보'의 기준을 설명하고 있음
ⓛ	접속어 '또한': ⓔ에서 설명한 '대설 주의보'의 기준에 이어 '대설 경보'의 기준을 설명함
ⓒ	접속어 '다만': ⓛ의 설명에 예외적인 사항을 덧붙임
⊙	접속어 '그런데': 화제를 앞 내용과 관련시키면서 내용을 다른 방향으로 이끌어 나감
⑩	접속 표현 '이뿐만 아니라': ⊙에서 설명한 내용에 덧붙여 또 다른 눈의 위력에 대해 설명함

13

(가)~(라)를 맥락에 맞추어 가장 적절하게 나열한 것은?

(가) 클리셰는 이러한 반복되는 특징 때문에 장르 규범과 자주 비교된다. 하지만 이 둘은 분명히 다르다. 장르 규범이 장르에서 마땅히 따르고 지켜야 할 기준이라면, 클리셰는 특별한 기준이 없는 무의식적인 반복에 가깝다.

(나) 오늘날 클리셰는 판에 박힌 듯이 쓰이는 표현이나 문구
화제 제시
를 지칭하는 말로 사용된다. 영화에서 사용될 때도 마찬가지로 오랫동안 습관적으로 쓰여 뻔하게 느껴지는 표현이나 캐릭터, 표현 기법 등을 종합하여 지칭한다.

(다) 하지만 클리셰가 영화에서 반드시 배제해야 할 요소는
(라) 마지막 문장과 상반된 내용이 제시됨
아니다. 적절히만 사용하면 관객이 이를 바탕으로 작품의 내용을 쉽게 이해할 수 있게 돕는다. 따라서 감독은 클리셰를 사용하되, 지극히 전략적으로 접근해야 한다.

(라) 예를 들어, 『영화에는 주동 인물과 반동 인물이 존재하
장르 규범의 예
는데』이는 영화라는 장르에서 플롯을 전개하기 위해 반드시 갖추어야 할 조건으로 모든 영화가 이러한 규범을 따른다. 반면 『클리셰는 주인공이 상대방에게 첫눈에 반
클리셰의 예
하는 것과 같이』장르의 규범과는 무관하게 여러 작품들에서 반복적으로 목격되는 요소들이며, 관객들로 하여금 식상함을 느끼게 한다.

---

① (가) - (나) - (라) - (다)

② (가) - (다) - (라) - (나)

③ (나) - (가) - (라) - (다)

④ (나) - (가) - (다) - (라)

해설 ③ (가)~(라)를 맥락에 맞추어 가장 적절하게 나열한 것은
③ '(나) - (가) - (라) - (다)'이다.

순서	순서 판단의 단서와 근거
(나)	지시 표현과 접속 표현 없이 '클리셰'라는 중심 화제를 제시함
(가)	지시 표현 '이러한 반복되는 특징': (나)에서 언급한 오랫동안 습관적으로 쓰이는 클리셰의 반복적인 특징을 가리킴
(라)	접속 표현 '예를 들어': (가)에서 언급한 클리셰와 장르 규범의 차이에 대한 이해를 돕기 위해 각각에 대한 예를 제시함
(다)	접속어 '하지만': (라)에서 클리셰가 관객에게 식상함을 준다는 것과 상반되는 클리셰의 긍정적인 기능을 제시함

2장 추론 및 비판적 독해

01 숨겨진 내용 추론하기   p.90

01 ④	02 ①	03 ③	04 ③	05 ①
06 ④	07 ④	08 ④	09 ③	10 ③
11 ①	12 ③	13 ①	14 ①	

01

다음 글의 시사점으로 적절하지 않은 것은?

> 기존의 의학적 연구는 건강한 성인 남성의 몸을 표준으로
> 삼아 이루어지는 경우가 많았다. (원인) 예를 들어 농약과 같은 화
> 학 물질이 몸에 들어와 어떠한 변화를 일으키는지 검토한 연
> 구에서 생리 주기에 따라 변화하는 여성 호르몬이 그 물질과
> 어떤 상호 작용을 일으킬 수 있는지는 고려되지 않았다. 자동
> 차 충돌 사고를 인체 공학적으로 시뮬레이션할 때도 특정 연
> 령대 남성의 몸이 연구 대상으로 사용되었고, 여성의 신체 특
> 성이나 다양한 연령대 남성의 신체적 특성은 고려되지 않았
> 다.
>
> 특정 연령대 성인 남성의 몸을 표준화된 인체로 여겼던 사
> 고방식은 여러 문제점을 낳고 있다. (결과) 예를 들어 대사율, 피부
> 와 조직 두께 등을 감안한, 사람이 가장 효과적으로 일할 수
> 있는 사무실 온도는 21°C로 알려져 있다. 그런데 한 연구에서
> 남성과 여성 직장인에게 각각 선호하는 사무실 온도를 조사
> 한 결과는 남성은 평균 22°C, 여성은 평균 25°C였다. 남성은
> 기존의 적정 실내 온도에 가까운 답을 했고, 여성은 더 따뜻
> 한 사무실에서 일하기를 원했다.
>
> 이러한 차이의 이유는 무엇일까? 현재 적정 사무실 온도로
> (선택지 ④의 근거) 알려진 21°C는 1960년대 측정된 자료를 바탕으로 하는데, 당
> 시 몸무게 70kg인 40세 성인 남성을 기준으로 측정된 것이
> 다. 이러한 '표준화된 신체'를 가진 남성의 대사율은 여성이
> 나 다른 연령대 남성들의 대사율과 다르고, 당연히 체내 열
> 생산의 양도 차이가 있다.

① 표준으로 삼은 대상이 나머지 대상의 특성까지 대표하지 못하
므로 앞으로 의학적 연구를 하려면 하나의 표준을 정하기보
다 가능한 한 다양한 대상을 선정해서 하는 것이 바람직하다.

② 현재 우리가 알고 있는 의학 지식 중에는 특정 표준 대상만을
연구한 결과인 것이 있으므로 앞으로 이런 의학 지식을 활용
하려면 연구한 대상을 살펴봐서 그대로 활용할지를 결정하는
것이 바람직하다.

③ 성별이나 연령대 등에 따라 신체 조건이 같지 않으므로 근무
환경을 조성할 때 근무자들의 성별이나 연령대를 고려하는 것
이 바람직하다.

✔④ 기존의 사무실 적정 실내 온도가 조사된 것보다 낮게 설정되어
있으므로 향후에 모든 공공 기관의 사무실 온도를 조정할 때
현재보다 설정 온도를 일률적으로 높이는 것이 바람직하다.
➡ 성별, 연령, 신체적 특성을 고려해야 함

해설 ④ 기존의 사무실 적정 실내 온도가 비교적 낮게 설정된 것은 특
정 몸무게와 연령대의 성인 남성을 표준으로 삼아 측정된 자
료를 활용했기 때문이다. 따라서 사무실 적정 실내 온도는 근
무자들의 연령대와 성별 등의 신체 조건을 고려하여 조정하
는 것이 바람직하다는 것을 추론할 수 있으므로 모든 공공 기
관 사무실의 적정 실내 온도를 일률적으로 높이는 것은 적절
하지 않다.

오답 분석 ① 3문단을 통해 특정 연령대 성인 남성의 몸을 표준으로 삼은
'표준화된 신체'는 나머지 대상의 특성까지 대표하지 못한다
는 것을 알 수 있다. 따라서 하나의 표준을 정하기보다 다양
한 대상을 선정해서 의학적 연구를 하는 것이 바람직하다는
것을 추론할 수 있다.

② 1문단을 통해 현재 우리가 알고 있는 의학 지식 중에는 특정
표준 대상만을 연구한 결과인 것이 있음을 알 수 있다. 따라
서 앞으로 의학 지식을 활용하려면 연구한 대상에 대한 논의
가 추가적으로 필요하다는 것은 시사점으로 볼 수 있다.

③ 3문단을 통해 '표준화된 신체'의 기준을 여성이나 다른 연령
대의 남성에게도 적용하는 것은 무리가 있으므로 근무 환경
을 조성할 때 근무자들의 성별이나 연령대를 고려하는 것이
바람직하다는 것을 알 수 있다.

02

다음 글에서 추론한 내용으로 적절하지 않은 것은?

> 프랑스에서 의무교육 제도를 실시하면서 정규학교에 입학
> (선택지 ①의 근거) 하기 어려운 지적장애아, 학습부진아를 가려내고자 하였다.
> 이에 기초 학습 능력 평가를 목적으로, 1905년 최초의 IQ 검
> 사가 이루어졌다. 이 검사를 통해 비로소 인간의 지능을 구
> (선택지 ②의 근거) 체적으로 수치화하고 객관적으로 비교할 수 있게 되었다.

이후 오랫동안 IQ가 높으면 똑똑한 사람, 그렇지 않으면 머리가 좋지 않고 학습에도 부진한 사람으로 판단했다. 물론 IQ가 높은 아이는 그렇지 않은 아이에 비해 읽거나 계산 등 _{선택지 ④의 근거} 사고 기능과 관련된 과목에서 높은 성취도를 보이는 경우가 많다. 이는 IQ 검사가 기초 학습에 필요한 최소 능력인 언어 이해력, 어휘력, 수리력 등을 측정하기 때문이다. 학습의 기초 능력을 측정하는 IQ 검사에서 높은 점수를 받은 아이는 동일한 능력을 측정하는 학업 평가에서도 높은 점수를 받을 가능성이 크다. ~~하지만~~ 문제는 IQ 검사가 인간의 지능 중 일 _{선택지 ③의 근거} 부만을 측정한다는 점이다.

☑ 최초의 IQ 검사는 ~~학습 능력이 우수한~~ 아이를 고르기 위해 시행되었다.　➡ 지적장애아, 학습 부진아

② IQ 검사가 만들어지기 전에는 인간의 지능을 수치로 비교할 수 없었다.

③ IQ가 높은 아이라도 전체 지능은 높지 않을 수 있다.

④ IQ가 높은 아이가 읽기 능력이 좋을 확률이 높다.

해설 ① 1문단에 따르면, 최초의 IQ 검사는 프랑스에서 의무교육 제도를 실시하면서 정규학교에 입학하기 어려운 지적장애아, 학습부진아를 가려내고자 기초 학습 능력 평가를 목적으로 시행되었다. 따라서 학습 능력이 우수한 아이를 고르기 위해 최초의 IQ 검사가 시행되었다는 ①의 추론은 적절하지 않다.

오답 분석 ② 1문단 마지막 문장에서 IQ 검사를 통해 비로소 인간의 지능을 구체적으로 수치화할 수 있게 되었다고 설명한다. 이는 IQ 검사가 만들어지기 전에는 인간의 지능을 수치화할 수 없었다는 것을 의미하므로 ②의 추론은 적절하다.

③ 2문단 마지막 문장에서 IQ 검사는 인간의 지능 중 일부(기초 학습에 필요한 최소 능력)만을 측정하는 것이라고 설명한다. 따라서 IQ가 높은 아이라도 전체 지능은 높지 않을 수 있으므로 ③의 추론은 적절하다.

④ 2문단 3~5번째 줄에서 IQ가 높은 아이는 그렇지 않은 아이에 비해 읽거나 계산 등 사고 기능과 관련된 과목에서 높은 성취도를 보이는 경우가 많다고 설명한다. 즉, IQ가 높은 아이는 읽기 능력이 좋을 확률이 높으므로 ④의 추론은 적절하다.

03

다음 글에서 추론한 내용으로 가장 적절한 것은?

미셸 교수는 마시멜로 실험을 하였다. 아동들에게 마시멜로를 하나씩 주고 15분간 먹지 않으면 하나 더 주겠다고 한 뒤 아이가 못 참고 먹는지 아니면 끝까지 참는지를 관찰하였다. 아이들이 참을성을 발휘한 시간은 평균 2분이었지만, 25%의 아이들은 끝까지 참아 내 마시멜로를 더 먹을 수 있었다. 흥미로운 점은 12년이 지나서 당시 실험에 참가했던 아이들을 추적 조사한 결과이다. 1분 이내에 마시멜로를 먹은 아이들은 학교나 가정에서 문제를 일으키는 경우가 많았지만, 15분간 참을성을 발휘한 아이들은 1분 이내에 마시멜로를 먹은 아이보다 대학 진학 시험 점수 평균이 훨씬 더 높았다. 이 실험 결과는 감정이나 욕망을 조절할 수 있는 자기 통제력이 큰 사람이 미래의 성공 가능성이 더 크다는 것을 보여 준다.

이후 비슷한 실험이 이루어졌다. ~~그런데~~ 이 실험에서는 마시멜로에 뚜껑을 덮어 두고 기다리게 했다는 점에서 차이가 있었다. 실험 결과 뚜껑이 없이 기다리게 했던 경우보다 뚜껑 _{선택지 ③의 근거} 을 덮었을 때 두 배 가까이 더 아이들이 잘 참을 수 있었다. 뚜껑 하나라는 아주 작은 차이가 아이들의 참을성을 크게 향상시킨 셈이다.

① 자기 통제력이 낮은 아동일수록 주변 환경이 열악하다. ➡ 알 수 없음

② 자기 통제력은 선천적 요인보다 후천적 요인에 더 영향을 받는다.　➡ 알 수 없음

☑ 자기 통제력을 발휘하는 데에는 환경적 요인이 중요하게 작용한다.

④ 자기 통제력이 높은 아동은 유아기부터 가정과 학교에서 사랑과 관심을 많이 받는다. ➡ 알 수 없음

해설 ③ 2문단에서 설명한 실험 결과에 따르면, 마시멜로에 뚜껑을 덮지 않고 기다리게 했던 경우보다 뚜껑을 덮었을 때 두 배 가까이 아이들이 마시멜로를 먹지 않고 잘 참을 수 있었다고 한다. 이를 통해 자기 통제력을 발휘하는 데에는 시각적 자극을 차단하는 등의 환경적 요인(마시멜로에 뚜껑을 덮음)이 중요하게 작용함을 추론할 수 있다.

오답 분석 ① '자기 통제력'과 '주변 환경의 질적 상태'에 상관관계가 있다는 것은 지문을 통해 추론할 수 없다.

② 두 요인 중 어떤 요인이 '자기 통제력'에 더 큰 영향을 미치는지는 지문을 통해 추론할 수 없다.

④ '자기 통제력'과 유아기부터 받는 '사랑과 관심의 정도'에 상관관계가 있다는 것은 지문을 통해 추론할 수 없다.

04

다음은 〈보기〉에 제시된 글의 핵심 내용을 정리한 것이다. 가장 잘 이해한 것은?

〈보기〉

'무엇인가', '어떠한 것인가'라는 물음에 대응하는 내용이 '질'이고 '어느 정도'라는 물음에 대응하는 내용이 '양'이다. 『'책상이란 무엇인가' 또는 '책상이 어떠한 것인가'를 알기 위 ('질'과 '양'을 설명하기 위한 예시) 해 사전에서 '책상'을 찾으면, "책을 읽거나 글을 쓰는 상"으로 나와 있다. 이것이 책상을 의자와 찬장 및 그 밖의 유사한 사물들과 구분해 주는 책상의 '질'이다. 예를 들어 "이 책상의 높이는 어느 정도인가?" 라고 물으면 "70cm이다" 라고 답한다. 이때 말한 '70cm'가 바로 '양'이다.』 그런데 책상의 높이는 70cm가 60cm로 되거나 40cm로 된다고 하더라도 그것 (선택지 ③의 근거 (1) – 양의 변화가 질의 변화를 이끌지 못함) 이 책상임에는 변함이 없다. 성인용 책상에서 아동용 책상으로, 의자 달린 책상에서 앉은뱅이책상으로 바뀐다고 하더라도 그것이 '책을 읽거나 글을 쓰는 상'으로서의 기능은 수행할 수 있기 때문이다. 그러나 책상의 높이를 일정한 한도가 넘는 수준, 예컨대 70cm를 1cm로 낮추어 버리면 그 책상은 (선택지 ③의 근거 (2) – 양의 변화가 일정 한도를 넘으면 질의 변화를 초래함) 나무판에 가까운 것으로 변하여 책상의 기능을 수행할 수 없게 되어 더 이상 책상이라 할 수 없게 될 것이다.

① 양의 변화는 질의 변화를 초래하고 질의 변화는 양의 변화를 이끈다.

② 양의 변화가 누적되면 질의 변화가 일어나므로 양의 변화는 변화된 양만큼 질의 변화를 이끈다.

☑ 양의 변화는 일정한 한도 내에서 질의 변화를 이끌지 못하지만 어느 한도를 넘으면 질의 변화를 초래한다.

④ 양의 변화든 질의 변화든 변화는 모두 본래의 상태로 환원되는 과정이기 때문에 두 변화는 본질적으로 동일하다.

해설 ③ 지문은 '무엇인가'라는 물음에 대응하는 대상의 '질'과 '어느 정도'라는 물음에 대응하는 대상의 '양'에 대해 책상을 예로 들어 설명하고 있다. 이때 지문 3~8번째 줄을 통해 책상의 '질'은 책상의 '사전적 정의'와 같이 책상을 다른 사물과 구분해 주는 특성이며, 책상의 '양'은 책상의 '높이'와 같이 수치화할 수 있는 특성임을 알 수 있다. 이어서 '질'과 '양'의 관계에 대해 설명하고 있는데, 끝에서 4~9번째 줄에 의하면 책상의 높이가 변하더라도 책상으로서의 기능을 수행할 수 있다면, 그 대상을 여전히 책상으로 정의할 수 있다.

하지만 끝에서 1~4번째 줄에 의하면 책상의 높이가 일정한 한도를 넘어 책상으로서의 기능을 수행할 수 없을 정도로 변화한다면 그 대상은 더 이상 책상으로 정의할 수 없다. 이를 통해 '양'의 변화는 일정한 한도 내에서는 '질'의 변화를 이끌지 못하지만 어느 한도를 넘으면 '질'의 변화를 초래한다는 것을 알 수 있으므로 답은 ③이다.

05

다음 글에서 추론한 내용으로 가장 적절한 것은?

논리 실증주의자들에 따르면, 만약 어떤 것이 과학일 경우 (선택지 ①의 근거) 거기에서 사용되는 문장은 유의미하다. 그들은 유의미한 문장의 기준으로 소위 '검증 원리'라고 불리는 것을 제안했다. 검증 원리란, 경험을 통해 참이나 거짓을 검증할 수 있는 문 (선택지 ②④의 근거) 장은 유의미하고 그렇지 않은 문장은 유의미하지 않다는 것이다. 다음 두 문장을 예로 생각해 보자.

『(가) 달의 다른 쪽 표면에 산이 있다.

(나) 절대자는 진화와 진보에 관계하지만, 그 자체는 진화하거나 진보하지 않는다.』

위 두 문장 중 경험을 통해 검증할 수 있는 것은 무엇인가? 비록 현실적으로 큰 비용이 들기는 하지만 (가)는 분명히 경 (선택지 ③의 근거) 험을 통해 진위를 밝힐 수 있다. 즉 우리는 (가)의 진위를 확정하기 위해서 무엇을 경험해야 하는지 알고 있다는 것이다. 이런 점에 근거하여 논리 실증주의자들은 (가)는 검증할 수 있고, 유의미한 문장이라고 판단한다. 그럼 (나)는 어떠한가? 우리는 무엇을 경험해야 (나)의 진위를 확정할 수 있는가? 논리 실증주의자들은 그런 것은 없다고 주장하고, 이에 (나)는 검증할 수 없고 과학에서 사용될 수 없는 무의미한 문장이라고 말한다.

☑ 논리 실증주의자들에 따르면 무의미한 문장을 사용하는 것은 과학이 ~~아니다~~

② 논리 실증주의자들에 따르면 ~~과학의 문장들만~~이 유의미하다.
➡ '경험'을 통해 검증할 수 있는 문장들만이

③ 검증 원리에 따르면 아직까지 경험되지 않은 것을 언급한 문장은 ~~무의미~~하다. ➡ 무엇을 경험해야 할지가 명확한 경우 유의미함

④ 검증 원리에 따르면 거짓인 문장은 ~~무의미~~하다.
➡ 경험을 통해 '거짓'임을 검증한 문장은 '유의미한 문장'임

해설 ① 1문단 1~2번째 줄에서 논리 실증주의자들은 어떤 것이 과학일 경우, 그것에 사용되는 문장은 유의미하다고 하였으므로 반대로 어떤 것에 사용된 문장이 무의미한 문장이라면 그것은 과학이 아닐 것임을 추론할 수 있다.

오답 분석 ② 1문단 4~6번째 줄에서 논리 실증주의자들이 경험을 통해 참이나 거짓으로 검증될 수 있는 문장들만이 유의미하다고 하였음을 알 수 있으나, 과학의 문장들만이 유의미한 것인지는 지문을 통해 추론할 수 없다.

③ 2문단 2~4번째 줄을 통해 아직까지 경험하지 않았더라도 진위를 확정하기 위해 무엇을 경험해야 하는지 알 수 있는 문장이라면 유의미한 문장으로 판단할 수 있음을 알 수 있으므로 ③의 추론은 적절하지 않다.

④ 1문단 4~6번째 줄을 통해 경험을 통해 참과 거짓을 검증할 수 있는 문장은 유의미하다고 하였으므로 경험을 통해 문장이 거짓임을 검증할 수만 있다면 유의미한 문장임을 추론할 수 있다. 따라서 ④의 추론은 적절하지 않다.

06

다음 글에서 추론한 내용으로 가장 적절한 것은?

컴퓨터에는 자유 의지가 있을까? 나아가 컴퓨터에 도덕적 의무를 귀속시킬 수 있을까? 컴퓨터는 다양한 전기 회로로 구성되어 있고, 물리 법칙, 프로그래밍 방식, 하드웨어의 속성 등에 따라 필연적으로 특정한 초기 상태로부터 다음 상태로 넘어간다. 마찬가지로 두 번째 상태에서 세 번째 상태로 이동하고, 이러한 과정이 계속해서 이어진다. 즉 컴퓨터는 결정론적 법칙의 지배를 받는 시스템이라는 것이다. (ㄱ'의 근거) 그럼 이러한 시스템에는 자유 의지가 있을까?

결정론적 법칙의 지배를 받는 시스템의 중요한 특징은 주 (ㄷ'의 근거) 어진 조건에 따라 결과가 하나로 고정된다는 점이다. 다시 말해, 이러한 시스템에는 항상 하나의 선택지만 있을 뿐이다. 그런 뜻에서 결정론적 지배를 받는다는 것과 자유 의지를 가진다는 것은 양립할 수 없음이 분명하다. 어떤 선택을 할 때 그것과 다른 선택을 할 수도 있다는 것은 자유 의지의 필요조건이기 때문이다. 결국 결정론적 법칙의 지배를 받는 시스템은 자유 의지를 가지지 않는다. 또한 자유 의지를 가지지 (ㄱ, ㄴ, ㄷ'의 근거) 않는 시스템에 도덕적 의무를 귀속시킬 수 없음은 당연하다.

― 〈보기〉 ―

ㄱ 컴퓨터는 자유 의지를 가지지 않으며 도덕적 의무의 귀속 대상일 수도 없다.

ㄴ 도덕적 의무를 귀속시킬 수 있는 시스템은 결정론적 법칙의 지배를 받지 않는다.

ㄷ 어떤 선택을 할 때 그것과 다른 선택을 할 수 없는 시스템은 자유 의지를 가지지 않는다.

① ㄱ, ㄴ   ② ㄱ, ㄷ

③ ㄴ, ㄷ   ☑ ㄱ, ㄴ, ㄷ

해설 ④ 지문을 통해 추론할 수 있는 내용은 ㄱ, ㄴ, ㄷ이다.

· ㄱ: 1문단 끝에서 2~3번째 줄을 통해 컴퓨터는 결정론적 법칙의 지배를 받는 시스템임을 알 수 있고 2문단 끝에서 1~3번째 줄을 통해 결정론적 법칙의 지배를 받는 시스템은 자유 의지를 가지지 않고 도덕적 의무를 귀속시킬 수 없음을 알 수 있다. 따라서 결정론적 법칙의 지배를 받는 컴퓨터는 자유 의지를 가지지 않으며 도덕적 의무의 귀속 대상도 아닐 것임을 추론할 수 있다.

· ㄴ: 2문단 끝에서 1~3번째 줄을 통해 결정론적 법칙의 지배를 받는 시스템은 자유 의지를 갖지 않고 도덕적 의무를 귀속시킬 수 없다고 하였다. 이를 미루어 보아 만약 도덕적 의무를 귀속시킬 수 있는 시스템이 있다면 그것은 결정론적 법칙의 지배를 받지 않을 것임을 추론할 수 있다.

· ㄷ: 2문단 1~4번째 줄을 통해 결정론적 법칙의 지배를 받는 시스템은 항상 하나의 선택지만 있으므로 다른 선택을 할 수 없음을 알 수 있다. 또한 2문단 끝에서 2~3번째 줄을 통해 그러한 결정론적 법칙의 지배를 받는 시스템은 자유 의지를 가질 수 없다고 하였으므로 적절하다.

07

다음 글에서 추론할 수 있는 것은?

포도주는 유럽 문명을 대표하는 술이자 동시에 음료수다. 우리는 대개 포도주를 취하기 위해 마시는 술로만 생각하기 쉬우나 유럽에서는 물 대신 마시는 '음료수'로서의 역할이 크다. 유럽의 많은 지역에서는 물이 워낙 안 좋아서 맨 물을 그냥 마시면 위험하기 때문에 제조 과정에서 안전성이 보장된 포도주나 맥주를 마시는 것이다. 이런 용도로 일상적으로 마시는 식사용 포도주로는 당연히 고급 포도주와는 다른 저렴 (선택지 ③의 근거) 한 포도주가 쓰이며, 술이 약한 사람들은 여기에 물을 섞어서 마시기도 한다.

소비의 확대와 함께, 포도주의 생산을 다른 지역으로 확산시키려는 노력도 계속되어 왔다. [포도주 생산의 확산에서 가장 큰 문제는 포도 재배가 추운 북쪽 지역으로 확대되기 힘들다는 점이다.] 자연 상태에서는 포도가 자라는 북방 한계가 이탈리아 정도에서 멈춰야 했지만, 중세 유럽에서 수도원마다 온갖 노력을 기울인 결과 포도 재배가 상당히 북쪽까지 올라갔다. 『대체로 대서양의 루아르강 하구로부터 크림반도와 조지아를 잇는 선』이 상업적으로 포도를 재배할 수 있는 북방한계선이다.

문제(한계) — 선택지 ②의 근거

적정한 기온은 포도주 생산 가능 여부뿐 아니라 생산된 포도주의 질을 결정하는 중요한 요인이다. 너무 추운 지역이나 너무 더운 지역에서는 포도주의 품질이 떨어질 수밖에 없다. 추운 지역에서는 포도에 당분이 너무 적어서 그것으로 포도주를 담그면 신맛이 강하게 된다. 반면 **너무 더운 지역에서는** 섬세한 맛이 부족해서 '흐물거리는' 포도주가 생산된다(그 대신 이를 잘 활용하면 포르토나 셰리처럼 도수를 높인 고급 포도주를 만들 수 있다). 그러므로 고급 포도주 주요 생산지는 보르도나 부르고뉴처럼 너무 덥지도 않고 너무 춥지도 않은 곳이다. **다만 달콤한 백포도주의 경우는 샤토 디켐** (Château d'Yquem)처럼 뜨거운 여름 날씨가 지속하는 곳에서 명품이 만들어진다.

선택지 ①의 근거 (1) / *선택지 ①의 근거 (2)*

포도주의 수요는 전 유럽적인 데 비해 생산은 이처럼 지리적으로 제한됐기 때문에 포도주는 일찍부터 원거리 무역 품목이 됐고, 언제나 고가품 취급을 받았다. 그런데 한 가지 기억해야 할 점은 이렇게 수출되는 고급 포도주는 오래된 포도주가 아니라 바로 그해에 만든 술이라는 점이다. 우리는 포도주는 오래될수록 좋아진다고 믿는 경향이 있지만, **대부분의 백포도주 혹은 중급 이하 적포도주는 시간이 지날수록 오히려 품질이 떨어진다.** 시간이 흐를수록 품질이 개선되는 것은 일부 고급 적포도주에만 한정된 이야기이며, 그나마 포도주를 병에 담아 코르크 마개를 끼워 보관한 이후의 일이다.

선택지 ④의 근거

① 고급 포도주는 ~~늘~~ 너무 덥지도 춥지도 않은 곳에서 재배된 포도로 만들어졌다. ➡ 포르토, 셰리, 샤토 디켐은 매우 더운 지역에서도 생산됨

② 루아르강 하구로부터 크림반도와 조지아를 잇는 선은 이탈리아보다 ~~남쪽~~에 있을 것이다. ➡ 북쪽

③ 유럽에서 일상적으로 마시는 식사용 포도주는 저렴한 포도주거나 ~~고급 포도주~~에 물을 섞은 것이다. ➡ 저렴한 포도주

☑ 병에 담겨 코르크 마개를 끼운 고급 백포도주는 보관 기간에 비례하여 품질이 개선되지 ~~않을~~ 것이다. ➡ 일부 고급 적포도주에만 해당

해설 ④ 4문단 끝에서 1~5번째 줄을 통해 대부분의 백포도주는 시간이 흐를수록 품질이 떨어지며, 코르크 마개를 끼운 포도주가 시간이 흐를수록 품질이 개선되는 경우는 일부 고급 적포도주에만 해당됨을 알 수 있다. 따라서 코르크 마개를 끼운 고급 백포도주가 보관기간에 비례하여 품질이 개선되지 않을 것이라는 ④의 추론은 적절하다.

오답분석 ① 3문단 5~8번째 줄과 3문단 끝에서 1~3번째 줄을 통해 더운 지역에서도 고급 포도주를 생산할 수 있음을 알 수 있다. 따라서 모든 고급 포도주는 너무 덥지도 춥지도 않은 곳에서 재배된 포도로 만들어진다는 ①의 추론은 적절하지 않다.

② 2문단 4~9번째 줄을 통해 포도를 재배할 수 있는 북방 한계가 '이탈리아 정도'에서 '루아르강 하구부터 크림반도와 조지아를 잇는 선'까지 올라갔음을 알 수 있다. 따라서 루아르강 하구부터 크림반도와 조지아를 잇는 선이 이탈리아보다 남쪽일 것이라는 ②의 추론은 적절하지 않다.

③ 1문단 끝에서 1~3번째 줄을 통해 유럽에서 일상적으로 마시는 식사용 포도주는 저렴한 포도주이고, 술이 약한 사람은 저렴한 포도주에 물을 섞어 마신다는 것을 알 수 있다. 따라서 유럽에서 일상적으로 마시는 식사용 포도주가 고급 포도주에 물을 섞은 것이라는 ③의 추론은 적절하지 않다.

2장 추론 및 비판적 독해 해커스공무원 국어 1권 독해+논리

08

다음 글의 내용을 통해 도출할 수 있는 내용으로 가장 적절하지 않은 것은?

미생물은 오늘날 흔히 질병과 연관된 것으로 여겨진다. 1762년 마르쿠스 플렌치즈는 미생물이 체내에서 증식함으로써 질병을 일으키고, 이는 공기를 통해 전염될 수 있다고 주장했으며, 모든 질병은 각자 고유의 미생물을 갖고 있다고 말했다. 그러나 유감스럽게도 그 주장에 대한 증거가 없었으므로 플렌치즈는 외견상 하찮아 보이는 미생물들도 사실은 중요하다는 점을 다른 사람들에게 납득시킬 수가 없었다. 심지어 한 비평가는 그처럼 어처구니없는 가설에 반박하느라 시간을 허비할 생각이 없다며 대꾸했다.

그런데 19세기 중반 들어 프랑스의 화학자 루이 파스퇴르에 의해 상황이 바뀌기 시작했다. 파스퇴르는 세균이 술을 식초로 만들고 고기를 썩게 한다는 사실을 연달아 증명한 뒤 만약 세균이 발효와 부패의 주범이라면 질병도 일으킬 수 있을 것이라고 주장했다. 이러한 배종설은 오랫동안 이어져 내려온 자연발생설에 반박하는 이론으로서 플렌치즈 등에 의해 옹호되었지만 아직 논란이 많았다. 사람들은 흔히 썩어가는 물질이 내뿜는 나쁜 공기, 즉 독기가 질병을 일으킨다고 생각했다. 1865년 파스퇴르는 이런 생각이 틀렸음을 증명했다. 그는 미생물이 누에에게 두 가지 질병을 일으킨다는 사실을 입증한 뒤, 감염된 알을 분리하여 질병이 전염되는 것을 막음으로써 프랑스의 잠사업을 위기에서 구했다.

한편 독일에서는 로베르트 코흐라는 내과 의사가 지역농장의 사육동물을 휩쓸던 탄저병을 연구하고 있었다. 때마침 다른 과학자들이 동물의 시체에서 탄저균을 발견하자, 1876년 코흐는 이 미생물을 쥐에게 주입한 뒤 쥐가 죽은 것을 확인했다. 그는 이 암울한 과정을 스무 세대에 걸쳐 집요하게 반복하여 번번이 똑같은 현상이 반복되는 것을 확인했고, 마침내 세균이 탄저병을 일으킨다는 결론을 내렸다. 배종설이 옳았던 것이다.

파스퇴르와 코흐가 미생물을 효과적으로 재발견하자 미생물은 곧 죽음의 아바타로 캐스팅되어 전염병을 옮기는 주범으로 여겨지기 시작했다. 탄저병이 연구된 뒤 20년에 걸쳐 코흐를 비롯한 과학자들은 한센병, 임질, 장티푸스, 결핵 등의 질병 뒤에 도사리고 있는 세균들을 속속 발견했다. 이러한 발견을 견인한 것은 새로운 도구였다. 이전에 있었던 렌즈를 능가하는 렌즈가 나왔고, 젤리 비슷한 배양액이 깔린 접시에서 순수한 미생물을 배양하는 방법이 개발되었으며, 새로운 염색제가 등장하여 세균의 발견과 확인을 도왔다.

세균을 확인하자 과학자들은 거두절미하고 세균을 제거하는 작업에 착수했다. 조지프 리스터는 파스퇴르에게서 영감을 얻어 소독 기법을 실무에 도입했다. 그는 자신의 스태프들에게 손과 의료 장비와 수술실을 화학적으로 소독하라고 지시함으로써 수많은 환자들을 극심한 감염으로부터 구해냈다. 또, 다른 과학자들은 질병 치료, 위생 개선, 식품 보존이라는 명분으로 세균 차단 방법을 궁리했다. 그리고 세균학은 응용과학이 되어 미생물을 쫓아내거나 파괴하는데 동원되었다. 과학자들은 미생물과의 전쟁을 선포하고, 병든 개인과 사회에서 미생물을 몰아내는 것을 목표로 삼은 것이다. 이렇게 미생물에 대한 인식이 형성되었으며 그 부정적 태도는 오늘날에도 지속되고 있다.

① 세균은 미생물의 일종이다.
② 세균은 화학적인 방법으로 제거할 수 있다.
③ 미생물과 질병의 연관성에 대한 인식은 통시적으로 변화해왔다.
④ 코흐는 새로운 도구의 개발 이전에 질병을 유발하는 미생물들을 발견했다.

해설 ④ 4문단 4~6번째 줄을 통해 새로운 도구가 개발됨에 따라 코흐를 비롯한 학자들이 질병을 유발하는 세균들을 발견할 수 있었다는 것을 알 수 있으므로 ④의 내용은 도출할 수 없다.

오답분석 ① 2문단에서 파스퇴르가 미생물이 누에에게 질병을 일으킨다는 사실로 세균이 질병을 일으키는 원인임을 입증했다는 내용과 3문단에서 코흐가 미생물(탄저균)을 쥐에게 주입하는 실험을 통해 세균이 탄저병을 일으킨다는 결론을 냈다는 내용을 통해 세균이 미생물의 일종임을 도출할 수 있다.
② 5문단 3~6번째 줄을 통해 조지프 리스터는 세균을 제거하기 위해 손, 의료 장비, 수술실을 화학적으로 소독함으로써 환자들을 감염으로부터 보호했음을 알 수 있다. 이를 통해 세균은 화학적인 방법으로 제거할 수 있음을 도출할 수 있다.

③ 지문을 통해 1762년에 플렌치즈가 미생물(세균)이 질병을 일으킨다는 주장을 했을 때는 사람들이 믿지 않았으나, 19세기 중반 이후 파스퇴르와 코흐의 연구로 인해 사람들이 미생물로 인해 질병이 발생한다고 여겼음을 알 수 있다. 따라서 미생물과 질병의 연관성에 대한 인식이 통시적으로 변화했음을 도출할 수 있다.

09

다음 글을 바탕으로 ㉠을 이해할 때 가장 적절한 것은?

나는 ㉠'연극에서의 관객의 공감'에 대해 강연한 일이 있다. 나는 관객이 공감하는 것을 직접 보여 주려고 시도했다. 먼저 나는 자원자가 있으면 나와서 배우처럼 읽어 주기를 청했다. 그리고 청중에게는 연극의 관객이 되어 들어 달라고 했다. 한 사람이 앞으로 나왔다. 나는 그에게 아우슈비츠를 소재로 한 드라마의 한 장면이 적힌 종이를 건네주었다. 자원자가 종이를 받아들고 그것을 훑어볼 때 청중들은 어수선했다. 그런데 자원자의 입에서 떨어진 첫 대사는 끔찍한 내용이었다. 아우슈비츠에 관한 적나라한 증언은 너무나 충격적이어서 청중들은 완전히 압도되었다. 자원자는 청중들의 얼어붙은 듯한 침묵 속에서 낭독을 계속했다. 자원자의 낭독은 세련되지도 능숙하지도 않았다. 그러나 관객들의 열렬한 공감을 이끌어 냈다. 과거 역사가 현재의 관객들에게 생생하게 공감되었다.

이것이 끝나고 이번에는 강연장에 함께 갔던 전문 배우에게 셰익스피어의 희곡 「헨리 5세」에서 발췌한 대사를 낭독해 달라고 부탁했다. 그 대본은 400년 전 아젱쿠르 전투(백년 전쟁 당시 벌어졌던 영국과 프랑스의 치열한 전투)에서 처참하게 사망한 자들의 명단과 그 숫자를 나열한 것이었다. <u>그는 셰익스피어의 위대한 희곡임을 알아보자 품위 있고 고풍스</u>
선택지 ①②③의 근거
<u>럽게 큰 목소리로 낭독했다.</u> 그는 유려한 어조로 전쟁에서 희생된 이들의 이름을 읽어 내려갔다. ~~그러나~~ 청중들은 듣는 둥 마는 둥 했다. 갈수록 청중들은 낭독자 따위는 안중에도 없다는 듯이 행동했다. 그들에게 아젱쿠르 전투는 공감할 수 없는 것으로 분리된 것 같아 보였다. 앞서의 경우와는 전혀 다른 반응이었다.

① 배우의 연기력이 관객의 공감을 ~~좌우~~한다.
  ➡ 전문 배우도 공감 불러일으키는 데 실패
② 비참한 죽음을 다룬 비극적인 소재는 관객의 공감을 일으킨다.
  ➡ 아닐 수도 있음
☑ 훌륭한 고전이라고 해서 항상 청중의 공감을 불러일으킬 수 있는 것은 아니다. ➡ 셰익스피어의 『헨리 5세』
④ 현재와 가까운 역사적 사실을 극화했다고 해서 관객의 공감 가능성이 커지는 ~~않는다~~. ➡ 커진다.

해설 ③ 지문에서 아우슈비츠를 소재로 한 드라마의 한 장면이 낭독되었을 때는 관객들의 열렬한 공감을 이끌어 냈지만 셰익스피어의 희곡이 낭독되었을 때는 관객들의 공감을 얻지 못했음을 알 수 있다. 따라서 훌륭한 고전이라고 해서 ㉠'연극에서의 관객의 공감'을 불러일으킬 수 있는 것은 아니라는 점을 추론할 수 있다.

오답 분석 ① 전문 배우가 유려하게 희곡의 대사를 낭독했지만 관객의 공감은 이끌어내지 못했으므로, 배우의 연기력이 관객의 공감을 좌우한다고 볼 수 없다.
② 전문 배우가 낭독한 대본 역시 비참한 죽음을 다룬 비극적인 소재임에도 불구하고 관객의 공감을 일으키지 못했음을 알 수 있다.
④ 지문에 의하면 아젱쿠르 전쟁보다 현재와 가까운 역사적 사실인 아우슈비츠 수용소 사건이 아젱쿠르 전쟁보다 관객의 공감을 더 잘 이끌어내었음을 알 수 있다. 따라서 현재와 가까운 역사적 사실을 극화할수록 관객의 공감이 커질 가능성이 있음을 추론할 수 있다.

10

(가)와 (나)를 통해서 추정하기 어려운 내용은?

> (가) 찬성공 형제께서 정경부인의 상(喪)을 당하였다. 부윤공
> 의 부인 이 씨가 우연히 언문 소설을 읽다가 그 소리가
> _{선택지 ②의 근거}
> 밖으로 들렸다. 찬성공이 기뻐하지 않으며 제수를 계단
> 아래에 서게 하고, "부녀자의 무식을 심하게 책망할 필요
> 는 없지만, 어찌 상중(喪中)에 있으면서 예의에 어긋난
> _{선택지 ①④의 근거}
> 책을 소리 내어 읽어서 스스로 평민과 같아지려 할 수
> 있는가?" 하고 꾸짖었다.
>
> (나) 전기수: 늙은이가 동문 밖에 살면서 입으로 언문 소설을
> 읽었는데, 「숙향전」, 「소대성전」, 「심청전」, 「설인귀전」과
> 같은 전기소설이었다. … 잘 읽었기 때문에 옆에서 구경하
> 는 사람들이 빙 둘러섰다. 가장 재미있고 긴요하여 매우
> 들을 만한 구절에 이르면 갑자기 침묵하고 소리를 내지
> 않았다. 사람들이 다음 이야기를 듣고 싶어서 다투어 돈
> 을 던졌다. 이를 바로 '요전법(돈을 요구하는 법)'이라 한다.

① 상층 남성들은 상중의 예법에 대해 매우 엄격하였다.

② 혼자 소설을 보면서 소리 내어 읽기도 하였다.

③ 하층에서도 소설을 창작하는 사람이 ~~많았다.~~ ✓

④ 상층이 아닌 하층에서도 소설을 즐겼다.

> **해설** ③ (가)의 끝에서 1~3번째 줄과 (나)를 통해 하층에서도 소설을
> 즐기는 사람들이 많았음은 알 수 있으나 창작하는 사람이 많
> 았다는 내용은 추정하기 어려우므로 답은 ③이다.
>
> **오답분석** ① (가)의 끝에서 1~3번째 줄을 통해 상층 남성들은 상중의 예
> 법에 대해 매우 엄격했음을 알 수 있다.
> ② (가)의 1~3번째 줄을 통해 혼자 소설을 보면서 소리 내어 읽
> 기도 하였음을 알 수 있다.
> ④ (가)의 끝에서 2~3번째 줄을 통해 하층에서도 소설을 즐겼
> 음을 알 수 있다.

11

(가)를 바탕으로 (나)에 담긴 글쓴이의 생각을 적절히 추론한
것은?

> (가) 철학사에서 합리론의 전통은 감각에 대해 매우 비판적
> 이었다. 예컨대 플라톤은 감각이 보여 주는 세계를 끊임
> _{선택지 ②의 근거 (1)}
> 없이 변화하는, 전적으로 불안정한 세계로 간주하고 이
> 에 근거하여 지식을 얻는 것은 불가능하다고 생각했다.
> 반대로 경험론자들은 우리의 모든 관념과 판단은 감각
> 경험에서 출발한다고 주장하면서 어떤 지식도 절대적으
> 로 확실할 수는 없다고 결론짓는다.
>
> (나) 모든 사람은 착시 현상 등을 경험해 본 적이 있기에 감각
> 이 우리를 속일 수 있다는 것을 분명히 알고 있고 감각에
> 대한 어느 정도의 경계심을 지니고 있다. 하지만 그렇다
> 고 해서 일상생활에서 자신의 감각을 신뢰하고 이에 따
> 라 행동하는 것은 잘못이 아니다. 모든 감각적 정보를 검
> _{선택지 ②의 근거 (2)}
> 증 절차를 거친 후 받아들이다가는 정상적 생활을 영위
> 하는 것 자체가 불가능해질 것이기 때문이다. 반대로,
> 실용적 기술 개발이나 평범한 일상적 행동과는 달리 과
> _{선택지 ①③④의 근거}
> 학적 연구는 상당한 정도의 정확성을 요구하므로 경험
> 적 자료에 대해 어느 정도의 경계심을 유지하는 것도 당
> 연하다.

① 실용적 기술을 개발하는 것은 일차적으로 경험론적 사고에
토대를 둔다. ✓

② 세계는 끊임없이 변화하므로 일상생활에서는 합리론적 사고
를 우선하여야 한다.

③ 과학 연구는 합리론을 버리고 철저히 경험론을 바탕으로 이
루어져야 한다.

④ 감각에 대한 신뢰는 어느 분야에나 전적으로 차별 없이 요구
된다.

> **해설** ① (가)는 경험을 신뢰할 수 있는지의 여부를 기준으로 합리론
> 과 경험론에 대해 대조적으로 설명하고 있다. 이때 (나)의 끝
> 에서 1~5번째 줄을 통해 (나)의 글쓴이는 과학적 연구는 실
> 용적 기술 개발이나 평범한 일상적 행동과 달리 경험적 자료
> 에 경계심을 유지해야 한다고 보는데, 이는 합리론에 가까운
> 주장임을 알 수 있다. 이를 통해 (나)의 글쓴이가 실용적 기
> 술 개발과 관련해서는 경험론적 사고에 토대를 두어야 한다
> 고 생각하는 것을 추론할 수 있으므로 ①의 추론은 적절하
> 다.

② (가)의 2~3번째 줄을 통해 세계가 불안정하다는 것(끊임없이 변화한다는 것)은 합리론적 사고임을 알 수 있다. 반면 (나)의 끝에서 5~7번째 줄을 통해 (나)의 글쓴이는 모든 감각적 정보를 검증 절차를 통해 받아들이면 일상생활을 영위하는 것이 불가능하다고 보는 것을 알 수 있다. 이는 (가)의 경험론에 가까운 주장이므로 일상생활에서 합리론적 사고를 우선하여야 한다는 ②의 추론은 적절하지 않다.

③ (나)의 끝에서 1~5번째 줄을 통해 (나)의 글쓴이는 과학적 연구에는 경험적 자료에 대해 어느 정도 경계심을 유지할 필요가 있다고 보는 것을 알 수 있다. 이는 감각(=경험)에 대해 비판적인 합리론에 가까운 주장이므로 철저히 경험론을 바탕으로 과학 연구가 이루어져야 한다는 ③의 추론은 적절하지 않다.

④ (나)의 끝에서 1~5번째 줄을 통해 (나)의 글쓴이는 과학적 연구에서 경험적 자료에 대한 경계심을 유지해야 한다고 보는 것을 알 수 있다. 따라서 감각에 대한 신뢰는 어느 분야에나 차별 없이 요구된다는 ④의 추론은 적절하지 않다.

12

다음 글에서 추론한 내용으로 가장 적절한 것은?

> 애덤스(J.Stacy Adams)는 조직 구성원의 동기와 연결한 **공정성 이론**을 제시하였다. 공정성 이론에 의하면 조직 내의
> 선택지 ① ②의 근거
> 구성원은 업무 과정에서 투입한 것과 산출된 것을 다른 사람의 투입, 산출과 비교하여 조직 내 자신의 행동을 결정한다. 이때 투입은 노력, 지식, 기술, 업무 성과 등을 말하며, 산출은 일한 대가로 주어지는 보상으로서 임금, 인정, 지위, 승진 등을 포함한다.
>
> 　자신의 투입 대비 산출이 다른 사람의 투입 대비 산출 결
> 선택지 ② ③의 근거
> 과와 일치하는 경우 그 사람은 **공정함**을 느낄 것이며, 일에 대한 만족감을 얻는다. 한편 **불공정**은 자기와 다른 사람을
> 선택지 ①의 근거 (2)
> 비교하였을 때, 투입 대비 산출이 큰 경우와 투입 대비 산출이 적은 경우에 발생한다. 전자의 경우에는 주로 투입을 늘린다.
> 선택지 ④의 근거
> 반면 투입 대비 산출이 적은 경우에 조직 구성원은 전자보다 더 큰 불만족을 느끼고 이러한 불공정을 줄이고자 방안을 모색하는데, 대개 산출을 증대시키기 위해 애쓰거나, 투입을 줄이거나, 비교의 대상이 되는 사람 또는 집단을 교체하여 현실적인 수준에서 비교가 이루어지도록 한다.

① 자신이 업무 성과가 다른 동료의 업무 성과에 미치지 못할 경우 불공정을 경험할 것이다. ➡ 산출은 비교하지 않았음(공정성 판단 불가)

② 연봉 협상에서 자신이 회사의 성장에 기여한 만큼 연봉을 올린다면 공정함을 느낄 것이다.
➡ 투입, 산출을 비교할 동료가 없음(공정성 판단 불가)

③ 자신과 동료가 업무에서 낸 (성과가 동일)하고 받는 (연봉도 동일)하다면 일에 대한 (만족감)을 느낄 것이다. ➡ 투입 = 성과

④ 자신이 노력한 것에 비해 다른 사람들보다 더 많은 월급을 받고 있다고 생각한다면, 그 사람은 노력의 양을 (줄일) 것이다.
➡ 투입의 양을 늘릴 것임

해설 ③ 2문단 1~3번째 줄에 의하면 다른 사람과 자신의 투입 대비 산출이 일치하는 경우, 그 사람은 공정성을 느끼고 일에 대한 만족감 얻을 것이라고 하였다. ③은 자신의 투입(업무 성과) 대비 산출(연봉)이 동료와 일치하므로 일에 대한 만족감을 얻을 것이라고 추론할 수 있다.

오답분석 ① 1문단 2~5번째 줄에 의하면 공정성 이론에서 조직의 구성원은 자신과 타인의 투입 대비 산출을 비교함으로써 자기의 행동을 결정한다고 하였으며, 2문단 3~5번째 줄에서 불공정은 투입 대비 산출이 크거나 적은 경우에 발생한다고 하였다. ①은 자신과 다른 동료의 투입(업무 성과)만을 비교하였을 뿐 산출을 비교하지 않았으므로, 제시된 진술만으로는 불공정을 경험할 것인지 추론할 수 없다.

② 1문단 2~5번째 줄에 의하면 공정성 이론에서 조직의 구성원은 자신과 타인의 투입 대비 산출을 비교함으로써 자기의 행동을 결정한다고 하였으며, 2문단 1~3번째 줄에서 자신과 타인의 투입 대비 산출이 일치할 경우 공정함을 느끼고 만족감을 얻는다고 하였다. 하지만 ②에는 투입 대비 산출을 비교 대상이 존재하지 않으므로, 공정함을 느낄 것이라고 추론할 수 없다.

④ 자신이 노력한 것에 비해 다른 사람들보다 더 많은 월급을 받는 것은 다른 사람에 비해 투입(노력) 대비 산출(월급)이 큰 경우에 해당한다. 2문단 5번째 줄에 의하면 이러한 경우 조직 구성원이 주로 투입을 늘린다고 하였으므로 더 노력하거나, 더 많은 지식이나 기술을 습득하거나, 업적을 쌓고자 할 것이다. 따라서 노력의 양을 줄일 것이라는 ④의 추론은 적절하지 않다.

13
다음 글에서 추론한 내용으로 가장 적절한 것은?

> 심리학자 애쉬가 심리 실험을 진행하였다. 그는 한 명의 실제 피험자와 일곱 명의 연구진으로 구성된 그룹을 만들었다. 그리고 실제 피험자에게 일곱 명의 연구진이 가짜 피험자임을 알려주지 않았다. 애쉬는 여덟 명의 피험자들을 한 연구실에 모으고, 그들에게 두 장의 카드를 주었다. 먼저 준 카드에는 직선이 하나 그어져 있었고, 이후에 준 카드에는 세 개의 직선이 그어져 있었다. 세 개의 직선 중 하나는 첫 번째 카드의 직선과 길이가 똑같았으며 나머지 두 개의 직선은 첫 번째 카드의 직선과 길이가 전혀 달랐다.
>
> 애쉬는 실제 피험자가 가장 마지막에 응답하도록 자리를 배치한 후 피험자들에게 두 번째 카드의 직선 3개 중 첫 번째 카드에 있는 직선과 길이가 똑같은 직선을 찾으라는 과제를 주었다. 그러면서 **일곱 명의 가짜 피험자에게 같은 과제를 수**
선택지 ③의 근거
행할 때마다 동일한 오답을 자신감 있게 대답하라고 요구하였다. 놀랍게도 실제 피험자는 답이 명확한 직선 대신 가짜
선택지 ①의 근거
피험자들이 답이라고 우기는 직선을 답으로 선택하였다. 일곱 명의 가짜 피험자들의 동일한 목소리가 실제 피험자의 선
선택지 ④의 근거
택에 영향을 끼친 것이다.

✔ 실제 피험자는 진실을 추구하는 존재이기보다는 주변 사람들에게 순응하려는 존재이다.

② 가짜 피험자들은 주변 사람들에게 순응하려는 존재이기보다는 진실을 추구하는 존재이다.

③ 가짜 피험자들은 두 번째 카드의 직선 중에서 첫 번째 카드의 직선과 같은 길이의 직선이 어떤 것인지 알지 못한다.

④ 실제 피험자에게 세 개의 직선이 그려진 두 번째 카드를 첫 번째 카드보다 먼저 주었다면, 실제 피험자는 답이 명확한 직선을 골랐을 것이다.

① 2문단 끝 3~4번째 줄에서 실제 피험자는 답이 명확한 직선 대신 가짜 피험자들이 답이라고 우기는 직선을 답으로 선택하였다는 것을 알 수 있다. 명확한 답(진실)을 추구하기보다는 가짜 피험자의 의견에 순응하는 모습을 보였기 때문에 ①의 추론이 적절하다.

② 지문에서 가짜 피험자들이 진실을 추구하는 존재라는 내용은 찾을 수 없다. 따라서 ②의 추론은 적절하지 않다.

③ 2문단 4~6번째 줄에서 가짜 피험자들은 애쉬의 요구에 따라 일부러 동일한 오답을 말했다는 것을 알 수 있다. 그들이 오답을 선택한 이유는 두 번째 카드의 직선 중에서 첫 번째 카드의 직선과 같은 길이의 직선이 어떤 것인지 알지 못해서가 아니라 애쉬가 요구했기 때문이다. 따라서 ③의 추론은 적절하지 않다.

④ 2문단 끝 1~3번째 줄에서 가짜 피험자들의 동일한 목소리가 실제 피험자의 선택에 영향을 끼친 것이라는 내용만 있을 뿐, 주어진 카드의 순서가 실제 피험자의 선택에 변화를 일으킨다는 내용은 없다. 따라서 ④의 추론은 적절하지 않다.

14
다음 글에서 추론한 내용으로 적절하지 않은 것은?

> 새의 몸에서 나오는 테스토스테론은 구애 행위나 짝짓기와 밀접하게 관련된다. 따라서 번식기가 아닌 시기에는 거의 분비되지 않는데, 번식기에 나타나는 테스토스테론의 수치 변화 양상은 새의 종류에 따라 다르다.
>
> 노래참새 수컷의 테스토스테론 수치는 짝짓기에 성공하여 암컷의 수정이 이루어지는 시점을 전후하여 달라진다. 번식기가 되면 수컷은 암컷의 마음을 얻는 데 필요한 영역을 차지하려고 다른 수컷과 싸워야 한다. 이 시기 수컷의 테스토스
선택지 ②의 근거
테론 수치는 암컷의 수정이 이루어질 때까지 계속 높아진다. 그러다가 수정이 이루어지면 수컷은 곧바로 새끼를 돌볼 준비를 하게 되는데, 이때부터 그 수치는 떨어진다. 새끼가 커서 둥지를 떠나게 되면 수컷은 더 이상 영역을 지킬 필요가
선택지 ①의 근거
없기 때문에 번식기가 끝나지 않았는데도 테스토스테론 수치는 좀 더 떨어지고, 번식기가 끝나면 테스토스테론은 거의
선택지 ④의 근거
분비되지 않는다.
>
> 검정깃찌르레기 수컷은 테스토스테론 수치가 번식기가 되
선택지 ③ ④의 근거
면 올라갔다가 암컷이 수정한 이후부터 번식기가 끝날 때까지 떨어지지 않는다. 이 수컷은 자신의 둥지를 지키면서 암컷과 새끼를 돌보는 대신 다른 암컷과의 짝짓기를 위해 자신의 둥지를 떠나 버린다.

✔️① 노래참새 수컷은 번식기 동안 테스토스테론 수치가 새끼를 양육할 때보다 양육이 끝난 후에 ~~높게~~ 나타난다.
→ 낮게

② 번식기 동안 노래참새 수컷의 테스토스테론 수치는 암컷의 수정이 이루어지기 전보다 이루어진 후에 낮게 나타난다.

③ 검정깃찌르레기 수컷은 암컷이 수정한 이후 번식기가 끝날 때까지 테스토스테론 수치가 떨어지지 않는다.

④ 노래참새 수컷과 검정깃찌르레기 수컷 모두 번식기의 테스토스테론 수치는 번식기가 아닌 시기의 테스토스테론 수치보다 높다.

해설 ① 2문단 끝 2~5번째 줄에 따르면, 노래참새 수컷의 테스토스테론 수치는 '새끼가 커서 둥지를 떠나게 되면(양육이 끝나면)' 새끼를 돌볼 때보다 좀 더 떨어진다. 따라서 노래참새의 테스토스테론 수치가 새끼를 양육할 때보다 양육이 끝난 후에 높게 나타난다는 ①은 적절하지 않다.

오답
분석 ② 2문단 4~7번째 줄에 따르면, 번식기 노래참새 수컷의 테스토스테론 수치는 암컷의 수정이 이루어질 때까지 계속 높아지다가 수정이 이루어지면 그 수치가 떨어진다. 따라서 번식기 동안 노래참새 수컷의 테스토스테론 수치가 암컷의 수정이 이루어지기 전보다 이루어진 후에 낮게 나타난다는 ②는 적절하다.

③ 3문단 1~3번째 줄에 따르면, 검정깃찌르레기 수컷은 테스토스테론 수치가 번식기가 되면 올라갔다가 암컷이 수정한 이후부터 번식기가 끝날 때까지 떨어지지 않는다. 따라서 ③은 적절하다.

④ 2문단 끝에서 1~2번째 줄에 따르면, 노래참새 수컷의 테스토스테론은 번식기가 끝나면 거의 분비되지 않는다. 그리고 3문단 1~3번째 줄에 따르면 검정깃찌르레기 수컷의 테스토스테론 수치는 번식기가 끝날 때까지 떨어지지 않는다. 이는 번식기가 끝나면 테스토스테론 수치가 떨어진다는 의미이므로 두 수컷 모두 번식기의 테스토스테론 수치가 번식기가 아닌 시기의 테스토스테론 수치보다 높다는 ④는 적절하다.

01 ①	02 ④	03 ④	04 ①	05 ③
06 ③	07 ③	08 ①	09 ①	10 ④
11 ②	12 ②	13 ②	14 ④	15 ④

01

다음 글의 빈칸에 들어갈 내용으로 가장 적절한 것은?

독자는 글을 읽을 때 생소하거나 이해하기 어려운 단어에
선택지 ①의 근거 (1) - '고정'의 의미
주시하는데, 이때 특정 단어에 눈동자를 멈추는 고정 이 나타나며, 고정과 고정 사이에는 이동, 단어를 건너뛸 때는 도약 이 나타난다. 고정이 관찰될 때는 의미를 이해하려는 시도가 이루어지지만, 이동이나 도약이 관찰될 때는 이루어지지 않는다. 이를 바탕으로, K 연구진은 동일한 텍스트를 활용하여 읽기 능력 하위 집단(A)과 읽기 능력 평균 집단(B)의 읽기 특성을 탐색하는 연구를 진행하였다. 독서 횟수는 1회로 제한하되 독서 시간은 제한하지 않았다.

그 결과, 눈동자의 평균 고정 빈도에서 A 집단은 B 집단에
선택지 ①의 근거 (2) - '평균 고정 빈도' 결과
비해 약 2배 많은 수치를 보였다. ~~그런데~~ 총 고정 시간을 총 고정 빈도로 나눈 평균 고정 시간은 B 집단이 A 집단에 비해
선택지 ①의 근거 (3) - '평균 고정 시간' 결과
더 높게 나타났다. 읽기 후 독해 검사에서 B 집단은 A 집단보다 평균 점수가 높았고, 독서 과정에서 눈동자가 이전으로 돌아가거나 이전으로 건너뛰는 현상은 모두 관찰되지 않았다. 연구진은 이를 종합하여 읽기 능력이 부족한 독자는 읽기 능력이 평균인 독자에 비해 난해하다고 느끼는 단어들이 [   ]는 결론을 내렸다.

✔️① 더 많지만 난해하다고 느끼는 각각의 단어를 이해하는 과정에 들이는 평균 시간은 더 적다

② 더 많고 난해하다고 느끼는 각각의 단어를 이해하는 과정에 들이는 평균 시간도 더 많다

③ 더 적지만 난해하다고 느끼는 각각의 단어를 이해하는 과정에 들이는 평균 시간은 더 많다

④ 더 적고 난해하다고 느끼는 각각의 단어를 이해하는 과정에 들이는 평균 시간도 더 적다

해설 ① 빈칸에 들어갈 내용을 가장 적절하게 추론한 것은 ①이다.

- 더 많지만: 1문단 1~2번째 줄에 따르면 독자가 글을 읽을 때 이해하기 어려운 단어를 보는 경우 '고정'이 나타난다. 또한 2문단 1~2번째 줄에 따르면 눈동자의 평균 고정 빈도에서 읽기 능력 하위 집단(A)이 읽기 능력 평균 집단(B)보다 약 2배 많은 수치를 보였다. 이 두 내용을 종합하면, 평균 고정 빈도가 높다는 것은 글을 읽을 때 이해하기 어려운 단어를 자주 마주친다는 의미임을 알 수 있다. 따라서 읽기 능력이 부족한 독자들은 읽기 능력이 평균인 독자에 비해 난해하다고 느끼는 단어들이 더 많다는 것을 추론할 수 있다.
- 평균 시간은 더 적다: 2문단 2~4번째 줄에 따르면 평균 고정 시간은 총 고정 시간을 총 고정 빈도로 나눈 것으로, 이는 하나의 어려운 단어를 마주쳤을 때 의미를 이해하는 데 들이는 평균 시간을 의미한다. 이때 읽기 능력 평균 집단(B)이 읽기 능력 하위 집단(A)집단보다 평균 고정 시간이 높게 나타났다는 것은 B 집단에서 하나의 어려운 단어를 마주쳤을 때 의미를 이해하는 데 들이는 평균 시간이 A 집단보다 더 많다는 것을 의미한다. 따라서 읽기 능력이 부족한 독자들은 읽기 능력이 평균인 독자에 비해 난해하다고 느끼는 각각의 단어를 이해하기 위해 들이는 평균 시간이 더 적다는 것을 추론할 수 있다.

02

다음 글의 (가)와 (나)에 들어갈 말로 적절한 것은?

채식주의자는 고기, 생선, 유제품, 달걀 섭취 여부에 따라 다섯 가지로 나뉜다. [1]완전 채식주의자는 이들 모두를 섭취하지 않으며, [2]페스코 채식주의자는 고기는 섭취하지 않지만 생선은 먹으며, 유제품과 달걀은 개인적 선호에 따라 선택적으로 섭취한다. 남은 세 가지 채식주의자는 고기와 생선 모두를 먹지 않되 유제품과 달걀 중 어떤 것을 먹느냐의 여부로 결정된다. 이들의 명칭은 라틴어의 '우유'를 의미하는 '락토(lacto)'와 '달걀'을 의미하는 '오보(ovo)'를 사용해 정해졌는
선택지 ④의 근거
데, 예를 들어, [3]락토오보 채식주의자는 고기와 생선은 먹지 않으나 유제품과 달걀은 먹는다. [4]락토 채식주의자는 ____(가)____ 먹지 않으며, [5]오보 채식주의자는 ____(나)____ 먹지 않는다.

① (가): 달걀은 먹지만 고기와 생선과 유제품은
   (나): 고기와 생선과 달걀은 먹지만 유제품은

② (가): 달걀은 먹지만 고기와 생선과 유제품은
   (나): 유제품은 먹지만 고기와 생선과 달걀은

③ (가): 유제품은 먹지만 고기와 생선과 달걀은
   (나): 고기와 생선과 유제품은 먹지만 달걀은

☑ (가): 유제품은 먹지만 고기와 생선과 달걀은
   (나): 달걀은 먹지만 고기와 생선과 유제품은

해설 ④ '락토'는 우유를 의미하고 '오보'는 달걀을 의미하는데, 락토오보 채식주의자는 고기와 생선은 먹지 않으나 유제품과 달걀을 먹는 채식주의자이다. 이를 통해 채식주의자 앞에 들어가는 단어는 그 채식주의자가 섭취하는 음식이고, 그 외의 음식은 모두 섭취하지 않는다는 것을 추론할 수 있다. 따라서 락토 채식주의자는 유제품은 먹지만 고기와 생선과 달걀은 먹지 않으며, 오보 채식주의자는 달걀은 먹지만 고기와 생선과 유제품은 먹지 않는다고 설명하는 ④가 적절하다.

03

다음 글의 빈칸에 들어갈 결론으로 가장 적절한 것은?

신경 과학자 아이젠버거는 참가자들을 모집하여 실험을 진행하였다. 이 실험에서 그의 연구팀은 실험 참가자의 뇌를 fMRI 기계를 이용해 촬영하였다. 뇌의 어떤 부위가 활성화
실험의 목적
되는가를 촬영하여 실험 참가자가 어떤 심리적 상태인가를 파악하려는 것이었다. 아이젠버거는 각 참가자에게 그가 세 사람으로 구성된 그룹의 일원이 될 것이고, 온라인에 각각 접속하여 서로 공을 주고받는 게임을 하게 될 것이라고 알려주었다. 그런데 이 실험에서 각 그룹의 구성원 중 실제 참가자는 한 명뿐이었고 나머지 둘은 컴퓨터 프로그램이었다. 실험이 시작되면 처음 몇 분 동안 셋이 사이좋게 순서대로 공을 주고받지만, 어느 순간부터 실험 참가자는 공을 받지 못한다. (실험 참가자를 제외한 나머지 둘은 계속 공을 주고받기 때
원인
문에,) (실험 참가자는 나머지 두 사람이 아무런 설명 없이
결과
자신을 따돌린다고 느끼게 된다.) 연구팀은 실험 참가자가
선택지 ④의 근거
따돌림을 당할 때 그의 뇌에서 전두엽의 전대상피질 부위가 활성화된다는 것을 확인했다. 이는 인간이 물리적 폭력을 당할 때 활성화되는 뇌의 부위이다. 연구팀은 이로부터 _____는 결론을 내릴 수 있었다.

① 물리적 폭력은 뇌 전두엽의 전대상피질 부위를 활성화한다

② 물리적 폭력은 피해자의 개인적 경험을 사회적 문제로 전환한다

③ 따돌림은 피해자에게 물리적 폭력보다 더 심각한 부정적 영향을 미친다

✓ 따돌림을 당할 때와 물리적 폭력을 당할 때의 심리적 상태는 서로 다르지 않다

④ 아이젠버거의 실험은 뇌의 활성화되는 부위를 확인하여 심리적 상태를 파악하려는 것이다. 실험 결과, 따돌림을 당할 때와 물리적 폭력을 당할 때 뇌의 같은 부위(전두엽의 전대상피질)가 활성화되는 것을 알 수 있었으며, 이를 통해 따돌림을 당할 때와 물리적 폭력을 당할 때의 심리적 상태는 서로 다르지 않다는 결론을 추론할 수 있다.

① 물리적 폭력을 당할 때 뇌 전두엽의 전대상피질 부위를 활성화한다는 것은 빈칸 앞 문장에서 제시된 내용이며, 지문에서 설명한 실험의 결론으로 보기 어렵다.

② ③ 지문을 통해 추론할 수 없는 내용이다.

04
(가)와 (나)에 들어갈 말로 가장 적절한 것은?

> 특정한 작업을 수행하기 위해 신체 근육의 특정 움직임을 조작하는 능력을 운동 능력이라고 한다. 언어에 관한 운동 능력은 '발음 능력'과 '필기 능력' 두 가지인데 모두 표현을 위한 능력이다.
>
> 말로 표현하기 위해서는 발음 능력이 필요한데, 이는 음성 기관을 움직여 원하는 음성을 만들어 내는 능력이다. 이 능력은 영·유아기에 수많은 시행착오와 꾸준한 훈련을 통해 습득된다. 이렇게 발음 능력을 습득하면 음성 기관의 움직임은
> (가)의 근거
> 자동화되어 음성 기관의 어느 부분을 언제 어떻게 움직일지를 화자가 거의 의식하지 않는다. 우리가 모어에 없는 외국어 음성을 발음하기 어려운 이유는 ___(가)___ 있기 때문이다.
>
> 글로 표현하기 위해서는 필기 능력이 필요하다. 필기에서는 글자의 모양을 서로 구별되게 쓰는 것은 기본이고 그 수준을 넘어서서 쉽게 알아볼 수 있는 모양으로 잘 쓰는 것도 필요하다. 글씨를 쓰기 위해 손을 놀리는 것은 발음을 하기 위해 음
> (나)의 근거
> 성 기관을 움직이는 것에 비해 상당히 의식적이라 할 수 있다. 그렇지만 개인의 의지와 관계없이 필체가 꽤 일정하다는 사실은 손을 놀리는 데에 ___(나)___ 의미한다.

✓ (가): 음성 기관의 움직임이 모어의 음성에 맞게 자동화되어
(나): 무의식적이고 자동적인 면이 있음을

② (가): 낯선 음성은 무의식적으로 발음하도록 훈련되어
(나): 유아기에 수행한 훈련이 효과적이지 않음을

③ (가): 음성 기관의 움직임이 모어의 음성에 맞게 자동화되어
(나): 유아기에 수행한 훈련이 효과적이지 않음을

④ (가): 낯선 음성은 무의식적으로 발음하도록 훈련되어
(나): 무의식적이고 자동적인 면이 있음을

① 빈칸에 들어갈 말로 가장 적절한 것은 ①이다.
· (가): 2문단에서 영·유아기에 꾸준한 훈련을 통해 '발음 능력'을 습득하면 음성 기관의 움직임은 자동화된다고 설명한다. 따라서 모어가 아닌 외국어 음성을 발음하기 어려운 이유는 음성 기관의 움직임이 모어의 음성에 맞게 자동화되었기 때문이라고 추론할 수 있다.
· (나): 3문단에서 '발음 능력'에 비해 '필기 능력'은 의식적이라 할 수 있다고 설명한다. 그렇지만 개인의 의지와 관계없이 필체가 일정한 것은 '필기 능력'도 '발음 능력'과 마찬가지로 손을 놀리는 데에 무의식적이고 자동적인 면이 있다는 것을 의미한다고 추론할 수 있다.

05
다음 글의 맥락을 고려할 때 빈칸에 들어갈 말로 가장 적절한 것은?

> 등숙한 필자와 미숙한 필자는 글쓰기 과정 중 계획하기에서 뚜렷한 차이를 보인다. 전자는 이 과정에 오랜 시간 공을
> = 능숙한 필자
> 들이는 반면, 후자는 그렇지 않다. 글쓰기에서 계획하기는 글
> = 미숙한 필자   선택지 ④의 근거
> 쓰기의 목적 수립, 주제 선정, 예상 독자 분석 등을 포함한다.
> 이 중 예상 독자 분석이 중요한 이유는 _____ 때문이다.
> 글을 쓸 때 독자의 수준에 비해 너무 어려운 개념과 전문용
> 선택지 ②의 근거
> 어를 사용한다면 독자가 글을 이해하기 어렵게 된다. 글쓰기
> 는 필자가 글을 통해 자신의 메시지를 독자에게 전달하는
> 선택지 ③의 근거
> 행위라는 점을 고려하면 계획하기 단계에서 반드시 예상 독
> 자를 분석해야 한다.

① 계획하기 과정이 글쓰기 전체 과정의 첫 단계이기

② 글에 어려운 개념이나 전문용어를 어느 정도 포함해야 하기

✓ 필자의 메시지를 독자에게 효과적으로 전달하는 데 도움이 되기

④ 독자의 배경지식 수준을 고려해야 글의 목적과 주제가 결정되기

해설 ③ 지문의 마지막 문장에서 '글쓰기'는 필자가 글을 통해 자신의 메시지를 독자에게 전달하는 행위이므로 반드시 예상 독자를 분석해야 한다고 설명한다. 이 내용에 따르면 예상 독자 분석이 중요한 이유는 '필자의 메시지를 독자에게 효과적으로 전달하는 데 도움이 되기' 때문이다. 따라서 빈칸에 들어갈 말로 가장 적절한 것은 ③이다.

오답 분석 ① 계획하기 과정이 글쓰기 과정의 첫 단계라는 ①의 설명은 '예상 독자 분석의 이유'와는 관련이 없는 내용이므로 빈칸에 들어갈 말로 적절하지 않다.

② 끝에서 4~5번째 줄에 따르면 글을 쓸 때 예상 독자의 수준에 따라 어려운 개념이나 전문용어의 포함 여부를 결정할 수 있을 것이다. 하지만 글에 어려운 개념이나 전문용어를 포함하기 위해 예상 독자를 분석한다는 것은 지문과 거리가 먼 내용이므로 ②는 빈칸에 들어갈 말로 적절하지 않다.

④ 3~4번째 줄에서 '계획하기'는 글쓰기의 목적 수립, 주제 선정, 예상 독자 분석 등을 포함한다고 설명한다. 그러나 예상 독자의 분석 요소 중 독자의 배경지식 수준이 글의 목적과 주제를 결정한다는 내용은 확인할 수 없으므로 ④는 빈칸에 들어갈 말로 적절하지 않다.

06

다음 글의 맥락을 고려할 때 빈칸에 들어갈 내용으로 가장 적절한 것은?

> 사람들은 법을 자유와 대립하는 것으로 착각하여 법을 혐오하는 경향이 있다. 그러나 모든 국민이 법 없이 최대의 자유를 누리는 이상적인 사회질서를 주장했던 자유 지상주의는 환상에 지나지 않는다. 몽테스키외는 인간이 법과 동시에 자유를 가졌다고 말했다. 또한 인간이 법 밖에서 자유를 찾으려 한다면, 주인의 집을 도망쳐 나온 정처 없는 노예처럼 된다고 하였다. 자유는 정당한 행위를 할 수 있는 상태를 의미한다. 그렇다면 자유는 정의를 실현하는 올바른 사회질서에 의해서만 보장될 수 있다. 따라서 법이 없다면 자유도 없다고 할 수 있다. 왜냐하면 □□□□ 때문이다. 결국 자유와 법은 대립하는 것이 아니다.

① 법은 정당한 행위를 할 수 있는 상태의 실현 가능성을 높이기

② 자유가 없다면 정의를 실현하는 올바른 사회질서도 확립될 수 없기

③ 정의를 실현하는 올바른 사회질서는 법에 의해서만 확립될 수 있기

④ 법과 자유가 있다면 정의를 실현하는 올바른 사회질서가 확립될 수 있기

해설 ③ 끝에서 2~4번째 줄에서 자유는 올바른 사회질서에 의해서 보장될 수 있으며, 법이 없다면 자유도 없다고 설명한다. 이는 '법'이 있어야 올바른 사회질서가 확립될 수 있음을 의미하므로 빈칸에 들어갈 내용으로 가장 적절한 것은 ③이다.

07

다음 글의 맥락을 고려할 때 (가)와 (나)에 들어갈 내용으로 가장 적절한 것은?

> 육각형의 벌집 모양은 자연이 만든 경이로운 디자인이다. 이 벌집의 과학적인 구조는 역사적으로 경탄의 대상이었는데, 다윈은 벌집을 경이롭고 완벽한 과학이라고 평가했다. 벌집의 정육각형 구조는 구멍과 구멍 사이의 간격을 최소화하면서 공간을 최대화할 수 있는 가장 안정적인 형태이다. 이 구조는 □□□□ 는 이점이 있다. 벌이 밀랍 1온스를 만들려면 약 8온스의 꿀을 먹어야 한다. (공간이 최적화됨)으로써 (필요한 밀랍의 양이 줄어, 벌집을 짓는 데는 노력과 에너지가 최소화된다). 이처럼 벌집은 과학적으로 탄탄하고 기술적으로 효율적인 디자인이다. 게다가 예술적으로 아름다운 것은 두말할 필요 없다. 견고하고 가볍고 실용적이면서 아름답기까지 한 이 구조를 닮은 건축 양식이나 각종 생활용품을 흔히 발견할 수 있다. 이는 □□□□ 는 뜻이다.

① (가): 벌집을 짓는 데 소요되는 노동량을 최대화한다
   (나): 자연의 구조인 벌집이 인간의 창조 활동에 영감을 주었다

② (가): 벌집을 짓는 데 소요되는 노동량을 최대화한다
   (나): 인간이 만든 디자인은 자연이 만든 디자인보다 뛰어날 수 없다

③ (가): 벌집을 짓기 위해 필요한 밀랍의 양이 적게 든다
   (나): 자연의 구조인 벌집이 인간의 창조 활동에 영감을 주었다

④ (가): 벌집을 짓기 위해 필요한 밀랍의 양이 적게 든다
   (나): 인간이 만든 디자인은 자연이 만든 디자인보다 뛰어날 수 없다

해설 ③ (가)와 (나)에 들어갈 내용으로 가장 적절한 것은 ③이다.
- (가): (가)의 뒤에서 벌집의 공간이 최적화됨으로써 필요한 밀랍의 양이 줄어, 벌집을 짓는데 드는 노력과 에너지가 최소화된다고 설명하고 있다. 이를 고려하였을 때 (가)에 들어갈 말은 '벌집을 짓기 위해 필요한 밀랍의 양이 적게 든다'이다.
- (나): (나)의 앞에서 벌집이 효율적이고 아름다운 자연의 디자인임을 제시하며, 이러한 벌집을 닮은 건축 양식이나 생활용품을 흔히 발견할 수 있다고 설명한다. 이는 자연의 구조인 벌집이 인간의 창조 활동에 영감을 주었다는 것을 의미한다.

오답분석
- (가) '벌집을 짓는 데 소요되는 노동량을 최대화한다'(×): (가)에는 벌집 구조의 이점에 대한 내용이 들어가야 하므로 적절하지 않다.
- (나) '인간이 만든 디자인은 자연이 만든 디자인보다 뛰어날 수 없다'(×): 인간의 디자인과 자연의 디자인의 우열을 비교하는 내용은 지문에서 확인할 수 없다.

08

다음 글의 맥락을 고려할 때 (가)와 (나)에 들어갈 내용으로 가장 적절한 것은?

> 비버는 강한 이빨과 턱으로 거대한 나무를 갉아 쓰러뜨리고 댐을 건설하여 서식지를 구축한다. 나뭇가지와 진흙 구조물로 댐을 만들고, 개울물을 막아 큰 연못과 집을 만든다. 비버는 물속에 집의 입구를 만드는데 이 구조는 비버가 포식자로부터 안전하게 보호받을 수 있게 해 준다. 또한 비버가 만든 댐으로 물의 흐름이 약해지면서 습지가 생기고, 습지에 다양한 식물이 자라면서 동물들이 모이게 된다. 이렇듯 비버가 만든 댐은 (가) 비버는 다른 비버가 침입하지 못하게 자신의 서식지 근처에 항문의 냄새를 묻히고, 적을 발견하면 넓은 꼬리로 물을 강하게 내리쳐 무리에게 경고 신호를 보내기도 한다. 이는 (나) 임을 알려 준다.

☑ (가): 새로운 생태계를 조성하기도 한다.
　(나): 비버가 세력권을 가지고 있는 동물
② (가): 새로운 생태계를 조성하기도 한다.
　(나): 비버가 예민하고 독립적인 성격의 동물
③ (가): 자연의 섭리를 거스르기도 한다.
　(나): 비버가 세력권을 가지고 있는 동물
④ (가): 자연의 섭리를 거스르기도 한다.
　(나): 비버가 예민하고 독립적인 성격의 동물

해설 ① (가)와 (나)에 들어갈 내용은 각각 '새로운 생태계를 조성하기도 한다.', '비버가 세력권을 가지고 있는 동물'이다.
- (가): 앞에서 비버가 만든 댐은 습지를 형성하고, 그 습지에서 식물이 자라 동물이 모여든다고 했으므로 댐은 생물이 서식할 수 있는 새로운 환경(생태계)을 만들어 줌을 알 수 있다.
- (나): 앞에서 비버는 다른 비버의 침입을 막고, 자신의 무리를 지키기 위해 경고 신호를 보낸다고 하였으므로 비버는 무리별로 점유지가 있는 동물임을 알 수 있다.

09

(가)에 들어갈 말로 가장 적절한 것은?

> 자기지향적 동기와 타인지향적 동기는 행위의 적극성과 어떤 관계가 있을까? A는 자율 방범대원들에게 이 일의 자원 동기에 대해 물어보았다. 자기지향적 동기만 말한 사람과 타인지향적 동기만 말한 사람, 그리고 둘 다 말한 사람이 고르게 분포되었다. 그 후 설문에 참여한 사람들이 2개월간 방범 순찰에 참여한 횟수를 살펴보았다. 그 결과 ㉠자기지향적 동기를 말한 사람들 모두가 자기지향적 동기를 말하지 않은 사람들보다 순찰 횟수가 더 많은 것으로 나타났다. 그리고 ㉡전자 중 타인지향적 동기를 말한 사람들의 순찰 횟수가 그렇지 않은 사람들보다 유의미하게 많은 것으로 나타났다. A는 이를 토대로 (가) 고 추정하였다.

지문 주석(필기):
- 그 결과 ㉠자기지향적 동기 = 행위의 적극성
- 결론: 순찰 횟수: 자기 > 타인
- ㉡전자 중 타인지향적 동기 = 자기지향 + 타인지향
- 결론 2: 순찰 횟수: 자기+타인 > 자기
- ∴ 순찰 횟수: ㉢ > ㉠ > ㉡

☑ 자기지향적 동기만 가진 사람은 타인지향적 동기만 가진 사람보다 행위의 적극성이 높다
② 타인지향적 동기를 가진 사람은 자기지향적 동기를 가진 사람보다 행위의 적극성이 높다 (취소선)
③ 자기지향적 동기는 행위의 적극성에 긍정적 영향을 주기도 하고 부정적 영향을 주기도 한다 (취소선)
④ 자기지향적 동기가 행위의 적극성에 긍정적 영향을 주는 경우 타인지향적 동기는 부정적 영향을 준다 (취소선)

해설 ① 자기지향적 동기만 말한 사람들을 ㉠, 타인지향적 동기만 말한 사람들을 ㉡, 둘 다 말한 사람들을 ㉢이라 가정할 때, 지문에서 말한 결론을 정리하면 아래와 같다.
- 결론1: ㉠과 ㉢ 모두 ㉡보다 순찰 횟수가 더 많다.
- 결론2: ㉢은 ㉠보다 순찰 횟수가 더 많다.
→ 순찰 횟수: ㉢ > ㉠ > ㉡
이때 ①의 내용은 '㉠은 ㉡보다 행위의 적극성이 높다(순찰 횟수가 더 많다)'라고 정리할 수 있으므로 지문에서 말한 '결론1'의 내용과 일치한다. 따라서 답은 ①이다.

10

글의 통일성을 고려할 때 (가)에 들어갈 말로 가장 적절한 것은?

혼정신성(昏定晨省)이란 저녁에는 부모님의 잠자리를 봐 드리고 아침에는 문안을 드린다는 뜻으로 자식이 아침저녁으로 부모의 안부를 물어 살핌을 뜻하는 말로 '예기(禮記)'의 '곡례편(曲禮篇)'에 나오는 말이다. 아랫목 요에 손을 넣어 방 안 온도를 살피면서 부모님께 문안을 드리던 우리의 옛 전통은 온돌을 통한 난방 방식과 관련 깊다. <u>온돌을 통한 난방 방식</u>은 방바닥에 깔려 있는 돌이 열기로 인해 뜨거워지고, 뜨거워진 돌의 열기로 방바닥이 뜨거워지면 방 전체에 복사열이 전달되는 방법이다. <u>방바닥 쪽의 차가운 공기는 온돌에 의해 따</u>
_{선택지 ③의 근거, 선택지 ④의 근거 (1)}
뜻하게 데워지므로 위로 올라가고, 위로 올라간 공기가 다시 식으면 아래로 내려와 다시 데워져 위로 올라가는 <u>대류 현상</u>으로 인해 결국 방 전체가 따뜻해진다. <u>벽난로를 통한 서양식의 난방 방식</u>은 복사열을 이용하여 상체와 위쪽 공기를 데
_{선택지 ①의 근거, 선택지 ④의 근거 (2)}
우는 방식인데, 대류 현상으로 바닥 바로 위 공기까지는 따뜻해지지 않는다. 그 이유는 ___(가)___ .

① 벽난로에 의한 난방은 ~~방바닥~~의 따뜻한 공기가 위로 올라가 식으면 복사열로 위쪽의 공기만을 따뜻하게 하기 때문이다
➡ 벽난로는 방바닥을 데우지 못함

② 벽난로에 의한 난방이 ~~복사열~~에 의한 난방에서 대류 현상으로 인한 난방이라는 순서로 이루어졌기 때문이다
➡ 벽난로에서 복사열 ~ 대류 현상의 난방 방식은 확인 불가함

③ ~~대류 현상~~을 통한 난방 방식은 상체와 위쪽의 공기만 따뜻하게 하기 때문이다 ➡ 대류 현상은 온돌의 난방 방식에 해당함

☑ 상체와 위쪽의 따뜻한 공기는 차가운 바닥으로 내려오지 않기 때문이다

11

다음 글의 (가)에 들어갈 단어는?

<u>한자</u>는 늘 그 많은 글자의 수 때문에 나쁜 평가를 받아 왔
_{= 한자에 대한 통념}
다. 한글 전용론자들은 그걸 배우느라 아까운 청춘을 다 버려야 하겠느냐고도 한다. 그러나 헨드슨 교수는 이 점에 대해서도 명쾌하게 설명한다. 5만 자니 6만 자니 하며 그 글자 수
의 많음을 부각시키는 것은 사람들을 오도한다는 것이다.
_{주장 = 통념에 대한 반박}
[1]중국에서조차 1,000자가 현대 중국어 문헌의 90%를 담당
_{반박의 근거 (1)}
하고, [2]거기다가 그 글자들이 뿔뿔이 따로 만들어진 것이 아
_{반박의 근거 (2), 선택지 ②의 근거 (1)}
니고 대부분 (가)와/과 같은 방식으로 만들어져 그렇게
대단한 부담이 아니라는 것이다.
_{선택지 ②의 근거 (2)}

① 상형(象形)　　　　☑ 형성(形聲)

③ 회의(會意)　　　　④ 가차(假借)

・형성(形聲): 두 글자를 합하여 새 글자를 만드는 방법으로, 한 쪽은 뜻을 나타내고 다른 쪽은 음을 나타낸다. '銅'자에서 '金'은 금속의 뜻을 나타내고 '同'은 음을 나타내는 방식이다.

12

다음 글의 맥락을 고려할 때 빈칸에 들어갈 내용으로 가장 적절한 것은?

> 표현의 자유는 민주주의 사회의 기본적 권리이다. 헌법은 누구나 자기의 의견을 자유롭게 표현할 수 있도록 표현의 자유를 보장한다. 하지만 온라인 공간에서 무분별하게 사용되는 혐오 표현이 단순히 표현에 머무르지 않고, 차별을 선동하고 물리적 폭력을 가하는 사례로 이어지면서 표현의 자유에 대한 규제가 필요하다는 목소리가 나오고 있다. 법적으로 혐오 표현의 정의를 내리고, 그 경계를 정하는 것은 생각보다 복잡하다. 또한 표현의 자유에 혐오 표현이 속하는지도 문제가 된다. 그렇다면 민주주의에서 표현의 자유는 어디까지 허용이 되는가. 표현의 자유는 보장되어야 하지만, 그것이 민
> <선택지 ②의 근거>
> 주주의에서 인정하는 다른 가치를 훼손하면 안 된다. '나'의 표현의 자유가 '남'의 존엄성과 평등을 보장받는 권리를 침해하면 안 된다는 것이다. 즉, [   ]

① 표현의 자유가 ~~보장될수록~~ 민주주의는 발전하게 된다.
　　➡ 혐오 표현의 문제 발생

☑ 민주주의에서 권리를 유지하기 위해서는 권리 간의 ⟨균형⟩이 필요하다.

③ 혐오 표현으로 권리를 침해받은 대상을 보호하는 제도를 구축해 ~~포용적인 문화 환경~~을 조성해야 한다. ➡ 알 수 없음

④ 권리의 행사가 사회적 갈등을 조장한다고 하여도 민주주의에서 보장되는 권리는 ~~마땅히 보호~~되어야 한다.
　　➡ 타인의 존엄성, 평등을 보장받을 권리를 침해해서는 안 됨

해설 ② 지문은 민주주의 사회의 기본적인 권리인 '표현의 자유'와 이 권리를 악용하여 사회적 문제를 유발하는 '혐오 표현'을 제재로 삼아, 다른 가치를 훼손하는 '표현의 자유'는 보장받을 수 없음을 주장하고 있다. 이때 빈칸의 앞 문장 내용에 따르면 민주주의에서 어떤 권리를 보장받기 위해서는 그 권리를 행사할 때 민주주의에서 인정하는 다른 가치(권리)를 침해하면 안 된다고 한다. 따라서 빈칸에는 민주주의에서 권리 간의 균형이 필요하다는 내용이 들어가는 것이 적절하다.

13

(가)에 들어갈 말로 가장 적절한 것은?

> 스포츠 경기를 보다 보면 시상식에서 은메달을 딴 선수보다 동메달을 딴 선수의 표정이 더 밝은 것을 종종 볼 수 있다. 심리학에서는 이러한 표정 차이의 원인이 '사후 가정 사고'에 있다고 해석한다. 사후 가정 사고란 일어날 수도 있었지만 결국 일어나지 않은 가상의 상황을 상상하는 것을 의미한다. 앞선 사례에 대입해 보자면 은메달리스트는 '조금만 더 잘했더라면 금메달을 딸 수 있었는데'라는 상향적 사후 가정 사고를 했고, 동메달리스트는 '하마터면 메달을 못 딸 뻔했네'라는 하향적 사후 가정 사고를 했을 가능성이 높다.
>
> 인간은 보통 상향적 사후 가정 사고를 하는 경우가 많기 때문에 해도 후회, 안 해도 후회하는 상황에 빈번히 놓이게 된다. 길로비치와 메드벡의 연구에 따르면 단기적으로는 이미 한 행동에 대한 후회가 컸지만, 장기적으로는 하지 않은
> <선택지 ②의 근거 (1), 선택지 ③의 근거>
> 행동에 대한 후회가 컸다. 이는 곧 [(가)   ]을 의미한다.
>
> 당장은 후회할 수 있어도 나중에 되돌아보면 행동하지 않아
> <선택지 ①의 근거, 선택지 ②의 근거 (2)>
> 서 생기는 후회가 더 큰 후유증을 남기기 때문이다.

① 사후 가정 사고가 개인의 삶에 미치는 ~~부정적 영향~~

☑ 할까 말까 고민이 들 때 일단 해보는 것도 나쁘지 않음

③ ~~특정 행동~~에 대한 후회의 크기는 기간에 따라 달라질 수 있음

④ 상향적 사후 가정 사고보다 하향적 사후 가정 사고를 할 때 ~~만족도가 높음~~

해설 ② 이미 한 행동에 대한 후회보다 행동하지 않아서 생기는 후회가 더 크다는 (가) 앞뒤 내용의 흐름을 고려해 보았을 때, (가)에는 해도 후회, 안 해도 후회하는 상황에 놓였을 경우 후회를 줄이기 위해 일단 행동하는 것이 낫다는 내용의 ②가 들어가는 것이 가장 적절하다.

오답분석 ① 2문단 끝에서 1~2번째 줄에 의하면 상향적 사후 가정 사고를 하는 경우에 더 큰 후회를 하지 않기 위해서는 어떤 선택을 하는 것이 나을지에 대해 설명하는 것일 뿐, 사후 가정 사고의 부정적 영향을 설명하고 있는 것은 아니다. 따라서 이를 사후 가정 사고의 부정적 영향으로 보기는 어려우므로 ①은 (가)에 들어갈 말로 적절하지 않다.

③ (가)의 앞 문장에서 상향적 사후 가정 사고를 하는 경우에 단기적으로는 이미 한 행동에 대한 후회가 컸지만, 장기적으로는 하지 않은 행동에 대한 후회가 컸다고 설명한다. 이는 '행동의 여부에 대한 후회'의 크기가 단기적·장기적 관점에 따라 달라진다는 것을 의미할 뿐, 기간에 따라 '특정 행동에 대한 후회'의 크기가 달라진다는 내용과는 거리가 멀다.

④ (가)가 포함되어 있는 2문단에서는 인간이 보통 상향적 사후 가정 사고를 하기에 발생하는 상황에 대한 내용을 다루고 있다. 상향적 사후 가정 사고와 하향적 사후 가정 사고에 따른 만족도를 비교하는 내용과는 거리가 멀다.

14

다음 글의 맥락을 고려할 때 빈칸에 들어갈 말로 가장 적절한 것은?

독서는 의미 구성 행위이자, 의사소통 행위이다. 독자는 자신의 배경지식, 경험, 신념을 적극적으로 동원하여 자기 나
선택지 ④의 근거 (1)
름으로 의미를 구성한다.

독자는 독서를 통해 책과 소통하는 즐거움을 경험한다. 이때 독서는 필자와 간접적으로 대화를 나누는 것이다. 독자는 자신이 속한 사회나 시대의 영향 아래 필자가 속해 있거나
선택지 ①의 근거, 선택지 ④의 근거 (2)
드러내고자 하는 사회나 시대를 경험한다. 직접 경험하지 못했던 다양한 삶을 필자를 매개로 만나고 이해하면서 독자는
선택지 ②의 근거
더 넓은 시야로 세계를 바라볼 수 있다. 이때 같은 책을 읽은
선택지 ③의 근거, 선택지 ④의 근거 (3)
독자라도 독자의 배경지식이나 관점 등의 독자 요인, 읽기 환경이나 과제 등의 상황 요인이 다르므로, _____

① 필자가 독자에게 전달하고자 하는 의미를 ~~그대로~~ 수용한다.

② 필자가 보여 주는 세계와 별개로 ~~전혀 다른 새로운~~ 의미를 구성할 수 있다.

③ 독자는 상황 요인을 적절히 통제하여 다른 독자들과의 의미 차이를 ~~최소화~~해야 한다.

☑ 필자가 보여 주는 세계를 그대로 수용하지 않고 저마다 소통 과정에서 ~~다른 의미를 구성~~할 수 있다.

해설 ④ 지문은 독서를 의미 구성 행위이자 의사소통 행위로 정의한다. 의사소통의 관점에서 독자는 자신이 속한 사회나 시대의 영향 아래 필자가 보여 주는 세계를 수용하는데, 독자마다 독자 요인과 상황 요인이 다르다고 하였다. 이를 통해 독자들은 의미를 구성할 때, 필자가 보여 주는 세계를 그대로 수용하지 않고 필자와의 소통 과정에서 자기의 독자 요인과 상황 요인에 따라 의미를 다르게 구성할 것임을 추론할 수 있다. 따라서 빈칸에 들어갈 말로 가장 적절한 것은 ④이다.

오답
분석
① 2문단 3~4번째 줄에서 독자는 자신이 속한 사회나 시대의 영향 아래 필자가 속해 있거나 드러내고자 하는 사회나 시대를 경험한다고 하였다. 즉 독자가 필자의 세계를 경험하여 의미를 구성하는 과정에서 자기를 둘러싼 환경의 영향을 받는 것이다. 따라서 필자가 독자에게 전달하고자 하는 의미를 그대로 수용한다는 추론은 적절하지 않다.

② 2문단 5~6번째 줄에서 독자는 필자를 매개로 다양한 삶을 만나고 이해한다고 하였다. 즉 독자는 필자가 보여 주는 세계를 바탕으로 시야의 확장을 이루는 것이다. 따라서 독자가 필자가 보여 주는 세계와 별개로 전혀 다른 새로운 의미를 구성한다는 추론은 적절하지 않다.

③ 2문단 끝에서 1~3번째 줄에서 같은 책을 읽은 독자라도 독자 요인과 상황 요인이 다르다고 하였다. 이는 독자들이 필자와의 소통 과정에서 의미를 다르게 구성함을 설명하기 위한 것일 뿐, 이를 통해 독자들 간의 의미 차이를 최소화해야 한다는 내용은 추론할 수 없다.

15

다음 글의 빈칸에 들어갈 결론으로 가장 적절한 것은?

심리학자 데시와 라이언(decy & ryan)은 인간이 주어진 환경에서 어떻게 반응할지 스스로 결정하는 것을 의미하는 자기 결정이 형성되는 과정을 외재적 동기와 내재적 동기의 관계를 통해 설명한다. 이때 외재적 동기는 과제 수행의 결과가 가져다주는 보상이나 벌에서 비롯되는 동기를, 내재적 동기는 과제 자체를 수행하는 과정에서 얻는 즐거움에서 유발되는 동기를 의미한다.

(1단계)는 무동기 상태이다. 이는 과제를 수행할 동기가 존재하지 않는 것으로, 이 상태에서는 과제 수행에 가치를 두지 않는다. (2단계)는 외적 조절이다. 이 단계는 보상을 획득하거나 위협을 피하고자 주어진 행동을 하는 것으로, 외적
'외재적 동기'에 해당
인 자극(보상, 벌) 없이는 스스로 행동하지 않는다. (3단계)는 내사 조절이다. 이 단계에서는 외적인 자극이 직접적으로 제
외적인 자극이 간접적으로는 제시됨을 추론할 수 있음
시되지는 않지만, 죄책감 또는 과제를 수행해야만 한다는 압박감에 의해 동기화된다. 이때 어느 정도는 자기 결정적인 행동을 한다고 할 수는 있으나, 통제감이나 구속감을 느끼게 된다. (4단계)는 앞 단계보다 더 자기 결정성을 보이는 동일시 조절이다. 이 단계는 과제를 수행하는 것을 통해 얻는 장점과 과제의 중요성을 수용하는 단계에 해당하는 것으로 학생이 공부의 중요성을 깨닫는 것과 같다. (5단계)는 통합 조절이

다. 이 단계에서는 외재적 동기 중 가장 자율성이 높은 방식
_{2~5단계가 '외재적 동기'와 관련이 있는 단계임을 추론할 수 있음}
으로 4단계에서 깨달은 과제의 가치를 온전히 자신의 가치관
과 통합하는 단계이다. 이와 같은 과정을 거쳤을 때, 인간은
_{선택지 ④의 근거}
비로소 특정 과제 수행에 대한 내재적 동기를 갖추게 되고
스스로 자기 결정을 할 수 있게 된다. 이를 통해 [   ]

① 외재적 ~~동기보다 내재적~~ 동기를 유발하는 것이 ~~학습자의 성장~~
에 더 큰 도움이 됨을 알 수 있다.

② 학습자의 ~~지적 수준~~에 맞게 내재적 동기와 ~~외재적 동기~~를 적절
히 사용해야 함을 알 수 있다.

③ 외재적 동기는 내재적 동기 ~~유발의 방해물~~이며, 외재적 동기에
서 ~~벗어날 때 내재적~~ 동기를 유발할 수 있다.

☑ 내재적 동기와 외재적 동기는 연속선상에 있으며, 외재적 동기
는 내재적 동기 유발의 바탕이 됨을 알 수 있다.

[해설] ④ 1문단에 의하면 '데시'와 '라이언'은 '자기 결정'이 형성되는
과정을 외재적 동기와 내재적 동기의 관계를 통해 설명하고
자 하였음을 알 수 있다. 그에 따라 2문단에는 외재적 동기와
내재적 동기가 어떻게 '자기 결정'으로 나아가는지에 대한 과
정이 제시되어 있다. 각 단계와 특징을 정리하면 다음과 같다.
  · 1단계 '무동기': 과제 수행 동기가 존재하지 않는다.
  · 2단계 '외적 조절': 보상 획득, 위협 회피를 위해 과제를 수
    행하는 단계이다. 이는 1문단에서 제시한 '외재적 동기'의
    개념과 일치한다.
  · 3단계 '내사 조절': 외적 자극이 직접 제시되지는 않으나,
    죄책감이나 압박감에 의해 과제를 수행한다는 점에서 간접
    적으로 외적 자극의 영향을 받음을 추론할 수 있다.
  · 4단계 '동일시 조절': 과제를 수행하는 것을 통해 얻는 장점
    과 과제의 중요성을 수용한다.
  · 5단계 '통합 조절': 외재적 동기 중 가장 자율성이 높은 방
    식이며, 과제 수행의 가치와 자신의 가치관을 일치시킨다.
이를 통해 2~5단계는 외재적 동기의 단계에 해당함을 알 수
있으며, 2문단 끝에서 1~3번째 줄에서 1~5단계의 과정을 거
쳐야 내재적 동기를 갖추게 되고, 스스로 자기 결정을 할 수
있게 된다고 하였다. 즉 외재적 동기와 내재적 동기는 별개의
것이 아닌 연속선상에 있는 것임을 알 수 있으며, 외재적 동기
의 단계를 거쳐야 내재적 동기에 도달할 수 있으므로 빈칸에
들어갈 말로 가장 적절한 것은 ④이다.

---

03 사례 추론하기   p.110

01 ①	02 ④	03 ①	04 ③	05 ③
06 ④	07 ④			

01

다음 글에서 추론한 내용으로 적절하지 않은 것은?

한글은 소리를 나타내는 표음문자여서 한국어 문장을 읽
는 데 학습해야 할 글자가 적지만, 한자는 음과 상관없이 일
정한 뜻을 나타내는 표의문자여서 한문을 읽는 데 익혀야 할
글자 수가 훨씬 많다. 이러한 번거로움에도 한글과 달리 한자
가 갖는 장점이 있다. 한글에서는 동음이의어, 즉 형태와 음
_{선택지 ③④의 근거}
이 같은데 뜻이 다른 단어가 많아 글자만으로 의미를 파악
하지 못하는 경우가 많다. 하지만 한자는 그렇지 않다. 예컨
대, 한글로 '사고'라고만 쓰면 '뜻밖에 발생한 사건'인지 '생각
하고 궁리함'인지 구별할 수 없다. 한자로 전자는 '事故', 후자
는 '思考'로 표기한다. 그런데 한자는 문맥에 따라 같은 글자
가 다른 뜻으로 쓰이지는 않지만 다른 문장성분으로 사용되
기도 해 혼란을 야기한다. 가령 '愛人'은 문맥에 따라 '愛'가
_{선택지 ②의 근거}
'人'을 수식하는 관형어일 때도, '人'을 목적어로 삼는 서술어
일 때도 있는 것이다.

☑ 한문은 한국어 문장보다 문장성분이 ~~복잡~~하다. ➡ 근거 없음

② '淨水'가 문맥상 '깨끗하게 한 물'일 때 '淨'은 '水'를 수식한다.

③ '愛人'에서 '愛'의 문장성분이 바뀌더라도 '愛'는 동음이의어가
⊙~~아니다~~ ➡ 한자는 문맥에 따라 같은 글자가 다른 뜻으로 쓰이지 않음

④ '의사'만으로는 '병을 고치는 사람'인지 '의로운 지사'인지 구별
⊙~~할 수 없다~~ ➡ 한글은 동음이의어로 인한 의미 파악의 문제가 발생할 수 있음

[해설] ① 지문은 한자가 한글과 달리 문맥에 따라 다른 문장 성분으로
사용되기도 해 혼란을 야기하는 경우가 있다고 설명할 뿐이
다. 한국어 문장보다 한문의 문장 성분이 복잡하다는 내용은
지문에서 확인할 수 없으므로 ①의 추론은 적절하지 않다.

[오답분석] ② '淨水(정수)'가 문맥상 '깨끗하게 한 물'일 때, '淨(깨끗할
정)'은 '水(물 수)'를 수식하는 관형어이다.
③ 한글에서는 동음이의어가 많아 글자만으로 의미를 파악하지
못하는 경우가 많지만, 한자는 그렇지 않다. 따라서 '愛人(애
인)'에서 '愛(사랑 애)'의 문장 성분이 바뀌더라도 '愛'의 뜻
이 달라지는 것은 아니므로 '愛'는 동음이의어가 아니다.

④ 사례로 제시된 '사고'처럼 '의사'도 동음이의어에 해당한다. 따라서 한글로 '의사'라고만 쓰면 '병을 고치는 사람(醫師)'인지 '의로운 지사(義士)'인지 구별할 수가 없다.

02

하버마스의 주장에 부합하는 사례로 가장 적절한 것은?

하버마스는 18세기부터 현대까지 미디어의 등장 배경과 발전 과정을 분석하면서, 공공 영역의 부상과 쇠퇴를 추적했다. 하버마스에게 공공 영역은 일반적 쟁점에 대한 토론과 의견을 형성하는 공공 토론의 민주적 장으로서 역할을 한다.

하버마스는 17세기와 18세기 유럽 도시의 살롱에서 당시의 공공 영역을 찾았다. 비록 소수의 사람들만이 살롱 토론 문화에 참여했으나, 공공 토론을 통해 정치적 문제를 해결하는 논리를 도입할 수 있었기 때문에 살롱이 초기 민주주의 발전에 중요한 역할을 했다고 그는 주장한다. 적어도 살롱 문화의 원칙에서 공개적 토론을 위한 공공 영역은 각각의 참석자들에게 동등한 자격을 부여했다.

그러나 하버마스에 따르면, **현대 사회에서 민주적 토론은**
_{선택지 ④의 근거 (1)}
문화 산업의 발달과 함께 퇴보했다. 대중매체와 대중오락의
_{선택지 ③의 근거}
보급은 공공 영역이 공허해지는 원인으로 작용했다. 상업적 이해관계는 공공의 이해관계에 우선하게 되었다. 공공 여론은 개방적이고 합리적 토론을 통해서가 아니라 광고에서처럼 조작과 통제를 통해 형성되고 있다.

미디어가 점차 상업화되면서 하버마스가 주장한 대로 공
_{선택지 ④의 근거 (2)}
공 영역이 침식당하고 있다. 상업화된 미디어는 광고 수입에 기대어 높은 시청률과 수익을 보장하는 콘텐츠 제작만을 선호하게 되었다. 그 결과 공적 주제에 대한 시민들의 논의와 소통의 장이 줄어들어 결과적으로 공공 영역이 축소되었다. 많은 것을 약속한 미디어는 이제 민주주의 문제의 일부로 변해 버린 것이다.

① 살롱 문화에서 특정 사회 계층에 대한 비판적인 토론은 허용되지 않았다. ➡ 지문에서 확인 ×

② 인터넷의 발달과 보급은 상업적 광고뿐만 아니라 공익 광고도 증가시켰다. ➡ 지문에서 확인 ×

③ 글로벌 미디어가 발달하더라도 국제 사회의 공공 영역은 공허해지지 않는다. ➡ 공허해짐

④ 수익성 위주의 미디어 플랫폼과 콘텐츠가 더 많아지면서 민주적 토론이 감소되었다.

해설 ④ 3~4문단 내용에 따르면 하버마스는 문화 산업의 발달과 미디어의 상업화로 인해 민주적 토론이 퇴보하였고 공공 영역이 축소되었다고 주장한다. 이러한 하버마스의 주장에 부합하는 사례로 가장 적절한 것은 ④이다.

오답 분석 ①② 지문을 통해 확인할 수 없는 내용이므로 하버마스의 주장에 부합하지 않는다.
③ 3문단 2~3번째 줄을 통해 하버마스는 대중매체와 대중오락의 보급과 같은 문화 산업의 발달이 공공 영역을 공허하게 만드는 원인이라고 생각하였음을 알 수 있으므로 ③은 하버마스의 주장에 부합하지 않는다.

03

다음 글에서 추론한 내용으로 적절하지 않은 것은?

과학의 개념은 (1)분류 개념, (2)비교 개념, (3)정량 개념으로 구분할 수 있다. 식물학과 동물학의 종, 속, 목처럼 분명한 경계를 가지고 대상들을 분류하는 개념들이 (1)분류 개념이다. 어린이들이 맨 처음에 배우는 단어인 '사과', '개', '나무' 같은 것 역시 분류 개념인데, 하위 개념으로 분류할수록 그 대상
_{선택지 ①의 근거}
에 대한 정보가 더 많이 전달된다. 또한 현실 세계에 적용 대
_{선택지 ②의 근거}
상이 하나도 없는 분류 개념도 있을 수 있다. 예를 들어 '유니콘'이라는 개념은 '이마에 뿔이 달린 말의 일종임' 같은 분명한 정의가 있기에 '유니콘'은 분류 개념으로 인정되는 것이다.

'더 무거움', '더 짧음' 등과 같은 (2)비교 개념은 분류 개념보다 설명에 있어서 정보 전달에 더 효과적이다. 이것은 분류 개념처럼 자연의 사실에 적용되어야 하지만, 분류 개념과 달
_{선택지 ③의 근거}
리 논리적 관계도 반드시 성립해야 한다. 예를 들면, 대상 A의 무게가 대상 B의 무게보다 더 무겁다면, 대상 B의 무게가 대상 A의 무게보다 더 무겁다고 말할 수 없는 것처럼 '더 무거움' 같은 비교 개념은 논리적 관계를 반드시 따라야 한다.

마지막으로 (3)정량 개념은 비교 개념으로부터 발전된 것인데, 이것은 자연의 사실로부터 파악할 수 있는 물리량을
_{선택지 ④의 근거 (1)}
측정함으로써 만들어진다. 물리량을 측정하기 위해서는 몇 가지 규칙이 필요한데, 그 규칙에는 두 물리량의 크기를 비교하는 경험적 규칙과 물리량의 측정 단위를 정하는 규칙 등

이 포함된다. **이러한 정량 개념은 자연에 의해서 주어지는 것**
_{선택지 ④의 근거 (2)}
이 아니라 우리가 자연현상에 수를 적용하는 과정에서 생겨
나는 것이다. 정량 개념은 과학의 언어를 수많은 비교 개념
대신 수를 사용할 수 있게 하여 과학 발전의 기초가 되었다.

☑ '호랑나비'는 '나비'와 동일한 종에 속하지만, 나비에 비해 정보
량이 ~~적다~~. ➡ 많다

② '용(龍)'은 현실 세계에 적용할 수 있는 지시물이 없더라도 분류
개념으로 (인정)된다. ➡ '유니콘'과 같은 개념

③ '꽃'이나 '고양이'와 같은 개념은 논리적 관계를 따라야 하는 것
은 아니기 때문에 비교 개념에 포함되지 (않는다.)
➡ 비교 개념은 반드시 논리적 관계가 성립해야 함

④ 물리량을 측정할 수 있는 'cm'나 'kg'과 같은 측정 단위는 자연
현상에 수를 (적용)할 수 있게 해 주었다.
➡ 물리량의 측정 단위를 정하는 규칙

해설 ① 1문단 5~6번째 줄을 통해 분류 개념은 하위 개념으로 분류
할수록 그 대상에 대한 정보가 더 많이 전달됨을 알 수 있다.
따라서 '나비'의 하위 개념인 '호랑나비'는 나비에 비해 정보
량이 더 많을 것이므로 ①의 추론 내용은 적절하지 않다.

오답 분석 ② 1문단 끝 3~4번째 줄에서 현실 세계에 적용 대상이 없는 분
류 개념도 있음을 설명하고 있다. 따라서 '용'도 분류 개념으
로 인정된다.

③ 2문단 3~4번째 줄에서 비교 개념은 분류 개념과는 다르게
논리적 관계가 성립해야 함을 알 수 있다. 따라서 '꽃'과 '고
양이'처럼 논리적 관계가 없는 개념은 비교 개념에 포함되지
않는다.

④ 3문단에서 정량 개념은 자연의 사실로부터 파악되는 물리량
을 측정함으로써 만들어지며, 자연현상에 수를 적용하는 과
정에서 생겨난다는 것을 알 수 있다. 이를 통해 물리량을 측
정할 수 있는 단위가 자연현상에 수를 적용할 수 있게 해 주
었다는 사실을 추론할 수 있다.

04

글쓴이의 견해에 부합하는 대응으로 가장 적절한 것은?

정중하고 단호한 태도를 보이는 것과, 수동적이거나 공격
적인 반응을 하는 것은 엄청난 차이가 있다. 수동적인 사람
들은 마음속에 있는 자신의 생각을 표현하면 분란이 일어날
까 봐 두려워한다. ~~그러나~~ 자신의 의견을 말하지 않는 한 자
신이 원하는 것을 얻을 수는 없다. 이와 반대로 공격적인 태
도는 자신의 권리를 앞세워 생각해서 남을 희생시켜서라도
자신이 원하는 것을 얻으려는 것이다. 공격적인 사람은 사람
들이 싫어하는 행동을 하곤 한다. ~~그러나~~ 단호한 반응은 공
격적인 반응과 다르다. 단호한 반응은 다른 사람의 권리를
_{선택지 ③의 근거}
침해하지 않으면서 자신의 권리를 존중하고 지키겠다는 것
이다. 이것은 상대방을 배려하는 태도를 보여 준다. 상대방
을 존중하면서도 얼마든지 자신의 의견을 내세울 수 있다.
단호한 주장은 명쾌하고 직접적이며 요점을 찌른다.

그럼 실제로 연습해 보자. 어느 흡연자가 당신의 차 안에서
담배를 피워도 되는지 묻는다. 당신은 담배 연기를 싫어하고
건강에 해롭다는 것도 잘 알고 있어 달갑지 않다. 어떻게 대
응하는 것이 좋을까?

① 좀 그러긴 하지만, 괜찮아요. 창문 열고 피우세요. ➡ 수동적인 반응

② 안 되죠. 흡연이 얼마나 해로운데요. 좀 참아 보시겠어요.
➡ 공격적인 반응

☑ 안 피우시면 좋겠어요. 연기가 해롭잖아요. 피우고 싶으시면
차를 세워 드릴게요. ➡ 의견(O), 배려(O)

④ 물어봐 줘서 고마워요. 피워도 그렇고 안 피워도 좀 그러네요.
생각해 보시고서 좋은 대로 결정하세요. ➡ 수동적인 반응

해설 ③ 글쓴이는 다른 사람을 배려하면서도 자신의 의견을 분명히 내
세울 수 있는 '단호한 반응'의 효용성을 강조하고 있다. 제시
된 상황에서 '안 피우시면 좋겠어요. 해롭잖아요'라고 자신의
의견을 분명히 말하면서도, '피우고 싶으시면 차를 세워 드릴
게요'라며 상대방을 배려하는 태도를 보이는 ③이 글쓴이의
견해에 부합하는 대응이다.

오답 분석 ① 자신의 의견을 분명하게 표현하지 못하고 상대방만 배려하
는 '수동적인 반응'을 보이고 있다.

② 흡연을 하지 말아달라는 자신의 의견은 분명히 표현했으나
상대방의 권리를 침해하는 '공격적인 반응'을 보이고 있다.

④ 자신의 의견을 분명하게 표현하지 못하고 상대방의 결정에
따르려는 '수동적인 반응'을 보이고 있다.

05

밑줄 친 ㉠의 구체적 사례로 가장 적절한 것은?

의사소통과 관련된 수많은 연구 결과에 따르면 정보 전달을 위해서 우선적으로 음성 언어가 사용되고, ㉠동작 언어는 사람과 사람 사이의 태도를 변화시키며, 어떤 경우에는
_{선택지 ③의 근거}
음성 언어의 대체로서 동작 언어가 사용된다는 데에 동의한다. 의사소통 시 동작 언어가 전달하는 정보의 양이 65%~70%에 해당되고, 음성 언어는 약 30~35%의 정보만을 전달한다는 버드휘스텔(Birdwhistel)의 연구를 통해 보더라도, 대화에서 동작 언어가 차지하는 비중은 대단히 크다는 것을 알 수 있다. 그러나 동작 언어 안에 감싸여 있는 것이 음성 언어이기 때문에, 이들 두 가지를 따로 떼어놓는다는 것은 거의 불가능한 일이다.

동작 언어를 사용하고 이해하는 능력이 선천적인 것인지, 체험에서 얻어지는 것인지, 유전적으로 전이되는 것인지, 그렇지 않으면 어떤 다른 방법으로 습득되는 것인지에 대해 많은 연구와 조사가 있었다.

① A는 외국어를 잘하지 못하지만 길에서 만난 외국인에게 몸짓을 해가며 길을 설명해 주었다.

② B는 친구들에게 화가 나지 않았다고 대답하였지만 빨개진 얼굴 때문에 기분을 감출 수가 없었다.

✓③ C는 못생긴 외모의 남자가 마음에 들지 않았지만, 밝은 표정으로 대화하는 남자의 태도를 보고 호감이 생겼다.
➡ 동작 언어로 인한 태도 변화 사례

④ D는 멀리 서 있는 사람이 친구인지 아닌지 헷갈렸지만 먼저 손을 흔드는 모습을 보고 친구임을 알 수 있었다.

해설 ③ ㉠에는 동작 언어로 인해 사람 사이의 태도가 변화된다는 내용이 제시되어 있다. 이때 ③은 사람의 밝은 표정(동작 언어)으로 인해 호감을 느끼게 되었다는 내용이므로 ㉠의 사례로 가장 적절하다.

오답 분석 ① ④ 동작 언어를 사용해 정보를 전달한 예에 해당한다.
② 동작 언어를 통해 자극에 대한 반응을 나타낸 예로, 사람 사이의 태도 변화는 드러나지 않는다.

06

밑줄 친 부분에 해당하는 예시로 적절한 것은?

사람들은 어떤 결과에는 항상 그에 상응하는 원인이 존재한다고 생각한다. 원인과 결과의 필연성은 개별적인 사례들을 통해 일반화될 수 있다. 가령 A라는 사람이 스트레스로 병에 걸렸고, B도 스트레스로 병에 걸렸다면 이런 개별적인 사례들로부터 '스트레스가 병의 원인이다.'라는 일반적인 인과가 도출된다. 이때 개별적인 사례에 해당하는 인과를 '개
_{선택지 ④의 근거}
별자 수준의 인과'라 하고 일반적인 인과를 '집단 수준의 인과'라 한다. 사람들은 오랫동안 이러한 집단 수준의 인과가 필연성을 지닌다고 믿어 왔다.

그런데 집단 수준의 인과를 필연적인 것이 아니라 개연적인 것으로 파악해야 한다고 주장하는 사람들이 있다. 가령 '스트레스가 병의 원인이다.'라는 진술에서 스트레스는 병의 필연적인 원인이 아니라 단지 병을 발생시킬 확률을 높이는 요인일 뿐이라고 말한다. A와 B가 특정한 병에 걸렸다 하더라도 집단 수준에서는 그 병의 원인을 스트레스로 단언할 수 없다는 것이다. 그렇게 본다면 스트레스와 병은 필연적인 관계가 아니라 개연적인 관계에 놓인 것으로 설명된다.

① 과수원을 운영하기 위해서는 성실함이 반드시 수반되어야 한다.

② 다른 과수원과 다르게 비료의 양을 늘린다면 수확량이 증가할 것이다.

③ ×× 과수원은 다른 품종을 재배하여 질 좋은 과일을 수확할 수 있었다고 한다. ➡ 개별적 사례의 제시에 불과함

✓④ 다른 과수원이 그랬던 것처럼 물을 조금만 준다면 질 좋은 과일을 수확할 수 있다. ➡ 개별적 사례로부터 일반적인 인과 도출

해설 ④ 1문단의 내용을 통해 '집단 수준의 인과'는 개별적인 사례인 '개별자 수준의 인과'들이 모여 도출된 일반적인 인과임을 알 수 있다. 따라서 ④는 다른 과수원의 물을 조금만 주어 질 좋은 과일을 수확한 개별적인 사례들을 통해 도출해 낸 일반적인 인과이다.

07

밑줄 친 ⊙에서 언급된 해결 방안에 해당하지 않는 것은?

공공재에 의한 시장 실패는 정부가 공공재의 공급 비용을 부담함으로써 쉽게 예방할 수 있다. 하지만 공유 자원에 의한 시장 실패는 개인들이 더 많은 자원을 사용하려고 경합하는 데서 발생하기 때문에 재화의 경합성을 적절하게 조정하는 예방책이 필요하다. 그 구체적인 예방책으로는 정부가 공유 자원의 사용을 직접 통제하거나 공유 자원에 사유 재산권을 부여하는 방법이 있다. 정부의 직접 통제는 정부가 ⊙특정 장비 사용의 제한, 사용 시간이나 장소의 할당, 이용
<small>선택지 ①②③④의 근거</small>
단위나 비용의 설정 등을 통해 수요를 억제하는 방법이다. 사유 재산권 부여는 자신의 재산을 잘 관리하려는 사람들의 성향을 이용하여 공유 자원을 관리하게 함으로써 공유 자원이 황폐화되는 것을 막기 위한 방법이다. 이 두 방법은 정부의 시장 개입이 수반된다는 점에서 통제 방식이나 절차, 사유 재산권 배분 기준에 대한 사회적 합의가 전제되어야 한다. 또한 공유 자원을 사용하는 사람들에 대한 정부의 통제 능력과 개인의 사유 재산 관리 능력을 확보하는 것이 성패의 관건이 된다.

① 동물들을 보호하기 위해 수렵 허가 지역을 운영한다.

② 혼잡한 도로에 진입하는 차량들에 통행료를 징수한다.

③ 환경 파괴를 막기 위해 등산로에 휴식년제를 도입한다.

☑ 우범 지역마다 CCTV를 설치하여 범죄 발생을 예방한다.

해설 ④ ⊙에서는 정부가 공유 자원의 사용을 직접 통제하는 방법으로 세 가지를 제시하고 있다. 이때 ④의 사례는 CCTV는 범죄를 예방하기 위해 설치한 시설일 뿐, 공유 자원의 사용을 통제하는 방안은 아니다. 따라서 ⊙에 언급된 해결 방안에 해당하지 않는 것은 ④이다.

오답 분석 ① 사용 장소를 할당하는 방법에 해당한다.

② 비용을 설정하는 방법에 해당한다.

③ 사용 시간을 할당하는 방법에 해당한다.

---

04 개요 및 글 고쳐쓰기
<small>p.116</small>

01 ②	02 ③	03 ③	04 ②	05 ③
06 ④	07 ④	08 ③	09 ④	10 ③
11 ③	12 ②	13 ③	14 ④	15 ②

01

〈공공언어 바로 쓰기 원칙〉에 따라 〈공문서〉의 ⊙~② 을 수정한 것으로 적절하지 않은 것은?

―〈공공언어 바로 쓰기 원칙〉―

○ 중복되는 표현을 삼갈 것.
<small>선택지 ①의 근거</small>

○ 대등한 것끼리 접속할 때는 구조가 같은 표현을 사용할 것.
<small>선택지 ②의 근거</small>

○ 주어와 서술어를 호응시킬 것.
<small>선택지 ③의 근거</small>

○ 필요한 문장 성분이 생략되지 않도록 할 것.
<small>선택지 ④의 근거</small>

―〈공문서〉―

한국의약품정보원

수신 국립국어원

(경유)

제목 의약품 용어 표준화를 위한 자문회의 참석 ⊙안내 알림
<small>중복 표현</small>

1. ⓛ 표준적인 언어생활의 확립과 일상적인 국어 생활을 향
<small>구조가 같은 표현</small>
상하기 위해 일하시는 귀원의 노고에 감사드립니다.

2. 본원은 국내 유일의 의약품 관련 비영리 재단법인으로서 의약품에 관한 ⓒ 표준 정보가 제공되고 있습니다.
<small>주어와 서술어의 호응</small>

3. 의약품의 표준 용어 체계를 구축하고 ② 일반 국민도 알기
<small>필요한 문장 성분 생략</small>
쉬운 표현으로 개선하여 안전한 의약품 사용 환경을 마련하기 위해 자문회의를 개최하니 귀원의 연구원이 참석해 주시기를 바랍니다.

① ⊙: 안내

☑ ⓛ: 표준적인 언어생활을 (확립하고)/일상적인 국어 생활의 (향상을 위해) ➡ 구조가 같지 않음

③ ⓒ: 표준 정보를 제공하고 있습니다.

④ ②: 의약품 용어를 일반 국민도 알기 쉬운 표현으로 개선하여

해설 ② ⓛ은 대등한 것끼리 접속하는 경우인데 서로 구조가 다른 표현을 사용하고 있으므로, 공공언어 바로 쓰기의 두 번째 원칙에 따라 '표준적인 언어생활의 확립과 일상적인 국어 생활의 향상을 위해' 또는 '표준적인 언어생활을 확립하고 일상적인 국어 생활을 향상하기 위해'로 수정해야 한다.

오답 분석 ① ⓣ의 '안내 알림'은 '알리다'의 의미가 중복된 표현이므로 '안내'로 수정하는 것이 적절하다.

③ ⓒ이 포함된 전체 문장에서 주어는 '본원은'이며 서술부는 '제공되고 있습니다'이다. 이때 주어와 서술어의 호응이 적절하지 않으므로 '본원은 ~을(를) 제공하고 있습니다'의 문장 구조로 수정해야 한다. 따라서 ③은 올바르게 수정한 표현이다.

④ ⓔ의 문장에서 서술어는 '개선하여'이며, '개선하다'는 '…을 개선하다'와 같은 문형으로 쓰인다. ⓔ에는 '개선하다'에 호응하는 목적어가 생략되었으므로 필요한 문장 성분을 추가해야 한다. 따라서 ④는 올바르게 수정한 표현이다.

02

〈지침〉에 따라 〈개요〉를 작성할 때 ⓣ~ⓔ에 들어갈 내용으로 적절하지 않은 것은?

─────〈지침〉─────
○ 서론은 중심 소재의 개념 정의와 문제 제기를 1개의 장으로
　 선택지 ①의 근거
　 로 작성할 것.

○ 본론은 제목에서 밝힌 내용을 2개의 장으로 구성하되 각
　 선택지 ②③의 근거
　 장의 하위 항목끼리 대응되도록 작성할 것.

○ 결론은 기대 효과와 향후 과제를 1개의 장으로 작성할 것.
　 선택지 ④의 근거

─────〈개요〉─────
○ 제목: 복지 사각지대의 발생 원인과 해소 방안

Ⅰ. 서론

　1. 복지 사각지대의 정의

　2. [　　ⓣ　　] ➡ 문제 제기

Ⅱ. 복지 사각지대의 발생 원인

　1. [　　ⓛ　　]

　2. 사회복지 담당 공무원의 인력 부족

Ⅲ. 복지 사각지대의 해소 방안

　1. 사회적 변화를 반영하여 기존 복지 제도의 미비점 보완

　2. [　　ⓒ　　]

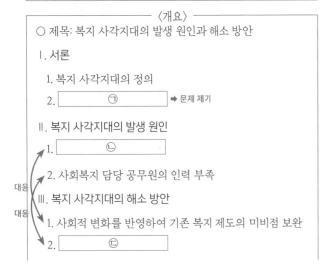

Ⅳ. 결론

　1. [　　ⓔ　　] ➡ 기대 효과

　2. 복지 사각지대의 근본적이고 지속가능한 해소 방안 마련

① ⓣ: 복지 사각지대의 발생에 따른 사회 문제의 증가

② ⓛ: 사회적 변화를 반영하지 못한 기존 복지 제도의 한계

☑ ⓒ: 사회복지 업무 경감을 통한 공무원 직무 만족도 증대
　➡ '복지 사각지대의 해소 방안'이 아님

④ ⓔ: 복지 혜택의 범위 확장을 통한 사회 안전망 강화

해설 ③ 두 번째 지침에 따라 본론은 제목의 내용으로 구성되며 각 장의 하위 항목이 대응되어야 하므로 ⓒ에는 Ⅱ-2를 해결하기 위한 방안이 들어가야 한다. 즉 Ⅱ-2의 내용이 '사회복지 담당 공무원의 인력 부족'이므로 ⓒ에는 '사회복지 담당 공무원의 인력 충원' 등과 같은 해결 방안이 제시되어야 한다. 따라서 ③의 내용은 적절하지 않다.

오답 분석 ① 첫 번째 지침에 따라 서론에서 중심 소재의 '개념 정의'와 '문제 제기'를 작성해야 한다. Ⅰ-1에 복지 사각지대(중심 소재)의 개념 정의가 이미 제시되었으므로, ⓣ에는 복지 사각지대에 대한 문제를 제기하는 내용이 들어가야 한다.

② 두 번째 지침에 따라 본론 각 장의 하위 항목이 대응되어야 하므로 ⓛ에는 Ⅲ-1과 관련된 문제 원인이 들어가야 한다.

④ 세 번째 지침에 따라 결론에서 '기대 효과'와 '향후 과제'를 작성해야 한다. Ⅳ-2에 '향후 과제'에 대한 내용이 이미 제시되었으므로, ⓔ에는 '기대 효과'에 대한 내용이 들어가야 한다.

03

다음 글의 ⓣ~ⓔ 중 어색한 곳을 찾아 가장 적절하게 수정한 것은?

　수명을 늘릴 수 있는 여러 방법 중 가장 좋은 방법은 노화 문제를 해결하는 것이다. 이 방법은 인간이 젊고 건강한 상태로 수명을 연장할 수 있다는 점에서 ⓣ<u>늙고 병든 상태에서 단순히 죽음의 시간을 지연시킨다</u>는 기존 발상과 근본적으로 다르다. ⓛ<u>노화가 진행된 상태를 진행되기 전의 상태</u>로 되돌린다거나 노화가 시작되기 전에 노화를 막는 장치가 개발된다면, 젊음을 유지한 채 수명을 늘리는 것은 충분히 가능하다.

그러나 노화 문제와 관련된 현재까지의 연구는 초라하다. 이는 대부분 연구가 신약 개발의 방식으로만 진행되어 왔기 때문이다. 현재 기준에서는 질병 치료를 목적으로 개발한 신약만 승인받을 수 있는데, 식품의약국이 노화를 ⓒ 질병으로 본 탓에 노화를 멈추는 약은 승인받을 수 없었다. 노화를 질병으로 보더라도 해당 약들이 상용화되기까지는 아주 오랜 시간이 필요하다.

선택지 ③의 근거 (1)
선택지 ③의 근거 (2)

그런데 노화 문제는 발전을 거듭하고 있는 인공지능 덕분에 신약 개발과는 다른 방식으로 극복될 수 있을지 모른다. 일반 사람들에 비해 ⓔ 노화가 더디게 진행되는 사람들의 유전자 자료를 데이터화하면 그들에게서 노화를 지연시키는 생리적 특징을 추출할 수 있는데, 이를 통해 유전자를 조작하는 방식으로 노화를 막을 수 있다.

① ㉠: 늙고 병든 상태에서 담담히 죽음의 시간을 기다린다

② ㉡: 노화가 진행되기 전의 신체를 노화가 진행된 신체

☑ ③ ㉢: 질병으로 보지 않은 탓에 노화를 멈추는 약은 승인받을 수 없었다

④ ㉣: 노화가 더디게 진행되는 사람들의 유전자 자료를 데이터화하면 그들에게서 노화를 촉진

해설 ③ 문맥상 어색한 곳은 ㉢이다. ㉢의 앞뒤 문맥을 고려하면 대부분의 연구 방식인 신약 개발은 질병 치료를 목적으로 할 때만 승인받을 수 있는데, 식품의약국이 노화를 질병으로 보지 않았기에 노화 문제와 관련된 연구가 미흡했다는 내용이 제시되는 것이 자연스럽다. 따라서 ③은 ㉢을 글의 흐름에 맞게 적절히 수정한 것으로 볼 수 있다.

오답 분석 ① ② ④ 수정 전 문장은 자연스러운 문장으로 어색한 곳이 없으며, 수정한 문장은 글의 흐름에 맞지 않으므로 적절하지 않다.

04

㉠~㉣의 고쳐 쓰기로 적절하지 않은 것은?

파놉티콘(panopticon)은 원형 평면의 중심에 감시탑을 설치해 놓고, 주변으로 빙 둘러서 죄수들의 방이 배치된 감시 시스템이다. 감시탑의 내부는 어둡게 되어 있는 반면 죄수들의 방은 밝아 교도관은 죄수를 볼 수 있지만, 죄수는 교도관을 바라볼 수 없다. 죄수가 잘못했을 때 교도관은 잘 보이는 곳에서 처벌을 가한다. 그렇게 수차례의 처벌이 있게 되면 죄수들은 실제로 교도관이 자리에 ㉠ 있을 때조차도 언제 처벌을 받을지 모르는 공포감에 의해서 스스로를 감시하게 된다. 이렇게 권력자에 의한 정보 독점 아래 ㉡ 다수가 통제된다는 점에서 파놉티콘의 디자인은 과거 사회 구조와 본질적으로 같았다.

선택지 ②의 근거 (1) =다수
=소수
선택지 ②의 근거 (2)

현대 사회는 다수가 소수의 권력자를 동시에 감시할 수 있는 시놉티콘(synopticon)의 시대가 되었다. 시놉티콘에 가장 크게 기여한 것은 인터넷의 ㉢ 동시성이다. 권력자에 대한 비판을 신변 노출 없이 자유롭게 표현할 수 있게 되었기 때문이다. 정보화 시대가 오면서 언론과 통신이 발달했고, ㉣ 특정인이 정보를 수용하고 생산하게 되었다. 그로 인해 사회에서 일어나는 일에 대한 비판적 인식 교류와 부정적 현실 고발 등 네티즌의 활동으로 권력자들을 감시하는 전환이 일어났다.

① ㉠을 '없을'로 고친다.

☑ ② ㉡을 '소수'로 고친다. ➡ 교도관(소수)에 의해 죄수들(다수)이 통제됨

③ ㉢을 '익명성'으로 고친다.

④ ㉣을 '누구나가'로 고친다.

해설 ② ㉡ 앞에서 파놉티콘은 교도관(소수)이 죄수들(다수)을 감시한다는 내용이 제시되고 있고 ㉡이 포함된 문장에서는 권력자인 교도관(소수)의 정보 독점에 의해 죄수들(다수)이 통제된다는 내용을 요약적으로 설명하고 있으므로 ㉡을 '소수'로 고쳐 쓰는 것은 적절하지 않다.

오답 분석 ① ㉠ 앞뒤에서 파놉티콘의 구조로 인해 죄수들은 교도관의 존재 여부와 상관없이 스스로를 감시하게 되었다고 설명하고 있으므로 ㉠을 '없을'로 고치는 것이 적절하다.

③ ㉢ 앞뒤에서 시놉티콘에 가장 크게 기여한 것은 자신을 노출하지 않고 권력자를 비판할 수 있는 인터넷의 특성임을 설명하고 있으므로 ㉢을 '익명성'으로 고쳐 쓰는 것이 적절하다.

④ ⓔ 앞뒤에서 현대 사회는 다수(네티즌들)가 소수의 권력자를 감시할 수 있는 시놉티콘의 시대이며 언론과 통신이 발달한 정보화 시대임을 제시하고 있다. 따라서 ⓔ은 특정인(소수)이 아닌 다수를 나타내는 '누구나가'로 고치는 것이 적절하다.

05
㉠~㉣을 문맥에 맞게 수정하는 방안으로 적절한 것은?

> 난독(難讀)을 해결하려면 정독을 해야 한다. 여기서 말하는 <u>정독</u>은 <u>'뜻을 새겨 가며 자세히 읽음', 즉 '정교한 독서'</u>라는 뜻으로 한자로는 '精讀'이다. '精讀'은 '바른 독서'를 의미하는 <u>正讀</u>과 ㉠ <u>소리는 같지만 뜻이 다르다.</u> _{선택지 ①의 근거} 무엇이 정교한 것일까? <u>모든 단어에 눈을 마주치면서 제대로 인식하는 것</u>이다. _{선택지 ②의 근거 – '정교한 독서'의 의미} 이와 같은 ㉡ <u>정독(精讀)의 결과로 생기는 어문 실력이</u> _{선택지 ③의 근거 (1)} <u>문해력</u>이다. 문해력이 발달하면 결국 독서 속도가 빨라져, '빨리 읽기'인 속독(速讀)이 가능해진다. <u>빨리 읽기는 정독을 전제로 할 때 빛을 발한다.</u> _{선택지 ③의 근거 (2)} 짧은 시간에 같은 책을 제대로 여러 번 읽을 수 있기 때문이다. 그래서 문해력의 증가는 '정교하고 빠르게 읽기', 즉 ㉢ <u>정속독(正速讀)</u>에서 일어나게 되어 있다. 정독이 생활화되면 자기도 모르게 정속독의 경지에 오르게 된다. <u>그런 경지에 오른 사람들은 뭐든지 확실히 읽고</u> _{=정속독의 경지} 빨리 이해한다. 자연스레 집중하고 여러 번 읽어도 빠르게 읽으므로 시간이 여유롭다. ㉣ <u>정독이 빠진 속독은 곧 빼먹고</u> 읽는 습관, _{선택지 ④의 근거} 즉 난독의 일종임을 잊지 말아야 한다.

① ㉠을 '다르게 읽지만 뜻이 같다'로 수정한다.

② ㉡을 '정독(正讀)'으로 수정한다.

☑ ③ ㉢을 '정속독(精速讀)'으로 수정한다.

④ ㉣을 '속독이 빠진 정독'으로 수정한다.

_{해설} ③ 지문 6~12번째 줄에서 정독(精讀)의 결과로 생기는 어문 실력이 문해력이며, 문해력이 발달하면 결국 독서 속도가 빨라져, '빨리 읽기'인 속독(速讀)이 가능해진다고 설명하고 있다. 이어서 속독(速讀)은 정독(精讀)을 전제로 할 때에 의미가 있음을 설명하며, 결국 문해력의 증가는 정독(精讀)과 속독(速讀)이 결합된 '정교하고 빠르게 읽기'에서 일어남을 알 수 있다. 따라서 ㉢ '정속독(正速讀)'을 '정속독(精速讀)'으로 수정하는 것이 적절하다.

_{오답 분석} ① '정교한 독서'를 의미하는 '정독(精讀)'과 '바른 독서'를 의미하는 '정독(正讀)'은 서로 소리는 같지만 뜻이 다른 동음이의어이므로 수정 방안이 적절하지 않다.

② ㉡의 앞 문장에서 정교한 독서인 '정독(精讀)'의 방법을 설명하고 있으므로 ㉡을 '정독(正讀)'으로 수정하는 것은 적절하지 않다.

④ ㉣이 포함된 문장에서 '빼먹고 읽는 습관'은 정교하지 않은 독서를 의미하며, 결국 이는 '정독'이 빠진 것을 말하므로 수정 방안이 적절하지 않다.

06
㉠~㉣ 중 어색한 곳을 찾아 수정하는 방안으로 가장 적절한 것은?

> 조선 후기에 <u>서학으로 불린 천주학은 '학(學)'이라는 말에</u> _{선택지 ①의 근거} 서도 짐작할 수 있듯이 ㉠ <u>종교적인 관점에서보다 학문적인</u> 관점에서 받아들여졌다. 당시의 유학자 중 서학 수용에 적극적인 이들까지도 서학을 무조건 따르자고 ㉡ <u>주장하지는 않</u> 았는데, <u>서학은 신봉의 대상이 아니라 분석의 대상이었기 때</u> _{선택지 ②의 근거} 문이다. 그들은 조선 사회를 바로잡고 발전시키기 위해 새로운 학문과 지식이 필요하다고 생각했지만, <u>외부에서 유입된</u> _{선택지 ③의 근거} 사유 체계에는 양명학이나 고증학 등도 있어서 서학이 ㉢ <u>유</u> <u>일한 대안은 아니었다.</u> <u>그들은 서학을 검토하며 어떤 부분은</u> _{선택지 ④의 근거} <u>수용했지만, 반대로 어떤 부분은</u> ㉣ <u>지향했다.</u>

① ㉠: '학문적인 관점에서보다 종교적인 관점에서'로 수정한다.

② ㉡: '주장하였는데'로 수정한다.

③ ㉢: '유일한 대안이었다'로 수정한다.

☑ ④ ㉣: '지양했다'로 수정한다.

_{해설} ④ ㉣이 포함된 문장은 서학의 일부분은 수용했지만, 반대로 일부분은 받아들이지 않았다는 내용이다. 즉 ㉣에는 '수용'과 대립되는 부정적 의미의 단어가 들어가야 하므로 '지양했다'로 수정해야 한다.
· 지향하다(志向-): 어떤 목표로 뜻이 쏠리어 향하다.
· 지양하다(止揚-): 더 높은 단계로 오르기 위하여 어떠한 것을 하지 않다.

_{오답 분석} ① 천주학의 '학(學)'은 '학문'을 의미하므로, ㉠에는 종교적인 관점에서보다 학문적인 관점에서 받아들여졌다는 내용이 나와야 한다.

② ⓒ 뒤에서 서학은 신봉의 대상이 아니라고 하였으므로, ⓒ에는 서학 수용에 적극적인 이들도 서학을 무조건 따르자고 주장하지 않았다는 내용이 나와야 한다.

③ ⓒ 앞 내용에 따르면, 외부에서 유입된 사유 체계에는 양명학과 고증학 등 다른 학문도 있었다고 한다. 따라서 ⓒ에는 서학이 유일한 대안은 아니었다는 내용이 나와야 한다.

07

〈지침〉에 따라 〈개요〉를 작성할 때 ㉠~㉣에 들어갈 내용으로 적절하지 않은 것은?

─────── 〈지침〉 ───────
○ 서론에는 중심 소재의 개념을 정의하고, 문제 심화 원인
  <small>선택지 ①의 근거</small>
  을 제시할 것.

○ 본론은 제목의 하위 내용으로 구성하되, 각 장의 하위 항
  <small>선택지 ②③의 근거</small>
  목끼리 대응되도록 작성할 것.

○ 결론은 본론에 제시된 해결 방안의 하위 항목에 각각 대
  <small>선택지 ④의 근거</small>
  응되도록 작성하되, 기대 효과를 포함할 것.

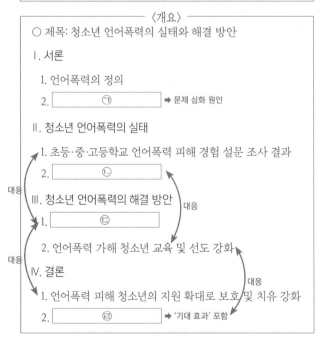

① ㉠: 언어폭력이 증가하게 된 사회적 배경

② ㉡: 초등·중·고등학교 언어폭력 가해 경험 설문 조사 결과

③ ㉢: 언어폭력 피해 청소년을 위한 상담 지원

☑ ㉣: 언어폭력 가해 청소년을 대상으로 운영하는 봉사활동 프로그램 홍보
   → '기대 효과' 포함하지 않음

<small>해설</small> ④ ㉣: 〈지침〉에 의하면 결론은 본론에 제시된 해결 방안의 하위 항목에 각각 대응되도록 작성하되, 기대 효과를 포함해야 한다. Ⅲ-2는 '언어폭력 가해 청소년 교육 및 선도 강화'이고, ㉣은 '언어폭력 가해 청소년 교육'과 관련이 있으므로 Ⅲ-2와 대응한다고 볼 수 있다. 그러나 ㉣에는 기대 효과가 포함되지 않았으므로 적절하지 않다.

<small>오답
분석</small> ① ㉠: 〈지침〉에 의하면 서론에는 개념의 정의와 문제 심화 원인이 제시되어야 한다. Ⅰ-1에 언어폭력의 정의가 제시되었으므로 Ⅰ-2에 언어폭력 문제가 증가하게 된 이유나 배경이 들어가는 것은 적절하다.

② ㉡: 〈지침〉에 의하면 본론은 제목의 하위 내용이면서 다른 본론의 하위 항목과 대응되어야 한다. 따라서 ㉡은 청소년 언어폭력의 실태라는 제목의 하위 내용에 해당하고, Ⅲ-2의 '언어폭력 가해 청소년'과 대응되는 내용이므로 적절하다.

③ ㉢: 〈지침〉에 의하면 본론은 제목의 하위 내용이면서 다른 본론의 하위 항목과 결론의 하위 항목에 대응되어야 하고, 결론은 본론에 제시된 해결 방안의 하위 항목에 각각 대응되어야 한다. ㉢은 언어폭력의 해결 방안으로 제목의 하위 내용에 해당하고, Ⅱ-1의 '청소년 언어폭력 피해 경험 설문 조사 결과', Ⅳ-1의 '언어폭력 피해 청소년의 지원 확대로 보호 및 치유 강화'에 모두 대응되는 내용이므로 적절하다.

08

㉠~㉣을 문맥을 고려하여 수정한 것으로 가장 적절한 것은?

─────────────────────
　농촌의 모습을 주된 소재로 삼는 A 드라마에 결혼 이주 여성이 등장한다는 것은 그녀들이 직면한 여러 문제들을 다룰
<small>선택지 ①의 근거</small>
기회가 마련되었다는 점에서 일단은 긍정적이다. 하지만 ㉠그녀들이 농촌에 정착하는 과정에서 경험하게 되는 다양한 문제들을 단순화할 수 있는 위험성도 내포하고 있다.

　이 드라마에는 모문화와 이문화 사이의 차이로 인해 힘겨워하는 여성, 민족적 정체성에 혼란을 겪는 여성, 아이의 출산과 양육 문제로 갈등을 겪는 여성 등이 등장한다. 문제는 이 드라마에서 이러한 갈등의 원인을 제대로 규명하는 것보
<small>선택지 ②의 근거 - 드라마의 문제</small>
다는 ㉡부부간의 사랑이나 가족애를 통해 극복하는 낭만적인 해결 방식을 주로 선택한다는 데에 있다. 예를 들어, ○○화에서는 여성 주인공이 아이의 태교 문제로 내적 갈등을 겪다가 결국 자신의 생각을 포기함으로써 그 갈등이 해소된 것처럼 마무리된다. 태교에 대한 문화적 차이가 주된 원인이었지만, 이 드라마에서는 그것에 주목하기보다 ㉢남편과 갈
─────────────────────

등을 일으키는 여성 주인공의 모습을 부각하여 **사랑과 이해** _{선택지 ③의 근거}에 기반한 순종과 순응을 결혼 이주 여성이 갖추어야 할 덕목으로 묘사한 것이다.

　이 드라마에서 ㉣ <u>이러한 강요된 선택과 해소되지 않은 심적 갈등이 사실대로 재현되지 않음으로써</u> **실질적인 원인은** _{선택지 ④의 근거} **은폐되고** 여성의 일방적인 양보와 희생을 통해 해당 문제들이 성급히 봉합된다. 이는 어디까지나 한국인의 시선으로만 결혼 이주 여성과 다문화 가정을 바라보고 있기 때문이다.

① ㉠을 "그녀들이 농촌에 정착하는 과정에서 경험하게 되는 다양한 문제들을 탐색할 수 있는 가능성도"로 고친다.

② ㉡을 "시댁 식구를 비롯한 한국인들과의 온정적인 소통을 통해 극복하는 구체적인 해결 방식"으로 고친다.

③✔ ㉢을 "남편의 의견을 따르는 여성 주인공의 모습"으로 고친다.

④ ㉣을 "이러한 억압적 상황과 해소되지 않은 외적 갈등이 여과 없이 노출됨으로써"로 고친다.

해설　③ ㉢ 뒤 내용을 따르면, ㉢을 부각하여 순종과 순응을 결혼 이주 여성이 갖추어야 할 덕목으로 묘사하였다고 설명한다. 이에 근거했을 때 ㉢은 순종, 순응과 유사한 의미의 "남편의 의견을 따르는 여성 주인공의 모습"으로 고쳐 쓰는 것이 적절하다.

오답분석　① ㉠ 앞에는 A 드라마에 대한 긍정적인 내용이 제시되었다. 이후 접속 부사 '하지만'이 나오므로 ㉠은 A 드라마에 대한 부정적인 내용임을 알 수 있다. 따라서 ㉠을 ①과 같이 고치는 것은 적절하지 않다.

② ㉡이 포함된 문장은 문맥상 결혼 이주 여성이 겪는 갈등의 원인을 제대로 규명하기보다는 낭만적인 해결 방식(㉡의 내용)을 취한다는 내용이므로 ㉡을 ②와 같이 고치는 것은 적절하지 않다.

④ ㉣ 뒤는 A 드라마에서 갈등의 실질적인 원인이 은폐된 점을 비판하고 있다. 따라서 ㉣에는 사실대로 재현되지 않은 갈등에 대한 내용이 들어가는 것이 어울리므로 ㉣을 ④와 같이 고치는 것은 적절하지 않다.

09

(가)~(라)의 고쳐 쓰기 방안으로 적절하지 않은 것은?

(가) **현재** 우리 구청 조직도에는 기획실, 홍보실, 감사실, 행정 _{선택지 ①의 근거}국, 복지국, 안전국, 보건소가 **있었다**. ➡ 있다

(나) 오늘은 우리 시청이 **지양**하는 '행복한 ○○시'를 실현하 _{➡지향　선택지 ②의 근거}기 위한 추진 방안을 논의합니다.

(다) **(지난달 수해로 인한)** (준비 기간이 짧았기) 때문에 지역 _{선택지 ③의 근거　원인 ⟹ 결과}축제는 예년보다 규모가 줄어들었다. ➡ 지난달 수해로 인하여

(라) 공과금을 기한 내에 지정 금융 기관에 **납부**하지 않으면 연체료를 내야 한다.

① (가): '있었다'는 문맥상 시제 표현이 적절하지 않으므로 '있다'로 고쳐 쓴다.

② (나): '지양'은 어떤 목표로 뜻이 쏠리어 향한다는 의미인 '지향'으로 고쳐 쓴다.

③ (다): '지난달 수해로 인한'은 '준비 기간'을 수식하는 절이 아니므로 '지난달 수해로 인하여'로 고쳐 쓴다.

④✔ (라): '납부'는 맥락상 금융 기관이 돈이나 물품 따위를 받아 거두어들인다는 '수납'으로 고쳐 쓴다.

해설　④ '납부'는 '세금이나 공과금 등을 관계 기관에 냄'을 의미하므로 (라)의 문맥상 어휘의 쓰임이 올바르다.

오답분석　① 있었다(×) → 있다(○): 부사 '현재'와 과거 시제 선어말 어미 '-었-'이 결합한 서술어 '있었다'의 호응이 적절하지 않다. 따라서 서술어를 현재형 '있다'로 고쳐 써야 한다.

② 지양(×) → 지향(○): '지양(止揚)'은 '더 높은 단계로 오르기 위하여 어떠한 것을 하지 않음'을 뜻하므로, 문맥상 시청이 행복한 도시를 실현하기 위해 추진하는 방안과 어울리지 않는다. 따라서 '어떤 목표로 뜻이 쏠리어 향함'을 의미하는 '지향(志向)'으로 고쳐 써야 한다.

③ 수해로 인한(×) → 수해로 인하여(○): (다)의 문맥상 '지난달 수해'는 '(축제) 준비 기간이 짧았다'의 원인이다. 따라서 까닭이나 근거 등을 나타내는 연결 어미 '-여'를 사용하여 문제의 원인이 분명하게 드러나도록 고쳐 써야 한다.

10

⑦~@에 들어갈 말로 적절하지 않은 것은?

제목: ○○청소기 관련 고객 만족도 제고 방안

I. 고객 불만 현황

  1. [⑦]

  2. 인터넷 고객 문의 접수 및 처리 지연

II. [ⓒ]

  1. 해외 공장에서 제작한 모터 품질 불량

  2. 인터넷 고객 지원 서비스 시스템의 잦은 오류

III. [ⓒ] ➡ 고객 불만에 대한 해결 방안

포괄하는 내용

  1. 동종 제품 전량 회수 후 수리 또는 신제품으로 교환

  2. 고객 지원 서비스 시스템 최신화 및 관리 인력 충원

IV. [@]

  1. 제품에 대한 고객 민원 해결 및 회사 이미지 제고

  2. 품질 결함 최소화를 위한 품질 관리 체계의 개선 방향

---

① ⑦: 소음 과다 및 흡입력 미흡

② ⓒ: 고객 불만 발생의 원인

☞③ ⓒ: 고객 지원 센터의 지원 인력 부족

   ➡ 하위 항목을 포괄하는 내용이 아님

④ @: 기대 효과와 향후 과제

③ ⓒ '고객 지원 센터의 지원 인력 부족'은 I-2의 원인에 해당하므로 III-1, 2의 상위 항목으로 적절하지 않다. 참고로 ⓒ에는 '고객 불만에 대한 해결 방안'이 들어가는 것이 적절하다.

11

〈보기〉를 근거로 판단할 때 ⑦~@ 중 적절하지 않은 것은?

〈보기〉

통일성은 글의 내용이 하나의 주제로 긴밀하게 관련되는 특성을 말한다. 초고의 적절성을 평가할 때에는 ⑴글의 내용이 하나의 주제를 드러낼 수 있도록 선정되었는지, 그리고 ⑵중심 내용에 부합하는 하위 내용들로 선정되었는지를 검토한다.

사람들은 대개 수학 과목이 어렵다고 한다. 하지만 나는 수학 시간이 재미있다. ⑦ 바로 수업을 재미있게 진행하시는 수학 선생님 덕분이다. 수학 선생님은 유머로 딱딱한 수학 시간을 웃음바다로 만들곤 한다. ⓒ 졸리는 오후 시간에 뜬금없이 외국으로 수학여행을 가자고 하여 분위기를 부드럽게 만든 후 어려운 수학 문제를 쉽게 설명한 적도 있다. 그래서 우리 학교에서는 수학 선생님의 인기가 시들 줄 모른다. ⓒ 그
  선택지 ③의 근거 (1)
리고 수학 선생님의 아들이 수학을 굉장히 잘한다는 소문이
  수학 선생님의 아들에 관한 내용
나 있다. @ 내 수학 성적이 좋아진 것도 수학 선생님의 재미
  선택지 ③의 근거 (2)
있는 수업 덕택이다.

① ⑦   ② ⓒ

☞③ ⓒ ➡ '수학 선생님의 재미있는 수업'   ④ @
         에 부합하는 내용이 아님

③ 〈보기〉는 글의 통일성에 대한 설명으로, ⑦~@ 중 통일성을 근거로 판단할 때 적절하지 않은 것은 ⓒ이다. 지문의 중심 내용은 '수학 선생님의 재미있는 수업'인데, ⓒ은 수학 선생님의 아들에 관한 내용이므로 통일성에 어긋난다.

① 수학 시간이 흥미로운 이유이므로 중심 내용에 부합한다.

② 재미있는 수학 수업의 사례이므로 중심 내용에 부합한다.

④ 재미있는 수학 수업으로 인한 결과이므로 중심 내용에 부합한다.

12

〈공공언어 바로 쓰기 원칙〉에 따라 〈공문서〉의 ⑦~@을 수정한 것으로 적절하지 않은 것은?

〈공공언어 바로 쓰기 원칙〉

○ 어려운 한자어는 우리말로 표현할 것.
  선택지 ①의 근거
○ 올바른 띄어쓰기에 맞게 표기할 것.
  선택지 ②의 근거
○ 문장 성분 간의 호응에 유의할 것.
  선택지 ③의 근거
○ 외국어 번역 투를 사용하지 말 것.
  선택지 ④의 근거

〈공문서〉
○○광역시

수신 수신자 참조

(경유)

제목 20××년 10월 『문화나누미 서비스』 홍보 협조 요청

───────────────────────────

1. 귀 기관의 무궁한 발전을 기원합니다.

2. 우리 시에서는 지역 복지를 실현하고자 『문화나누미 서비스』의 ㉠**일환으로** 금관 5중주 공연을 시행하고자 하니,
   _{어려운 한자어}
   많은 대상자가 공연을 관람할 수 있도록 홍보해 주시기를 바랍니다.

3. 신청 자격 및 기간은 아래와 같으며, ㉡**기관별**로 신청서를
   _{띄어쓰기}
   모아 회신해 주시기를 바랍니다. 우리 시는 신규 신청자를 우선적으로 ㉢**대상자가 선정할 예정이며,** ㉣**초대권은 문**
   _{문장 성분 간 호응} _{외국어 번역 투}
   자 알림에 의해 전달될 예정입니다.

① ㉠: 하나로

✓② ㉡: 기관 별 ➡ '별'은 접미사이므로 붙여 써야 함

③ ㉢: 대상자로 선정할 예정이며

④ ㉣: 문자 알림으로 초대권을 전달할

[해설] ② '기관별'에서 '-별'은 '그것에 따른'의 뜻을 더하는 접미사로, 접미사는 앞말에 붙여 써야 한다. 따라서 '기관∨별'로 수정하는 것은 적절하지 않다.

[오답분석] ① '일환(一環)'은 '서로 밀접한 관계로 연결되어 있는 여러 것 가운데 한 부분'을 뜻하는 한자어로, '(…의) 하나로'나 '(…의) 한 가지로'로 다듬어 표현할 수 있다.

③ '선정하다'에 호응하는 주어는 '우리 시는'으로, '대상자가'에 호응하는 서술어는 문장 내에 존재하지 않는다. '대상자'는 주어(주체)가 아니라 부사어(객체)에 해당하므로 문장 성분이 적절하게 호응하도록 '대상자'에 지위나 신분 또는 자격을 나타내는 부사격 조사인 '로'를 결합한 '대상자로'로 수정하는 것은 적절하다.

④ '초대권'과 같은 사물이 주어로 오거나 '~에 의해 ~되다'의 문장 형식은 번역 투 표현으로 어색한 피동 표현에 해당한다. 이를 자연스러운 우리말 표현인 '문자 알림으로 초대권을 전달할'로 수정하는 것은 적절하다. 참고로, ㉣의 문장에서 주어는 '우리 시로', 앞 문장의 주어와 동일하여 주어가 생략되었다.

13
〈공공언어 바로 쓰기 원칙〉에 따라 〈공문서〉의 ㉠~㉣을 수정한 것으로 적절하지 않은 것은?

────── 〈공공언어 바로 쓰기 원칙〉 ──────
○ 외국어 번역 투를 사용하지 말 것
  _{선택지 ④의 근거}
○ 어문 규범에 맞는 용어를 사용할 것
  _{선택지 ①의 근거}
○ 어려운 한자는 쉬운 말로 다듬어 쓸 것
  _{선택지 ②의 근거}
○ 대등한 것끼리 접속할 때는 구조가 동일한 표현을 쓸 것
  _{선택지 ③의 근거}

────────── 〈공문서〉 ──────────
○○시

수신 수신자 참조

(경유)

제목 학교 및 돌봄 공간 종사자 코로나19 백신 접종 안내 알림

───────────────────────────

1. ㉠**귀기관**의 무궁한 발전을 기원합니다.
   _{어문 규범}

2. ㉡**기 통보한** 대로 학교 및 돌봄 공간 종사자에 대한 코로
   _{어려운 한자}
   나19 백신 접종을 아래와 같이 진행하고자 합니다.

3. 신청 자격 및 기간은 아래와 같으며, 접종 전에 ㉢**예진표**
   를 작성하시고 개인 상비약 구비 바랍니다.
   _{구조가 동일한 표현}

4. 아울러 ㉣**이번 백신 접종에 있어서** 학교 및 돌봄 공간 종
   _{외국어 번역 투}
   사자들이 빠짐없이 참여할 수 있도록 하여 집단 면역에 차질이 없도록 협조해 주시기를 바랍니다.

① ㉠: 귀 기관

② ㉡: 이미 알려 드린

✓③ ㉢: (예진표 작성)과 (개인 상비약을 구비하시기) 바랍니다.
  ➡ 구조가 같지 않음

④ ㉣: 이번 백신 접종에

해설 ③ ㉢은 접속 조사 '과'로 연결되는 두 문장이 각각 명사와 서술어로 제시되어 자연스럽지 않다. 따라서 두 문장의 구조가 동일하게 대응되도록 '예진표를 작성하시고 개인 상비약을 구비하시기 바랍니다'로 고쳐 써야 한다.

오답 분석 ① ㉠의 '귀'는 '상대편이나 그 소속체를 높이는 뜻을 나타내는 말'로 관형사이므로 뒤 말과 띄어 써야 한다. 참고로 '귀사', '귀교', '귀댁'은 한 단어이므로 붙여 써야 한다.

② ㉡의 '기(旣: 이미 기)'는 '이미'를 의미하는 한자어로, '이미 알려 드린'으로 다듬어 표현할 수 있다. 참고로 공문서를 쓸 때는 어렵거나 생소한 말을 쉬운 우리말로 다듬어 써야 한다.

④ ㉣의 '이번 백신 접종에 있어서'의 '~에 있어서'는 일본어 번역 투에 해당하는 표현이다. 따라서 '이번 백신 접종에'로 고쳐 쓰는 것이 적절하다.

14

〈지침〉에 따라 〈개요〉를 작성할 때 ㉠~㉣에 들어갈 내용으로 적절하지 않은 것은?

┌─────〈지침〉─────┐

○ 서론에는 중심 소재의 개념을 제시하고, 문제의 심각성
  선택지 ①의 근거
  을 1개의 장으로 작성할 것.

○ 본론은 제목의 하위 내용으로 구성하되, 각 장의 하위 항
  선택지 ②③의 근거
  목끼리 대응되도록 작성할 것.

○ 결론은 본론과 관련된 기대 효과와 향후 과제를 각각 1개
  선택지 ④의 근거
  의 장으로 제시할 것.

└────────────────┘

┌─────〈개요〉─────┐

○ 제목: 소나무 재선충병의 확산 원인과 해결 방안

Ⅰ. 서론

  1. 소나무 재선충병의 정의

  2. [㉠] ➡ 문제의 심각성

Ⅱ. 소나무 재선충병 확산 원인

  1. 지구 온난화로 솔수염하늘소의 출현 시기가 빨라짐

  2. [㉡]

Ⅲ. 소나무 재선충병 확산 해결 방안

  1. [㉢]

  2. 감염 소나무 소재 파악 및 벌목을 위한 방제 예산 확보

Ⅳ. 결론

  1. 소나무 재선충병의 사전 및 사후 방제가 가능함

  2. [㉣] ➡ 향후 과제

└────────────────┘

(대응 / 대응)

① ㉠: 소나무 재선충병 감염으로 인한 막대한 산림 훼손

② ㉡: 산림청 소나무 재선충 방제 예산 감소

③ ㉢: 솔수염하늘소 확산 방지를 위해 천적인 가시고치벌 인공 사육 및 자연 방사

✔ ④ ㉣: 소나무 재선충병으로 피해를 본 산림 소유자에 대한 피해 보상 방안 마련 ➡ 본론과 관련된 '향후 과제'가 아님

해설 ④ 〈지침〉에 따라 'Ⅳ. 결론'에는 본론과 관련된 기대 효과와 향후 과제가 각각 1개의 장으로 제시되어야 한다. 이때 '소나무 재선충병으로 피해를 본 산림 소유자에 대한 피해 보상 방안 마련'은 본론의 내용인 소나무 재선충병 확산 원인이나 해결 방안과 관련이 없는 내용이므로 ㉣에 들어갈 내용으로 적절하지 않다. 참고로 ㉣에는 'Ⅲ'의 하위 항목을 고려하여 '솔수염하늘소의 천적인 가시고치벌이 우리나라 산림에 미칠 수 있는 부작용 파악 및 예산 확대를 위한 근거 마련'과 같은 내용이 들어가는 것이 적절하다.

오답 분석 ① ㉠에 대하여 〈지침〉에 의하면 'Ⅰ. 서론'에는 중심 소재의 정의와 문제의 심각성과 관련된 내용이 제시되어야 한다. 'Ⅰ-1'에 '소나무 재선충병'의 정의가 제시되었으므로 ㉠에 문제의 심각성과 관련된 내용인 '소나무 재선충병 감염으로 인한 막대한 산림 훼손'이 들어가는 것은 적절하다.

② ㉡에 대하여 〈지침〉에 의하면 '본론'은 '제목'의 하위 항목으로 구성되어야 하며 각 장의 하위 항목은 서로 대응되어야 한다. 이때 '산림청 소나무 재선충 방제 예산 감소'는 'Ⅲ'의 하위 항목인 'Ⅲ-2. 감염된 소나무 소재 파악 및 벌목을 위한 방제 예산 확보'와 대응되는 내용이므로 적절하다.

③ ㉢에 대하여 〈지침〉에 의하면 '본론'은 '제목'의 하위 항목으로 구성되어야 하며 각 장의 하위 항목은 서로 대응되어야 한다. 이때 '솔수염하늘소 확산 방지를 위해 천적인 가시고치벌 인공 사육 및 자연 방사'는 'Ⅱ'의 하위 항목인 'Ⅱ-1. 지구 온난화로 인한 솔수염하늘소의 출현 시기가 빨라짐'과 대응되는 내용이므로 적절하다.

15

다음 글의 ㉠~㉣ 중 어색한 곳을 찾아 가장 적절하게 수정한 것은?

언어의 사회성이란 소리와 의미의 관계가 그 언어를 사용하는 사회 구성원들 간에 약속이 된 뒤에는 어느 한 개인이 마음대로 바꿀 수 없음을 말한다. 특히 사회를 형성하는 데 있어 언어는 매우 중요한 요소이기 때문에 ㉠ 국가는 언어적 통일성을 유지하기 위하여 언어 규범인 표준어를 제정하여 사용한다. 그러나 ㉡ 언어 규범이 국민의 언어생활에 직접적인 영향을 미친 사례도 있다. 본래 규범에 따르면 '너무'는 '일정한 정도나 한계에 지나치게'라는 뜻의 부사로 용언을 부정적으로 한정하는 기능이 있다. 그래서 긍정적인 맥락에서는 '너무' 대신에 '매우', '아주', '정말', '무척' 등을 사용해야 하지만, 오래전부터 많은 사람들은 문맥과 상관없이 '너무 좋다', '너무 맛있다', '너무 멋지다' 등의 비문법적인 표현을 일상적으로 사용해 왔다. 심지어 대중가요 가사나 드라마, 영화 제목에서도 '너무'가 잘못 사용되는 경우가 많았다. 결국 2015년 6월 국립국어원은 '너무'를 ㉢ 긍정적인 서술어와도 어울려 쓸 수 있도록 표준국어대사전의 정보를 수정하였다. 이러한 조치는 문법과 상관없이 사람들이 '너무'를 사용한 현실을 인정한 것으로, 이는 ㉣ 언어의 변화 가능성을 잘 보여주는 사례이다. 이와 유사한 사례로 본래 표준어가 아니었다가 뒤늦게 표준어로 인정받은 '짜장면'이 있다.

선택지 ①의 근거
선택지 ②의 근거 (1), 선택지 ③의 근거
선택지 ②의 근거 (2), 선택지 ④의 근거

① ㉠: 국가는 언어적 다양성을 유지하기 위하여

✔ ② ㉡: 사회 구성원의 실제 언어 사용이 언어 규범을 바꾸는 사례
   ➡ '너무'의 사용 범위가 바뀜

③ ㉢: 부정적인 서술어와는 어울리지 못하도록

④ ㉣: 언어의 고착성을 잘 보여주는 사례

[해설] ② 지문 끝에서 5~7번째 줄에서, 사람들이 '너무'를 긍정적인 맥락에 잘못 사용하는 경우가 많아 '너무'를 긍정적인 서술어와도 어울려 쓸 수 있도록 표준국어대사전의 정보를 수정한 사례를 제시하고 있다. 따라서 ㉡은 '사회 구성원의 실제 언어 사용이 언어 규범을 바꾸는 사례'로 수정해야 한다.

[오답분석] ① 지문 1~3번째 줄에서 '언어의 사회성'을 '소리와 의미의 관계가 그 언어를 사용하는 사회 구성원들 간에 약속이 된 뒤에는 어느 한 개인이 마음대로 바꿀 수 없는 것'으로 정의하고 있다. 이러한 언어의 특징에 따라 국가에서 표준어를 제정하는 것이라고 설명하므로 ㉠은 '국가는 언어적 통일성을 유지하기 위하여'가 적절하다.

③ 지문 7~9번째 줄에 따르면, 본래 규범에서 '너무'는 용언을 부정적으로 한정하는 부사로 정하였다고 한다. 그러나 많은 사람들이 긍정적인 맥락에서 일상적으로 사용하였기에 규범을 수정하여 이를 허용한 것이므로 ㉢은 '긍정적인 서술어와도 어울려 쓸 수 있도록'이 적절하다.

④ 지문 끝에서 5~7번째 줄에 따르면, 국립국어원은 '너무'의 용법을 변경하는 방향으로 표준국어대사전의 정보를 수정하였다. 이는 사회 구성원의 언어 사용에 따라 언어가 변화될 수 있음을 보여주는 사례이므로 ㉣은 '언어의 변화 가능성을 잘 보여주는 사례'가 적절하다.

01 ②	02 ③	03 ④	04 ②	05 ④
06 ③	07 ⑤	08 ②	09 ②	10 ④
11 ②	12 ④	13 ①	14 ③	15 ④

01

갑~병에 대한 평가로 적절한 것만을 〈보기〉에서 모두 고르면?

갑: 일상적인 언어생활에서 가족이 아닌 이들과 대화할 때 우리 엄마라는 표현을 자주 쓰곤 하는데, 좀 이상하지 않아? 우리 동네라는 표현과 비교하면 무엇이 문제인지 분명하게 알 수 있어. '우리 동네'는 화자의 동네이기도 하면서 청자의 동네이기도 한 특정한 하나의 동네를 지칭하잖아. 그런 식이라면 '우리 엄마'는 형제가 아닌 화자와 청자
_{'ㄱ'의 근거}
가 공유하는 엄마를 지칭하는 이상한 표현이 되는 셈이지. 그러니까 이 경우의 '우리 엄마'는 잘못된 어법이고 '내 엄마'라고 하는 것이 올바른 어법이라고 할 수 있어.
➡ 우리: 화자와 청자가 공유하는 대상에만 사용 가능

을: 청자가 사는 동네와 화자가 사는 동네가 다른 경우에도
_{'ㄴ'의 근거}
우리 동네라는 표현을 쓸 수 있어. 물론 이 표현이 의미하는 것은 청자가 사는 동네와 다른, 화자가 사는 동네가 되겠지. 이 경우 우리 동네라는 표현은 '그 표현을 말하는 사람이 사는 동네' 정도를 의미할 거야. 갑이 문제를 제기한 우리 엄마의 경우도 마찬가지라고 볼 수 있어.
➡ 우리: 청자를 배제한 화자와 관련이 있는 대상에도 사용 가능

병: '우리 엄마'와 '내 엄마'가 같은 뜻을 갖는 것은 아니야. '내 동네'라고 하지 않고 우리 동네라고 하는 것은 동네를 공유하는 공동체가 존재하기 때문이겠지. 마찬가지로 '내 엄마'라고 하지 않고 우리 엄마라고 하는 것은 우리가 늘 가족 공동체 속에서의 엄마를 생각하기 때문일 거야. 즉, 가족 구성원 중의 한 명인 엄마를 공유하는 공동체가 존재
_{'ㄷ'의 근거}
한다는 것이지. ➡ 우리: '화자 + 대상을 공유하는 공동체'를 가리킴

〈보기〉

ㄱ. 갑은 '우리 엄마'라는 표현이 화자와 청자 모두의 엄마를 가리킨다고 보는 입장이다. ➡ 갑: '우리'는 화자 + 청자

ㄴ. 형제가 서로 대화하면서 '우리 엄마'라는 표현을 쓸 때 이 표현이 형과 동생 모두의 엄마를 가리킨다는 것은 을의 입장을 약화한다. ➡ 청자를 배제할 수 있다고 했을 뿐임

ㄷ. 무인도에 혼자 살아온 사람이 그 섬을 '우리 마을'이라고 말하면 어색하게 느껴진다는 것은 병의 입장을 약화하지 않는다. ➡ 무인도를 공유하는 공동체가 없으므로

① ㄱ　　　　　　　　　　　② ㄱ, ㄷ

③ ㄴ, ㄷ　　　　　　　　　④ ㄱ, ㄴ, ㄷ

해설 ② 갑~병에 대한 평가로 적절한 것은 ② 'ㄱ, ㄷ'이다.
- ㄱ: '갑'은 '우리 엄마'라는 표현이 형제가 아닌 화자와 청자가 공유하는 엄마를 지칭하므로 이상한 표현이라고 설명한다. 즉 '우리'를 화자와 청자 모두를 포함하는 개념으로 인식하는 것이다. 따라서 ㄱ은 '갑'의 견해에 대한 평가로 적절하다.
- ㄷ: '병'은 '우리 동네'라는 표현을 사용하는 것은 동네를 공유하는 공동체가 존재하기 때문이라고 설명한다. ㄷ은 '무인도'에서 혼자 살아온 사람이 그 섬을 '우리 마을'이라고 말하면 어색하게 느껴진다고 했는데, '병'의 의견에 따르면 이는 '무인도'를 공유하는 공동체가 존재하지 않기 때문이다. 이렇듯 ㄷ의 설명이 '병'의 입장을 약화한다고 볼 수 없기에 ㄷ은 '병'의 견해에 대한 평가로 적절하다.

오답 분석
- ㄴ: '을'은 청자가 사는 동네와 화자가 사는 동네가 다른 경우에도 '우리 동네'라는 표현을 쓸 수 있다고 말하면서 '우리 엄마'의 경우에도 마찬가지라고 설명한다. 이는 화자와 청자의 엄마가 동일한 경우뿐만 아니라 다른 경우에도 '우리 엄마'라는 표현을 쓸 수 있다는 의미이다. 즉, '을'은 '우리'라는 표현이 화자만 포함하는 것도 가능하다고 하였을 뿐 청자를 배제해야만 한다는 견해는 아니므로 ㄴ은 '을'의 견해에 대한 평가로 적절하지 않다.

02

⊙, ⓒ의 주장에 대한 비판으로 적절하지 않은 것은?

투표 제도에는 투표권 행사를 투표자의 자유의사에 맡기는 자유 투표제와 투표권 행사를 정당한 사유 없이 기권하면 법적 제재를 가하는 의무 투표제가 있다. 우리나라는 자유 투표제를 채택하고 있는데, ⊙의무 투표제를 도입하자는 측은 낮은 투표율로 투표 결과의 정당성이 확보되지 못하는 문제를 지적한다. 법적 제재는 분명 높은 투표율로 이어질 것 (선택지 ②의 근거) 이므로 의무 투표제가 낮은 투표율을 해결할 최선의 방안이라고 그들은 말한다. 또한 더 많은 국민이 투표에 참여할 (선택지 ①의 근거) 수록 정치인들은 정책 경쟁력을 높이려 할 것이므로 정치 소외 계층에 대한 관심이 높아질 것이라고 기대한다.

반면 ⓒ의무 투표제에 반대하는 측은 현재 우리나라의 투 (선택지 ④의 근거) 표율이 정치 지도자들의 대표성을 훼손할 만큼 심각하지는 않다고 본다. 또한 시민 교육 등 다른 방식으로도 투표율 상승을 기대할 수 있다며 의무 투표제가 투표율을 높일 가장 효과적인 방안은 아니라고 말한다. 그리고 의무 투표제를 도입 (선택지 ③의 근거) 하면, 선출된 정치인들이 높은 투표율을 핑계로 안하무인의 태도를 취하는 부작용이 생겨 국민의 뜻이 오히려 왜곡될 수 있다는 우려의 목소리를 내고 있다.

① ⊙은 투표율의 증가가 후보들의 정책 경쟁으로 이어진다는 것에 대한 근거를 제시해야 한다.

② ⊙은 정당한 사유 없는 기권에 대한 법적 제재가 투표율 상승으로 이어진다는 것을 뒷받침할 자료를 제시해야 한다.

✓③ ⓒ은 선출된 정치인들이 높은 투표율을 핑계로 안하무인의 태도를 취하는 부작용에 대한 대책을 제시해야 한다.
   ➡ ⊙에 대한 비판임

④ ⓒ은 현재 우리나라의 투표율이 정치 지도자들의 대표성을 훼손할 만큼 심각하지 않다는 것에 대한 근거를 제시해야 한다.

해설 ③ 2문단 끝에서 2~4번째 줄에서 ⓒ은 의무 투표제를 도입했을 때, 선출된 정치인들이 높은 투표율을 핑계로 안하무인의 태도를 취하는 부작용을 문제점으로 제기하며 반대하고 있다. 따라서 이에 대한 대책은 의무 투표제 도입을 찬성하는 ⊙에서 제시해야 하므로 ⊙, ⓒ의 주장에 대한 비판으로 적절하지 않은 것은 ③이다.

오답 분석
① 1문단 끝에서 2~3번째 줄에서 ⊙은 더 많은 국민이 투표에 참여할수록 정치인들은 정책 경쟁력을 높이려 할 것이라고 주장하고 있으므로 투표율 증가와 후보들의 정책 경쟁 간의 상관관계에 대한 근거 제시를 요구하는 비판은 적절하다.

② 1문단 끝에서 4~5번째 줄에서 ⊙은 정당한 사유 없는 기권에 대해 법적 제재를 가하는 의무 투표제를 도입하면 분명히 높은 투표율로 이어질 것이라고 주장하고 있으므로 이를 뒷받침할 자료 제시를 요구하는 비판은 적절하다.

④ 2문단 1~3번째 줄에서 ⓒ은 우리나라의 투표율이 정치 지도자들의 대표성을 훼손할 만큼 심각하지 않다고 주장하고 있으므로 이에 대한 근거 제시를 요구하는 비판은 적절하다.

[03~04] 다음 글을 읽고 물음에 답하시오.

영국의 유명한 원형 석조물인 스톤헨지는 기원전 3,000년경 신석기시대에 세워졌다. 1960년대에 천문학자 호일이 스톤헨지가 일종의 연산장치라는 주장을 하였고, 이후 엔지니어인 톰은 태양과 달을 관찰하기 위한 정교한 기구라고 확신했다. 천문학자 호킨스는 스톤헨지의 모양이 태양과 달의 배열을 나타낸 것이라는 의견을 제시해 관심을 모았다.

그러나 고고학자 앳킨슨은 ㉠그들의 생각을 비난했다. 앳킨슨은 스톤헨지를 세운 사람들을 '야만인'으로 묘사하면서,
［호일, 톰, 호킨스］
［선택지 ④의 근거 (1)］
㉡이들은 호킨스의 주장과 달리 과학적 사고를 할 줄 모른
［= 스톤헨지를 세운 사람들］
다고 주장했다. 이에 호킨스를 옹호하는 학자들이 진화적 관점에서 앳킨슨을 비판하였다. ㉢이들은 신석기시대보다 훨
［= 호킨스 옹호학자들］
씬 이전인 4만 년 전의 사람들도 신체적으로 우리와 동일했으며 지능 또한 우리보다 열등했다고 볼 근거가 없다고 주장했다.

하지만 스톤헨지의 건설자들이 포괄적인 의미에서 현대인과 같은 지능을 가졌다고 해도 과학적 사고와 기술적 지식을 가지지는 못했다. ㉣그들에게는 우리처럼 2,500년에 걸쳐
［= 스톤헨지를 세운 사람들］ ［선택지 ④의 근거 (2)］
수학과 천문학의 지식이 보존되고 세대를 거쳐 전승되어 쌓인 방대하고 정교한 문자 기록이 없었다. 선사시대의 생각과 행동이 우리와 똑같은 식으로 전개되지 않았으리라는 점은 매우 중요하다. 지적 능력을 갖췄다고 해서 누구나 우리와 같은 동기와 관심, 개념적 틀을 가졌으리라고 생각하는 것은 잘못이다.

03
윗글에 대해 평가한 내용으로 가장 적절한 것은?

① 스톤헨지가 제사를 지내는 장소였다는 후대 기록이 발견되면 호킨스의 주장은 ~~강화~~될 것이다.
➡ 판단 불가, 지문에 '제사 장소' 관련 내용 없음

② 스톤헨지 건설 당시의 사람들이 숫자를 사용하였다는 증거가 발견되면 호일의 주장은 ~~약화~~될 것이다. ➡ 강화, '연산장치'

③ 스톤헨지의 유적지에서 수학과 과학에 관련된 신석기시대 기록물이 발견되면 글쓴이의 주장은 ~~강화~~될 것이다. ➡ 약화

☑ 기원전 3,000년경 인류에게 천문학 지식이 있었다는 증거가 발견되면 앳킨슨의 주장은 약화될 것이다.
➡ 앳킨슨은 스톤헨지 세운 사람들을 과학적 사고를 할 줄 모르는 '야만인'으로 지칭

해설 ④ 앳킨슨은 스톤헨지를 세운 사람들을 '야만인'으로 묘사하며 과학적 사고를 할 줄 모른다고 주장했다. 그러나 만약 기원전 3,000년경 인류에게 천문학 지식이 있었다는 증거가 발견되면 그들이 과학적 사고를 했다고 추론할 수 있으므로 앳킨슨의 주장은 약화될 것이다. 따라서 지문에 대한 평가로 적절한 것은 ④이다.

오답분석 ① 1문단 끝에서 1~2번째 줄에서 호킨스는 스톤헨지의 모양이 태양과 달의 배열을 나타낸 것이라고 했을 뿐, 스톤헨지가 제사 장소라고 하지는 않았으므로 이것이 호킨스의 주장을 강화하는지는 판단이 불가능하다.

② 1문단 2~3번째 줄에서 호일은 스톤헨지가 일종의 연산장치라고 주장했다. 스톤헨지 건설 당시의 사람들이 숫자를 사용했다면 스톤헨지가 연산장치로 쓰였을 가능성이 높아지므로 호일의 주장은 약화되지 않고 강화된다.

③ 3문단 3~5번째 줄에서 글쓴이는 스톤헨지를 세운 사람들이 수학과 천문학 지식에 대한 문자 기록이 없었다고 주장한다. 그런데 스톤헨지의 유적지에서 수학과 과학에 관련된 신석기시대 기록물이 발견된다면 글쓴이의 주장은 강화되지 않고 약화된다.

04
문맥상 ㉠~㉣ 중 지시 대상이 같은 것만으로 묶인 것은?

① ㉠, ㉢
☑ ㉡, ㉣
③ ㉠, ㉡, ㉢
④ ㉠, ㉡, ㉣

해설 ② ㉡과 ㉣ 모두 '스톤헨지를 세운 사람들'을 가리키므로, 지시 대상이 같은 것은 ② '㉡, ㉣'이다.
· ㉡: 앳킨슨이 야만인으로 묘사하며, 과학적 사고를 할 줄 모른다고 말하는 대상은 '스톤헨지를 세운 사람들'이다.
· ㉣: 글쓴이는 '스톤헨지 건설자들'이 현대인과 같은 지능을 가졌다고 하더라도 과학적 사고와 기술적 지식을 가지지 못했다고 주장하며, 그들에게는 문자 기록이 없었음을 근거로 제시하였다. 따라서 ㉣의 지시 대상은 '스톤헨지를 세운 사람들'이다.

오답분석 · ㉠: ㉠의 지시 대상은 '호일, 톰, 호킨스'이다.
· ㉢: ㉢의 지시 대상은 '호킨스를 옹호하는 학자들'이다.

05

A와 B의 주장에 대한 평가로 적절한 것만을 〈보기〉에서 모두 고르면?

A는 아동의 사고와 언어의 발달이 개인적 차원에서 사회적 차원으로 진행된다고 주장한다. 그에 따르면 말을 배우기 시작하는 2~3세경에 자기중심적 언어가 나타났다가 8세경에 학령이 되면서 자기중심적 언어는 소멸하고 사회적 언어의 단계로 진입한다고 주장한다.
['ㄴ, ㄷ'의 근거]

B는 A가 주장한 자기중심적 언어의 존재를 인정하면서도 그것의 성격에 있어서는 다른 견해를 지닌다. A와 달리 그는 (= B) 자기중심적 언어가 문제에 대한 해결 방법을 구안하는 데 중요한 사고의 도구가 된다고 주장한다. 그에 따르면 자기중심적 언어는 아동이 자기 자신과 대화할 때 나타나는데, 아동은 자신과 대화하는 방식으로 소리 내며 사고한다. 그는 자기중심적 언어가 자연적 존재를 문화적 존재로 변모시키는 (= 사고 도구로써의 자기중심적 언어) ('ㄴ'의 근거 (2)) 기능을 하며, 학령이 되면서 소멸하는 게 아니라 내면화되어 소리 없는 내적 언어를 구성함으로써 정신 기능을 발달시킬 수 있는 원동력이 된다고 본다.

이러한 두 사람의 입장 차이는 자기중심적 언어의 전(前) 단계에 대한 서로 다른 생각에서 기인한 것으로 보인다. A는 출생 이후 약 2세까지의 아이가 언어 이전의 환상적 사고의 단계에 머물러 있는 것으로 보는데, 여기서 환상적 사고는 자신과 대상 세계를 구분하지 못하는 것을 가리킨다. 자신과 대상 세계를 구분하지 못하면 의사소통 행위가 불가능하므로 A는 이 단계의 아이가 보여주는 타인과의 상호작용을 의 ('ㄱ'의 근거) 사소통 행위가 아니라고 주장한다. 반면, B의 경우 출생 이후 약 2세까지의 상호작용을 의사소통 행위로 판단한다. 그에 따르면 이때의 의사소통 행위는 타자의 규제와 이에 따른 ('ㄷ'의 근거) 자기규제가 작동하는 대화적 상호작용의 일종으로, 사회적 언어를 통해 수행된다.

B 역시 A와 마찬가지로 아동의 언어와 사고의 발달이 3단계로 진행된다고 보지만, 그 방향에 있어서는 사회적 언어에서 출발하여 자기중심적 언어를 거쳐 내적 언어 순으로 진행된다고 본다.

〈보기〉

ㄱ. '자기중심적 언어'의 단계 전에 A는 의사소통 행위가 이루어지지 않는 것으로, B는 이루어지는 것으로 본다.

ㄴ. A는 '자기중심적 언어'가 학령이 되면 없어지는 것으로 보는 반면, B는 없어지지 않는 것으로 본다.

ㄷ. A와 B는 '사회적 언어'의 단계로 진입하는 시기에 대해 견해를 달리한다. → A: 8세, B: 출생 이후

① ㄱ

② ㄱ, ㄷ

③ ㄴ, ㄷ

④ ㄱ, ㄴ, ㄷ ✓

해설 ④ A와 B의 주장에 대한 평가로 적절한 것은 ④ 'ㄱ, ㄴ, ㄷ'이다.

· ㄱ: 3문단에 따르면 A는 자기중심적 언어 이전(출생~약 2세까지)의 아이는 '환상적 사고' 단계에 머물러 있으며, 자신과 대상 세계를 구분하지 못하여 의사소통 행위가 불가능하다고 주장한다. 반면 B는 자기중심적 언어 이전(출생 이후 약 2세까지)의 상호작용을 의사소통 행위로 판단하므로 ㄱ의 평가는 적절하다.

· ㄴ: 1문단 끝에서 1~4번째 줄에 따르면 A는 8세경에 학령이 되면서 자기중심적 언어가 소멸한다고 주장한다. 반면 2문단 끝에서 1~4번째 줄에 따르면 B는 자기중심적 언어가 학령이 되면서 소멸하는 게 아니라 내면화되어 내적 언어를 구성한다고 하였다. 따라서 ㄴ의 평가는 적절하다.

· ㄷ: 1문단 끝에서 1~4번째 줄에 따르면 A는 '8세경'에 학령이 되면서 자기중심적 언어가 소멸하고 사회적 언어의 단계로 진입한다고 주장한다. 반면 3문단 끝에서 1~3번째 줄에 따르면 B는 '출생 이후 약 2세까지'의 의사소통 행위가 대화적 상호작용의 일종으로, 사회적 언어를 통해 수행된다고 하였다. 이를 통해 '사회적 언어'의 단계로 진입하는 시기에 대한 A와 B의 견해가 다르다는 것을 알 수 있으므로 ㄷ의 평가는 적절하다.

06

맹자와 순자의 주장에 대한 평가로 적절한 것만을 〈보기〉에서 모두 고르면?

인간의 본성에 대해 맹자는 그것이 본래 착하다고 주장한다. 이 근거로 그는 인간에게 네 가지 착함이 있다고 말한다. "측은하게 여기는 마음은 어짊의 시작이요, 부끄러워하는 마음은 의로움의 시작이요, 사양하는 마음은 예절의 시작이요, 옳고 그름을 가리는 마음은 지혜의 시작이라." 그러므로 누구든지 타고난 본성대로 행동만 하면 착해질 수 있다. 이러한 본성을 잘 보존하기 위해서는 인간의 후천적인 노력이 뒷받침되어야 하고, 바로 여기에서 교육의 필요성이 제기되는 것이다.

이렇게 함양된 개인의 도덕 가치를 국가사회에 실현하는 일은 매우 중요하다. 여기에서 왕도정치(王道政治)가 정치론의 핵심으로 떠오른다. 왕도정치는 (1)먼저 공리주의(功利主義)를 물리친다. 또한 (2)왕도정치는 백성의 먹고 사는 문제, 즉 민생문제를 해결해 주어야 한다. 백성은 일정한 수입이 있어야 착한 성품을 보존할 수 있기 때문이다. 정치의 궁극적 목표는 인간의 도덕 가치를 충분히 발휘하도록 하는 데 있다. … (중략) …

순자에 의하면 사람은 타고날 때부터 그 본성이 악하다. 그러므로 마땅히 스승의 가르침으로 감화를 받고 예절의 도를 배워야 한다. 학문을 배우는 것 역시 선천적 본성이 착해서가 아니라, 후천적이고 인위적인 노력에 의한 것이다. 예의범절이라는 것도 높은 도덕성을 지닌 성인(聖人)이 만들어낸 것으로, 학문을 통하여 얻어진 결과다. 인간이 얼마나 후천적인 노력을 기울이느냐에 따라 성인과 도적, 군자와 소인으로 구별된다.

이렇게 본다면 맹자가 말하는 본성이 인간의 '이성'을 가리키는 데 비하여, 순자가 말하는 본성이란 인간의 '본능'과 '욕망'을 가리키는 것이 아닌가 생각된다. 그래서 맹자는 타고난 선의 본성(이성)을 잘 보존하기 위하여, 순자는 타고난 악의 본성(본능, 욕망)을 고치기 위하여 교육이 필요하다고 보았던 것이다.

공자와 마찬가지로 순자가 생각하는 이상적인 인간 역시 군자다. 군자는 (1)도를 얻는 것을 즐거워하는 반면, 소인은 욕망을 얻는 것을 즐거워한다. (2)군자는 누구나 쉽게 사귈 수 있지만 아무 허물없이 친하기는 어렵고, (3)쉽게 두려워하나 위협하기는 어렵다. (4)군자는 의로운 죽음을 마다하지 않으며, 이익을 위해 그릇된 짓을 하지 않는다.

─── 〈보기〉 ───

ㄱ. 맹자는 교육을 통해 인간의 본성을 지키고자 하였고, 순자는 교육을 통해 인간의 본성을 개선하고자 하였다.

ㄴ. 맹자는 왕도정치를 통해 백성들의 본성을 보존하고자 하였고, 순자는 모든 백성들로 하여금 스스로 욕망을 이성으로 대치하도록 하고자 하였다. ➡ 본성의 개선

ㄷ. 맹자의 개인의 도덕성을 국가적 차원으로 확대하는 것을 추구하였고 순자는 개인적 차원에서 이상적 인간상으로 거듭날 것을 추구하였다.

① ㄱ   ② ㄱ, ㄴ   ③ ㄱ, ㄷ   ④ ㄱ, ㄴ, ㄷ

해설 ③ 맹자와 순자의 주장에 대한 평가로 적절한 것은 ③ 'ㄱ, ㄷ'이다.
- ㄱ: 4문단 끝에서 1~4번째 줄을 통해 맹자는 인간의 선한 본성을 잘 보존하기 위해, 순자는 인간의 악한 본성을 고치기 위해 교육이 필요하다고 보았음을 알 수 있으므로 ㄱ의 평가는 적절하다.
- ㄷ: 2문단 1~3번째 줄을 통해 맹자는 개인의 도덕 가치를 국가 사회에서 실현하는 것이 중요하다고 하였음을 알 수 있고 5문단 1~2번째 줄을 통해 순자는 군자를 가장 이상적인 인간상으로 여겼음을 알 수 있다. 이를 통해 맹자는 국가적 차원에서, 순자는 개인적 차원에서 이상을 추구하였음을 알 수 있으므로 ㄷ의 평가는 적절하다.

오답 분석
- ㄴ: 2문단 끝에서 3~5번째 줄을 통해 맹자는 왕도정치를 통해 민생문제를 해결하여 백성들의 선한 본성을 보존하고자 했음을 알 수 있고, 4문단 끝에서 1~3번째 줄을 통해 순자는 교육을 통해 인간의 악의 본성을 개선하고자 하였음을 알 수 있다. 하지만 순자가 백성들로 하여금 스스로 욕망을 이성으로 대치하도록 하고자 했다는 내용은 지문에서 확인할 수 없으므로 ㄴ의 평가는 적절하지 않다.

05 논증 판단하기 87

07

〈보기〉의 관점에서 ㉠을 비판한 것으로 적절한 것은?

> 원칙적으로 사람들은 제1 언어 습득 연구에 대한 양극단 중 하나의 입장을 취할 수 있을 것이다. ㉠극단적 행동주의자적 입장은 어린이들이 백지 상태, 즉 세상이나 언어에 대 <small>선택지 ⑤의 근거 (1)</small> 해 아무런 전제된 개념을 갖지 않은 깨끗한 서판을 갖고 세 상에 나오며, 따라서 어린이들은 환경에 의해 형성되고 다양 하게 강화된 예정표에 따라 서서히 조건화된다고 주장하였 다. 또 반대쪽 극단에 있는 구성주의의 입장은 어린이들이 매우 구체적인 내재적 지식과 경향, 생물학적 일정표를 갖고 세상에 나온다는 인지주의적 주장을 할 뿐만 아니라 주로 상 호 작용과 담화를 통해 언어 기능을 배운다고 주장한다. 이 두 입장은 연속선상의 양극단을 나타내며, 그 사이에는 다양 한 입장들이 있을 수 있다.

> ――――――――― 〈보기〉 ―――――――――
>
> 생득론자는 언어 습득이 생득적으로 결정되며, 우리는 주 변의 언어에 대해 체계적으로 인식할 수 있도록 되어 있어서) 결과적으로 언어의 내재화된 체계를 구축하는 유전적 능력 <small>선택지 ⑤의 근거 (2)</small> 을 타고난다고 주장한다.

① 언어 습득에 대한 연구에서 실제적 언어 사용의 양상이 무시될 가능성이 크다. ➡ 관련 없음

② 아동의 언어 습득을 관장하는 유전자의 실체가 확인될 때까지 는 행동주의는 불완전한 가설일 뿐이다.
  ➡ 행동주의에 대한 비판으로 볼 수 없음

③ 아동은 단순히 문법적으로 정확한 문장을 만드는 방법을 배우 는 것이 아니라 의사소통 방법을 배우는 것이다.
  ➡ 구성주의의 입장임

④ 아동의 언어 습득은 특정 언어공동체의 일원이 되는 핵심 과정 인데, 행동주의는 공동체 구성원들과의 상호 작용이 차지하는 중요성을 간과하고 있다.
  ➡ 구성주의의 입장에서 행동주의의 입장에 대한 비판임

<small>행동주의의 입장</small>
☑ 아동의 언어 습득이 외적 자극인 환경에 의해 전적으로 형성 된다고 보는 행동주의 모델은 배우거나 들어본 적 없는 표현을 만들어내는 어린이 언어의 창조성을 설명하지 못한다.
  <small>생득론자의 입장을 뒷받침하는 예시</small>

<u>해설</u> ⑤ ㉠'극단적 행동주의자적 입장'은 환경에 의해서 언어를 습득 한다고 주장하고 생득론자들은 타고난 유전적 능력으로 언어 를 습득한다고 주장하고 있다. 즉 ㉠에 따르면 아동은 학습한 표현만 습득할 수 있고 〈보기〉는 아동이 학습하지 않아도 언

어를 표현할 수 있다는 입장이다. 따라서 〈보기〉의 관점에서 ㉠의 입장을 비판한 것은 어린이 언어의 창조성을 언급한 ⑤ 이다.

<u>오답
분석</u> ① 지문과 관련 없는 내용이다.
② 행동주의는 아동이 유전자의 영향이 아니라 환경에 의해 서 서히 언어를 습득한다고 주장한다. 아동의 언어 습득에 유전 자가 기능한다고 보는 것은 생득론자이기 때문에 언어 습득 과 관련된 유전자의 실체를 확인해야 한다는 것은 생득론자 의 입장을 비판하는 근거이다. 따라서 이를 ㉠'극단적 행동 주의자적 입장'을 비판한 것으로 볼 수 없다.
③ '구성주의'의 입장이다.
④ '구성주의'의 입장에서 ㉠'극단적 행동주의자적 입장'을 비 판하고 있다.

08

㉠을 평가한 내용으로 적절한 것만을 〈보기〉에서 모두 고르면?

> 인간은 누가 알려 준 적 없고, 들어본 적도 없는 문장을 포 <small>'ㄱ'의 근거</small> 함해 무수히 많은 양의 문장을 만들고 이해한다. 이는 인간 이 '언어 능력'을 갖고 태어나기 때문이다. 인간이 태어나면서 부터 지닌 언어 능력을 연구하는 것을 언어학의 목적으로 삼 는 언어학의 분야가 바로 ㉠변형생성문법이다.
>
> 변형생성문법에서 가장 중요하게 다루어지는 것은 언어 습득 기제이다. 이는 인간의 머릿속에 문장 생성의 기본적인 <small>'ㄷ'의 근거</small> 원리가 몇 개 존재하고 이를 반복적으로 적용함으로써 무한 한 수의 문장을 생성할 수 있음을 의미한다. 이러한 원리는 인간의 언어에는 공통적으로 존재하는 보편문법이며, 인간 이라면 누구나 부여받는 선천적인 능력이다.
>
> 변형생성문법에서는 통사 구조를 표층 구조와 심층 구조 로 나누어 분석하는데, 이 두 통사 구조 사이에 변형 기제를 설정하여 설명한다. 표층 구조는 문장이 실제로 발화되는 형 <small>표층 구조의 정의</small> 태를 가리키고, 심층 구조는 문장의 의미를 가리킨다. 심층 <small>심층 구조의 정의</small> 구조는 표층 구조로 변형되는데, 이 과정에서 문장의 의미는 <small>'ㄴ'의 근거</small> 1개이지만 문법적, 음운적으로 변형이 일어나므로 표층 구조 는 다양한 형태로 나타난다. 따라서 심층 구조와 표층 구조 는 일대일의 관계가 아니다. "A가 B에게 돈을 주었다"라는 심 층 구조가 표층 구조에서 "B가 A에게 돈을 받았다" 또는 "돈 이 A로부터 B에게 주어졌다"와 같은 형태로 나타나는 것이 그 예다.

〈보기〉

ㄱ 야생에서 발견된 소년이 인간의 언어를 전혀 구사하지 못
했다는 연구 결과는 ㉠을 약화한다.

✕ 인간이 하나의 의미를 지닌 문장을 여러 가지의 형태로
나타낼 수 있다는 사실은 ㉠을 ~~약화한다~~. ➡ 강화한다

ㄷ 부모가 아이에게 간단한 단어들만을 알려 주었으나, 아이
가 단어들을 배열해 자연스러운 문장의 형태를 만들었다
는 사례는 ㉠을 강화한다.

① ㄱ   ✓② ㄱ, ㄷ

③ ㄴ, ㄷ   ④ ㄱ, ㄴ, ㄷ

해설 ② ㉠을 평가한 내용으로 적절한 것은 ② 'ㄱ, ㄷ'이다.

· ㄱ: 1문단을 통해 ㉠ '변형생성문법'이 인간이라면 선천적
으로 '언어 능력'을 갖추고 태어나며, 이를 통해 누가 알려
주지 않은 문장이라도 얼마든지 만들고 이해할 수 있다는
입장을 취하고 있음을 알 수 있다. 이때 야생에서 발견된 소
년이 인간의 언어를 전혀 구사하지 못했다는 ㄱ의 연구 결
과는 ㉠ '변형생성문법'이 설명하는 언어 능력의 존재를 부
정하는 사례이므로 ㄱ은 ㉠ '변형생성문법'의 입장을 약화
한다.

· ㄷ: 2문단을 통해 ㉠ '변형생성문법'의 입장에서 인간은 몇
개의 문장 생성 원리만으로 이를 반복적으로 적용해 무수
히 많은 문장을 형성할 수 있는 '언어 습득 기제'를 갖추고
있음을 알 수 있다. 이때 부모가 아이에게 간단한 단어들만
을 알려 주었으나, 아이가 스스로 단어들을 배열해 자연스
러운 문장의 형태를 만들었다는 사례는 ㉠ '변형생성문법'
의 '언어 습득 기제'의 존재를 증명하는 사례이므로 ㉠ '변
형생성문법'의 입장을 강화한다.

오답 분석 · ㄴ: 3문단을 통해 ㉠ '변형생성문법'에서 통사 구조는 표층 구
조(문장이 실제로 발화되는 형태)와 심층 구조(문장의 의미)
로 나누어짐을 알 수 있다. 또한 둘 사이에는 '변형 기제'가 있
어 심층 구조가 표층 구조로 변형되는데, 심층 구조가 다양한
형태의 표층 구조로 실현되므로 표층 구조와 심층 구조는 일
대일의 관계가 아님을 알 수 있다. 이때 인간이 하나의 의미를
지닌 문장을 여러 가지의 형태로 나타낼 수 있다면 심층 구조
가 다양한 형태의 표층 구조로 실현된다는 ㉠ '변형생성문법'
의 설명에 부합하므로 ㉠ '변형생성문법'의 입장을 강화한다.

09

A와 B에 대한 평가로 적절한 것만을 〈보기〉에서 고른 것은?

A: 저는 사회 통제 메커니즘이 깨지거나 느슨해질 때 청소년
들이 비행을 저지른다고 생각합니다. 즉 청소년 개인이 그
자체로서 문제가 있는 것이 아니라, 개인을 둘러싸는 사회
적 통제가 더 중요한 것이지요. 이때 통제는 (1)내적 통제와
(2)외적 통제로 나눌 수 있는데, (1)내적 통제는 주로 심리
적 요인에 의한 규제로 부모, 교사, 또래 친구들과의 유대
감을 의미하고, (2)외적 통제는 주로 법에 의한 규제를 의
미합니다. 'ㄱ'의 근거 이 두 가지 요인 중 어느 하나가 느슨해지거나
깨지면 청소년은 비행을 일으키는 것이지요.

B: 제 생각은 다릅니다. 청소년 비행은 청소년들이 비행을 저
지르는 또 다른 청소년들과 상호작용하는 과정에서 비행
을 저지르게 된다고 생각합니다. 즉, 범죄를 마치 일반적인
'ㄴ'의 근거 (1)
다른 행동들과 같이 학습하는 것이죠. 비행을 학습하는
것은 사회화와 다를 바가 없습니다. 비행 또한 친밀한 집단
'ㄴ'의 근거 (2)
속에서 사람들 간의 의사소통 과정을 통해 일어나게 된다
는 말입니다. 이때 단순히 비행 또는 범죄의 기술만 습득하
는 것이 아니라, 비행의 동기, 범죄에 대한 우호적인 태도를
'ㄴ'의 근거 (3)
학습하게 되는 것입니다.

〈보기〉

ㄱ 대마 합법화로 인해 2017~2020년 미국 고등학생 대마 흡
연자의 수가 2배 수준으로 급증했다는 조사 결과는 A의
입장을 강화한다. ➡ '대마 흡연'에 대한 사회 통제(외적 통제)가 약해진 것

ㄴ 억울한 누명을 쓰고 수감된 철현이가 감옥에서 악명 높
은 범죄자와 친분을 쌓고 출소하여 강력 범죄를 저질렀다
는 사례는 B의 입장을 강화한다.
➡ 범죄자와 친밀한 관계를 맺고 범죄에 대한 우호적 태도 학습한 것

✕ 비행을 저지르는 친구들과도 친하게 지내는 영민이를 상
담해 본 결과 비행을 저지르지도 않고 부모님과의 사이도
아주 좋았다는 사례는 A와 B의 입장을 ~~강화~~한다.
➡ 사회 통제 중 내적 통제가 잘 이루
어져 범죄를 일으키지 않음
➡ 비행 청소년들과 친밀한 관계
이나 범죄를 일으키지 않음

① ㄱ   ✓② ㄱ, ㄴ

③ ㄴ, ㄷ   ④ ㄱ, ㄴ, ㄷ

② A와 B에 대한 평가로 적절한 것은 ② 'ㄱ, ㄴ'이다.

- ㄱ: 대마 합법화는 외적 통제인 법에 의한 규제가 느슨해진 상황이라고 할 수 있다. 이로 인해 미국 고등학생 대마 흡연 자의 수가 급증했다는 사례는 사회 통제가 약해질 때 청소 년들이 비행을 저지른다는 A의 입장을 강화한다. 따라서 ㄱ은 A에 대한 평가로 적절하다.

- ㄴ: 억울한 누명을 쓰고 수감된 철현이가 감옥에서 악명 높 은 범죄자와 친분을 쌓고 출소하여 강력 범죄를 저지른 것 은 그가 감옥에서 다른 범죄자와의 접촉을 통해 범죄에 대 한 기술, 동기 혹은 우호적인 태도를 학습한 결과라고 해석 할 수 있으므로 B의 입장을 강화한다. 따라서 ㄴ은 B에 대 한 평가로 적절하다.

· ㄷ: 비행을 저지르는 친구들과도 친하게 지내는 영민이가 비 행을 저지르지도 않고 부모님과의 사이도 아주 좋았다는 사례 는 A의 관점에서 사회통제 중 내적 통제인 부모와의 유대가 잘 작용한 것으로 짐작할 수 있다. 따라서 이 사례는 청소년 비 행이 사회통제가 느슨해지거나 깨질 때 발생한다는 A의 입장 을 강화한다. 한편, 비행 청소년과 상호작용하면서 비행을 학 습한다는 B의 관점과 달리 영민이는 비행을 저지르는 친구들 과 친하게 지내는 등 자주 접촉함에도 불구하고 비행을 저지 르지 않았다. 이는 B의 입장을 약화하므로 ㄷ은 A와 B에 대 한 평가로 적절하지 않다.

[10~11] 다음 글을 읽고 물음에 답하시오.

진화고고학에서는 인간의 삶은 자연환경에 더욱 잘 적응 하기 위한 선택이라고 보는 진화론에 초점을 맞추어 과거를 설명한다. 서기 1세기부터 약 1천 년 동안 어느 한 지역에서 출토된 조리용 토기들의 두께와 토기에 탄화된 채로 남아 있 던 식재료에 사용된 곡물의 전분 함량을 조사한 결과, 후대 로 갈수록 토기 두께가 상당히 얇아지고 곡물의 전분 함량은 증가한다는 사실을 발견했다. 진화고고학은 이렇게 토기 두 께가 얇아진 이유를 전분이 좀 더 많은 씨앗의 출현이라는
선택지 ②③의 근거
외부 환경의 변화에 적응하였기 때문이라고 설명한다.
진화고고학의 관점
한편, 두께가 얇은 토기가 사용된 의미를 파악하기 위해서 는 토기 두께의 변화를 초래한 원인을 ㉠찾는 것도 중요하지 만 두께가 얇아진 토기가 장기간 사용된 이유에도 주목할 필요가 있다. 예컨대 전분 함량이 높은 곡물을 아기들의 이
선택지 ①의 근거
유식으로 이용한다면 여성들의 수유기가 단축됨에 따라 출 산율을 ㉡높이는 데 도움이 되었을 것이라고 볼 수도 있다. 이러한 시각에서 본다면 두께가 얇은 토기가 오랫동안 사용 된 원인을 자연 환경에 잘 적응하기 위한 선택이 아니라 이 유식을 만들기 위한 인간의 능동적 선택에서 찾는 생태학적 이론에 입각한 설명도 가능하다. 생태학적 설명은 진화론적 관점에 근거하지만 인간의 이성적 사유 능력에 따른 선택 과
생태학적 관점
정에 좀 더 ㉢주목한 것이다.

진화고고학과는 달리 유물의 의미를 해석할 때 기능적 요 인보다는 개개의 유물이 사용된 맥락을 찾는 것이 더 중요하
사회문화적 관점
다고 보고, 그 유물을 사용한 사람의 사회적 위치와 기호 변
선택지 ④의 근거
화 등 사회문화적 요인으로 유물의 의미를 설명하려는 관점 도 있다.

이처럼 고고학에서는 발굴을 통해 유물 자료가 빠르게 축 적되고, 주변 과학의 발달에 힘입어 새로운 측정 방법이 개발 됨에 따라 다양한 해석이 제시된다. 따라서 특정한 이론에 ㉣집착하는 것보다는 새로운 자료와 방법을 적극적으로 이 용하여 다양한 해석을 하고자 하는 열린 자세가 필요하다.

10

윗글에 대해 평가한 내용으로 가장 적절한 것은?

① 토기 두께의 변화 시점 이후 인구수가 증가되었다는 증거가 발견되면 생태학적 관점은 ~~약화~~될 것이다. → 강화

② 전분 함량이 높은 씨앗은 오래 가열해야 하고 두께가 얇은 토기는 열전도가 빠르다는 사실이 밝혀지면 진화고고학의 관점은 ~~약화~~될 것이다. → 강화

③ 토기 두께가 얇아진 시기가 전분 함량이 높은 음식이 보편화된 시기보다 앞선다는 연구 결과가 발표되면 진화고고학의 관점은 ~~강화~~될 것이다. → 약화

☑ 집단 간의 교류로 두께가 얇은 새로운 토기가 유입되고 사람들이 이를 선호하였다는 후대 기록이 발견되면 사회문화적 관점은 (강화될)것이다.

해설 ④ 3문단에서 사회문화적 관점은 그 유물을 사용한 사람의 사회적 위치와 기호 변화 등 사회문화적 요인으로 유물의 의미를 설명한다고 말한다. 집단 간의 교류와 사람들의 선호는 사회문화적 요인으로 볼 수 있다. 따라서 이러한 사회문화적 요인으로 인해 두께가 얇은 토기가 이용되었다는 후대 기록이 발견될 경우 사회문화적 관점은 강화될 것이다.

오답 분석 ① 2문단의 생태학적 이론에 입각한 설명에 따르면, 전분 함량이 높은 곡물을 이유식으로 이용하기 위한 인간의 능동적 선택으로 인해 토기의 두께가 얇아진 것으로 볼 수도 있다. 또한 이러한 경우, 여성들의 수유기가 단축됨에 따라 출산율을 높이는 데 도움이 되었을 것으로 본다. 따라서 토기 두께가 얇아진 이후에 인구수가 증가되었다는 증거가 발견된다면, 전분 함량이 높은 곡물을 이유식으로 이용함으로써 출산율이 높아졌다는 주장의 근거가 될 수 있으므로 생태학적 관점은 강화될 것이다.

② 1문단에서 진화고고학은 토기 두께가 얇아진 이유를 전분이 좀 더 많은 씨앗이 출현했기 때문이라고 설명한다. 전분 함량이 높은 씨앗은 오래 가열해야 하고 두께가 얇은 토기는 열전도가 빠르다는 사실이 밝혀지면, '전분이 많은 씨앗 출현→토기 두께 얇아짐' 사이의 인과 관계를 설명할 수 있다. 따라서 이는 진화고고학의 관점을 강화할 것이다.

③ 1문단에서는 진화고고학의 관점에 따라, 전분이 좀 더 많은 씨앗의 출현(외부 환경의 변화)으로 인해 토기의 두께가 얇아진 것이라고 설명한다. 그러나 토기 두께가 얇아진 시기 이후에 전분 함량이 높은 음식이 보편화되었다는 연구 결과가 발표될 경우, 진화고고학의 관점은 설득력을 잃게 되므로 약화될 것이다.

11

㉠~㉣과 바꿔 쓸 수 있는 유사한 표현으로 적절하지 않은 것은?

① ㉠: 탐색하는

☑ ② ㉡: 고양하는

③ ㉢: 눈여겨본

④ ㉣: 매달리는

해설 ② ㉡ '높이는'은 값이나 비율 따위를 더 높게 한다는 뜻이나, '고양(高揚)하는'은 정신이나 기분 따위를 북돋워서 높인다는 의미이므로 바꿔 쓰기에 적절하지 않다.

오답 분석 ① ㉠ '찾는'의 기본형 '찾다'는 '모르는 것을 알아내고 밝혀내려고 애쓰다. 또는 그것을 알아내고 밝혀내다'를 뜻하므로, '탐색하는'과 바꿔 쓸 수 있다.
  · 탐색(探索)하다: 사라지거나 드러나지 않은 사물이나 현상 따위를 자세히 살펴 찾다.
③ ㉢ '주목한'의 기본형 '주목(注目)하다'는 '관심을 가지고 주의 깊게 살피다'를 뜻하므로, '눈여겨본'과 바꿔 쓸 수 있다.
  · 눈여겨보다: 주의 깊게 잘 살펴보다.
④ ㉣ '집착하는'의 기본형 '집착(執着)하다'는 '어떤 것에 늘 마음이 쏠려 잊지 못하고 매달리다'를 뜻하므로, '매달리는'과 바꿔 쓸 수 있다.
  · 매달리다: 어떤 일에 관계하여 거기에만 몸과 마음이 쏠려 있다.

[12~13] 다음 글을 읽고 물음에 답하시오.

  경제 위기 란 경기 침체 과정이 빠르게 진행되는 현상을 말한다. 경제 위기는 수요 감소, 실업률 증가 등의 문제를 야기
  _{경제 위기의 문제점}
한다. 이러한 경제 위기를 해결하기 위해 경제학자들은 다양한 방안을 제시한다.

  A집단은 시장 메커니즘의 자율성과 효율성을 강조하면서 경제 위기가 발생했을 때 정부의 개입이 불필요하다고 말한
  _{A집단의 주장}
다. 경제 주체인 정부, 기업, 그리고 가계가 수요와 공급의 원리에 따라 자연스럽게 균형을 이룰 수 있다는 것이다. ㉠그들은 정부의 의도적 개입이 오히려 경제 주체의 경제 활동을
  _{선택지 ②의 근거}
제약하고 전반적인 생산성을 저하할 수 있다고 본다.

반면 B집단은 ㉡그들과 달리 대공황과 같은 경제 위기에
대응하기 위해서 정부의 중앙 집권적 개입이 필수적이라고
주장한다. 다시 말해 경제 상황이 좋지 않을 때는 정부가 재
정 지출 증가나 금리 인하와 같은 정책을 통해 경기를 활성
화하고 실업률을 감소시켜야 한다는 것이다. ㉢그들은 이러
한 적극적인 경제 개입을 통하여 각 경제 주체들의 균형을
유지할 수 있다고 본다.

한편 C집단은 경제 위기에서 기업의 역할을 중요시한다.
기업이 혁신적인 아이디어와 기술 개발을 통해 생산성과 효
율성을 제고한다면 경제 성장이 이루어질 수 있다고 본다.
㉣그들은 유수의 기업들이 실리콘 밸리에서 정보 기술 및 반
도체 혁신을 통해 수많은 일자리와 매출을 창출한 것을 예로
든다. 결론적으로 기업의 혁신 추구를 통한 성장이 경제 위기
를 타파할 수 있을 것으로 본다.

12

윗글에 대해 평가한 내용으로 가장 적절한 것은?

① 정부가 금리 인하 정책을 시행해도 경기 침체가 지속된다면, B
집단의 주장은 ~~강화~~된다. ➡ 약화

② 공공 일자리 창출과 같은 정부의 개입에도 실업률이 증가한다
면, A집단의 주장은 ~~약화~~된다. ➡ 강화

③ 정부의 중앙 집권적 개입으로 인해 각 경제 주체들의 불균형이
야기된다면, B집단의 주장은 ~~강화~~된다. ➡ 약화

☑ 기업이 혁신 기술을 개발하는 과정에서 들어가는 비용이 기술
을 개발한 이후 산출되는 이익보다 많다는 조사 결과가 발표
되면, C집단의 주장은 ~~약화~~된다.

해설 ④ 4문단 2~3번째 줄에 따르면, C집단은 기업이 혁신적인 아이
디어와 기술 개발을 통해 생산성과 효율성을 제고한다면 경
제 성장이 이루어질 수 있다고 본다. 기업이 혁신 기술을 개발
하는 과정에서 들어가는 비용이 기술을 개발한 이후 산출되
는 이익보다 많다는 조사 결과가 발표되면, 기업의 혁신 기술
개발이 생산성과 효율성을 제고하지 못한다는 의미이므로 C
집단의 주장에 대한 근거가 부정된다. 따라서 C집단의 주장
이 약화되므로 ④의 평가는 적절하다.

13

문맥상 ㉠~㉣ 중 지시 대상이 같은 것만으로 묶인 것은?

☑ ① ㉠, ㉡

② ㉡, ㉢

③ ㉠, ㉢, ㉣

④ ㉠, ㉡, ㉣

해설 ① ㉠, ㉡은 A집단, ㉢은 B집단, ㉣은 C집단이므로 같은 대상
인 A집단을 지시하는 ① '㉠, ㉡'이 정답이다.

· ㉠: ㉠의 앞에서 A집단은 경제 주체가 자연스럽게 균형을
이룰 수 있기 때문에 정부의 개입은 불필요하다고 주장했
음을 알 수 있고, ㉠이 포함된 문장은 정부의 의도적 개입
이 오히려 경제 주체의 경제 활동을 제약한다는 의미이다.
㉠이 포함된 문장이 앞의 내용과 같은 맥락이기 때문에 ㉠
이 지시하는 대상은 A집단이다.

· ㉡: ㉡의 앞 문단에서 A집단은 정부의 개입이 불필요하다
고 말했음을 알 수 있고, ㉡이 포함된 문장에서 B집단은 정
부의 개입이 필수적이라고 주장했음을 알 수 있다. B집단
은 A집단의 의견과 상반된 주장을 했으므로 '㉡그들과 달
리'에서 ㉡이 지시하는 대상은 A집단이다.

14

㉠을 평가한 내용으로 적절한 것만을 〈보기〉에서 모두 고르면?

㉠<u>결정적 시기 가설</u>은 1967년 출간된 에릭 레넌버그의 저서를 통해 대중들에게 알려졌다. 이 가설의 요지는 <u>언어 습</u>
'ㄱ'의 근거
<u>득을 하기 위한 결정적 시기가 있으며 그 시기를 놓칠 경우에 언어를 습득하는 것이 매우 어렵다는 것이다.</u> 결정적 시기 가설에 따르면, 사춘기가 시작되는 13~15세 이전에는 생활 속에서 언어에 노출됨으로써 자동적으로 언어를 배울 수 있다. 따라서 아이들은 사춘기가 시작되기 전에 언어를 접해야
'ㄷ'의 근거
한다. 만약 그렇지 못할 경우 언어를 배우는 것에 상당한 노력이 필요하고, 유창하게 발음하는 것도 어렵다.

이 가설을 지지하는 사례는 <u>야생 아동 연구</u>이다. 야생 아
'ㄴ'의 근거 (1)
동이란 야생에서 홀로 생활했거나 동물에 의해 키워진 아이를 말한다. 이들은 <u>어렸을 때부터 언어 습득이 가능한 환경</u>
'ㄴ'의 근거 (2)
<u>에서 생활하지 못했고,</u> 발견된 이후 연구자들의 노력에도 언어를 제대로 구사하는 데 실패했다. 이러한 연구는 특정 시기가 지나면 언어 습득이 성공적으로 이루어지는 것이 어렵다는 것을 보여준다.

〈보기〉

ㄱ. <u>성인</u>이 된 이후에 처음 접하는 언어를 <u>어렵지 않게 습득</u>
하는 사람이 대다수라면 ㉠이 <u>약화</u>된다.

ㄴ. '야생 아동 연구'의 대상자들이 어렸을 때부터 부모와 함께 자란 사실이 밝혀진다면 ㉠이 ~~강화~~된다. ➡ 약화

ㄷ. <u>사춘기 이전</u>에 언어를 접한 사람이 사춘기 이후에 언어를 접한 사람보다 <u>유창하게 발음</u>한다는 연구 결과가 발표된다면 ㉠이 <u>강화</u>된다.

① ㄴ 　　　　　　② ㄷ

③ ㄱ, ㄷ 　　　　④ ㄱ, ㄴ, ㄷ

해설 ③ ㉠을 평가한 내용으로 적절한 것은 ㄱ과 ㄷ이므로 정답은 ③이다.

- ㄱ: ㉠에 따르면 언어 습득을 하기 위한 결정적 시기를 놓치면 자연스럽게 언어를 습득하는 것이 매우 어렵고, 그 시기는 사춘기가 시작되는 13~15세 이전이다. 성인이 된 이후에 처음 접하는 언어를 어렵지 않게 습득하는 사람이 대다수라는 ㄱ은 사춘기 이후 언어를 습득하는 것이 매우 어렵다고 한 ㉠과 상충되는 사례이므로 ㉠을 약화한다.

- ㄷ: ㉠에 따르면 사춘기가 시작되는 13~15세 이전에는 자동적으로 언어를 배울 수 있지만, 사춘기가 시작되기 전에 언어를 접하지 못할 경우 유창하게 발음하는 것도 어렵게 된다. 사춘기 이전에 언어를 접한 사람은 그 이후에 언어를 접한 사람보다 유창하게 발음한다는 ㄷ의 연구 결과는 ㉠을 지지하는 사례이므로 ㉠을 강화한다.

오답 분석 · ㄴ: 2문단 첫 번째 줄에서 '야생 아동 연구'는 ㉠을 지지하는 사례임을 알 수 있고, 2문단 3~5번째 줄에서 이 연구의 결과는 야생 아동이 언어 습득이 가능한 환경에서 생활하지 못했다는 조건을 바탕으로 도출되었다는 것을 알 수 있다. 그런데 '야생 아동 연구'의 대상자들이 어렸을 때부터 부모와 함께 자란 사실이 밝혀진다면 해당 연구의 조건이 부정되고, 해당 연구의 결과도 신뢰할 수 없게 된다. 즉 ㄴ은 ㉠을 지지하는 사례를 무의미하게 만드는 내용이므로 ㉠은 강화되지 않고 약화된다.

15

다음 글의 논증에 대한 비판으로 적절하지 않은 것은?

> 진화론자들은 지구상에서 생명의 탄생이 30억 년 전에 시작됐다고 추정한다. 5억 년 전 캄브리아기 생명폭발 이후 다양한 생물종이 출현했다. 인간 종이 지구상에 출현한 것은 길게는 100만 년 전이고 짧게는 10만 년 전이다. 현재 약 180만 종의 생물종이 보고되어 있다. 멸종된 것을 포함해서 5억 년 전 이후 지구상에 출현한 생물종은 1억 종에 이른다. 5억 <선택지 ②의 근거> 년을 100년 단위로 자르면 500만 개의 단위로 나눌 수 있다. 이것은 새로운 생물종이 평균적으로 100년 단위마다 약 20 <선택지 ①의 근거> 종이 출현한다는 것을 의미한다. 하지만 지난 100년간 생물 <선택지 ③⑤의 근거> 학자들은 지구상에서 새롭게 출현한 종을 찾아내지 못했다. 이는 한 종에서 분화를 통해 다른 종이 발생한다는 진화론이 거짓이라는 것을 함축한다.

① 100년마다 20종이 출현한다는 것은 다만 평균일 뿐이다. 현재의 신생종 출현 빈도는 그보다 훨씬 적을 수 있지만 언젠가(미래) 신생종이 훨씬 많이 발생하는 시기가 올 수 있다.

② 5억 년 전 이후부터 지구상에 출현한 생물종이 1,000만 종 이 <전제 부정> 하일 수 있다. 그러면 100년 내에 새로 출현하는 종의 수는 2종 정도이므로 신생종을 발견하기 어려울 수 있다.

③ 생물학자는 새로 발견한 종이 신생종인지 아니면 오래전부터 <전제 부정> 존재했던 종인지 판단하기 어렵다. 따라서 신생종의 출현이나 부재로 진화론을 검증하려는 시도는 성공할 수 없다.

☑ 30억 년 전에 생물이 출현한 이후 5차례의 대멸종이 일어났으나 대멸종은 매번 규모가 달랐다. 21세기 현재, 알려진 종 중 사라지는 수가 크게 늘고 있어 우리는 인간에 의해 유발된 대멸종의 시대를 맞이하는 것으로 볼 수 있다.

⑤ 생물학자들이 발견한 몇몇 종은 지난 100년 내에 출현한 종이 <전제 부정> 라고 판단할 이유가 있다. DNA의 구성에 따라 계통 수를 그렸을 때 본줄기보다는 곁가지 쪽에 배치될수록 늦게 출현한 종임을 알 수 있기 때문이다.

해설 ④ 제시된 논증은 새로운 생물종은 평균적으로 100년 단위마다 약 20종이 출현하는데 지난 100년간 지구상에서 새롭게 출현한 종을 찾아내지 못했다는 점을 근거로 한 종에서 분화를 통해 다른 종이 발생한다는 진화론이 거짓이라고 주장하고 있다. 따라서 사라지는 종의 수가 크게 늘고 있어 대멸종의 시대를 맞이하고 있다는 것은 제시된 논증과는 무관한 내용이므로 글의 논증에 대한 비판으로 적절하지 않다.

오답분석 ① 제시된 논증은 끝에서 4~5번째 줄에서 새로운 생물종은 평균적으로 100년 단위마다 약 20종이 출현하는데 지난 100년간 생물학자들은 지구상에서 새롭게 출현한 종을 찾아내지 못했다는 점을 근거로 들고 있다. 100년 단위마다 약 20종이 출현한다는 것은 평균일 뿐이므로 언젠가 신생종이 훨씬 많이 발생하는 시기가 올 수 있다는 것은 제시된 논증의 전제를 비판하는 내용이다. 따라서 ①은 글의 논증에 대한 비판으로 적절하다.

② 제시된 논증은 5~6번째 줄에서 5억 년 전 이후 지구상에 출현한 생물종은 1억 종에 이른다는 점을 근거로 평균적으로 100년 단위마다 약 20종이 출현한다고 주장한다. 5억 년 전 이후부터 지구상에 출현한 생물종이 1,000만 종 이하일 수 있다는 것은 제시된 논증의 전제를 비판하는 내용이므로 ②는 글의 논증에 대한 비판으로 적절하다.

③ 제시된 논증은 끝에서 3~4번째 줄에서 지난 100년 간 생물학자들이 지구상에서 새롭게 출현한 종을 찾아내지 못했다는 점을 근거로 진화론은 거짓이라고 주장하고 있다. 생물학자가 새로 발견한 종이 신생종인지 오래 전부터 존재했던 종인지 판단하기 어렵다면 제시된 논증의 전제가 성립하지 않으므로 ③은 글의 논증에 대한 비판으로 적절하다.

⑤ 제시된 논증은 끝에서 3~4번째 줄에서 지난 100년 간 생물학자들이 지구상에서 새롭게 출현한 종을 찾아내지 못했다는 점을 근거로 들고 있다. 생물학자들이 발견한 몇몇 종은 지난 100년 내에 출현한 종이라고 판단할 이유가 있다면 제시된 논증의 근거를 비판하는 것이므로 ⑤는 글의 논증에 대한 비판으로 적절하다.

1장 명제

01 명제 추론하기 ① 명제의 기호화   p.142

01 ③	02 ③	03 ②	04 ②	05 ①
06 ③	07 ③	08 ②		

01

 ③ 각 진술을 기호화하면 다음과 같다.

> · 진술 1: 운동 → 숙면 = ~숙면 → ~운동(대우)
> · 진술 2: 숙면 → ~불면증 = 불면증 → ~숙면(대우)
> · 진술 3: 활기 → 운동 = ~운동 → ~활기(대우)

이때 진술 1, 진술 2를 차례로 결합하면 '운동 → 숙면 → ~불면증'이므로 가벼운 운동을 하는 모든 사람은 불면증이 없다는 것을 알 수 있다. 따라서 ③은 항상 옳은 설명이다.

오답분석 ① 진술 3, 진술 1을 차례로 결합하면 '활기 → 운동 → 숙면'이므로 활기가 있는 모든 사람은 숙면을 취한다.

② 진술 2의 대우, 진술 1의 대우를 차례로 결합하면 '불면증 → ~숙면 → ~운동'이므로 불면증이 있는 모든 사람은 가벼운 운동을 하지 않는다.

④ 진술 3, 진술 1, 진술 2를 차례로 결합하면 '활기 → 운동 → 숙면 → ~불면증'이므로 활기가 있는 모든 사람은 불면증이 없다.

02

해설 ③ 각 진술과 각 진술의 대우를 기호화하면 다음과 같다.

> · 진술 1: 식물 → ~개 = 개 → ~식물(대우)
> · 진술 2: ~개 → 고양이 = ~고양이 → 개(대우)
> · 진술 3: ~고양이 → 열대어 = 열대어 → 고양이(대우)

이때 진술 2의 대우와 진술 1의 대우를 차례로 결합하면 '~고양이 → 개 → ~식물'을 도출할 수 있다. 따라서 제시된 진술 중 반드시 참인 것은 '고양이를 좋아하지 않는 사람은 식물을 좋아하지 않는다(~고양이 → ~식물)'이다.

오답분석 ① 진술 3의 대우를 통해 열대어를 좋아하는 사람은 고양이를 좋아함은 알 수 있으나, 열대어를 좋아하는 사람이 개를 좋아하는지는 알 수 없다.

② 진술 1의 대우를 통해 개를 좋아하는 사람이 식물을 좋아하지 않음은 알 수 있으나, 개를 좋아하는 사람이 고양이를 좋아하지 않는지는 알 수 없다.

④ 열대어를 좋아하지 않는 사람의 정보는 제시된 진술을 통해 알 수 없다.

03

 ② 제시된 진술을 기호화하면 다음과 같다.

> (1) 전 대표 ∨ 홍 부장 → 민 차장
> (2) ~최 과장 → ~민 차장 = 민 차장 → 최 과장 (대우)
> (3) 전 대표

(1)과 (3)에 의해 전 대표가 식사를 하므로 민 차장이 식사를 하는 것이 참임을 알 수 있다. 또한, (2)의 대우로 인해 민 차장이 식사를 한다면 최 과장이 식사를 한다는 것을 알 수 있다. 따라서 최 과장과 민 차장 모두 식사를 한다는 ②의 진술은 반드시 참이다.

오답분석 ① 제시된 진술을 통해 홍 부장이 식사를 하는지 하지 않는지를 알 수 없으므로 ①의 진술이 참인지는 알 수 없다.

③ (1)과 (3)에 의해 민 차장이 식사를 하는 것은 참이고, (2)의 대우로 인해 최 과장이 식사를 한다는 것도 참이다. 즉, 홍 부장의 식사 여부와 관계없이 최 과장이 식사를 한다는 것은 반드시 참이다. 따라서 최 과장이 식사를 하지 않는다는 ③의 진술은 참이 아니다.

④ (1)과 (3)에 의해 최 과장의 식사 여부와 관계없이 민 차장이 식사를 한다는 것은 반드시 참이다. 따라서 민 차장이 식사를 하지 않는다는 ④의 진술은 참이 아니다.

04

② 제시된 글의 내용을 기호화하면 아래와 같다.

> · 전제 1: 인플레이션 발생 → 채권 매각
> · 전제 2: ~채권 매각 ∨ 금리 인상
> · 전제 3: 금리 인상 → 통화량 감소
> · 결론: 통화량 감소

이때 결론이 도출되기 위해서는 전제 3의 전건인 ○○ 은행이 금리를 인상하는 것이 참이어야 한다. 또한 전제 2에 의해 ○○ 은행이 채권을 매각한다면 금리를 인상하는 것이 반드시 참이 됨을 알 수 있고, 전제 1에 의해 □□ 국가에서 인플레이션이 발생하면 ○○ 은행이 채권을 매각하는 것이 반드시 참이 됨을 알 수 있다. 따라서 밑줄 친 결론을 이끌어내기 위해 추가해야 할 전제는 '□□ 국가에서 인플레이션이 발생한다'임을 알 수 있다.

05

① 각 진술을 기호화하면 다음과 같다.

> · 진술 1: 반지 → 부자 = ~부자 → ~반지 (대우)
> · 진술 2: 결혼 → 반지
> · 진술 3: ~돈 → ~부자 = 부자 → 돈 (대우)

이때 진술 1, 진술 2, 진술 3의 대우를 조합할 경우 '결혼 → 반지 → 부자 → 돈'이 도출된다. 따라서 제시된 문장 중 항상 옳은 것은 ① '결혼을 한 모든 사람은 돈을 번다'이다.

② 반지를 낀 모든 사람이 부자이고, 모든 부자가 돈을 버는 사람이므로 반지를 낀 모든 사람은 돈을 버는 사람이다. 따라서 ②는 항상 옳지 않은 설명이다.

③ 반지를 낀 모든 사람이 부자이지만, 모든 부자가 반지를 끼는지는 알 수 없으므로 항상 옳은 설명은 아니다.

④ 돈을 벌지 않는 모든 사람이 부자가 아니고, 부자가 아닌 모든 사람이 반지를 끼지 않으므로 돈을 벌지 않는 모든 사람은 반지를 끼지 않는다. 따라서 ④는 항상 옳지 않은 설명이다.

06

③ 제시된 글의 내용을 기호화하면 아래와 같다.

> (1) 자율 추구 → ~협력
> (2) 개방적인 성격 → 협력
> (3) 협력 → ~전문적 업무
> (4) ~자율 추구 → ~타인 신뢰∧개방적인 성격
> (5) 자율 추구 → 타인 신뢰

· ㄴ: (1)의 진술과 (2)의 대우에 의해 '자율 추구 → ~협력 → ~개방적인 성격'이므로 '자율을 추구하는 사람은 개방적인 성격을 가지고 있지 않다'는 반드시 참임을 알 수 있다.

· ㄷ: (2)와 (3)의 진술에 의해 '개방적 성격 → 협력 → ~전문적 업무'이므로 '개방적인 성격을 가진 사람들은 전문적인 업무를 맡지 않는다'는 반드시 참임을 알 수 있다.

· ㄱ: (1)의 진술과 (2)의 대우, 더해서 (4)의 대우에 의해 '자율 추구 → ~협력 → ~개방적인 성격 → 자율 추구'임을 알 수 있을 뿐, 자율을 추구하는 사람이 전문적인 업무를 맡는지 여부는 제시된 글의 내용을 통해 알 수 없다.

07

③ 각 진술과 각 진술의 대우를 기호화하면 다음과 같다.

> · 진술 1: A→~B = B→~A (대우)
> · 진술 2: ~B→C = ~C→B (대우)
> · 진술 3: ~C→~D = D→C (대우)

이때 진술 1의 대우와 진술 2의 대우를 조합할 경우 '~C → B → ~A'가 도출된다. 따라서 제시된 문장 중 반드시 참인 것은 ③ '갑이 C 교육을 수강하지 않는다면 A 교육을 수강하지 않는다.'이다.

① 갑이 A 교육을 수강하지 않았을 때 B 교육의 수강 여부는 제시된 진술을 통해 알 수 없다.

② 진술 1의 대우를 통해 갑이 B 교육을 수강한다면 A 교육을 수강하지 않는다는 것은 알 수 있으나, C 교육의 수강 여부는 알 수 없다.

④ 갑이 D 교육을 수강하지 않았을 때 C 교육의 수강 여부는 제시된 진술을 통해 알 수 없다.

08

② 제시된 진술을 기호화하면 다음과 같다.

> (가) 아침 ∧ ~저녁
> (나) ~(점심 ∧ ~저녁) = ~점심 ∨ 저녁 = 점심 → 저녁 =
> ~저녁 → ~점심

(가)와 (나)에 의해 '아침 ∧ ~점심'이라는 결론이 도출됨을 알 수 있다. 이 결론은 '아침에 목욕하는 사람 중 점심에 목욕하지 않는 사람이 있다'는 뜻이고, '아침에 목욕하는 사람 중 일부는 점심에 목욕하는 사람이 아니다'와 같은 의미이다. 따라서 ②는 빈칸에 들어갈 결론으로 적절하다.

① (나)를 통해 '점심에 목욕하는 사람은 모두 저녁에 목욕하는 사람이라는 것(점심 → 저녁)'은 알 수 있지만, (가), (나)에서 '점심에 목욕하는 사람은 모두 아침에 목욕하지 않는 사람이라는 것(점심 → ~아침)'은 알 수 없으므로 ①은 빈칸에 들어갈 결론으로 적절하지 않다.

③ (가)를 통해 '아침에 목욕하면서 저녁에 목욕하지 않는 사람이 있다는 것(아침 ∧ ~저녁)'은 알 수 있지만, (가), (나)에서 '아침에 목욕하면서 저녁에 목욕하는 사람(아침 ∧ 저녁)'에 대한 정보는 알 수 없으므로 ③은 빈칸에 들어갈 결론으로 적절하지 않다.

④ (가), (나)에서 '저녁에 목욕하면서 아침에 목욕하지 않는 사람(저녁 ∧ ~아침)'에 대한 정보는 알 수 없으므로 ④는 빈칸에 들어갈 결론으로 적절하지 않다.

이것도 알면 합격

1. 드모르간의 법칙: 연언 명제의 부정은 선언 명제로, 선언 명제의 부정은 연언 명제로 표현할 수 있음을 정리한 법칙이다.
   예 · ~(p ∧ q) = ~p ∨ ~q
   · ~(~p ∧ q) = p ∨ ~q
   · ~(p ∨ ~q) = ~p ∧ q
   · ~(~p ∨ ~q) = p ∧ q

2. 가언 명제의 동치: 가언 명제 'p → q'와 선언 명제 '~p ∨ q'는 논리적으로 동치이다. 'p이면 q이다[p → q]'는 'p이면서 q가 아닌 경우는 없다[~(p ∧ ~q)]'와 의미가 같은데, 'p이면서 q가 아닌 경우는 없다[~(p ∧ ~q)]'는 드모르간의 법칙을 통해 'p가 아니거나 q이다[~p ∨ q]'로 표현할 수 있기 때문이다.
   예 사람이면 동물이다. [p → q]
   = 사람이면서 동물이 아닌 경우는 없다. [~(p ∧ ~q)]
   = 사람이 아니거나 동물이다. [~p ∨ q]

---

02 명제 추론하기 ② 벤다이어그램
p.148

01 ①	02 ②	03 ④	04 ④	05 ①
06 ①	07 ①			

01

① (가)는 '노인복지 문제에 관심이 있는 사람 중 일부는 일자리 문제에 관심이 있는 사람이 아니다(노인복지 ∧ ~일자리)'이고, (나)의 대우는 '일자리 문제 관심이 없는 사람은 모두 공직에 관심이 없는 사람이다(~일자리 → ~공직)'이다. 이를 통해 '노인복지 문제에 관심이 있는 사람 중 일부는 공직에 관심이 있는 사람이 아니다(노인복지 ∧ ~공직)'가 도출되므로 ①은 빈칸에 들어갈 결론으로 적절하다.

② 제시된 전제를 벤다이어그램으로 표현했을 때, 공직에 관심이 있는 사람이 모두 노인복지 문제에 관심이 있는 경우가 있으므로 ②는 결론으로 적절하지 않다.

③ 제시된 전제를 벤다이어그램으로 표현했을 때, 공직에 관심이 있는 사람이 노인복지 문제에 관심이 있는 경우가 있으므로 ③은 결론으로 적절하지 않다.

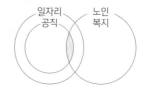

④ 제시된 전제를 벤다이어그램으로 표현했을 때, 일자리 문제에 관심이 있으면서 노인복지 문제에 관심이 없는 사람이 공직에 관심이 있는 경우가 있으므로 ④는 결론으로 적절하지 않다.

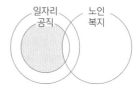

02

② '책을 좋아하는 어떤 사람은 공부를 잘한다'와 '공부를 잘하는 어떤 사람은 책을 좋아한다'는 논리적으로 동등한 의미를 갖는다. '공부를 잘하는 어떤 사람은 책을 좋아한다'에서 '공부를 잘하는 어떤 사람은 도서관에 간다'라는 결론을 도출하려면 '책을 좋아하는 사람은 모두 도서관에 간다'라는 진술이 필요하므로 답은 ②이다.

① 제시된 전제와 '도서관에 가는 어떤 사람은 책을 좋아한다(도서관 ∧ 책)'를 벤다이어그램으로 표현했을 때, 공부를 잘하는 사람이 모두 도서관에 가지 않는 경우가 있다. 따라서 ①을 추가한다고 해도 결론이 도출되지 않는다.

③ 제시된 전제와 '공부를 잘하는 어떤 사람은 책을 좋아한다(공부 ∧ 책)'를 벤다이어그램으로 표현했을 때, 공부를 잘하는 사람이 모두 도서관에 가지 않는 경우가 있다. 따라서 ③을 추가한다고 해도 결론이 도출되지 않는다. 참고로, '공부 ∧ 책'은 '책 ∧ 공부'와 논리적으로 동등한 의미를 가진다.

④ 제시된 전제와 '공부를 잘하는 모든 사람은 책을 좋아한다(공부 → 책)'를 벤다이어그램으로 표현했을 때, 공부를 잘하는 사람이 모두 도서관에 가지 않는 경우가 있다. 따라서 ④를 추가한다고 해도 결론이 도출되지 않는다.

03

④ '등산을 좋아하는 모든 사람은 운동화를 가지고 있다'와 '등산을 좋아하는 어떤 사람은 등산복을 가지고 있다'를 통해 '운동화를 가지고 있는 어떤 사람은 등산복을 가지고 있다'가 도출된다. 이는 '등산복을 가지고 있는 어떤 사람은 운동화를 가지고 있다'와 논리적으로 동등한 의미이므로 ④는 반드시 옳은 진술이다.

등산을 좋아하는 사람을 A, 운동화를 가지고 있는 사람을 B, 등산복을 가지고 있는 사람을 C라고 하면

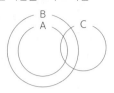

① 운동화를 가지고 있는 사람(B) 중 등산복을 가지고 있는 사람(C)이 있으므로 '운동화와 등산복을 모두 가지고 있는 사람은 없다'는 반드시 옳은 진술이 아니다.

② 등산을 좋아하는 사람(A) 중 등산복을 가지고 있지 않은 사람(~C)이 있으므로 '등산을 좋아하는 모든 사람은 등산복을 가지고 있다'는 반드시 옳은 진술이 아니다.

③ 운동화를 가지고 있는 사람(B) 중 등산복을 가지고 있지 않은 사람(~C)이 있으므로 '운동화를 가지고 있는 모든 사람은 등산복을 가지고 있다'는 반드시 옳은 진술이 아니다.

04

④ '성악가가 아닌 모든 사람은 지휘자가 아니다(~성악가 → ~지휘자)'는 '모든 지휘자는 성악가이다(지휘자 → 성악가)'와 논리적으로 동등한 의미를 갖는다. 이때 모든 성악가가 한 가지 이상의 악기를 연주할 줄 안다면, 모든 지휘자도 한 가지 이상의 악기를 연주할 줄 알게 된다. 따라서 결론이 반드시 참이 되게 하는 전제는 ④이다.

성악가를 A, 한 가지 이상의 악기를 연주할 줄 아는 사람을 B, 지휘자를 C라고 하면,

① 모든 성악가가 한 가지 이상의 악기를 연주할 줄 알고, 모든 성악가가 지휘자라면 어떤 지휘자는 한 가지 이상의 악기를 연주할 줄 알지 못할 수도 있다. 따라서 '모든 성악가는 지휘자이다'는 결론이 반드시 참이 되게 하는 전제가 아니다.

② 모든 성악가가 한 가지 이상의 악기를 연주할 줄 알고, 어떤 지휘자는 성악가가 아니라면 어떤 지휘자가 한 가지 이상의 악기를 연주할 줄 알지 못할 수도 있다. 따라서 '어떤 지휘자는 성악가가 아니다'는 결론이 반드시 참이 되게 하는 전제가 아니다.

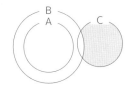

③ 모든 성악가가 한 가지 이상의 악기를 연주할 줄 알고, 성악가이면서 지휘자인 사람은 없다면 모든 지휘자는 한 가지 이상의 악기를 연주할 줄 알지 못할 수도 있다. 따라서 '어떤 지휘자는 성악가가 아니다'는 결론이 반드시 참이 되게 하는 전제가 아니다.

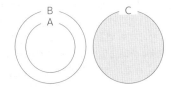

05

해설 ① 첫 번째 명제의 대우는 '공감 능력을 가지고 있지 않은 모든 사람은 인내력이 강하지 않다'이고, 세 번째 명제는 '이기적인 사람은 모두 공감 능력을 가지고 있지 않다'이다. 첫 번째 명제의 대우와 세 번째 명제를 통해 '이기적인 모든 사람은 인내력이 강하지 않다'가 도출되므로 ①은 항상 참인 진술이다.

오답분석 인내력이 강한 사람을 A, 공감 능력을 가지고 있는 사람을 B, 다정한 사람을 C, 이기적인 사람을 D라고 하면

② 인내력이 강한 사람(A) 중에 다정한 사람(C)이 없을 수도 있으므로 항상 참인 진술이 아니다.

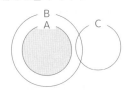

③ 다정한 사람(C) 중에 이기적인 사람(D)이 있을 수도 있으므로 항상 참인 진술이 아니다.

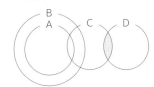

④ 공감 능력을 가지고 있지 않은 사람(~B) 중에 이기적이지 않은 사람(~D)이 있을 수도 있으므로 항상 참인 진술이 아니다.

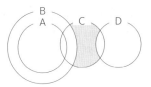

06

해설 ① (가)의 대우는 '적금 상품에 관심이 없는 모든 사람은 부동산 투자에 관심이 없다'이고, (나)는 '주식 투자에 관심이 있는 사람 중 일부는 적금 상품에 관심이 있는 사람이 아니다'이다. (가)의 대우와 (나)를 통해 '주식 투자에 관심이 있는 사람 중 일부는 부동산 투자에 관심이 있는 사람이 아니다'가 도출되므로 ①은 빈칸에 들어갈 결론으로 적절하다.

오답분석 ② 제시된 전제를 벤다이어그램으로 표현했을 때, 부동산 투자에 관심이 있는 사람이 모두 주식 투자에 관심이 있는 경우가 있으므로 ②는 결론으로 적절하지 않다.

③ 제시된 전제를 벤다이어그램으로 표현했을 때, 부동산 투자에 관심이 있는 사람이 주식 투자에 관심이 있는 경우가 있으므로 ③은 결론으로 적절하지 않다.

④ 제시된 전제를 벤다이어그램으로 표현했을 때, 적금 상품에 관심이 있으면서 주식 투자에 관심이 없는 사람이 부동산 투자에 관심이 있는 경우가 있으므로 ④는 결론으로 적절하지 않다.

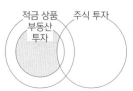

07

① 생산 업무를 담당하는 어떤 사람이 회계 업무를 담당하고, 회계 업무를 담당하는 모든 사람이 인사 업무를 담당한다면 생산 업무를 담당하는 사람 중에 인사 업무를 담당하는 사람이 반드시 존재하게 된다. 따라서 결론이 반드시 참이 되게 하는 전제는 ①이다.

② 생산 업무를 담당하는 어떤 사람이 회계 업무를 담당하고, 회계 업무를 담당하는 모든 사람이 인사 업무를 담당하지 않으면 생산 업무를 담당하는 모든 사람이 인사 업무를 담당하지 않을 수도 있다. 따라서 ②는 결론이 반드시 참이 되게 하는 전제가 아니다.

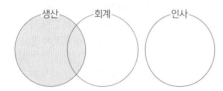

③ ④ 생산 업무를 담당하는 어떤 사람이 회계 업무를 담당하고, 인사 업무를 담당하는 사람 중에 회계 업무를 담당하는 사람이 있거나 회계 업무를 담당하지 않는 사람 중에 인사 업무를 담당하는 사람이 있다면 생산 업무를 담당하는 모든 사람이 인사 업무를 담당하지 않을 수도 있다. 따라서 ③과 ④는 결론이 반드시 참이 되게 하는 전제가 아니다.

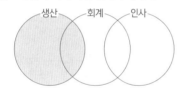

2장 논증

01 논증의 종류 파악하기
p.156

01 ②	02 ④	03 ③	04 ③

01

② 도시 농업을 통해 환경 문제와 식량 위기 문제를 해결할 수 있다는 결론을, 여러 나라의 도시 농업 성공 사례를 통해 도출하고 있으므로 귀납적 추론의 전개 방법이 사용되었다.

02

④ '진리'와 '정의'의 공통점을 근거로, 앞부분에서 '하나의 이론'이 참되지 않다면 거부되거나 수정되어야 한다고 말한 뒤, 이와 마찬가지로 '법과 제도'도 정의롭지 않으면 개혁되거나 폐기되어야 한다고 말하고 있으므로 유비 추리의 방식이 사용되었다. ④ 역시 '여행'과 '인생'의 유사성을 근거로 하여 인생의 속성을 이끌어 내는 유비 추리의 방법을 사용하고 있다.

① 후건 부정
   · 만약 그 사람이 의지의 자유가 없다면, 책임을 물을 수 없다. (P → Q)
   · 인간에게는 책임을 물을 수 있다. (~Q)
   · 인간의 의지는 자유롭다. (~P)

② 대조: 여자가 생각하는 것과 남자가 생각하는 것의 차이를 대조하여 설명하고 있다.

③ 귀납 추론: 우리 강아지의 사례와 친구의 강아지의 사례 간의 공통점을 바탕으로 결론을 도출하고 있다. 참고로, 이는 불충분한 자료와 대표성이 결여된 사례(우리 강아지와 친구의 강아지의 사례)를 가지고 성급하게 일반화(모든 강아지의 속성으로 확대)한 오류를 범하고 있다.

03

③ 지문은 '그대'와의 관계를 '넥타이를 빌리는 것'에 빗댄 유비 추리의 방식을 사용하였다. 이와 같은 방식이 사용된 것은 영어를 들여오는 일을 외래종 물고기를 들여오는 일에 빗대어 표현한 ③이다.

① 대조: 공부와 등산의 차이점을 밝히고 있다.

② 비교: 원숭이와 사과의 공통점을 밝히고 있다.

④ 흑백논리의 오류: 전통에 집착하는 것은 무조건 현대 문명의 생활을 무시하는 것이라고 판단하고 있다.

04

해설 ③ 지문에서는 쥐와 사람이 유전적인 측면, 포유류라는 점, 허파로 호흡한다는 점에서 유사하고, 약품 A가 쥐에게 효과적이기 때문에 사람에게도 효과적일 것이라고 추론한다. 이는 두 사물 간의 유사성에 근거하여 결론을 이끌어 내는 유비 추리이다. ③은 소크라테스와 플라톤이 책을 좋아하고, 사람들과 대화하는 것을 좋아하고, 토론을 좋아한다는 점에서 유사성이 있고, 소크라테스가 똑똑하므로 플라톤도 똑똑할 것이라고 추론한다. 따라서 ③도 유비 추리이므로 정답이다.

오답분석 ① 'A는 B이다(조류는 하늘을 날 수 있다), C는 A이다(타조는 조류이다), 따라서 C는 B이다(따라서 타조는 하늘을 날 수 있다)'의 방식이므로 연역적 논증 중 정언 명제를 통해 결론을 도출하는 정언 삼단 논법이다.

② 선언 명제인 '짜장면∨짬뽕(P∨Q)'에서 '짜장면을 배제(~P)'함으로써 '짬뽕(Q)'을 확증했으므로 연역적 논증 중 선언 삼단 논법이다.

④ 여러 진돗개의 사례에서 공통점을 발견하여 모든 진돗개가 입을 벌리고 웃을 것이라는 결론을 도출했으므로 귀납 추론이다.

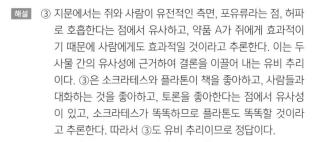

01 ①　　02 ②　　03 ④　　04 ①　　05 ④
06 ①

01

해설 ① 〈보기〉는 사형을 당해야 한다는 주장을 다시 논거로 삼았으므로 '순환논증의 오류'가 나타난다. ①도 '분열을 치유하기 위해 화합해야(하나가 되어야) 한다'라는 주장을 다시 논거로 들었으므로 동일한 오류가 나타난다.

오답분석 ② 대중에의 호소: 타당한 근거 없이 여러 사람이 동의한다는 점을 앞세워 자신의 주장(사형 제도는 정당함)에 동조하도록 하는 오류를 범하고 있다.

③ 성급한 일반화의 오류: 불충분한 자료와 대표성이 결여된 사례(국어 성적의 사례)를 가지고 성급하게 일반화(모든 과목의 성적으로 확대)한 오류를 범하고 있다.

④ 흑백논리의 오류: 선택지가 두 가지(나를 뽑으면 나를 좋아하는 것, 나를 뽑지 않으면 나를 싫어하는 것)밖에 없다고 생각하는 오류를 범하고 있다.

02

해설 ② 〈보기〉는 선택지가 두 가지(약속을 지키지 않은 것은 나를 사랑하지 않는 것, 약속을 지킨 것은 나를 사랑하는 것)밖에 없다고 생각하는 '흑백논리의 오류'가 나타난다. ②도 선택지가 두 가지(부탁을 들어주면 나를 좋아하는 것, 부탁을 거절하면 나를 싫어하는 것)밖에 없다고 생각하는 오류를 범하고 있으므로 '흑백논리의 오류'에 해당한다.

오답분석 ① 성급한 일반화의 오류: 불충분한 자료와 대표성이 결여된 사례(일부 이등병의 사례)를 가지고 성급하게 일반화(모든 이등병의 사례 확대)한 오류를 범하고 있다.

③ 순환논증의 오류: 주장한 내용(김 씨는 참말을 하는 사람)을 근거(김 씨는 거짓말을 하지 않는 사람)로 다시 제시하는 오류를 범하고 있다.

④ 원칙 혼동의 오류: 거짓말은 죄악이라는 일반적인 원칙을 의사가 환자에게 거짓말을 하는 특수한 경우에 그대로 적용하는 오류를 범하고 있다.

03

해설　④ 시민 A씨와 ④는 모두 제한적이고 불충분한 자료, 대표성이 결여된 사례를 근거로 삼아 성급하게 결론을 내리고 있으므로 '성급한 일반화의 오류'를 범하고 있다.

- 시민 A씨: A씨는 자신이 뉴스에서 본 제한적 자료를 근거로 하여 '우리나라의 모든 10대들이 타락하였다'라는 결론을 내리고 있다.
- ④: 두 차례의 해외여행 경험만을 근거로 하여 국내 여행보다 해외여행이 낫다는 결론을 내리고 있다.

오답분석　① 대중에의 호소: 타당한 근거 없이 여러 사람이 동의한다는 점을 앞세워 자신의 주장에 동조하도록 하는 오류를 범하고 있다.

② 동정에의 호소: 상대방의 동정심이나 연민에 호소하여 자신의 주장을 받아들이도록 하는 오류를 범하고 있다.

③ 흑백논리의 오류: 선택지가 정책에 찬성하거나 반대하는 것 두 가지밖에 없다고 생각하는 오류를 범하고 있다.

04

해설　① 지문에는 '대중에의 호소' 오류가 나타난다. 이와 같은 종류의 오류가 나타나는 것은 ①이다.

- 지문: SNS에서 뜨고 있다는 것을 근거로 삼아, 이 식당의 음식이 맛있을 것이라고 말한다.
- ①: 만나는 사람들마다 이야기한다는 것을 근거로 삼아, 이 식당의 음식이 괜찮을 것이라고 말한다.

오답분석　② 무지에의 호소: 반증된 적이 없으므로 해당 식당의 음식이 맛있다고 주장하는 오류를 범하고 있다.

③ 부적합한 권위에의 호소: 음식의 맛과 직접적인 상관관계가 없는 개그맨의 견해를 근거로 하여 자신의 주장을 받아들이도록 하는 오류를 범하고 있다.

④ 동정에의 호소: 상대방의 동정심이나 연민에 호소하여 자신의 주장을 받아들이게 하는 오류를 범하고 있다.

05

해설　④ 〈보기〉는 몇몇 신입 사원의 사례를 바탕으로 모든 신입 사원이 능력이 좋을 것이라고 추론하고 있고, ④는 몇몇 인도인들의 사례를 바탕으로 모든 인도인들이 밥을 손으로 먹을 것이라고 추론하고 있다. 〈보기〉와 ④ 모두 불충분한 사례를 근거로 삼아 성급하게 일반화하는 성급한 일반화의 오류이므로 ④가 정답이다.

오답분석　① 분할의 오류: 떡볶이의 구성 요소인 재료가 떡볶이의 속성과 같은 성질을 가지고 있다고 추론하는 오류를 범하고 있다.

② 부적합한 권위에의 호소: 제품의 품질과 직접적인 상관관계가 없는 배우의 견해를 근거로 하여 자신의 주장을 받아들이도록 하는 오류를 범하고 있다.

③ 흑백논리의 오류: 선택지가 두 가지(택배가 기한 내에 오면 나를 좋아하는 것, 택배가 기한 내에 오지 않으면 싫어하는 것)밖에 없다고 생각하는 오류를 범하고 있다.

06

해설　① 〈보기〉는 '공부를 열심히 하다.'라는 전건을 부정하여 '이번 시험에서 만점을 받지 못할 것이다.'는 후건의 부정을 결론으로 도출하고 있으므로 전건 부정의 오류이다. 또한, ①도 '일요일'이라는 전건을 부정하여 '택배가 배송될 것이다'는 후건의 부정을 결론으로 도출하고 있으므로 전건 부정의 오류이다. 따라서 ①이 정답이다.

오답분석　② '내가 본' 몇몇 운동선수들의 사례를 바탕으로 전 세계에 있는 모든 운동선수가 체력이 좋을 것이라고 추론하고 있다. 이는 불충분한 사례를 근거로 삼아 일반화한 성급한 일반화의 오류이다. 따라서 ②는 정답이 아니다.

③ '강아지가 침을 흘린다'는 후건을 긍정하여 '명수네 강아지가 기분이 좋을 것이다'라는 전건의 긍정을 결론으로 도출하고 있으므로 후건 긍정의 오류이다. 따라서 ③은 정답이 아니다.

④ 선언 명제로 제시된 '딸기 우유를 좋아한다'와 '초코 우유를 좋아한다' 중에서 '딸기 우유를 좋아한다'는 명제를 긍정하여 다른 명제를 부정하고 있으므로 선언지 긍정의 오류이다. 따라서 ④는 정답이 아니다.

MEMO

MEMO

해커스공무원 **단기 합격생**이 말하는

공무원 합격의 비밀!

해커스공무원과 함께라면
다음 합격의 주인공은 바로 여러분입니다.

대학교 재학 중,
7개월 만에 국가직 합격!

김*석 합격생

영어 단어 암기를 하프모의고사로!

하프모의고사의 도움을 많이 얻었습니다. 모의고사의
5일 치 단어를 일주일에 한 번씩 외웠고, 영어 단어
100개씩은 하루에 외우려고 노력했습니다.

가산점 없이
6개월 만에 지방직 합격!

김*영 합격생

국어 고득점 비법은 기출과 오답노트!

이론 강의를 두 달간 들으면서 **이론을 제대로 잡고 바로
기출문제로 들어갔습니다.** 문제를 풀어보고 기출강의를
들으며 **틀렸던 부분을 필기하며 머리에 새겼습니다.**

직렬 관련학과 전공,
6개월 만에 서울시 합격!

최*숙 합격생

한국사 공부법은 기출문제 통한 복습!

한국사는 휘발성이 큰 과목이기 때문에 **반복 복습이
중요하다고 생각**했습니다. 선생님의 강의를 듣고 나서
바로 **내용에 해당되는 기출문제를 풀면서 복습**
했습니다.

20대 마지막
기회라 생각했던
박*묵님도

적성에 맞지 않는 전공으로
진로에 고민이 많았던
박*훈님도

군 전역 후 노베이스로
수험 생활을 시작한
박*란님도

해커스공무원으로 자신의 꿈에 한 걸음 더 가까워졌습니다.

당신의 꿈에 가까워지는 길
해커스공무원이 함께합니다.